1 MONTH OF
FREE
READING

at

www.ForgottenBooks.com

By purchasing this book you are eligible for one month membership to ForgottenBooks.com, giving you unlimited access to our entire collection of over 1,000,000 titles via our web site and mobile apps.

To claim your free month visit:

www.forgottenbooks.com/free1304224

ISBN 978-0-428-70323-3
PIBN 11304224

Darf ich einem Lehrer, der sich dieses Buchs bedienen wil, meine Meinung über den Gebrauch desselben sagen; so besteht sie in folgendem:

Erstlich lese er es mit seinen Eleven ja nicht gleich von Vornen bis Hinten in einem weg durch, sondern mache Auswahlen und verschiedene Cursus, und lasse es den Kindern über, wovon sie izt gern was Neues wissen wolten. Da wird denn gewis ein jedes was fodern, vielleicht eins die Geschichte der Kaze, das andere die Geschichte der Maus, das dritte die Beschreibung des Schafs, und das vierte die Beschreibung des Elefanten. Dis thue er nun, so lange es den Kindern gefält, und es Zeit und Umstände ihm rathen.

Zweitens lasse er sie dann und wann einen ganzen Abschnit anfangen, ihn aber doch nicht, ohne merkliche Auswahl, völlig durchlesen.

Drittens endlich gehe er etwas ernsthafter zu Werke, lese alles, examinire zuweilen, und sage nun den fähigsten auch was vom Systematischen. — Denn dazu hab ich ihm ja in den Noten Mittel genug gegeben. Aus dem Sattel kan er also gewis nicht gehoben werden, wenn er sich dieser Noten bedienen, und

ein

ein und das andere, darin angeführte Buch, nach=
schlagen wil.

Mit seinen Lese= und Buchstabier=Schülern aber
halte er es viertens so: So oft das Kind lesen oder
buchstabieren sol, bringe er das Buch mit, und sage
ihm, wenn es seine Sache gut mache, solle es schöne
Bilder sehen, einen Affen, einen schwarzen Menschen,
eine Kaze wie sie eben eine Maus fange, sehen —
es müssen aber ja lauter Thiere seyn, die alle auf Ei=
ner Tafel beisammen stehen, denn die andern Tafeln
müssen auf die Zukunft ihre Dienste thun — und
wenn es völlig lesen könne, wolle er ihm das ganze
Buch schenken. — Solte so das Handwerk nicht
gut von Statten gehen? Es mus.

Wem das Buch zu gros scheint für Kinder, der
bedenke, daß auch über taussend Pflanzen, Thiere
und Steine darin haben beschrieben werden müssen.
Um nun nicht ins Trokne zu fallen, hab ich oft et=
was zwei drei bis sechsmal wiederholen; und um der
Lehrer willen so manche Note anbringen müssen.
Und über den Preis des Buchs, denke ich, solte
sich mit Recht auch Niemand aufhalten können, da
mein billiger Herr Verleger sein möglichstes gethan,

um

um das Buch recht vielen wakkern Kindern in die
Hände liefern zu können.

Es steht ein und das andere in diesem Buche
nicht, was sonst in der Naturhistorie abgehandelt zu
werden pflegt. Aber Kindern ist nicht alles zu wissen nüzlich und nöthig, was Gelehrte von mehrern
Jahren wissen müssen.

Daß ich, bei Ausarbeitung dieses Buches, ausser den, in den drunter stehenden Anmerkungen an-
gezeigten Schriften, auch noch viele andere werde
genüzt haben, kan man leicht glauben, und Kenner
werden es auch leicht sehen. — Die Schriften des
Grafen von Büffon aber, und meines seeligen Leh-
rers und Freundes, Herrn Professor Erxleben ga-
ben mir die Grundlage zu meinem Plan.

Dem Erxlebischen System bin ich auch, so weit
ich überhaupt System nöthig hatte, beim ganzen
Thierreich, bis an die Säugthiere gefolgt. Bei den
Säugthieren folgte ich der neuern Ordnung des
Herrn Professor Blumenbachs. —

Und wie viel hat mein Buch nicht dadurch
gewonnen, daß mir mein Verehrungswürdiger Lehrer und Gönner, Herr Hofrath Kästner so manches

herr-

herrliches Datum kommunizirt, und mich auch bei deſſen Cenſur vor ſo manchem Fehltrit gewarnt hat?

Noch eins wegen der Kupfer: Wie ich eine
billige Beurtheilung meines Buches, und eine be-
lehrende Anzeige, der von mir begangnen Fehler
mir wünſche; eben ſo leid würde es mir thun, wenn
in Anſehung der Kupfer, der Fleis und die Geſchik-
lichkeit meines würdigen Freundes, des Herrn Se-
kretair Waagen, dem ich nochmals herzlich danke,
verkant würde. Ohngeachtet ich nicht befürchte,
daß man nicht mit den meiſten Kupfern wohl zufrieden ſeyn werde; ſo hat doch der Umſtand, daß Herr
Waagen die Correktur nicht ſelbſt beſorgen konte,
verurſacht, daß nicht alle ganz Fehler frei geblieben
ſind. Die Proportion hab ich, aus Mangel des
Plazes, nicht bei allen Abbildungen beobachten laſſen können.

Göttingen,
den 28 September
1778.

G. C. Raff.

Ver=

Verzeichnis

der, auf den elf Kupffertafeln abgebildeten Thiere und Pflanzen ꝛc.

1. Tafel — Figur 1) ist ein Citronenbaum 2) ein Pavian 3) ein Weinstok, der lauter kleinbeerichte Trauben trägt, die, wenn sie trokken geworden, unter dem Namen Rosinchen oder Korinthchen bekant sind 4) ein Weinstok mit grosbeerichten Trauben 5) eine Nachtschmetterlings Raupe 6) ein Thebaum 7) ein Sineser 8) ein Muskatnusbaum 9) zween Neger 10) zwo reiffe Muskatnüsse 11) ein Cedernbaum.

2. Tafel — Figur 1) ist ein Gewürznägeleinbaum 2) zween Papagaien 3) ein Cedernbaum 4) Zukkerrohr 5) ein Kanarienvogel 6) ein Neger mit Zukkerrohr 7) ein Feigenbaum 8) ein Kaffebaum 9) ein Papagai 10) zwo reiffe Kaffebohnen, davon die eine aufgeplazt ist, so daß man die zween Kerne sehen kan 11) ein Vogel Straus 12) ein Kolibri 13) ein Nest des Kolibri 14) ein Zaunkönig 15) ein Pisang 16) zwo Tabakpflanzen 17) ein Ameisenlöwe 18) ein Ameisenfresser 19) grosse Ameisen.

3. Tafel — Figur 1) eine Anispflanze 2) eine Krähe 3) eine Aelster 4) eine nakte Schnekke 5) eine Fenchelpflanze 6) eine Schnekke mit dem Haus 7) ein Staar 8) eine Korianderpflanze 10) ein Sperling 11) ein grosser

fer Seidenwurm 12) ein kleiner Seidenwurm 13) ein Seidenwurm Schmetterling 14) deſſen Eier 15) ſo eben aus den Eiern kriechende Seidenwürmer 16) ein Kokon oder Seidenwurm Geſpinſt 17) eine Seidenwurm=Puppe 18) ein Maulbeerbaum 19) deſſen Frucht 20) ein Roth= ſchwänzchen 21) ein Raabe 22) eine Dilpflanze 23) ein Maulwurf 24) eine Safranpflanze 25) eine Dohle 26) eine Kümmelpflanze.

4 Tafel — Figur 1) ein Wespen=Neſt 2) Wespen=Zel= len 3) ein gerade ſtehender Bienenkorb 4) ein auf die Seite gelegter Bienenkorb, worin man die Wachsſcheiben der Bienen und ihre Zellen ſehen kan 5) eine Bienen=Königin 6) eine Arbeits=Biene 7) ein Bienen=Zwitter oder ſogenanter Faullenzer 8) eine Hum= mel 9) eine Wespe 10) ein Johanniskäfer 11) eine Schmeisfliege 12) ein Todengräber.

5 Tafel — Figur 1) eine Windeltreppe 2) eine Pabſt= krone 3) eine Purpurſchnekke 4) ein Admiral 5) ein Hammer 6) eine Koralle 7) ein Federbuſchpolyp 8) ein hornförmiger Armpolyp 9) ein Meduſenhaupt 10) ein Meerigel 11) ein Ammonshorn 12) ein Seeſtern 13) ein Wälſchnusbaum 14) eine Nachtigal 15) ein Diſtelfink 16) ein Dompfaf 17) ein Kreuzſchnabel 18) eine Tanne 19) ein Stachelſchwein 20) eine Ziege 21) eine Kuh 22) ein Ziegenbok 23) drei Schafe 24) ein Schaf mit Hörnern 25) ein Eſel 26) ein Kaninchen 27) ein Schä=

fer=

ferhund 28) ein Schäfer 29) ein Igel 30) ein Krebs
31) ein Taschenkrebs 32) ein fliegender Fisch 33) ein
Reiher 34) ein Karpffe 35) eine Kropfgans 36) ein Hecht.

6 Tafel — Figur 1) eine Flachspflanze 2) eine Hirsen=
pflanze 3) eine Gerstenpflanze 4) ein alter Hase 5) zween
junge Hasen 6) eine Wachtel 7) eine Lerche 8) eine Hanf=
pflanze 9) eine Rokkenpflanze 10) eine Weizenpflanze
11) eine Maispflanze 12) ein reifer Maiskolbe 13)
zween Hamster 14) ein Baumwollen=Strauch 14) ein
Orang Outang 15) ein langarmiger Affe 17) ein Sa=
tyr 18) ein Sagoin 19) ein Kokosnusbaum.

7 Tafel — Figur 1) ein Murmelthier 2) zwo Gemsen
3) zwei Eichhörnchen 4) eine Schnepffe 5) eine wilde
Kaze 6) ein Luchs 7) eine Eiche 8) eine Tanne 9) eine
Amsel 10) ein Wachholderbusch 11) und 12) zween
Jagdhunde 13) ein Hirsch 14) ein Wildeschwein 15)
ein Jagdliebhaber 16) und 17) zween Erdpilze 18) ein
Koschenilwürmchen 19) eine Koschenilfliege 20) ein
Hirschkäfer 21) ein Ohrwurm 22) ein Galinsekt 23) und
24) zween Galäpfel 25) ein Goldkäfer 26) ein Weidenblat=
käferchen 27) eine kleine Fliege 28) ein Schildkäferchen.

8 Tafel — Figur 1) ein Spinnengeweb 2) eine Betwanze 3)
ein Scorpion 4) eine schmalleibige Wasserwanze 5) eine
breitleibige Wasserwanze 6) eine Johannisbeerstrauch=
laus 7) ein Brachkäfer 8) eine Heuschrekke 9) ein Kel=
ler=

lerwurm 10) ein indianischer Vielfus 11) ein europäischer Vielfus 12) eine Wasserjungfer 13) eine Hornis . 14) eine Wasserspinne 15) ein Wasserkäfer 16) ein Stinkkäfer nebst seinen Larven 17) ein Mistkäfer 18) ein Specht 19) eine Eule 20) ein Kastanienbaum 21) ein Kukuk 22) eine Fledermaus 23) eine Ohreule 24) ein Krametsvogel 25) ein Vampir 26) ein Wolf 27) zween Bären 28) ein Polake 29) eine Fledermaus 30) ein Holzbok 31) ein Nashornkäfer 32) ein Spekkäfer 33) ein Uferaas 34) eine Grille 35) ein kleiner Maikäferwurm 36) Maikäfereier 37) ein grosser Maikäferwurm 38) ein so eben aus der Erde kriechender Maikäfer 39) ein Maikäfer 40) ein Loch, daraus ein Maikäfer hervorgekommen ist 41) ein Haselnuskäfer.

9 Tafel — Figur 1) ein Faulthier 2) ein Adler 3) ein Beutelthier 4) ein Aeneas 5) ein Bison oder Bukkelochs 6) eine Kakaobohne 7) ein Kakaobaum 8) eine Kakaoschote 9) Kakaoblüte 10) ein Affe 11) ein amerikanischer Krametsvogel 12) ein Kastanienbaum 13) dessen Frucht 14) dessen Blüte 15) eine Maise 16) ein Sperber 17) ein Pfau 18) ein Fasan 19) ein Fuchs mit einer Ente im Maul 20) ein Haushahn 21) ein Puter- oder Wälscherhahn 22) eine Henne mit ihren Küchlein 23) ein Kluthuhn 24) ein Schwan 25) eine Gans 26) eine Ente 27) eine Maus 28) eine Kaze 29) eine Bruthenne 30) ein struppichtes Huhn 31)

31) ein Schwalbenneſt mit Schwalben 32) ein Iltis 33) ein Marder 34) zwo Tauben 35) zween Laplånder 36) ein Renthier 37) ein Vielfras 38) ein Zobel 39) ein Wiesel 40) ein Hermelin.

10 Tafel — Figur 1) ein Mandelbaum 2) ein Affe 3) ein Falk 4) eine kleine Haselmaus 5) eine Haselnus= ſtaude 6) ein Holzkåfer 7) deſſen Ruppe 8) ein Låwe 9) eine Låwin 10) eine Hiåne 11) ein Nashorn 12) ein Tiger 13) ein Leopard 14) ein Affe 15) eine Klapper= ſchlange 16) ein Geier 17) eine groſſe Haſelmaus 18) ein Kameel 19) ein Dromedar 20) ein Sagobaum 21) eine Reispflanze 22) eine Schlange 23) eine Spiz= maus 24) ein Elefant 25) eine Kirſchbaum=Dornraupe 26) ein ſchwarz und blau geflekter Schmetterling 27) deſſen Puppe 28) eine Apfel= und Birnbaumraupe 29) der daraus werdende Schmetterling 30) eine Puppe 31) ein blasgelber Obſtbaumſchmetterling 32) deſſen Raupe 33) deſſen Eier 34) ein Inſektenmade=Wurm 35) eine Inſektenmade 36) ein Kråuterdieb 37) ein gelbgrauer Kohlſchmetterling 38) deſſen Raupe 39) deſſen Puppe 40) deſſen Eier 41) eine Pelzmade 42) deſſen Larve 43) ein ſchwarzgrauer Spekkåfer.

11 Tafel — Figur 1) ein Storch 2) eine Fiſchotter 3) ein Fiſch 4) ein Aal 5) eine Kråte 6) ein Froſch 7) eine Eidere 8) eine Schildkråte 9) ein Einſiedler 10) ein

ein Meerohr 11) Rohr oder Schilf 12) eine Bachstelze
13) ein Kauffartheischif 14) Walfischfänger 15) ein
Walfischfänger, der eben Spek vom Walfisch weghauen
wil 16) ein grönländischer Walfisch 17) ein Finfisch
18) ein Potfisch 19) ein Walros 20) ein Seehund
21) Eisberge 22) ein weisser Bär 23) ein Sägefisch
24) eine Möwe 25) ein Schwerdfisch 26) ein Biber
27) ein Nilpferd 28) ein Rohrdommel 29) ein Kro=
kodil 30) eine Pharaonsmaus.

In=

Inhalt.

Anmerkung

für den Buchbinder wegen der Kupffertafeln.

Die 1) Tafel kömt zu Seite 65 — Die 2) zu 113 — Die 3) zu 163 — Die 4) zu 223 — Die 5) zu 273 — Die 6) zu 321 — Die 7) zu 369 — Die 8) zu 417 — Die 9) zu 465 — Die 10) zu 513 — Die 11) zu 551. — Auch kan man sie füglich alle zusammen hinten anbinden.

Naturgeschichte
für
Kinder.

Was neues für euch, Liebe Kinder. — Ein Buch mit
Bildern von allerhand kleinen und großen Thieren, von
Bäumen, Pflanzen und Kräutern, und vielen andern Dingen
aus der Naturgeschichte. — Blättert einmal darin. Ihr wer=
det schwarze und weiße Menschen, Affen, Löwen, Elefanten,
Vögel, Walfische und eine Menge andere Land= und Wasserthiere
finden. — Auch Zukkerrohr, The= und Kaffebäume stehen darin.

Ach das ist ein schönes Buch! So ein Buch haben wir
uns schon lange gewünscht. — Gefält es euch also, Liebe Kin=
der? O recht sehr, Lieber Herr . . . . Sie sollen tausend
Dank dafür haben. Nun das freut mich. Sehet aber erst zu,
ob auch was darin steht, das ihr noch nicht wisset. Leset ein=
mal die Geschichte der Ameisen, oder der Seidenraupen. — Ach
allerliebst! Nein, Lieber Herr . . . so vieles wusten wir von
diesen guten Thierchen noch nicht. Sind wohl auch Nachrichten
vom Zukkermachen, von Kaninchen, Bibern und Kamelen dar=
in? O ja, liebe Kinder! Und nicht nur von diesen, sondern
auch

A

auch noch von vielen andern Thieren, zum Beiſpiel von Ziegen, Schafen, Hunden und Kazen iſt was darin erzählt. Suchet nur! — Auch von Vögeln, von Fiſchen, Schmetterlingen und Kefern, und überhaupt von ſehr vielen Geſchöpfen, die der liebe Gott auf dem Erdboden gemacht hat, kömt etwas darin vor.

Ich möchte doch einmal alle lebendige Thiere in der Welt beiſammen ſehen! Das geht nicht an, mein Kind, und wenn wir auch gleich in allen Gegenden der Welt herum reiſten, Geld und Begleiter genug hätten, und etliche hundert Jahr alt wür= den. Denn viele Thiere muſ man erſt mit vieler Mühe, Liſt und Lebensgefahr fangen, anbinden und zahm machen, ehe Je= dermann nahe zu ihnen hingehen darf. Viele wohnen in fürch= terlichen Höhlen, und in Gegenden, wohin bisher wenige, oder noch gar keine Menſchen gekommen ſind. Und wenn es auch gleich möglich wäre, alle lebendige Thiere nach und nach auf groſſe Pläze zuſammen zu treiben, ſo würden wir gewis nicht ſo lange leben, bis wir ſie alle geſehen hätten. Denn wie viel gibt es nur Schafe in der Welt? Wie viel nur Vögel und Fiſche?

Viele tauſſend lebendige Thiere kennt Niemand, und hat ſogar noch Niemand, auch die gröſten Gelehrten noch nicht, geſe= hen. Stelt euch einmal vor, liebe Kinder, wie viele tauſſend, den Menſchen noch unbekante Würmer, auf dem Grund oder Boden der Meere herum kriechen mögen? Man hat alſo zu thun genug, bis man von allen Arten der Thiere nur einige recht ken= nen lernt.

Hat denn jedes Thierchen ſeinen eigenen Namen? Ja freilich! Weis er denn nicht, daß es Sperlinge und Hüner, Hunde und Kazen gibt? Das weis ich wohl. Ich meine, ob auch die ausländiſchen Thiere beſondere Namen haben? Ja, auch dieſe

diese haben ihre besondere Namen. So gibt es zum Beispiel,
in Oſtindien und Sina ganz vortreflich ſchöne bunte Vögel, die
man Papagai nent. Auch gelbe Sperlinge, die wir Kanarien=
vögel nennen, und grüne und rothe Tauben gibt es hie und da
in Afrika und Amerika.

Sie ſagten vorhin, Lieber Herr . . . es gäbe ſo viel le=
bendige Thiere, daß man ſie kaum alle ſehen könte, wenn man
auch gleich etliche hundert Jahr alt würde. — Wie kan man
denn ihre Namen merken? Ihr freilich noch nicht, Liebe Kinder,
aber die groſſen Leute, und vorzüglich viele Gelehrte, die man
Naturforſcher nent, kennen alle bekante Geſchöpfe Gottes,
und geben jedem einen beſondern Namen. Wie machen ſie es
denn? Sie theilen ſie in verſchiedene Hauffen oder Reiche, und
in Klaſſen und Ordnungen ein; nämlich diejenigen, die einander
ähnlich ſind, ſtellen ſie in Gedanken zuſammen, oder rechnen ſie
zu einer Klaſſe, und geben ihnen einen gemeinſchaftlichen Na=
men; hernach geben ſie von jedem Hauffen, und von jeder Klaſſe
und Ordnung Merkmale an, wodurch man die Thiere, die dazu
gehören, genau von jedem andern Thier unterſcheiden kan.

Nicht wahr, liebe Kinder, euch iſt es einerlei, in welcher
Ordnung ich euch was erzähle? Ob ich izt von der luſtigen Ziege,
oder von dem trägen Murmelthier? Ob von der kleinen Maus,
oder von dem ungeheuren Elefanten etwas erzähle? Auch wer=
det ihr euch wenig darum bekümmern, ob es drei, oder vier,
oder ſechs Naturreiche gibt, wenn ihr nur Neuigkeiten erfahret?

Ei nein, Lieber Herr . . . wollen Sie es uns nicht lie=
ber ſagen, wie wir es wiſſen müſſen, wann wir gros ſind? Und
ſo, daß wir es ſchon verſtehen können, wenn groſſe Leute mit
einander davon ſprechen? Gut, ſo wil ich es euch auf dieſe Weiſe
ſo kurz und leicht ſagen, daß ihr es gewis verſtehen könt.

Die

Die Gelehrten theilen den gesamten Vorrath von Thieren, Pflanzen und Steinen in drei Theile oder Reiche ein: nämlich in das Thierreich, in das Pflanzenreich, und in das Stein= oder Mineralreich.

Zum Thierreich zählen sie alles, was lebt und empfin= det, oder alle Thiere, die im Wasser, auf der Erde und in der Erde leben. Zum Beispiel, die Maus und den Elefanten, die Gans und den Sperling, den Wurm und den Buttervogel, den Frosch und den Walfisch.

Zum Pflanzenreich gehören Dinge, die leben, aber nicht empfinden, als Bäume, Gras und Kräuter; zum Beispiel Ae= pfel= und Birnbäume, Reis, Zukkerrohr und Salad. — Leben denn die Bäume? Das hätte ich nicht gedacht! — Man spricht so, mein Schaz! Und sieht er, wenn er die Blume abschneidet, so verwelkt sie ja bald, wächst nicht mehr, vergeht in Staub, wie ein Mensch, der tod ist. — Wenn der Baum alt ist, trägt er keine Früchte mehr, vertroknet und verfault. Da sagt man denn, er sey abgestorben.

Zum Stein= oder Mineralreich rechnet man Geschöpfe, die weder leben noch empfinden, als Erde und Steine, und was in der Erde und in den Steinen stekt, nämlich Zin und Blei, Kupfer und Eisen, Silber und Gold.

Diese Eintheilung ist leicht zu merken, Lieber Herr . . .! Ich weis sie schon auswendig — das Thierreich, das Pflanzen= reich und das Mineralreich. Diese Reiche enthalten vielerlei Sorten von Geschöpfen. Im Thierreiche gibt es Hunde und Ka= zen; Hühner und Gänse; Schafe und Fledermäuse; aber auch Maden, Raupen und Krebse. Im — — Gut, mein Kind! Mehreres wird ihm und seinen übrigen kleinen Freunden und

Freun=

Freundinnen schon noch bekant werden. — Suchet und leset nur fleiſſig in dieſem Buche! Ich wette, es wird euch wohl gefallen; und ihr werdet dem lieben Gott danken, daß er ſo viele und ſo ſehr ſchöne, artige und nüzliche Dinge gemacht hat.

Sind denn wohl alle Thiere nüzlich und gut? — Die Kazen, zum Beiſpiel, wollen uns Kindern zuweilen unſer Brod wegnehmen, ja uns ſogar oft krazen und beiſſen? Auch ſtehlen ſie gern Fleiſch weg. Und kurz, wo ſie was erhaſchen und ſtehlen können, verzehren ſie es. — Die Sperlinge ſchaden den Bäumen, und hakken Erbſen und Bohnen in den Gärten heraus, und freſſen ſie nebſt vielen andern ausgeſtreuten Samenkörnern auf. — Und was haben nicht ſchon die Raupen, Aelſtern, Mäuſe und Wölfe für Schaden angerichtet! — Auch ſogar die Schnaken, Fliegen und Mükken laſſen uns manchmal keine Ruhe, und ſtechen und beläſtigen uns. — Er ſcheint recht zu haben, Kleiner Mann! Manche Thiere ſchaden zwar wirklich den Menſchen zuweilen; aber nur, wenn ſie nachläſſig und unvorſichtig ſind, oder dieſelben beleidigen und zum Zorn reizen. Die Raupen zum Beiſpiel, die Blatläuſſe und Kefer ſind uns oft ſehr ſchädlich, indem ſie uns ſo manchen Baum und ſo manche Pflanze zerfreſſen; aber vielen von denjenigen Vögeln dienen ſie zur Nahrung, die uns mit ihrem herrlichen Geſang ergözen, oder uns mit ihrem Fleiſch ſättigen. Auch zehren manche Vögel vieles auf, was die Luft oder unſere Nahrung vergiften würde. Ihnen aber ſchadet es nichts.

Gönnet alſo immer in Zukunft den Thieren ihr kurzes Leben, ihre Nahrung, und die kleine Freude, die ſie von Gott erhalten haben; und überſehet eine geringe Unbequemlichkeit, die ſie durch wirklichen Nuzen vergüten. — Mag doch immer der Sperling einige Körner von unſerm Vorrath entwenden, und un=

ſere

sere Kirschen, Birn und Weintrauben abhakken, wenn er uns
nur noch das nöthige übrig läſt. Und das thut er doch. Wir
behalten von der Erndte doch immer noch das meiste und beste. —
Wir wollen daher, liebe kleine Herzensfreunde, den Vögeln ſowohl, als jedem andern Thier, seine Körner, oder was ihm der
liebe Gott sonst für eine Nahrung angewiesen hat, gern und
freudig lassen, und immer lebhaft bedenken, daß die Thiere
auch Geschöpfe Gottes sind, wie wir Menschen, und daß sie
mit uns gleiches Recht haben, zu essen und zu trinken, wo sie
was finden. Denn die Welt ist mit ihren Gütern nicht um un-
sert willen allein da. Der liebe Gott hält gleichsam alle Tage
offene Tafel, woran alle seine lebendige Geschöpfe erscheinen,
und sich nach Belieben sat essen und sat trinken sollen.

Wir wollen also die Haushaltung des lieben Gottes nicht
tadeln, sondern vielmehr loben, bewundern, und sagen: Ach wie
gut, lieber Gott, wie vortreflich gut hast du alles gemacht und
angeordnet! — Herzlich wollen wir uns immer freuen, daß wir
leben und gesund sind, daß wir hören, sehen, riechen, fühlen
und schmekken können, um alles das Gute zu geniesen, das uns
der liebe Gott täglich schenket. — Allenthalben, wo wir hinsehen und hingehen, vorzüglich aber in einem Garten, auf einem
Akker, auf einer Wiese oder in einem Walde, sehen und hören
wir allerhand schöne und fröliche Geschöpfe. — Hier sieht man
pflanzen, dort erndten; hier ist alles grün, und dort alles
schwarz. — Frühling, Sommer, Herbst und Winter haben
eine Menge Güter für uns Menschen, sie wechseln zu unserer
Freude und Wohlseyn mit einander ab. — Der angenehme
Frühling zieht der nakten Natur gleichsam ihr Kleid wieder an,
Felder, Hügel und Wälder zeigen sich grün, die Lerche, die
Nachtigal, und eine Menge andere Vögel loben und danken ihrem Schöpfer mit ihrem schönen Gesang, und uns machen sie

da=

damit frölich und vergnügt. — Der frohe Sommer gibt uns
unzählige Pflanzen, Blumen und Früchte, welche dem Thier
sein Futter, uns Menschen aber Erfrischungen und das entzük=
kendste Vergnügen verschaffen. — Der reiche Herbst liefert uns
die besten Früchte aller Art in Uiberflus. — Im unfreundli=
chen Winter ist zwar alles kahl, die Luft ist kalt, die Erde ge=
froren, das Wasser versteinert, alles ruhet. Und doch wissen
wir ihn nüzlich durchzuleben. — Ach wie gut ist es, ein Mensch,
und kein Sperling oder Has zu seyn, die des Winters fast er=
frieren und hungersterben müssen! Wir haben doch warme Stu=
ben, volle Keller und Speissekammern, und allerhand warme
Kleider, die uns, wenn wir ausgehen, wider die Kälte schüzen
müssen.

Sagen sie uns doch, lieber Herr . . . wie es den armen
Thieren im Winter geht, wenn alles mit Schne und Eis bedekt
ist? Sie werden ganz gewis merklichen Schaden leiden, oder gar
sterben? Nein, liebe Kinder! Es begegnet ihnen gewöhnlich
keins von diesen Uibeln. Der liebe Gott hat für sie so treflich
gesorgt, daß sie auch im kältesten Winter, und wenn alles mit
Schne und Eis bedekt ist, dennoch fast immer ihre Speisse finden
können. Und gerade zu dieser Zeit gibt er ihnen auch einen dich=
tern Pelz. Selten stirbt daher eins Hunger, und selten erfriert
eins.

Diejenigen Thiere aber, für die wirklich kein Futter da zu
seyn scheint, läst der liebe Gott des Winters schlaffen, oder in
einer Art von Ohnmacht liegen, und erst im Frühling wieder
erwachen, wie zum Beispiel die Bären, die Murmelthiere, Ham=
ster, Igel, Fledermäuse, Frösche und Kröten. — Aber die
Fische unter dem Eis sind doch wohl verloren? Nein, Kinder!
Auch diese leiden keinen Schaden, wenn nur das Wasser in den

Tei=

Teichen und Flüssen, oder wo sie sonst eingespert sind, nicht
ganz zu Eis wird.

Des Winters sieht man aber doch manche Vögel gar nicht?
Wo bleiben zum Beispiel die Lerchen, die Schwalben und Nach=
tigallen? Sie verstekken sich in hohle Bäume, oder ziehen im
Herbst in wärmere Weltgegenden, nach Afrika, Asia und Ame=
rika, und im Frühling kommen sie wieder zu uns. — Dis ist
allerliebst! Wie geht es aber wohl den Buttervögeln, kleinen Ke=
ferchen und übrigen zarten Thierchen? Diese kommen doch ganz
gewis ums Leben? Nein, Kinder! Auch von diesen kommen we=
nige wegen Kälte um ihr Leben. Sie kriechen noch vor dem Win=
ter unter die Erde, oder sonst wohin, wo sie wegen der Kälte
sicher sind. Oder die Alten legen Eier, und sterben noch im
Herbst, unbesorgt, wie es ihrer künftigen Brut gehen möge.
Im Frühjahr oder Sommer kriechen sodann aus den Eiern, ohne
Zuthun irgend eines Alten, kleine Gewürme hervor, die sich
von Blättern und allerhand Sachen nähren; und wenn sie eine
Zeitlang gelebt, ihre Gestalt verändern, sodann Püpchen, und
endlich gar Buttervögel, Fliegen oder Kefer, und also ihren
Aeltern ähnlich werden.

So mächtig und klug ist Gott, liebe Kinder, daß er al=
les, was er geschaffen und angeordnet hat, auch erhalten kan.
Ja wohl! So werden also aus den kleinen Würmchen, die oft
so häslich aussehen, so niedliche Thierchen? Ich schäme und är=
gere mich nun sehr, daß ich bisher so manches Würmchen und
Thierchen zertreten habe. Künftig thu ich es nun gewis nicht
wieder. Wo ich hingegen eins finde, wil ich es so lange ein=
sperren, bis mir Jemand gesagt hat, wie es heist; und dann
schenk ich ihm sei= Freiheit, und lasse es wieder zu seinen Brü=
dern und Schwestern fliegen. Dann und wann aber wil ich eins

so

so lange füttern und einsperren, bis es sich verwandelt, und ich sehe, was für ein Vögelchen aus ihm werde. — Vörtreflich, mein Kind! Solche Gesinnungen stehen einem Kinde wohl an. Kinder müssen alles leben laſſen, was der liebe Gott gemacht hat.

Manchmal iſt es zwar nöthig und recht, Thiere zu tödten, weil ſie uns Schaden thun, wie die Mäuſe und Raupen; oder weil ſie uns der liebe Gott zur Nahrung angewieſen hat, wie die Schafe und Kälber. Aber aus Muthwillen und Leichtſin mus man es nicht thun. Und nie mus man ſie quälen oder lang leiden laſſen. — Darnach, lieber Kleiner, muſt du auch wiſſen, was jedes Thierchen friſt, das du einſperren und füttern wilſt, ſonſt ſtirbt es dir allemal. Der liebe Gott hat jedem lebenden Geſchöpf ſeine gewiſſe Nahrung angewieſen. Einige Raupen eſſen zum Beiſpiel nichts als Kohl und Saladblätter; und andere nichts als Baumblätter. Und wenn ſie dieſe nicht haben, ſterben ſie lieber Hungers, ehe ſie was anders eſſen.

Kommet nun, liebe Kinder, ich wil euch izt ſo recht in den groſſen Garten unſers Gottes hineinführen, und euch euren gütigen Schöpfer mit ſeinen Werken erkennen lehren. Tauſſend Schäze werdet ihr ſehen, womit ihr euren Geiſt bereichern könt. Laub und Gras; Vögel und Wurm; Maus und Elefant laden uns zu ſich, an ihnen ihren und unſern Schöpfer und Erhalter zu verehren.

Schon um unſerer Sicherheit, mehr aber um unſers Vergnügens, und um Gottes Ehre willen, erforſchen wir die Geſchöpfe unſers Gottes. — Wer ſagte der Biene, daß ſie unvorſichtige oder boshafte Hände mit ihrem Stachel ſtechen, und dadurch der Gefahr entgehen ſolte? Wer lehrte die Ameiſe,

A 5   ſich

sich Kammern unter der Erde zu bauen? Wer zeigte dem Vogel im Herbst den Weg in ferne Länder? Wer unterrichtete die Fliege, ihre Eier in das Fleisch oder in den Käs zu legen? Wer unterwies den Ameisenlöwen, ein Grübchen in den Sand oder in die Erde zu graben, und darin auf die vorübergehenden, und nun hineinstürzenden Ameisen zu lauren? Wer zeigte den Vögeln das Fliegen, und den Enten das Rudern? That es nicht alles unser gütiger und himlischer Vater?

Mit was nun, Liebe Kinder, fol ich euch denn wohl zuerſt
bekant machen? Mit Thieren, Pflanzen oder Steinen? Mit was
ſie wollen, Lieber Herr . . . Nun ſo rathe ich euch zum

Pflanzenreich,

weil doch jedes Kind faſt alle Tage Gelegenheit hat, entweder
in ſeinem Garten, oder beim Spazierengehen auf Aeckern und
Wieſen, oder in kleinen Gehölzen und Wäldern, eine Menge
Gras und Kräuter, allerhand bunte Blümchen, Geſträuche und
Bäume zu ſehen, die ihm zuruffen: Menſch, weiſt du, wer
mich gemacht hat, und wie ich heiſſe?

Blumen alſo ſolten wir pflükken, und nicht wiſſen, wie
ſie heiſſen, und was ſonſt merkwürdiges von ihnen bekant iſt?
Früchte ſolten wir eſſen, und nicht wiſſen, wie man ſie nent,
oder welcher Baum ſie getragen? — Nein, Kinder, wir wollen ſchlechterdings nicht den Ziegen und Kaninchen gleich ſeyn,
die immer eſſen, und nicht wiſſen, wer es ihnen gibt, und was
das iſt, was ſie eſſen. — Unwiſſende Leute haben auch ſchon
oft giftige Sachen geſpeiſt, weil ſie nicht wusten, was es war,
und ſind dadurch krank geworden oder gar geſtorben.

Es iſt alſo ſehr vortheilhaft für euch, Liebe Kinder, wenn
ihr beizeiten wiſſet, welche Pflanze oder welche Frucht der liebe
Gott für die Menſchen, und welche er für das Vieh geſchaffen
habe. — Bemühet euch demnach von nun an, alles nach ſeinem rechten Namen, und nach ſeiner Art und Beſchaffenheit kennen zu lernen, was täglich um euch iſt, oder was ihr doch wenigſtens mit wenig Mühe, oft zu ſehen und zu genüſſen Gelegenheit habt. — Ich rathe euch demnach, künftig nicht eher einen

Gar=

Garten, oder Wiese, oder Akker zu verlassen, ihr habet euch
denn irgend eine Pflanze, oder Blume, oder Blat, oder Frucht
gemerkt, und Blätter, oder auch wohl Früchte, wo es euch erlaubt worden, abgepflükt und mit nach Hause genommen, um
eure Aeltern oder Lehrer fragen zu können, wie sie heissen, und
wer sie genüse. — Oft werdet ihr auch ein Blat oder Wurzel
mit bringen, die man zu Arzeneien gebraucht. *)

Wer von euch aber so glüklich ist, Liebe Kinder, einen
Garten an seinem Hause zu haben, der bitte seine liebe Aeltern,
daß sie ihm darin ein Stük Land schenken, um daraus ein kleines Gärtchen machen zu können. — Dis Gärtchen würd ich
sodann mit kleinen Hölzchen umzäunen, daß mir es Niemand
verträte. Ich würde es umgraben, darin pflanzen, säen und
begüssen. Meine Erbsen, Bohnen und Salad würd ich verkauf-
sen, oder meine liebe Mutter bitten, sie mir zu kochen, um
meine kleinen Freunde damit bewirthen zu können. Und wenn
diese oder sonst ein guter Freund von meinen Aeltern, mich in
meinem Garten besuchten, würd ich ihnen Blumen, die ich selbst
gepflanzt und aufgezogen, abpflükken und verehren. — Und
dabei würde ich meine Hauptgeschäfte nicht versäumen; denn
erst alsdann, wenn ich alles gelernt und gethan, was mir in
den Lehrstunden vorgeschrieben worden, würde ich meine Aeltern um Erlaubnis bitten, eine halbe Stunde auf mein Gärtchen verwenden zu dürffen. Und dis erlaubten sie mir gewis
allemal.

Sollen wir Kinder denn auch bald einen Maulbeerbaum
haben? Ja. Auch einen Maulbeerbaum wil ich euch abzeichnen,

oder

---

*) Wenn man Pflanzen und Kräuter, mit oder ohne Blüte und Samen,
trocknet, und sorgfältig in einem Buch aufbewahret; so bekömt man
nach und nach ein Kräuterbuch, das die Gelehrten herbarium nennen.
Und die Kräuterkentnis überhaupt nent man Botanik oder Phytologie.

oder vielleicht gar selbst in eure Gärtchen pflanzen lassen. — Mit
den Maulbeerblättern füttert ihr sodann die Seidenraupen, die
ich euch auch anschaffen wil. Diese Raupen spinnen euch Seide.
Und von dieser Seide lasse ich euch Handschuhe oder sonst was
weben.

Nicht wahr, Kinder, die Naturgeschichte hat und gibt
viel Vergnügen? Ich wette, es vergeht kein Tag, woran ihr
nicht was neues entdekt, und beim Umgraben der Erde, oder
bei Suchung eines Blümchens eine Schnekke, ein Steinchen, ein
Schnekkenhaus, einen Kefer, einen Wurm oder sonst ein Thier=
chen gefunden, und euch herzlich darüber gefreut habt. — Dann
und wann werden Buttervögel und andere Thierchen ihre Eier
auf eure Pflanzen und Blumen legen. Aus diesen Eiern werden
in wenig Tagen Würmer, Raupen und Blatläusse, die euch euren
ganzen Garten zerfressen und kahl machen, wenn ihr nicht fleis=
sig genug darnach sehet. — Und auf diese Weise werdet ihr
bald eine Menge Thiere, Pflanzen und Kräuter kennen lernen,
und ohnvermuthet kleine Naturhistoriker werden, und eine wahre
Freude an den Geschöpfen Gottes bekommen, und täglich bessere,
frohere und dankbarere Kinder gegen Gott, eure Aeltern, und
jeden guten Nebenmenschen werden.

Das Wort Pflanze habt ihr zwar schon oft gehört, Liebe
Kinder! Aber ihr wist doch wohl noch nicht, was denn eigentlich
eine Pflanze ist? Ich habe es zwar schon vorher gesagt bei der
Eintheilung in drei Reiche. Nun noch einmal! — Eine Pflanze
ist ein Gewächs, das aus der Erde wächst und lebt, aber keine
Empfindung hat, und sich nicht von einem Ort zum andern be=
wegen kan. Bäume also, Sträucher, Kräuter, Moose und
Pilze sind Pflanzen. — Einige davon leben oder dauren nur
etliche Stunden; einige ein halbes Jahr; andere fünf, zehen,
sech=

sechzig bis achtzig Jahr; und der Eichbaum erreicht gar ein Al=
ter von mehr als fünf hundert Jahren. *) Jede Pflanze hat
Wurzen, die gewöhnlich in der Erde stekken und Saft an sich zie=
hen, damit die Pflanze wachsen oder grösser werden, und Früchte
tragen kan. Doch gibt es auch Pflanzen, die samt ihren Wur=
zen im Wasser schwimmen, wie die Seeblumen und Wasserlin=
sen. Auch Zwiebelgewächse, zum Beispiel Tulpen und Hyacin=
then, kan man im Wasser ziehen.

Jede Pflanze ist mit einer schwammichten Haut bedekt, die
man Rinde nent. Unter der Rinde kömt Holz oder holzichte
Theile; und ganz innen sizt was, das man Mark nent. — Ei
dis möcht ich doch einmal sehen! Wolan, so nehm er den nächs=
sten besten Stekken, und brech er ihn entzwei, so wird er davon
überzeugt werden. — Sie haben Recht — erst Rinde, dann
Holz, und in der Mitte Mark.

Auf die Rinde, Liebe Kinder, oder äussere Haut, kömt
alles an bei einer Pflanze, weil sie den Saft aus der Erde oder
aus dem Wasser an sich zieht. Wenn daher ein Baum oder
Strauch, ja fast jede Pflanze, keine Rinde mehr hat, so mus
sie verdorren. — Auch alles Laub darf man einem Baum nicht
auf einmal nehmen, wenn er nicht merklichen Schaden leiden,
oder gar absterben sol.

Wist ihr wohl, Liebe Kinder, wie man das an einer Pflanze
nent, was nächst an der Wurzel über der Erde wächst? Stam=

Rich=

*) Diejenige Pflanzen, die auch im Winter fortdauren, und im Frühling
wieder aus den Zweigen ausschlagen, oder aus den Wurzen neue
Zweige hervortreiben, nent man Perennirende Pflanzen. — Diejenige
Pflanzen hingegen, die im Herbst, oder auch wohl noch eher, abster=
ben oder verdorren, und im Frühling erst wieder aus dem Saamen
müssen gezogen werden, heissen jährliche Pflanzen oder Sommergewächse.

Richtig! Und dann folgen Aeste, Zweige, Laub, Blüthe und
Früchte. Nicht wahr? Ja! — Ist also das wohl auch ein Stam,
das ein Weizenkorn, oder eine Bohne, eine Nelke oder Ranun=
kel in die Höhe treibt? Wir glaubens. Nein, Kinder! Dis sind
keine Stämme, sondern Halme und Stengel. Nur die Bäume
und Gesträuche haben Stämme; die Grasarten hingegen haben
Halme und Stengel. — Dann gibt es auch Strünke, wo Stam,
Blätter und Blüten in einem Stük beisammen sind, wie bei ge=
wissen Gewächsen, die man Pilze oder Erdschwämme nent. —
Schaft aber heist man den Theil einer Pflanze, der aus der
Erde hervorkömt, und nur Blüten, aber keine Blätter trägt,
wie die Narcisse.

Was haltet ihr denn von den Blumen oder Blüten der
Pflanzen, liebe Kinder? Solten es wohl blose Zierrathen seyn?
Nein, lieber Herr . . . . Einige davon riechen wohl, und aus
einigen werden Birn, Aepfel und Zwetschen. Und ich glaube,
daß aus allen Blüten so etwas wächst, das man Frucht nent.
Richtig, mein Kind! In den Blüten der Pflanzen wird der
Saame zubereitet, aus welchem nachher wider eine neue Pflanze
ihres gleichen wächst. Der liebe Gott hat es aber auch zugleich
so eingerichtet, daß viele von diesen Saamen selbst, oder ihre
Bedekkung, von Menschen und Vieh genossen werden können, wie
zum Beispiel Erbsen, Bohnen, Weizen und Rokken; Aepfel,
Birn, Zwetschen und Kirschen. — Diese Saamen nun oder ihre
Behältnisse nent man gewöhnlich Früchte, Feldfrüchte und Baum=
früchte. — Und ein fruchtbarer Baum ist ein solcher Baum,
dessen Saamenbehältnisse wir essen. Tanzapfen aber und Ei=
cheln nent man im gemeinen Leben nicht Früchte, weil wir ihre
Früchte nicht essen. — Von einigen Pflanzen dienen uns die
Stengel und Blätter, wie vom Salat, Kohl und The; und von
andern essen wir die Wurzeln, wie von Kartoffeln und Rüben.

Der

Der Stiel einer Birn, und der Halm einer Weizenähre sind also kein Holz, sondern nur holz- und strohartig; aber ein Stam eines Aepfelbaumes hat wahres Holz, davon man Tische machen kan.

Gleich hart aber ist das Holz aller Bäume eben nicht. Das Eichenholz, zum Beispiel, ist härter als das Tannenholz; und das Kirschbaumholz härter als das Weidenholz. Geht nur zu einem Tischler, der wird euch vielerlei Holz zeigen, und wenn ihr ihn bittet, vielleicht einige kleine Stükke schenken.

Hört einmal, Kinder — Solte eins von euch Lust haben, eine Samlung von allerhand Holz zu machen, so rathe ich ihm, daß er bei einer jeden Sorte, wo möglich, auf einer Seite etwas Rinde sizen läst, damit man es leichter von einander unterscheiden kan. Denn an Laub und Rinde mus man nach und nach alle Bäume und Gebüsche von einander unterscheiden lernen.

Einige Bäume haben weislichte, andere grünlichte, und noch andere bräunlichte Rinden. Das Laub der Bäume aber und der sämtlichen Pflanzen überhaupt ist wunderbar und sehr verschieden gebaut. Eins ist fast rund, das andere länglicht; eins ist zangicht, gezähnt, gekerbt, gerändert; das andere ist ausgeschweift, behaart und stachlicht.

Jede Pflanze bekömt Blüte oder Blumen und Früchte. Das Laub sowohl als die Blüten kommen aus den kleinen Knöspchen hervor, die Sommer und Winter fast an allen Pflanzen gesehen werden können. Man heist diese Knöspchen Augen. Das Aug, liebe Kinder, worin Blüte stekt, ist mit mehrern Häutchen bedekt, als das, woraus das Laub wird. Aus der Blüte wird eine Frucht, die almählich wächst, und endlich reif wird.

wird. — Wo kommen denn immer die junge Bäume her? Aus den Saamenkörnern, die mitten in den reiffen Früchten liegen, und entweder in die Erde gesteft, oder nur darauf hingestreut werden, wachsen sie hervor. — Auch wissen geschikte Gärtner, und andere Gartenliebhaber noch auf viele andere Art *) junge Bäume zu ziehen, zu denen ihr bei Gelegenheit geführt werden solt.

Nun wollen wir im Ernst in einen Garten gehen, Liebe Kinder, und uns erstlich mit denjenigen Blumen, Früchten und Gewächsen bekant machen, die wir täglich vor unsern Augen sehen, und die uns zur Speisse, oder zur Freude und Geruch dienen.

Sodann führ ich euch über Aekker und Wiesen weg in einen Wald, und zeig euch Eichen, Birken, Ellern, Espen, Buchen und Tannen. — Und endlich solt ihr auch erfahren, wie der Kaffebaum, der The- und Baumwollenstrauch, das Zukkerrohr und der Citronenbaum aussehen, wo sie am häuffigsten wachsen, und was uns ihre Früchte nüzen.

Daß ich euch aber auch Weizen und Rokken, Gerste und Häber, Erbsen und Linsen, Tabak und Kartoffeln zeigen werde, versteht sich von selbsten.

Einige

---

*) Nämlich durchs Inokuliren und Propffen, da sie im Frühling die Augen oder Zweige eines Baumes auf einen andern Baum zwischen die Rinde stekken, mit etwas Baumwaths verschmieren, und fest binden. — Auch durchs Ablegen kan man schöne junge Bäume ziehen. — Und Welden, und noch viele andere junge Bäume und Stauden, kan man schon dadurch erhalten, wenn man frische Aeste oder Zweige recht fest in die Erde sezt, und so lang etwas feucht erhält, bis sie Blätter getrieben, und Wuzzen bekommen haben.

B

Einige Gewächse sehen wir also in unsern Gärten, die meisten aber auf Aeckern und Wiesen, und in den Wäldern. — Viele zeig ich euch in Büchern vor, und einige seltne hab ich in diesem eurem Buche abbilden lassen.

Hier in diesem Blumengarten sehet ihr Leberblümchen, Aurikeln, Primuln, gelbe und blaue Violen, Lak, Feder- und Kartheusernelken, Trauben- und Stern Hyazinten, *) Narcissen und Krokus. Sie riechen alle wohl, bis an das Krokus, und sind die ersten Geschenke des Frühlings.

Wenn diese fast verblühet sind, werden dorten die Kaiserkrone, die Tulpe, die Schwertlilie, die Ranunkel und der Jesmin in ihrer reizenden Blüte erscheinen. — Und fast zu gleicher Zeit blühet die prächtige Rose, die weiße Lilie, die Nelke, Levkoje und die Nachtviole. — Endlich kommen die Sonnenblumen, die Stok- oder Herbstrosen und die Aster. — Der immer grüne Rosmarin, **) die Reseda und noch eine Menge andere Pflanzen und Blumen sind durch den ganzen Garten zerstreut.

Jede von diesen Pflanzen und Blumen hat ihre besondere Gestalt; jede ist anders gefärbt; jede riecht anders. Einige davon riechen gar nicht.

Hier kriecht das blaue Veilchen ganz bescheiden im Grase, und belohnt den, der es sucht, mit dem süßesten Geruch. — Dort erhebt die stolze Tulpe ihre schön gefärbte Blätter, aber sie ist geruchlos, und dem Auge nur schön. Die Nelke ist schön und riecht auch vortreflich. — Die Nachtviole

---

*) Alle Hyazinten wachsen in Persien wild.
**) Wächst in Spanien und Italien wild.

viole gibt nur des Abends ihren Geruch her. — O Wunderbarer Gott, wie herrlich und gut haft du alles gemacht! Alle deine Geschöpfe zeugen von deiner Güte und Almacht.

Was ist dis hier, lieber Herr . . . . womit die Wege und die Blumenfelder eingefast sind?

Bux,

ist es, liebe Kinder, der Sommer und Winter im Boden steht, und doch immer grün bleibt. — Man kan die Buxbäume sehr hoch ziehen, wenn man wil. Im Herzogthum Piemont in Italien gibt es einen ganzen Wald vol Buxbäume, darunter viele so gros sind, daß sie ein Mann nicht umarmen kan. — Man macht in Italien Kehrbesen von den Buxbaumreisern. Das Buxbaumholz aber können die Tischler, Drechsler und Instrumentenmacher zu allerhand Arbeiten gebrauchen.

Dis sind Rittersporn, dis Balsamine, dis spanische Wikken, dis Mohn und dis Maienblümchen. — Hier stehen Erd= und Himbeere, dort Johannis= und Stachelbeere. — Dis hier sind Blümchen Vergis mein nicht; und hier herum stehen März= und Ringelblümchen.

Ist dis nicht ein Lorberbaum? Dis ein Citronenbaum? Und dis ein Pomeranzenbaum? Ja, Kinder! Bleiben sie hier immer stehen? Nein. Des Winters sezt man sie in Keller oder in eingeheizte Stuben, die man, wenn vielerlei Gewächse beisammen stehen, Gewächshäusser nent. In warmen Ländern aber, wie in Spanien, Portugal, Italien ꝛc. bleiben sie auch den Winter über unter freiem Himmel stehen, ohne zu erfrieren.

Der

Der Lorberbaum

wächst in Italien wild, das heist in Menge, und auf freiem
Felde, oder in Wäldern, wo der Saame ausfält, und, ohne
Zuthun der Menschen, von selbst wieder junge Bäume aufwach-
sen. Er nüzt uns mit seinen Blättern, die man zu verschiedenen Sosen gebraucht.

Der Citronenbaum

wächst auch sehr häuffig in Italien; in Spanien aber und in
Portugal wächst er doch noch häuffiger. *) Auf der ersten Tafel, Figur eins, ist ein Citronenbaum mit Früchten abgebildet. — Der Citronenbaum ist so gros als ein Zwetschenbaum,
immer grün, und hat fast immer zu gleicher Zeit Blüte, und
halb und ganz reife Früchte. Ein Theil von den Früchten wird
reif und fält ab; und der andere Theil wächst noch, oder kömt
izt eben zum Vorschein.

Dieser Baum ist uns eben so nüzlich, als der Pomeranzenbaum, ja seine heilsame Säure gibt ihm vor diesem noch
einen Vorzug. Zu wie vielen Speissen kan man die Citronen
nicht gebrauchen! — Es gibt allerhand Citronen, länglichte,
runde und zugespizte, kleine und grösse; und alle sind runzlicht
und knoticht. Die grösten sind oft sechs Pfund schwer. Es
gibt aber auch welche, die nur etliche Loth wägen.

We

*) Er stamt aus Medien in Asien her, daher auch die Citronen im lateini
schen Mala medica heissen.

Wo wachsen die besten Citronen? Im Grosherzogthum Toskana in Italien. Im Gebieth des Königs von Sardinien aber und in Spanien wachsen die meisten. In Spanien kan man zwo für einen Pfennig kauffen, wenn sie gut gerathen sind. — Die Citronen, die weit verschikt werden sollen, müssen etwas unreif, und wenn sie noch ganz grün sind, abgepflükt werden, sonst halten sie sich nicht. Die ganz reiffen sind gelb, wie ihr wisset. — Man legt gewöhnlich sechs bis achthundert, und oft gegen fünfzehn hundert Stük in eine Küste zusammen, um sie verschikken zu können.

Man kan von den Citronen alles gebrauchen, die Schale, das Fleisch, den Saft und die Kerne, sowohl zur Speiße, als auch zur Arzenei. — Von zerriebenenen Citronenschalen wird ein wohlriechendes Oel gemacht, das man Cedraöl oder Cedra-Essenz nent. — Auf Italienisch heist eine Citrone Limonie, daher das Getränk, das man aus Wasser, Zukker und Citronensaft macht, Limonade genant wird.

Die Pomeranzen,

oder Poma aurantia, kommen ursprünglich aus Sina in Asien, woher die Portugiesen die ersten Kerne gebracht haben. — Von den Portugiesen bekamen nachher viele andere Leute Kerne, die sie so häuffig pflanzten, daß es izt in der Welt fast allenthalben Pomeranzenbäume gibt. Sie sehen fast ganz den Citronenbäumen ähnlich.

Es gibt süsse und bittere Pomeranzen. Die bittern sind blas gelb und narbig, haben viele Kerne, und ein sehr bitteres Mark; die süssen hingegen haben eine dünne und glatte safrangelbe Schale, und nicht viel, aber süsses Mark.

Die

Die Sinesische Pomeranzen, oder Pommes de Sine, die man auch Appel de Sina oder Appelsin und Pommesin nent, sind unter allen bekanten die schönsten und grösten. Die meisten Pomeranzen aber gibts in Portugal. — In Ostindien gibts hie und da auch röthe Pomeranzen, deren Geschmak vortreflich ist. Ihr Fleisch ist blutroh, und ihr Saft von einer so angenehmen Säuerlichkeit, daß keine Erfrischung mit dieser Frucht zu vergleichen ist. — Die beste und zugleich auch die gröste Sorte von Pomeranzen ist die Ostindische Pompelmus, die oft grösser als ein Mannskopf ist, und wie die beste Weintraube schmekt.

Man ißt die Pomeranzen des Sommers, und bei grosser Hize zur Abkühlung und Erquikkung, und die Schalen werden überzukkert, und weit und breit verkauft und gespeist.

Weil eine Pomeranze auf französisch Orange heist, so nent man den Baum bei uns auch oft Orangebaum.

Hier steht ein mit halb und ganz reiffen Feigen angefülter

Feigenbaum,

der eben so gepflegt werden mus, als die Pomeranzen= und Citronenbäume, wenn er nicht erfrieren und Früchte tragen sol, siehe Tafel zwei, Figur sieben.

In Italien, und in vielen andern Ländern bei und im Mittelländischen Meer, aber auch in Spanien und Portugal, und an einigen Orten in Frankreich, wachsen die Feigenbäume auf freiem Felde, und werden daselbst auch viel grösser, als sie bei uns sind. — Und sehen ihre Früchte auch so aus, wie bei uns? Länglicht rund, erst grün, und dann violet? Ja, einige

wohl,

wohl, aber nicht alle; denn es gibt violete und weiſſe, runde und länglichte, kleine und groſſe Feigen. Und alle kan man eſ- ſen? Ja, mein Kind, ſie ſind alle gut und geſund. Sie wer- den getroknet, hundert und tauſſend weis in Küſten gelegt, und darin faſt durch die ganze Welt verſchikt.

In Egipten und Paläſtina gibt es gewiſſe Arten von Fei- genbäumen, die ſo dik und hoch, als groſſe Aepfelbäume ſind, und ſehr groſſe Früchte tragen. — Die ſonderbarſte Art von Feigenbäumen aber gibts wohl in Amerika. Stelt euch einmal vor, Kinder! Dieſe Feigenbäume haben Fingerdikke grüne Blät- ter, die rings um den Stam herſizen, und davon immer eins aus dem andern, und die Feigen ſelbſt aus den Blättern heraus- wachſen. *) Merkwürdig iſt noch dis, daß auf dieſen ſonder- baren Feigenbäumen die ſogenante Kochenilwürmchen, davon man die ſchönſte rothe Farbe macht, wohnen.

Ihr habt doch wohl ſchon gehört, Liebe Kinder, daß ſich Adam und Eva im Paradies Kleider von Feigenblättern gemacht haben ſollen? Was dachtet ihr dabei? Nichts, lieber Herr ... wir verſtanden es nicht. Das glaub ich wohl. Nun ſo wil ich es euch ſagen, wie es zuging:

Es gibt in Aſien eine gewiſſe Art Palmbäume, die mehr einer weichen, ſchilſichten Pflanze, als einem Baume ähnlich ſind, und deren Stämme dikker als ein Manns-Arm, und zehn bis zwölf Ellen hoch, und krum gebogen ſind. Ihre Blätter ſind faſt eine Elle breit, und drei bis vier Ellen lang, helgrün und dünne, und dienen den Indianern zu Schüſſeln und Tellern. Und weil es bei ihnen ſolche Blätter immer genug gibt, ſo neh- men ſie zu jeder Mahlzeit wieder friſche, und erſparen ſich da-

B 4   durch

---

*) Dis iſt des Ritters von Linne Cactus Opuntia.

durch das Spühlen und Scheuern. — Sie bedienen sich dieser Blätter auch stat des Papiers, und schreiben drauf. — Ihre reiffe Frucht ist fast eine viertelelle lang, zween bis drei Finger dik, dreiekkicht, ganz grün, und schmekt wie die beste italienische Feige.

Diese Frucht nun asen vermuthlich unsere ersten Aeltern. Und ich solte denken, daß sie sich auch ganz bequem mit Blättern haben zudekken können, die beinahe so gros als unsere Stubenthüren sind. — Man nent diesen Palmbaum Pisang. Tafel zwei, Figur funfzehn ist er samt seiner Frucht abgebildet. *)

Habt ihr auch schon Cypressenbäume, Myrthen Kapern= und Granatbäume gesehen? Dis sind welche. — Hier steht auch ein grosser Maulbeerbaum, und dis hier sind Weinreben oder Weinstökke. Sehet sie genau an, auf dem Weg in den Küchengarten wil ich euch sodann von jedem was erzählen.

Hier in der Hekke steht ein

Holunderbaum

oder Weisser Fliederbaum, der schwarze Beeren trägt, davon man gute Suppen, und einen gesunden Saft oder Syrup kochen kan.

Der

*) Im Jahr 1773 hatte ich das Vergnügen, einen solchen Pisang, oder Musa paradisiaca, den der selige Doktor Luther, nebst vielen andern Gelehrten, unrichtig einen Feigenbaum nante, im hiesigen botanischen Garten blühen zu sehen. — Im Jahr 1774 trug eben dieser Pisang Früchte. Auch diese sah und fand ich gerad so, wie ich sie izt eben beschrieben habe. — Und eben diesen Pisang ließ ich für dis Buch abzeichnen. Er trug fünf und zwanzig Stük sogenante Feigen, die alle an, und um einen Stengel, fast wie die Artischokblätter, um einander herum sasen. — Zuweilen trägt ein solcher Baum fünfzig bis achtzig
Stük

Der Kapernbaum,

oder richtiger, der Kapernstrauch, wächst häuffig in Spanien, Italien und Frankreich, und nüzt uns mit seinen Blumenknospen, die man abpflikt, ehe sie aufgehen, und troknet, sodenn in Essig einmacht, und in Sosen an verschiedenen Speissen ißt.

Der Granatbaum

wächst in Italien, Spanien und Frankreich sehr häuffig. Er trägt eine runde, röthlichtbraune Frucht oder Apfel, der so gros als eine Pomeranze ist, ein röthlichtes süsses Fleisch und Saft hat, und gespeist werden kan.

Der Myrthenbaum

ist ein kleines, immergrünes und wohlriechendes Bäumchen, das in vielen Gärten, so wie auch der Cypressenbaum, blos zum Vergnügen gepflanzt wird.

Der Weinstok

hingegen ist uns sehr nüzlich, und ein allerliebstes Geschenk Gottes. Mit seinen saftigen und süssen Trauben kan man sich laben, und Hunger und Durst stillen. Sein frischer Most schmekt herrlich; und der alt oder zu Wein gewordene Most macht die Leute lustig und gesprächig.

Asien ist das Vaterland des Weinstoks, von da er nach Griechenland und Italien; und von hieraus nach Spanien und

B 5   Frank-

Stük an einem Stengel. — So bald die Frucht reif ist, stirbt der Baum ab, und wird dicht an den Wurzen abgehauen. Gewöhnlich aber treiben diese Wurzen wieder junge Pflanzen hervor.

Frankreich; sodenn auch nach Teutschland; und endlich nach und nach in alle Weltgegenden gebracht worden ist.

Schmekt der Wein allenthalben gleich gut? O Nein! Es gibt eine Menge Sorten Wein, davon immer eine eine andere Farbe und Geschmak, als die andere hat. Es komt bei dem Weinstok vieles auf den Erdboden, und noch mehr auf die Gegend an, wo er wächst. Je wärmer ein Land ist, desto süsser, stärker und feuriger wird der Wein. Wie süs und feurig ist, zum Beispiel, nicht der Kapwein, der Spanische und der Ungersche Wein? Unsere Rhein= und Moslerweine aber sind auch nicht zu verachten. — Und selbst der Kapwein stamt von rheinischen Weinreben her.

Wenn man die Weintrauben trokken werden läßt, so bekömt man Rosinen. — Die Levante, Italien, Spanien und Frankreich liefern eine Menge Rosinen.

Es gibt kleine und grosse Weinbeeren, siehe Tafel eins, Figur drei und vier, und also auch grosse und kleine Rosinen. — Die beste grosse Rosinen kommen aus Italien, aus dem Herzogthum Kalabrien im Königreich Neapel. Sie werden, wie die Kleinen, an ihren Kämmen in der Sonne getroknet, und sodenn in kleine und grosse Fässer getrampt, und funfzig bis hundert Pfund, ja oft etliche Centner schwer verschikt.

Die kleine Rosinen oder Korintchen, wie man sie auch nent, kommen von einer besondern Art Trauben her, die lauter kleine Beere hat, siehe Tafel eins, Figur drei, und auf den drey, in der Levante gelegenen Venetianischen Inseln Zante, Cephalonie und Theachi, und auf etlichen Türkischen Inseln in

die=

dieser Gegend so häuffig gebaut wird, daß in guten Jahren gegen dreizehn Millionen Pfund eingeerndtet werden können. — Von den Cephalonischen Rosinen verkauffen die Venetianer viele nach Teutschland. — Warum nent man die kleine Rosinen auch Korinthchen? Weil sie ehedem in der Stadt Korinth, und in etlichen andern Orten in Griechenland häuffig wuchsen. —

In Asien, Liebe Kinder, gibt es so grosse Weintrauben, daß sich ein Kind hinter einer einzigen Traube bequem verbergen kan. O sie spassen, Lieber Herr. Nein, Kinder, es ist mein Ernst. Diese Trauben sind gewöhnlich über eine Elle lang, und fast eben so dik, und eine Beere ist so gros, als ein klein Hühnerei. — Kein Wunder also, wenn ein Mann eine solche Traube weder allein auf einmal aufzehren, noch von der Stelle tragen kan. — Diese Riesen von Trauben wachsen doch nicht an solchen schwachen Reben, wie die unsern sind? Nein. Dis ginge nicht an, die Reben würden ja brechen. Sie wachsen auf dikken grossen Bäumen.

Der Maulbeerbaum

hat Blätter, die die Seidenraupe gern frißt, siehe Tafel drei, Figur achtzehn. — Es gibt zweierlei Maulbeerbäume, einen schwarzen und einen weissen. Der schwarze hat dunkelgrüne Blätter, und grosse süßschmekkende Beere. Der weisse hingegen hat helgrüne Blätter, und rothe und weisse Beere.

Die Blätter des weissen Maulbeerbaumes fressen die Seidenraupen lieber, als die des schwarzen, weil sie weicher sind. — Diesen nüzlichen Baum solte man allenthalben pflanzen, weil er grosse Vortheile verschaft, und schnel, auch in kalten Gegenden,

ben, gros wächst. Und Seidenwürmer kan man izt ja fast allenthalben mit wenig Kosten bekommen.

Es ist was allerliebstes, die Arbeit einer Seidenraupe
mit ansehen zu können. — In Italien und Frankreich, in
Sina und Persien, und noch in vielen andern Orten von Asien,
baut man auserodentlich viel Seide. Auch in unserm Teutschland hat man es seit einigen Jahren glüklich nachgemacht. —
Die Seidenraupen kriechen aber bei uns nicht auf den Maulbeerbäumen herum, wie in Sina und Persien, siehe Tafel drei,
Figur elf und zwölf, sondern sie werden in Stuben aufbewahrt,
und fleissig mit den abgepflükten Maulbeerblättern gefüttert. —
Nächstens erzähl ich euch mehreres von diesen nüzlichen Thierchen.

Ist dis der Küchengarten? — Alles, was hier wächst,
solten die Menschen essen? Ja, Kinder, und doch fehlt noch
das beste, das nothwendigste. Was denn? Rokken und Weizen; wovon wir Mehl und Brod bekommen. Diese wachsen im
freien Felde auf den Aekkern.

Sehet, Kinder, hier steht Kopfsalad, hier Endivien,
und hier Feldsalad oder Rapunzel. Und warum heist dieser
Feldsalad? Weil er auf den Aekkern ohne Mühe der Menschen
wild wächst. — Dis ist Petersilie, dis Körbel und dis
Gartenkresse, denn es gibt auch eine Brunnenkresse, die bei
Wasserquellen und stilfliessenden Bächen wächst. Diese sämtliche
Pflanzen geben wohlschmekkende Salade.

Hier links stehen allerhand Sorten von Erbsen und
Bohnen, dann folgen Knoblauch, Petersilienwurzeln, Ka-
rotten, Pastinaken oder Pasternaken und Zukkerwurzeln.

zeln. — Dort sehet ihr Zelleri, Johannislauch, Zipollen, Schallotten und Perllauch.

Rechts sind erstlich allerhand Sorten von Rüben, weiße, rothe und gelbe Rüben gesäet. — Denn kommen Stekrüben, Wirsing, rother, weißer und brauner Kohl, Savoje und Blumenkohl, Kohlrabi über und unter der Erde. — Dis ist Spinat, dis Mangold, dis Schnitlauch, dis Thimian, dis Lavendel, dis Salbei, dis Majoran, dis Melisse und dis Krausemünze. — Hier wachsen Radieschen oder Monatrettig, und hier grosse Rettig.

Und dis wird also alles gespeißt, Lieber Herr . .? Ja, Liebe Kinder! Gebt nur in Zukunft bei Tische genau achtung, wenn ein neues Gemüse, oder ein neuer Salad aufgestelt wird. Ihr werdet bald den Unterschied merken, und sie von einander unterscheiden lernen.

Dis sind Meerrettig, die man klein reibt, mit Wasser, Milch oder Fleischbrüh kocht, und zu verschiedenen Speissen als eine Sose ißt. — Hier wachsen Gurken oder Kukumern, die guten Salad geben. Und dis sind Kürbisse, und dis Melonen. Man kan beide essen. Die Melonen schmekken sehr gut, und wachsen vorzüglich in Ungern sehr häuffig. — Dort endlich seht ihr Artischokken, Ananas, Spargel und Süsholz. Nicht wahr, die Ananas sehen fast wie Artischokken aus? Sie sind eine Spanne lang, und eine halbe Spanne breit, sehen innen gelblicht weiß aus, und schmekken säuerlicht süs, wenn sie geschält, und in Zukker und Wasser gelegt werden. — Das Süsholz wächst unter der Erde als eine Wurze. Es sieht gelb aus, und wird in den Apotheken zu allerhand Arzeneien gebraucht.

Sa=

Sagen Sie uns doch, Lieber Herr ... was in diesem Garten so ausserordentlich stark und süs riecht? Das ist gut, Kinder, daß ihr darnach fraget, ich hätte es sonst wirklich vergessen, euch zum Anis, Fenchel, Koriander und Dil hinzuführen. Folget mir — Sehet, diese kleine länglichte und runde Körner riechen so stark. Wozu nützen sie? Man kan sie alle essen. Versuchts einmal! Ei ja! — Auch zu verschiedenen Bakwerken, und selbst zu Arzeneien gebraucht man sie. Und der Anis, Dil und Fenchel geben auch ein gesundes Oel. — Auf der Tafel vier, sind sie alle der Reihe nach abgebildet. Figur eins ist Anis — Figur fünf Fenchel — Figur acht Koriander — Figur zwei und zwanzig Dil — und Figur sechs und zwanzig Kümmel. Den Kümmel hab ich dessentwegen hier auch abbilden lassen, damit ihr ihn auf den Wiesen, wo er wild wächst, desto eher finden könt. Er nützt uns ungemein viel. Man gebraucht ihn zu verschiedenen Speissen, und zum Brandweinbrennen.

Ei, der Koriander riecht nicht gut! Er hat recht, mein Sohn! Der Koriander hat das besondere, daß sein Saamen erst mit der Zeit wohlriechend wird; frisch und auf der Pflanze selbst aber ist er äusserst übelriechend.

War es ihr Ernst, Lieber Herr .. daß man die Kürbis essen kan? Ja freilich, sie schmekken ziemlich gut. Sol ich einen zerschneiden? Wolt ihr mit essen? Wir bedanken uns, wir wollen erst so lange warten, bis sie noch etwas grösser gewachsen sind. Denn so schnel werden sie doch wohl nicht abfallen und verdorren, wie des Propheten Jona seiner?

Nun wollen wir in unsern Wald gehen, Liebe Kinder, und sehen, was er für uns merkwürdiges hat. Auf dem Weg dahin treffen wir eine Menge Kräuter und Blumen, etliche Kastanien stanienbäume , und viele Weiden= Ulmen= und Lindenbäume an. — Auch durch Getraidefelder kommen wir durch.

Machet euch also gefaßt! Ihr bekomt vieles zu sehen, aber auch vieles zu merken. — Wir werden Hasen, Hirsche, Rehe und Eichhörner, und vielleicht auch wilde Schweine sehen. Einige von euch werden sodenn gewis ruffen: sollen wir diesen Hasen fangen? — Ei wenn ich doch dis Eichhörnchen hätte! — Ei, was ist dis? — Ich wette zum voraus mit euch, daß ihr es so machen werdet.

Sehet, liebe Kinder, dis hier ist ein

Kastanienbaum,

aber nur ein wilder, oder ein Pferdekastanienbaum, wie man ihn auch nent. Seine Frucht sizt in einer runden stachlichten Schale, und wird gewöhnlich von den Schweinen gefressen. Auch Puder kan man davon machen.

Die süssen Kastanien wachsen auch in Teutschland, aber nicht in so grosser Menge, wie in Spanien, Italien und Portugal, wo es kleine Wälder voller Kastanienbäume gibt. — Der süsse Kastanienbaum, siehe Tafel neun Figur zwölf, sieht dem wilden sehr viel ähnlich. Seine Blüte sizt an einem langen Stil, daran sich vier bis acht, und oft noch mehrere runde, stachlichte Nüsse ansezen, darin gewöhnlich ein, oft aber auch zween Kerne stekken, die mit einer holzichten zwarzbraunen Schale umgeben sind.

Daß man die süsse Kastanien essen, und zu verschiedenen Speissen gebrauchen könne, werdet ihr schon wissen. — Die

Stadt

Stadt Kastanea in Griechenland ist das Vaterland der Kästä-
nien, von welcher sie auch ihren Namen bekomen haben.

Dis sind

Weiden= und Lindenbäume.

Von den Zweigen der Weidenbäume flicht man allerhand Körbe;
und die Blüte des Lindenbaumes gibt guten und gesunden
The. — Auch die gelbe Blüte an den Käzchen der Sahlweide,
die gleich zu Anfang des Frühlings erscheint — denn es gibt
weisse Weiden und Sahlweiden, nüzt was; sie riecht gut, und
liefert den Bienen Wachs zu ihren Zellen.

Ei, Lieber Herr.. wo wächst und kömt wohl der or=
dentliche

The

her, den wir zuweilen trinken? Aus Sina und Japan in
Asia. — Dieser The besteht aus den Blättern einer Staude,
die ohngefähr so gros als ein kleiner Zwetschenbaum ist. Sie=
he Tafel eins, Figur sechs. Diese Blätter werden nach und
nach abgepflikt, und allemal sogleich getroknet, und Sorten
weis zusammen gelegt.

Man hat etliche Sorten von The, davon bei uns drei,
nämlich der grüne The, der Kaiserthe, und der Thebou die be=
kantesten sind. — Der Kaiserthe ist der beste, weil er aus den
ersten zarten Blättern besteht, die aus den Knospen hervorbre=
chen. — Der Mann, der unter unserm Thebaum sizt, und
Blätter abpflikt, ist ein Sineser.

Wächst

Wächst nicht auch der

Muskatnußbaum

in Asia? Ja, liebe Kinder, und noch viele andere nüzliche Bäume. — Auch die Rhabarbarwurzel, die zu Pulver gestossen, und zum Laxiren und Stärken des Magens eingenommen wird; Der Zimmet oder Kanel; und die Gewürznägelein wachsen in Asia. Aber nicht alle auf einem Flek beisammen, sondern weit von einander entfernt. Die Rhabarbarwurzel wächst oben im Nördlichen Asien bei Sina; der Zimt hingegen, die Muskatnüsse und die Gewürznägelein wachsen im südlichen Asien.

Der Muskatnußbaum wächst izt noch, und schon seit vielen Jahren, nur allein auf der Holländisch-Ostindischen Insel Banda sehr häuffig; und wie man bisher glaubte, sonst nirgends in der Welt. — Wer also Muskatnüsse und Muskatblüte haben wolte, muste sie den Holländern abkauffen. — Nun weis man aber gewis, daß auch noch auf etlichen Inseln bei Asien, und selbst auf der Insel Frankreich, Muskatnüsse wachsen, und eifrig gebaut werden.

Dieser nüzliche Baum ist so gros, als unsere Apfelbäume, und trägt gewöhnlich dreimal des Jahrs Früchte, die von aussen den Pfirschen ähnlich sehen. — Wenn die Frucht reif ist, plazt die äusserste Schale auf, und fält entweder allein, oder samt der Nus und der sogenannten Muskatblüte ab.

Unter der äussersten fleischernen Schale, die man essen kan, liegt die schöne gelbe Haut, die man fälschlich Muskatblüte nent; sodenn folgt noch eine dritte holzichte Hülse, die nichts taugt; und unter dieser liegt endlich die kostbare Nus, die man

C   nebst

nebst der Muskatblüte zu verschiedenen Speissen gebrauchen
kan.

Auf dem Muskatnusbaum Tafel eins, Figur acht könt
ihr aufgeplazte, und halb und ganzreife Früchte sehen. — Der
schwarze Mensch oder Mohr klettert daran hinauf, und wil mit
seinem langen Stekken die reifen Nüsse abschlagen; und der unten sizende Mohr zieht den Nüssen die Schalen ab, und sammelt
die Muskatblüte und die Muskatnüsse zusammen.

Die Gewürznägelein

kommen von den zwo holländischen Inseln Amboina und Ulea-
ster, woselbst sie auf Bäumen wachsen, die so gros, als unsere
Kirschbäume sind, siehe Tafel zwei, Figur eins.

Merkets aber wohl, liebe Kinder, die Gewürznägelein
sind keine Früchte dieser Bäume, sondern nur ihre Blüte-Knos-
pen, die, ehe sie sich öfnen, abgepflikt, und so lange geröstet,
und in der Sonne getroknet werden, bis sie fast so hart, wie
Holz sind.

Nägelein nent man dis herrliche Gewürz deswegen, weil
es wie ein kleiner Nagel aussieht. Läst man aber die Blüte-
Knöspe solange stehen, bis sich die Blume öfnet, so wächst in
etlichen Wochen eine Frucht hervor, die wenigstens dreimal grö-
ser ist, als die ordentlichen Gewürznägelein, aber lange nicht
so gewürzhaft schmekt. Man nent sie Mutternägelein, und ist
sie roh, oder eingemacht. — Noch eins: Das auf einigen Gewürznägelein sizende Kügelchen, ist die noch nicht geöfnete Blu-
menknospe, und nüzt zu nichts.

Der

Der Zimmet

oder Kanel ist eine Baumrinde, aber nicht die äussere, die nichts taugt, und weggeschnitten wird; sondern die innere, die dün, dunkelroth und röhricht ist, scharf riecht, und etwas süslicht schmekt.

Der Baum ist ohngefähr so gros, als ein Birnbaum, und wächst an etlichen Orten in Asia und Amerika; der beste aber wächst auf der Insel Ceilon. Man gebraucht ihn in den Apotheken zu Arzeneien, und in unsern Küchen zu verschiedenen Speissen. Er schmekt und riecht ziemlich gut, stärkt das Herz und die Nieren, und ist auch den Augen dienlich.

Rathet einmal, liebe Kinder, wie und wo die schöne weisse Wolle wachse, die man

Baumwolle

nent? Wächst sie denn nicht auch auf Thieren, wie die Schafwolle? Nein. Sie wächst auf einem Gesträuch, das alle Jahr frisch gesäet werden mus, und gewöhnlich etwas über eine Elle hoch wird. Es treibt eine gelbe Blume, an der sich länglichte Nüsse ansezen, die nach etlichen Wochen reif und so gros, wie kleine Hühnereier werden.

Es gibt aber auch Baumwollensträuche, die vier bis sechs Ellen hoch sind, und etliche Jahre fortdauren, ehe sie verdorren. — Wenn die in den Schalen oder Kapseln eingesperte Wolle reif ist, zerplazt die Schale in ein Dreiek, so daß der, in Wolle verhülte Saame, gesehen werden kan, siehe Tafel sechs, Figur vierzehn.

In

In Oſtindien und Amerika baut man die meiſte Baumwolle. Aber auch in Spanien, Kleinaſien und vielen Inſeln
des Mittelländiſchen Meers wird mancher Centner gebaut. —
Eine Staude trägt gewöhnlich fünfzehen bis zwanzig, oder
höchſtens dreiſſig Wollenkapſeln. — Auch unſere Weiden, und
noch viele andere Gewächſe geben eine Wolle, aber freilich nur
eine ſchlechte, und nicht viel brauchbare Wolle.

Wo wächſt wohl der

Pfeffer

lieber Herr .. Auch in Aſia, liebe Kinder, auf ſo ſchwachen
Ranken, daß ſie ſich an Bäume anhängen müſſen, um in die
Höhe wachſen zu können. Die Frucht des ſchwarzen Pfeffers
ſieht faſt aus, wie unſere Weintrauben, denn die Körner ſizen
ohne Schale alle nebeneinander.

Es gibt etliche Sorten von Pfeffer, kleinen und groſſen,
ſchwarzen, weiſſen und aſchenfarbigen. Der ſchwarze, den die
Holländer aus Oſtindien bringen, iſt bei uns der gewöhnlichſte.
Aus Amerika komt auch viel Pfeffer, vorzüglich der ſogenante
ſpaniſche, der in groſſen länglicht runden Kapſeln wächſt. —
Man gebraucht den Pfeffer zu vielerlei Speiſſen.

Auch die Kubeben, Kardomomen, Ingwer, Manna und
Sago ſind aſiatiſche Früchte.

Die Kubeben

ſind ſchwarze runde, mit langen Stielen verſehene Körner, die
faſt eben ſo, wie die Weintrauben, an kleinen Stauden und in
Büſcheln beiſammen wachſen.

Die

Die Kardomomen

oder Kardamolelen hingegen sind kleine dunkelrothe Körnchen, deren oft sechszehn bis vier und zwanzig in kleinen dreieckichten Kapseln, die an einer kleinen Staude wachsen, beisammen sizen. Man gebraucht sie, wie die Kubeben, zu allerhand Speissen und Bakwerken.

Der Ingwer

ist eine röthlicht graue oder weislichte Wurzel, die aus Ost- und Westindien kömt, trokken gemacht, zu Pulver zerstossen, und roh oder mit Zukker vermischt gespeist, oder als Arzenei eingenommen wird.

Das Manna

ist ein honig süsser Saft, der aus der Rinde und den Blättern einiger Bäume und stachelichter Gesträuche hervorquilt, von der Sonne getroknet, und zu kleinen Körnern gebildet wird. — Es wächst in Asien und Italien sehr häuffig, und wird bei uns als eine Arzenei zum laxiren eingenommen.

Wo wächst denn die Mannagrüze oder Schwaden, die wir zuweilen essen? In Preussen und Dänemark. Auch auf Bäumen? Nein, sie ist der Saamen einer Grasart.

Sahe wohl das Manna, das die Kinder Israel auf ihrer Reise nach Kanaan in Arabien gespeist haben, eben so aus, als wie das, das izt noch in Arabien wächst? Ich glaube, liebe Kinder, daß es eben so geschmekt, und eben so ausgesehen hat, als unser iziges Manna; gewis aber kan ich es euch nicht sagen,

weil

weil ich nicht dabei gewesen, und es auch sonst Niemand gese=
hen hat.

Sago

heißt der wunderbare Baum, den man essen kan. Essen? Ja,
Kinder, ich spaße nicht. Essen kan man ihn bis auf seine Rinde
und Blätter.

Der Sagobaum ist gewöhnlich acht bis fünfzehen Ellen
hoch, und so dik, daß ihn ein Mann kaum umarmen kan. Er
hat keine Aeste, aber zwo Ellen lange, und fast eine Elle breite
Blätter, die den Indianern zu Körben, Strikken und Dachzie=
geln dienen, siehe Tafel zehn Figur zwanzig.

Unter seiner zween Finger dikken Rinde, hat er nichts
als ein weiches wohlschmekkendes Mark, das man wie Teig
kneten, und zu Brod verbakken kan. Auch kleine Körner wer=
den davon gemacht, die sowohl bei uns, als auch an vielen
andern Orten der Welt, in Suppen gespeist werden.

Wo wächst dieser trefliche Baum? In Ostindien, und
vorzüglich auf den Holländischen Inseln Borneo, Amboina und
Banda. — Die Einwohner dieser Inseln nüzen ihre Sago=
bäume, wie wir unsern Weizen, Rokken und Gerste nüzen. *)
Denn Getraide wächst bei ihnen nicht. So gütig war Gott ge=
gen diese Leute, daß er ihnen stat Weizen diesen Baum gab.

Und

*) Rumph sagt in seinen herbario amboinensi Tom. I. pag. 73. daß das Mark die=
ses merkwürdigen Baumes den Indianern 2c. non solum ad panem quoti-
dianum, sed et ad alia necessaria in rebus domesticis diene. — Doch
wächst er auch an vielen Orten, wo man ihn nicht ißt, weil man was
anders hat.

Und den Einwohnern auf der Kanarischen Insel Ferro, und noch vielen andern Leuten in Afrika, gab er stat süßen Wassers, den Baum

Santo,

der, weil immer ein dikker Nebel um ihn her ist, beständig süßes Wasser träuffelt. *)

Zukker und Kaffe gibts in Asia nicht? O ja, mein Kind, genug! Es ist beider Vaterland. Erst nach langer Zeit sind sie von dort aus auch in andere Weltgegenden verpflanzt worden. Die Geschichte dieser beiden nüzlichen Gewächse erzähl ich euch izt noch nicht, sondern erst auf den Rükweg aus dem Walde. Indessen könt ihr auf der zwoten Tafel Figur vier, die Abbildung des Zukkerrohrs, und Figur acht, die Abbildung eines Kaffebaums ansehen.

Was ist dis lieber Herr . . . ? Was dis? Ei was dis? Geduld, Kinder! Eins ums andere. — Dis sind Kartoffeln, Flachs und Hanf; und jenes ist Hirsen und Mais oder türkischer Weizen.

Die Kartoffeln

wachsen unter der Erde als Wurzeln der Pflanze, und sind sowohl für den Städter, als für den Landmann, und vorzüglich für dem armen Mann, ein nüzliches und wilkommenes Gewächs. Man ist sie blos abgesotten mit Salz, oder kocht ein

C 4 Mus,

---

*) Ich hoffe, daß man den Kindern das Vergnügen machen, und ihnen alle hier genante Früchte vorzeigen werde. Denn in den Apotheken und Gewürzläden, kan man sie meist alle haben. Was sie nützen, werden sie gewis von selbst fragen, wenn sie es noch nicht wissen.

Mus, oder sonst ein Gemüsse davon. Auch Pfankuchen, Brod und Puder, ja sogar Dorten kan man davon bakken. Und an vielen Orten mästet man auch die Schweine damit.

Amerika ist das Vaterland der Kartoffeln. Ein gewisser Franz Drake brachte sie im Jahr tausend fünf hundert sechs und achtzig zuerst nach Europa. In Teutschland aber würden sie erst um das Jahr tausend sechs hundert und fünfzig, und in einigen Gegenden desselben noch viel später bekant. In Nieder=sachsen zum Beispiel, fing man sie erst im Jahr tausend sieben hundert und vierzig zu bauen an.

Man nent die Kartoffeln auch Erdbirn, Grundbirn, Erd=tuffeln und Pataten. Einige sind rund, andere länglicht rund und gröstentheils alle knoticht. Von aussen sehen sie theils weis, theils roth; von innen aber sind sie alle weis.

Es gibt allerhand Sorten von Kartoffeln. Die besten davon sind wohl die kleine holländische, oder sogenante Zukker=kartoffeln, die wie lauter Spek und Mark schmekken. Es gibt Kartoffeln, die so klein als eine Erbse oder Haselnus, aber auch welche, die so gros als zwo Fäuste sind, und fast ein Pfund wägen.

Die Erdäpfel sehen ganz anderst aus, als die Erdbirn, schmekken anderst, und haben auch ein ganz anderes Kraut.

Da ich izt von Birn und Aepfeln rede, die unter der Erde wachsen; so wil ich euch gleich sagen, liebe Kinder, daß es auch eine gewisse Art von Erdäpfeln gibt, die man

Trüffel

nent. Sie sehen schwarz aus, und sind oft acht bis zehn Pfund schwer. Im Herzogthum Piemont in Italien gibt es sehr viele.

Man

Man gebraucht sie zu verschiedenen Sosen und Speissen. — Hunde, die dazu abgerichtet werden, müssen sie durch ihren Geruch aufsuchen, und die Menschen graben sie alsdenn heraus.

Der Flachs

hat eine zärte Wurze, aus welcher ein dünner, höchstens anderthalb Ellen hoher Stengel wächst, der lange schmale Blätter, und eine blaue Blüte hat, und endlich eine runde Saamen Kapsel mit breiten Körnern bekömt, die man Leinsaamen nent, siehe Tafel sechs, Figur eins.

Wenn der Flachs reif ist, wird er mit der Wurze, und mit den Saamenknöpfen, Bollen oder Knoten ausgezogen. Diese Knoten reist man ab, und troknet sie so lange in der Sonne, oder sonst an einem warmen Ort, bis sie aufplazen, und aller Saame herausfält.

Aus dem Leinsaamen prest man ein Oel, das man Leinöl nent, und gewöhnlich zum brennen in den Lampen, zum Häuser anmahlen, und noch zu allerhand Dingen gebraucht. Auch essen kan man das Leinöl. — Der Flachs selbst aber wird durch einweichen oder rösten und troknen, durch Brechen und Hecheln so lange bearbeitet, bis das aus ihm wird, was man Flachs nent, und nun gesponnen werden kan.

Man spint aus dem Flachs allerhand feines und grobes Garn. Aus dem Garn wird allerhand Zwirn gedreht, und so feines Leinwand gewebt, daß es Schürze, Halstücher und Schnupftücher, ja so gar Manschetten und Oberhemter gibt. Auch Batist und Kammertuch werden aus flächsern Garn gemacht.

Den

Den fertigen Flachs nent man auch Werk; und den Ab=
gang unter der Hechel nent man Abwerk. Von diesem Abwerk
macht der Seiler Strikke. Auch wird es zu Garn gesponnen,
und daraus grobes Leinwand zu Laken, Säkken und allerhand
Kleidungsstükken gemacht.

Der Hanf

ist viel länger und dikker als der Flachs, siehe Tafel sechs, Fi=
gur acht, und wird gewöhnlich zu Garn gesponnen, daraus
Leinwand gewebt wird, welches zu Zelten und Segeltüchern ge=
braucht wird. — Der Seiler macht auch aus dem Hanf Bind=
faden und Strikke, und der Schuhmacher neht unsere Schuh
und Stifel mit Hanfzwirn.

Wenn nun alles, was aus Hanf und Flachs gesponnen,
gewebt und gemacht worden ist, nichts mehr taugt, zerrissen
und zu Lumpen geworden ist, nimt sie der Papiermacher, zer=
hakt sie in kleine Stükke, weicht sie in Wasser ein, und trampt
und stöst sie so lange in hölzernen Trögen, bis sie zu einen Mus
geworden. Und nun macht er Papier daraus. — Die Sineser
verfertigen aus der schwammichten Rinde einer Art Maulbeer=
bäume Papier. Und andere ausländische Völker machen so gar
Zeuge aus dieser Rinde. — Und unsere Vorfahren hatten noch
kein Papier, daher schrieben oder mahlten sie auf Baumrinden,
auf Blätter einer Staude, die man deswegen Papierstaude
nent, und auf Thier=Häute, die man Pergament nent. Auch
in Stein und Wachs gruben sie ihre Zeichen ein.

Wird denn alles Papier aus Lumpen gemacht, lieber
Herr . .? Ja, Kinder, alles, was von Seide, Flachs und
Hanf gesponnen und gewebt ist, gibt gutes, brauchbares Pa=
pier. Und sonst nichts? Ja, auch aus Nesseln, Baumrinden,

Laub

Laub und Stroh kan man Papier machen, aber es iſt zu theuer, und nicht dauerhaft genug. — Das Lumpenpapier iſt, wie man glaubt, im zwölften Jahrhundert nach Chriſti Geburt erfunden worden. Doch ſollen die Sineſer und andere ſchon viel eher Papier aus Baumwolle, und die Egiptier gar ſchon zu Alexander des Groſſen Zeiten, welches aus einer gewiſſen Art Gras gemacht haben. *)

Ei, lieber Herr . . iſt es wirklich andem, daß das

Neſſeltuch

von Brenneſſeln gemacht wird? Ja, Kinder, die groſſe Brenneſſel gibt, wie der Flachs und der Hanf lange Fäden, daraus das feinſte Neſſeltuch gewebt werden kan.

Daß man aber gar aus einer gewiſſen Sorte von Steinen, die man

Asbeſt

oder Amiant nent, ſolte eine Leinwand machen können, und noch darzu, welches das luſtigſte iſt, eine ſolche Leinwand, die im Feuer nicht verbrent, wird ganz gewis eine Fabel ſeyn? O Nein, auch dis iſt wahr. Der Asbeſt iſt wirklich ein ſolcher weicher und zäher Stein, den man in lange Fäden zertheilen,

und

---

*) Hat ein Kind noch keine Papiermühle, und alſo auch das Papiermachen noch nicht geſehen, ſo führe man es doch bald hin. Wo dis aber nicht angeht, oder wohl gar keine Mühle in der Nähe iſt, ſo ſchildere man ihm eine ſolche Mühle, nebſt ihrer ganzen Einrichtung zum Papiermachen. Man ſage ihnen, zum Beiſpiel, daß aus den weiſſen Lumpen, weiſſes, und aus den rothen, grünen, gelben und andern bunten Lumpen Leſchpapiers

und

und wie Flachs spinnen und weben kan. Es kostet aber diese Spinnerei sehr viel Mühe und Unkosten.

Für unsere Wäscherinnen wäre es sehr vortheilhaft, wenn aller Weiszeug von Asbest wäre, so dürften sie alsdenn die schmuzigen Kleider und schwarze Hemter nur ins Feuer werfen, so fiel aller Schmuz weg, wenn sie glühend geworden wären.

Die alten Römer haben aus diesem Stein- oder Asbest- flachs ihre unverbrenliche Leinwand gemacht, und die Leichname ihrer Könige oder anderer grosser Herren darein gewikkelt, und sodenn verbrant, um die Asche des Verstorbenen rein zu bekom- men. *)

Ihr könt bei dieser Gelegenheit merken, liebe Kinder, daß es ehedem Mode war, die Todten nicht zu begraben, son- dern zu verbrennen, und sodenn die Asche in eigenen Büchsen oder Näpfen, die man Urnen nante, aufzubewahren.

Der Mais

oder türkische Weizen ist ein Korn, das grösser als eine Erbse, und fast rund ist. Es sizt in viele Blätter eingehüllt um einen

Kol-

---

und aus diesem wieder allerhand Sorten von Pappen gemacht werden. Je feiner die Lumpen sind, desto feiner wird das Papier. Die verschiedene bunten Papiere werden gefärbt, und nicht von den Papiermachern, son- dern von besondern Künstlern verfertiget. — Wenn aber ein Lehrer selbst noch keine Papiermühle gesehn, und also wenig oder nichts vom Papier- machen weis, so kan ihm die gründliche Beschreibung der Papiermacherei in Herrn Professor Beckmanns Technologie trefliche Dienste thun.

*) Siehe *Plinii* histor. natur. Lib. 19. Cap. 1. — Und was wollen wir von dem unzerbrenlichen Larix- oder Lerchenbaum, davon Vitruv in seiner archi- tectura lib. 2. Cap. 9. und *Plinius* in seiner histor. natur. Lib. 16. Cap. 10. reden; und vom castello larino, das Caesar ehedem auf den Alpen nicht an- zünden und verbrennen konte, sagen?

Kolben herum, und sieht meistens gelb und roth, häuffig aber auch bunt aus.

Drei Aehren oder Kolben hat gewöhnlich ein Stengel, und an jedem Kolben zählt man ohngefähr zweihundert und vierzig Körner, und also sind es zusammen siebenhundert und zwanzig Körner. Man macht Mehl und Brodt, auch häuffig Brei oder Mus davon. Auch Schweine und Gänse werden an einigen Orten damit gemästet, auf der sechsten Tafel Figur elf ist eine ganze Maispflanze, samt Blüte und Fruchtkolben; und Figur zwölf ein ganz reifer Kolb abgebildet.

Amerika ist des Mais Vaterland, und von hier kam er fast in alle Länder der Welt. Aus der Türkei kam er nach Europa; und deswegen nent man ihn immer noch türkischen Weizen oder türkisches Korn. — Mais nent man ihn im gemeinen Leben fast nie. In Amerika baut man ihn schon lange nicht mehr; dagegen aber wird er izt in Spanien, Portugal, Frankreich, Teutschland und Italien sehr häuffig gebaut. Einige Leute nennen den Mais auch Wälschkorn.

Die Hirse

sieht wunderbahr aus! siehe Tafel sechs, Figur zwei. Ihre Aehre ist haaricht, rund und rauh, und hat wenigstens sechshundert Körner, die gelblicht aussehen, und so gros als ein kleiner Steknadelknopf ist. — Hirsbrei schmekt treflich, vorzüglich wenn er in Milch oder Fleischbrüh gekocht wird.

Ei ein Hase! Sol ich ihn fangen? Ja, kleiner Jäger! Oder geht nur alle auf ihn los! — O wir sehen ihn nicht mehr! Das dacht ich wohl, daß der Has flenker springen werde, als ihr. — Lasts Hasenjagen vors erste nur gut seyn. Vielleicht fangen wir bald ein Eichhörnchen.

Se=

Sehet, Kinder, welcher Pracht! Links steht Weizen, und rechts Rokken, und darunter eine Menge bunte Blumen. Ach wie schön ist das nicht! Ich bin den Leuten gar nicht gut, die immer zu Hause sizen, und nie ins freie Feld, und zu den wakern Landleuten gehen, um so recht den Segen Gottes, und alles munter und vergnügt zu sehen.

Der Weizen

hat eine Aehre, worin gewöhnlich zwanzig bis vierzig Körner sizen, die in den Scheuern herausgedroschen, und denn in den Mühlen zwischen zween Steinen zerrissen und zu Mehl gemahlen werden. Aus dem Mehl bäkt in den Städten der Bäkker, und auf den Dörfern der Bauer selbst Brod. — Auch macht und kocht man eine Menge wohlschmekkende Speissen aus dem Weizenmehl. Und welch trefliche Bakwerke gibt es nicht!

Der Rokken

wird auch zu Mehl gemahlen, und fast allein zu Brod verbakken. Auch Brandwein wird davon gebrant.

Nun kommen Gersten= und Haber=, Wikken= Linsen= und Erbsenfelder. Auch Aekker mit Klee, Esparsette und andern Futterkräutern für Pferde, Kühe und Ochsen, werden wir izt antreffen. — Aus der Gerste braut man Bier; man macht Perlgraupen davon, und häuffig wird auch das Vieh damit gemästet. — Der Haber gibt Grüze zu Suppen und andern Dingen, gewöhnlich aber ist er das beste Futter für die Pferde. Erbsen und Linsen speissen die Menschen; die Wikken aber mehr das Vieh, als der Mensch. *)

Nur

*) Dinkel oder Spelt, Einkorn und die übrigen bei uns bekanten Getraidearten und Hülsenfrüchte, werden den Kindern gezeigt und beschrieben.

Nur noch etliche Schritte, liebe Kinder, so sind wir in einem dikken, dunkeln und stillen Wald, wo so viele und so hohe Bäume stehen, daß die Sonne mit ihren Strahlen kaum durchdringen kan.

Wie ist euch zu Muthe, Kinder, da ihr das erstemal in einem Garten seyd, den der liebe Gott selbst angelegt hat? Er allein hat alle diese Bäume und Gesträuche, nebst vielen tausend Kräutern und Blumen hieher gesezt. Niemand pflanzt für ihn, und Niemand begiest für ihn. Er thut alles selbst, und zwar aus Liebe zu uns Menschen, und um unsers besten Willen.

Dort lauffen ein paar Hirsche! — Ach hätten sie gesehen, wie da ein Eichhörnchen auf einen Baum kletterte, und plözlich auf den nächsten Baum hinüber sprang.

Sind dis Haselnüsse? Nein, mein Kind, dis sind Eicheln, die hier auf diesem grossen Baum gewachsen sind, den man Eichbaum nent, siehe Tafel sieben, Figur fünf. Die Schweine fressen gern Eicheln, im Nöthfal aber können sie auch die Menschen essen. Einige Leute kochen sich so gar ein Getränk davon, das sie Eichelnkaffe nennen.

Aber dis sind doch Nüsse? Nein, Kinder, auch dis sind keine Nüsse, es sind Galäpfel, die man zum Schwarzfärben und zur Tinte gebraucht. — Wachsen sie auch auf den Eichbäumen? Ja, und zwar auf folgende Art: eine gewisse Fliege, die man Galinsekt nent, siehe Tafel sieben, Figur zwei und zwanzig, sticht mit ihrem Stachel ein Loch in junge Eichenblätter oder Eichenstengel, und legt sodenn Ein oder auch wohl mehrere Eier hinein. An diesen Blättern und Stengeln nun wachsen nach und nach die Galäpfel, oder solche runde Kügelchen, wie ihr bei Figur drei und zwanzig und vier und zwanzig, und an dem Blat unter der Schnepfe bei Figur vier sehen könt. Wer

Wer macht denn das Loch in einige Galäpfel hinein? Der Wurm, der aus dem Ei hervorgekommen, einige Tage darin gewohnt, sich durchgegraben und als Fliege davon geflogen ist. Wenn der Wurm in dem harten Häuschen stirbt, so bleiben die Galäpfel klein, und fallen ohne Loch ab. Der kleine Galapfel bei Figur vier und zwanzig ist ein solcher ohngelöcherter und ohnreiffer Galapfel. — Die besten Galäpfel kommen aus Arabien.

Sehen sie, lieber Herr . . . schon wieder eine andere Frucht! Sie ist dreieckicht, und hat eine braune Schale. Dis sind . . . . — . . . .

Bücheln

oder Buchnüsse, deren zwo immer in einer grünen holzichten und stachelichten Schale beisammen sizen. — Man kan die Buchnüsse essen; gewöhnlich aber gibt man sie den Schweinen, oder schlägt Oel daraus, Tafel acht, Figur zwanzig ist ein Buchbaum mit Nüssen abgebildet.

Hier herum, liebe Kinder, stehen Haselnusstauden, Birken, Tannen und Fichten; dis sind Erlen, Espen, Pappeln, Rüstern, Ilmen und Masholder; dort wachsen Wachholder- Hagebütchen- und Melberstauden; und hier stehen Lerchen- Ulmen- und Ahornbäume. — Alle diese Bäume und Stauden nüzen uns mit ihren Holz zur Feuerung, und den Zimmerleuten, Tischlern, Rademachern, Böttchern, Drechslern und vielen andern Handwerksleuten zu allerhand nothwendigen und nüzlichen Arbeiten.

Fast alle diese Bäume und Stauden verlieren im Herbst ihre Blätter, stehen den Winter über kahl, und erhalten erst

das

das Frühjahr darauf wieder neue; einige früher, andere später. Dis ist nicht so in warmen Weltgegenden, wo die Bäume zwar wohl Laub fallen lassen, aber immer wieder neues
dazu bekommen, so daß sie beständig grün sind, und voller
Laub hängen. — Unsere

Tannen-

Fichten und Wachholder-Sträuche, und überhaupt fast alle
diejenigen Bäume und Gesträuche, die wegen ihres schmalen
und spizigen Laubes Nadelhölzer genant werden, bleiben auch
bei uns Sommer und Winter grün und voller Laub. — Auch
die Cedern vom Libanon sind Tannen; aber eine eblere Art, als
die unsern sind. Sie haben ein röthlichtes und wohlriechendes
Holz. Es komt von den Cedern sehr vieles in der Bibel vor,
weil der König Salomo vom damaligen König in Tyrus,
mit Namen Hiram, eine grosse Menge zu seinem Tempel-
bau in Jerusalem bekam.

Ich bin sehr schmuzig geworden, lieber Herr ...! Sehen Sie doch, was hier an meinem Kleide ist? Es ist Harz,
mein Schaz, das von den Tannen und Fichten herausquilt,
und an denselben herunterfliest. Und an einen solchen Baum
wird er sich angelehnt haben, oder alzu dicht daran vorbei
gegangen seyn. Tafel sieben Figur acht, ist eine solche Tanne,
von der gewöhnlich Harz herunterfliest, mit ihren Früchten
oder Zapfen abgebildet.

Wozu nüzt das Harz? Zu allerhand Dingen. Man
macht Pech, Theer und Siegellak daraus. Auch die Schuhmacher, Böttcher, Schifbauer und viele andere Handwerks-
leute können es bei ihren Arbeiten nicht entbehren.

D   Die

Die Fichtenbäume sehen eben so aus, wie die Tannen, tragen aber keine Zapfen. — Eine gewiſſe Art Fichtenbäume, die man Kienbäume nent, haben ein ſo harzichtes Holz, daß es wie ein Licht brent, und an vielen Orten zum Feueranmachen gebraucht wird. Der Ruß, der ſich bei der Feuerung mit Kienbaumwurzen im Schornſtein anſezt, wird Kienruß genant, und zu Buchdrukkerſchwärze und allerhand Mahlereien gebraucht. — Auch der Ruß von Tannen= Fichten= und Kienbaumrinden wird Kienruß genant.

Wachſen in allen Wäldern ſo viele Erdbeere, Heidel= und Brombeere, wie in dieſem? Ja, faſt in allen. Nun wundere ich mich nicht mehr, daß dieſe Beeren ſo häuffig auf die Märkte gebracht, und ſo wolfeil von den Landleuten verkauft werden.

O ich unachtſamer Knabe! Was hab ich hier für eine niedliche Pflanze zertreten? Sehen Sie einmal, lieber Herr! Sie hatte ein braunes Hütchen auf ihrem Strunk ſizen. Es war eine Art Pilz, mein Sohn, die oben braun und glat, und unten weis und blätterich iſt. — Es gibt noch mehrere Sorten von Pilzen, die ſämtlich in feuchten Gegenden wachſen, und davon einige giftig ſind, andere aber gegeſſen werden können. Morcheln, zum Beiſpiel und Pfifferlinge ſind auch Pilze, und dieſe eſſen wir; jene an Soſſen, und dieſe als ein Gemüſe. Alle Pilze aber, die auf faulem Holz, in Miſtlachen und andern ſumpfichten Orten wachſen, ſind giftig.

Was ſizt denn hier auf dieſen Bäumen für ein wunderbares Gras? Es iſt Moos, das auf der Rinde der Bäume aber auch auf der Erde, auf Steinen und vielen andern Dingen wächſt.

Sin

Sind die hübsche grüne Pflänzchen, die auf altem Brod, faulen Aepfeln und im Käse wachsen, und wie Lust= wäldchen aussehen, auch Moos? Nein, diese herliche Busch= werke nent man **Schimmel**. Wenn man den Schimmel durch ein Vergrösserungsglas ansieht, so hat er grosse und kleine Bäume; und zuweilen sieht man auch kleine Thierchen darin herum lauffen.

Da wächst was auf einen Baum, lieber Herr. . das wie dikkes Leder aussieht — Es ist doch wohl kein Leder? O nein! Wie solte das zugehen? Das ordentliche Leder, komt nur allein von den Häuten der Thiere.

Es ist eine Art Pilz, die man auch **Schwam** nent, und die auf alten Eichen, Büchen und vielen andern älten Bäumen wachsen. Man schneidet sie zu gewissen Zeiten weg, und macht Zunder daraus.

Zunder habt ihr doch wohl schon gesehen, Kinder? O Ja! Man schlägt Feuer damit an. Ohe, kleiner Mann! Mit Zunder wil er Feuer anschlagen? Ich dächte, mit Stahl und Stein, und der Zunder sodenn die Funken auffienge?

Wachsen die durchlöcherten Schwämme, die man zum Waschen und auftroken gebraucht, auch auf Bäumen? Nein. Wo denn? An Felsen unter dem Meer. Aber sie sind keine ordentliche Pflanzen, sondern Wohnungen gewisser Meerein= wohner, die zu den Gewürmen gehören, davon ich euch bald mehreres erzählen werde. — Lebe wohl Wald! Bald besuchen wir dich wieder. Wir müssen alle deine Schäze und Güter nach und nach sehen und kennen lernen.

Dis, liebe Kinder, sind

Wachholdersträuche

die Sommer und Winter grün bleiben, und fast immer ganz
und halbreise Früchte zu gleicher Zeit tragen, siehe Tafel sieben
Figur zehn. Was nüzen die Wachholderbeere? Man gebraucht sie zu allerhand Speissen; auch ein wohlschmekkender
Sirup, und ein Getränk, das wie Wein schmekt, macht
man daraus. Und mit dem Wachholderholz und Laub kan
man räuchern. — Auch die Beeren der Hambutchen oder
wilden Rosensträuche kan man essen, und einen gesunden
Sirup davon kochen.

Kommet hieher, Kinder! Sehet in diesem Teich wächst
ein hohes und dikkes Gras, das man

Schilf

nent. Einige Schilfe treiben lange holzichte Röhren, die
man zu allerhand Arbeiten gebrauchen kan. — Die Stökke
der Herren sind auch eine Art Schilfrohr, die man Spanische Rohr nent, weil sie von den Spaniern aus Ostindien
gebracht werden, wo sie im Meer wachsen. Man nent sie
deswegen auch Meerrohr.

Hier diese dikke Halme nent man

Schachtelhalm

oder Kannenkraut. Die Tischler und Drechsler gebrauchen
sie zum glatmachen oder poliren ihrer Arbeiten; und in unsern
Küchen wird das Zin damit rein gemacht.

Se-

Sehet, Kinder! Ein ganzer Akker vol

Tabakpflanzen.

Doch die kennet ihr schon, und wisset auch schon, wozu sie nüzen, und was man damit macht. Nicht wahr, wenn die Blätter reif sind, werden sie abgepflikt und getroknet? Einige davon werden sodenn klein geschnitten, und als Rauchtabak verkauft. Andere reibt oder mahlt man klein zu Schnupftabak. Manns- und Frauenspersohnen rauchen und schnupfen an manchen Orten Tabak. Einige rauchen schlechten Nellentabak, andere Varinas, Portoriko und Kanastertabak. Einige schnupfen lieber Tongo, andere Spaniol.

Das Vaterland des Tabaks ist Amerika, wo er von Engländern, Spaniern, Portugiesen, Dänen, Franzosen und Holländern in so grosser Menge gebaut wird, daß alle Jahr etliche hundert Schiffe vol nach Europa geführt werden können.

Seinen Namen hat der Tabak von der amerikanischen nsel Tabago, wo ihn die Spanier nach Eroberung von merika, im Jahr tausend fünfhundert und zwanzig zuerst nden. — Der Portorikotabak hat seinen Namen von der nsel Portoriko, wo er wächst. Und der Kanastertabak, elches der theuerste Rauchtabak ist, wird von den Körben lso genant, in welche er eingetrampt, und verschift wird, enn Korb und Kanister ist einerlei. — Es gibt noch eine Menge Sorten von Tabak, die fast alle ihre Namen von en Orten haben, wo sie gebaut, zerschnitten oder gerieben verden.

D 3

Im

Im Jahr tauſſend fünfhundert und ſechzig kam der erſte Tabak nach Portugal *). Bald nachher pflanzte man ihn in Spanien, und einigen andern europäiſchen Ländern; und endlich auch in Teutſchland.

Dis iſt eine Wieſe, Liebe Kinder, worauf gutes Gras, und eine Menge bunte Blumen, und allerhand Samenkörner wachſen, die uns viel Vergnügen und Nuzen ſchaffen.

Der Kümmel

zum Beiſpiel, hat kleine länglichte Körner, die man zu verſchiedenen Speiſſen, und zum Brandweinbrennen gebraucht, wie ihr wiſſet, ſiehe Tafel drei, Figur ſechs und zwanzig.

Die Kamillen, Schafgarben und Schlüſſelblumen geben geſunden Thee. Und wie viele Wurzen, Blätter und Blumen werden nicht zu Arzeneien für die Apotheker auf den Wieſen geſammelt?

Alle dieſe Kräuter und Blumen nun werden, wenn das übrige Gras hoch genug und reif iſt, mit gröſſen Meſſern, die man Senſen nent, abgemähet und getroknet, und ſodenn Heu genant. Wenn man aber das Gras noch zum zweitenmal abhaut, ſo nent man es Grumet oder Imd. — Beide, das Heu und das Imd, geben für Pferde, Rindvieh und Schafe ein gutes Futter ab.

Auf dieſem Akker hier wächſt ein Färbekraut, das

Wai

---

*) Johann Nicot, franzöſiſcher Geſandter in Liſſabon, machte den Tabak im Jahr 1560 zu erſt in Europa bekant. Und ſeit der Zeit wird der Tabak auch auf lateiniſch Herba Nicotiana genant.

Waid

heist, und zum Blaufärben gebraucht wird. Es wächst der
Waid so schnel, daß man ihn in einem Sommer dreimal abschneiden kan. Wenn er trokken geworden, und dreimal in
einer Stampfmühle zerstossen, und mit Wasser angefeuchtet
worden ist, so gibt er eine dauerhafte blaue Farbe. — Hier
steht Färberröthe oder Krap, dessen Wurzeln eine schöne rothe
Farbe geben, wann sie gedört, und zu Pulver gestossen,
worden ist.

Dis ist

Saflor

oder wilder Safran, mit dessen Blüte man ebenfals schön
roth färben kan. Sein Saämen ist den Menschen tödlich.
Wer davon ißt, muß viel Schmerzen leiden, oder gar sterben. — Auch das Schierlingskraut hier ist den Menschen
und Kühen, und vielen andern Thieren schädlich. Die Ziege
aber kans ohne Gefahr fressen.

Wo wächst wohl der ächte

Safran

den man essen kan? In Frankreich, England und Oesterreich;
in der Türkei und vielen andern Gegenden von Europa. —
Die Safranpflanze hat eine Zwibel, die eine Blume treibt,
welche mit der Lilie viele Aehnlichkeit hat, aber nur so gros, als
eine kleine Tülpe ist. Mitten in der Blume sizen etliche rothe, mit gelben Pünktchen versehene Zäserchen, die der gewürzhafte Safran sind, siehe Tafel drei, Figur vier und
zwanzig. — Der Safran ist sehr theuer. Das Pfund kostet
gewöhnlich zwölf bis fünfzehn Gulden.

Dis

Dis ist

Senf,

deffen Samen man effen fan. Man zerdrükt und vermifcht
ihn mit Weinmoft oder Effig, und fpeist ihn als eine Soße
zum Rindfleisch, und vielen andern Speiffen. Er fchmekt
und riecht fcharf.

Sol ich nun mein Verfprechen erfüllen, liebe Kinder,
und euch etwas vom Zukker und Kaffe erzählen?

Der Zukker

kömt von dem Mark einer Pflanze, die man Zukkerrohr
nent. Das Zukkerrohr ift drei bis fünf Ellen hoch und rund,
und ein bis zween Finger dik. Es hat viele Ringe oder Ab=
fäze und wenig Blätter, fiehe Tafel zwei, Figur vier. *)

Wenn das Rohr reif ift, wird es abgefchnitten, in der
Mühle zerquetfcht, und der Saft ausgepreßt. Diefer Saft
wird alsdenn in groffen Keffeln fo lange gekocht und geläu=
tert, bis er rein und dik genug geworden ift.

Aber nun ift der Zukker noch nicht weis, fondern noch
ganz fchwarzbraun und brofamicht. Er wird aber doch fo
in Tonnen gefült, und aus Amerika von den Franzofen, Eng=
ländern, Spaniern und Dänen, unter dem Namen, roher Zuk=
ker, nach Europa gebracht. Und hier wird er nun erft in
den

---

*) Jeder Knoten oder Abfaz ift von dem andern ohngefähr eine Handbreit ent=
fernt. Aus jedem Knoten wächst ein Blat, welches das Rohr bis an
den nächften Knoten einhült. Zwei Blätter ftehen nie gerade über ein=
ander, eins fteht links, und das andere rechts drüber.

den Zukkersiedereien durch allerhand Künsteleien völlig geläu=
tert, und in Formen gegossen, die man Hüte nent.

Gibts denn sonst nirgends Zukker als in Amerika? O
ja! Man baut auch in Asia und Afrika, und in Spanien,
Neapel und Sicilien viel Zukker. Allein der meiste kömt doch
wohl aus Amerika, wo nur allein die Franzosen so viel bauen,
daß sie fast ganz Europa damit versehen könten.

Der beste weisse Zukker wird Kanarienzukker genant,
weil ehedem von den Kanarieninseln der feinste Zukker gelie=
fert wurde. Auf den Kanarienzukker folgt der Rafinade;
und auf diesen der Meliszukker.

Der süsse braune Saft, der aus den Formen läuft,
worein der Zukker gegossen worden, wird Sirup genant. Er
ist wolfeiler als der harte Zukker. Daher kauffen ihn die ar=
men Leute gern.

Man wikkelt die Zukkerhüte in grau, weis und blau
Papier ein, und umbindet sie mit Bindfaden, damit sie be=
quem eingepakt und verschikt werden können.

Von dem fertigen weissen Zukker kan man weissen und
braunen Kandelzukker, und eine Menge Zukkerwaaren machen.

Ich mus euch doch noch sagen, liebe Kinder, daß man
auch aus Zukkerwurzeln und rothen und gelben Rüben, Zuk=
ker machen kan. Ist das nicht vortreflich? O ja! Und unsere
Bienen geben uns süssen Honig. Allerliebst! Wenn also ein=
mal der ordentliche Zukker theurer wird als der Honig, oder
es gar keinen Zukker mehr gibt, so nehmen wir unsern Honig,
oder machen uns aus rothen und gelben Rüben Zukker. Rich=

tig, Kinder! Den Zukker können wir im Fal der Noth wirklich entbehren; und so auch den Kaffe, denn unsere Vorfahren wusten ganz und gar nichts vom Kaffe, und lebten und waren gesund, und vielleicht gesünder, als diejenigen nicht sind, die izt immer Kaffe trinken.

Wer aber doch Kaffe haben wil, der mache sich welchen von Weizen, Rokken und Gersten, und trinke Weizelade, Rokkelade oder Gerstelade. Auch von Cichorienwurzeln kan man Kaffe machen. — Doch wir wollen jeden lassen und gönnen, was er hat und gewohnt ist.

Der Kaffebaum

hat Arabien zu seinem Vaterland. Die Venetianer brachten ihn im Jahr tausend sechs hundert vier und zwanzig zuerst von dorten mit nach Italien. Im Jahr tausend sechs hundert vier und vierzig kam er nach Frankreich, und endlich in alle Theile der Welt. — In Amerika baut man seit einigen Jahren den meisten Kaffe.

Der Kaffebaum ist ohngefähr so dik als ein Mannsarm, und sechs bis neun Ellen hoch. Seine Blätter gleichen den Citronenblättern, und fallen im Herbst nicht alle auf einmal ab, wie es bei unsern Bäumen geschieht, sondern er hat, wie überhaupt alle Gewächse in warmen Ländern, immer, und zu allen Jahrszeiten Laub, Blüte und Früchte.

Die Frucht sizt an einem kleinen Stil, und sieht kleinen länglichten Kirschen gleich, siehe Tafel zwei, Figur acht. — Jede Beere hat zween Kerne, die wie unsere Bohnen aussehen, und deswegen auch Kaffebohnen genant werden, siehe Figur zehn. — Weil die Beeren nicht alle zu gleicher Zeit reif werden,

den, kan man sie auch nicht alle auf einmal abschütteln. Man
samelt daher des Jahrs gewöhnlich zwei bis dreimal Kaffe=
bohnen ein.

Der beste Kaffe ist der Arabische oder Levantische.
Sodenn folgt der von der französischen Insel Bourbon, die
in Afrika, rechts neben der Insel Madagaskar liegt. Und
endlich kömt der Amerikanische, davon der beste von der fran=
zösischen Insel Martinik ist.

Ihr wist doch schon, daß der Italiener alles gegen
Morgen gelegene Land Levante, und die daher kommende
Früchte, Levantische Früchte nent?

Dis ist ein Schlehenstrauch, dessen Blüte man in den
Apotheken gebraucht, und dessen Früchte oder Beeren man es=
sen kan.

Was wächst hier an diesen grossen Stangen hinauf?
Hopfen, den man zum Bierbrauen gebraucht.

Kinder, nun gehen wir nach Hausse! Schon nach Hause,
lieber Herr . . . ? Ja! Ich denke, wir sind schon lange genug
herumgelauffen. Wir müssen nun ein wenig ausruhen, und
über das nachdenken, was wir gesehen und gesammlet haben.
Und denn gehen wir in den Baumgarten, und von dar auf die
Polypen und Schmetterlingsjagd. Ach das ist allerliebst!
Was sind denn Polypen? Ganz kleine Wasserthiere, die,
wenn man sie in Stükke zerschneidet, nicht sterben, sondern
lebendig bleiben.

Kennet ihr diese kleine Körner? Ja! Es sind Weih=
rauch= Myrrhen= Aloe= und Mastixkörner, die man zum
Räu=

Räuchern und vielen andern Dingen gebraucht. Sie kommen aus Asia, wo sie als klebrichte Säfte aus gewissen Bäumen schwizen. — Auch der Gummi und der Terpentin schwizen aus gewissen Bäumen heraus.

Sehet, hier hab ich eine Ralmuswurzel, die in Indien, aber auch in Europa, und selbst in Teutschland in sumpfichten Gegenden häuffig wächst. Man kocht sie in Zukker, und ist sie zur Stärkung des Magens.

Was sind dis, Kinder?

Mandel.

Was für welche, bittere oder süsse? Wir wollen sie erst kosten — bittere, bittere. Ei wo wachsen denn die Mandel? In Italien und Frankreich. Klein Asien aber ist ihr Vaterland, siehe Tafel zehn, Figur eins.

Daß man die süsse Mandel essen, gute Bakwerke, köstliches Oel und eine wohlschmekkende Milch davon machen könne, wissen wir. Wozu aber die bittere nüzen, ist uns nicht bekant. Man macht auch Oel und allerhand Bakwerke davon.

Ich bin nun entschlossen, liebe Kinder, in den Baumgarten zu gehen; wolt ihr wohl mit? O freilich! Nun so kommet! Ich weis gewis, einige von euch, und vorzüglich diejenige, die noch keinen solchen Garten gesehen haben, werden nicht wissen, wie ihnen ist, und wo sie zuerst hinsehen sollen, wenn alles um sie herum voller Blüte, halb- und ganzreifer Früchte hängt. — Wir werden einen grossen

Wälsch=

Wälschnusbaum

oder Walnusbaum sehen, dessen Nüsse in zwo Schalen, in einer weichen grünen, und in einer harten gelblichten eingeschlossen sind, und frisch und trokken, wie ihr wist, gegessen werden können. Auch ein gesundes Oel geben die Walnüsse. — Das Vaterland dieser Bäume ist Persien, izt aber wachsen sie fast allenthalben, und vorzüglich in Teutschland sehr häuffig.

Dis hier sind allerhand Sorten von Aepfel- und Birnbäumen. — Hier stehen Kornelius, und verschiedene andre saure und süsse Kirschen. Dis ist ein Pfirschen- dis ein Aprikosen- dis ein Quitten- und dis ein Mispelnbaum. — Wie gut ein reifer Apfel, Birn, Pfirsche und Aprikose schmekken, wist ihr vielleicht alle schon; und wer es noch nicht weis, der sols izt erfahren: denn was reif ist, pflükken wir ab.

Viele, ja die meisten Aepfel und Birn ist man roh, oder kocht sie als ein Gemüse. Man troknet aber auch viele. Von einigen Birn macht man einen guten Sirup. Viele Aepfel werden auch zerquetscht, und ihr Saft oder Most, unter dem Namen Cider, stat eines Weins getrunken. Die Engländer machen und trinken jährlich viele taussend Mas oder Quartier Cider.

Wuchsen diese herrliche Früchte immer in Teutschland? Nein. Die köstliche Pfirsche kam aus Persien nach Italien, und von Italien zu uns nach Teutschland. — Die Aprikosen haben Griechenland; und die Kirschen klein Asien zu ihrem Vaterland.

Dan-

Danket dem lieben Gott, Kinder, daß er so viele kost
bare Früchte zu unserm Vergnügen erschaffen hat, und da
wir immer wieder was neues kriegen, wenn das alte aufge
zehrt oder verdorben ist.

Er giebt uns nicht alle Früchte auf einmal — denn wi
viel würde alsdenn nicht davon verderben? Sondern er gib
uns seine Geschenke nach und nach; heute dis, morgen das

Im Winter haben wir wenig, und oft gar nichts fri
sches. Wir behelfen uns meistentheils mit troknen Früchten
Aber der holde Frühling erfreut uns schon mit wohlschmekken
den Erdbeeren, Johannis= und Himbeeren, auch seine Brom
Stik= und Heidelbeere lassen wir uns wohl schmekken. Un
der gewürzhafte Saft der Kirschen erfrischt unser mattes Ge
blüt, und bereitet es gleichsam zur Aufnahme noch stärkere
Säfte vor.

Der Sommer gibt uns Kirschen, Aepfel und Birn, un
etliche Sorten von Pflaumen. — Der Herbst endlich schenl
uns Weintrauben, Pfirschen, Pflaumen und Aepfel und Bir
aller Art.

Vieles essen wir gleich, weil es sich nicht aufhalte
läst. Vieles aber verwahren wir in unsern Kellern auf de
ärmen Winter. — Und so, denk ich, solt es keine Kun
seyn, zufrieden zu leben.

Habt ihr was gesamelt, liebe Kinder! — Seyd ih
bei den Kirschen gewesen? Ja! Gut. Wenn ihr nur kein
unreiffe gegessen habt: denn unreiffes Obst ist sehr schädlich
verursacht im Leibe Schmerzen, oder wohl gar den Tod.

Di

Dis endlich hier herum sind

Pflaumenbäume,

die ganz runde, länglichtrunde, kleine und grosse, gelbe, rothe und schwarzbraune Früchte tragen. Die meisten davon sind länglichtrund und schwarzbraun, und werden Zwetschen genant. Alle Arten von Pflaumen dienen uns zum essen, theils frisch, theils getroknet. Auch Brandwein wird aus den Zwetschen sowohl, als aus den Kirschen gebrant. *)

Wo wächst wohl der Reis, lieber Herr . . . ? Und wo die Oliven? Ich laurte und suchte schon lange, aber ich fand und hörte bis izt nichts davon.

Die Oliven

mein Kind, wachsen sehr häuffig in Italien, in Frankreich, Portugal und Spanien; die Insel Cipern aber im Mittelländischen Meer ist ihr Vaterland, wie man glaubt.

Der Olivenbaum sieht einem Weidenbaum ähnlich, ist von schlechtem Ansehen, und selten gerade gewachsen, siehe Tafel zwei, Figur acht. Er bleibt das ganze Jahr grün, und hat keine Pflege der Menschen nöthig. Wenn seine Frucht, die einer kleinen Wälschnus ähnlich sieht, reiffet, wird ihre äussere Schale schwarz. Unter dieser schwarzen Schale ist eine röthlichte, und dann noch eine weislichte Haut. Der Saft aber und das Fleisch sind weis. — Oft hat ein Olivenbaum Blüte und Früchte zu gleicher Zeit.

Das

---

*) Bei Gelegenheit zeigt man den Kindern die verschiedenen Sorten von Obst vor, und wo es nach Beschaffenheit der Umstände angeht, läst man sie solche auch wohl kosten oder versuchen.

Das weiſſe Oel iſt das beſte, das Goldgelbe aber iſt entweder von faulen oder von unreiffen Früchten gemacht worden. Das gute Oel darf keinen Geſchmak haben. Genua, und vorzüglich die Gegend bei der Stadt San Remo hat, nebſt der Provence in Frankreich, das beſte Olivenöl in der Welt; und Portugal hat das meiſte. — Die Franzoſen hoſen in San Remo viel Oel, und geben es nachher für Provenceröl aus.

Der Reis

ſieht faſt unſerer Gerſte gleich, und wächſt auf einem holzichten Halm oder Stengel, der ohngefähr zwo Ellen hoch, und etwas dikker als ein Federkiel iſt, ſiehe Tafel zehn, Figur ein und zwanzig.

Der Stiel hat keine Aehre, ſondern ſtat derſelben einen holzichten ausgebreiteten Buſch oder Straus, daran die Körner in gelblichten Kapſeln oder Schalen eingeſchloſſen ſizen.

Der Reis wächſt am häuffigſten in warmen und feuchten Gegenden. — Den meiſten baut man ſeit einigen Jahren in Nordamerika. *) Uiber zweihundert Schiffe vol werden alle Jahr von dort ausgeführt. Aber auch Italien und Spanien, Egipten, Oſtindien und Sina bauen eine Menge Reis. Der Reis, welchen wir eſſen, komt aus Italien und Amerika.

Die

---

*) Der Reis kam wahrſcheinlich aus Aetiopien nach dem Orient, und von da nach Italien. Seit dem Jahr 1696 aber wird er vorzüglich erſtaunlich häuffig in Amerika gebaut.

F. L. H. Waagen del.

J. G. Sturm sc. Nürnb.

Die Engländer und Holländer brennen in Ostindien aus Reis, Zukker, Rum und Kokusnüssen einen sehr starken Brandwein, den man Rak oder Arak nent, der die Hauptsache beim Punsch ist. — Was ist denn Punsch? Ein warmes Getränk, das aus Wasser, Citronensaft, Zukker und Rak zusammen gemischt wird.

Herr . . was sind das für Nüsse,

Kokusnüsse?

Sie wachsen in Amerika und in Ostindien auf grossen Bäumen, und sind gewöhnlich grösser, als Gänseeier, ja oft sind sie so gros, als ein Kindskopf, und also geräumig genug, daß sich der kleine amerikanische Affe, Sagoin, samt seinem langen Schwanz, darin aufhalten kan, siehe Tafel sechs, Figur achtzehn und neunzehn.

Die Schale, die mit einem faserichten oder harichten Gewebe, daraus an diesen Orten Strikke gedreht werden, umgeben ist, sieht gelblicht aus, und ist so hart wie Horn, daher man auch allerhand niedliche Dinge daraus drechseln kan. Und innen in der Schale stekt ein weisser süsser Kern, der beinahe die ganze Nus erfült, und in der Mitte hohl und voller süsser Milch ist, die man Mandelmilch nent, und als was delikates trinkt.

Auch den Kern oder das Mark ißt man, es schmekt wie lauter süsse Mandel. Viele taussend Menschen leben in Asia und Amerika fast allein von diesen Kokusnüssen. Sie sind ihnen das, was vielen armen Teutschen ihre Kartoffeln sind.

E   Nicht

...Nicht wahr, lieber Herr . . es gibt irgendwo einen Baum, aus deſſen Rinde man die Korke macht, womit man Krüge und Bouteillen zuſtopft? Ja, mein Sohn! Der Baum heißt

Pantoffelbaum,

und iſt eine Art Eiche, die in Spanien, Italien und Frankreich wächſt. Ohnweit Rom gibts einen ganzen Wald von Pantoffelbäumen. Die Rinde dieſer Bäume, iſt ein bis vier Finger dik, und wächſt alle zwei Jahr wieder, wo ſie weggeſchnitten wird.

Ei, lieber Herr . . iſt es denn wirklich andem, daß es in China, oder ſonſt wo einen Baum gibt, der

Fieberrindenbaum

heißt, deſſen Rinde man zu Pulver ſtößt, und als eine Arzenei gegen das Fieber einnimt? Ja, Kinder, es gibt wirklich einen ſolchen Baum in der Welt; aber nicht in Aſia, ſondern in Südamerika, im Königreich Peru. Er iſt nicht ſehr hoch, und hat einen mittelmäſſig dikken Stam, mit vielen Aeſten. Die Rinde ſieht auſſen graugelb, und innen dunkelroth, und ſchmekt bitter und ſcharf.

Warum nent man ſie denn China- und nicht Peru- rinde? Wuchs der Baum etwa ehedem in China? Nein! Eine ſpaniſche Frau in Amerika gab ihr den Namen. Man ſagt, eine ſpaniſche Gräfin, mit Namen Cinchon, deren Gemahl Vicekönig im ſpaniſch Amerikaniſchen Königreich Peru war, habe im Jahr tauſſend ſechshundert acht und dreiſſig

ein

ein heftiges Fieber mit dieſer Rinde vertrieben. Und da ſie ihre glükliche Kur allenthalben bekant gemacht, und die Rinde auch andern Kranken vom Fieber geholfen, habe man ſie ihr zu Ehren anfangs Gräfinrinde-oder Gräfinpulver; hernach Jeſuitenpulver, weil ſie es den Jeſuiten zum Austheilen gab; und endlich auch Cinchonrinde und Chinachinarinde genant. *) Auch Fieberrinde wird ſie genant.

Aus Oſtindien komt auch eine Wurzel zu uns, die Chinawurzel genant, und in allerlei Krankheiten, vorzüglich aber bei der Kreze, und bei den Pokken oder Kinderblattern, zu Pulver verſtoſſen, eingenommen wird.

Es gibt in der Welt noch eine Menge merkwürdige Bäume und Gewächſe, liebe Kinder, die ihr in eurem künftigen Leben noch wohl werdet kennen lernen müſſen. Bedenket einmal: Es gibt mehr als fünfzehn tauſſenderlei Arten von Pflanzen. Rechnet nun nach, wie viel euch davon bekant ſind.

Dis mus ich euch doch noch ſagen: Es gibt Bäume, die ganz ſchwarzes, und welche, die ganz rothes Holz haben, und zum Färben oder andern Dingen nüzlich zu gebrauchen ſind.

Der Ebenbaum, zum Beiſpiel, hat ganz ſchwarzes Holz, das die Tiſchler und Inſtrumentenmacher gebrauchen.

Das Campecheholz färbt ſchwarz und violet; und das Braſilien-oder Fernambukholz färbt roth.

E 2 Den

*) Kinakina, Cortex chinae, Cortex peruvianus, Cinchona officinalis.

Den Dattelnbaum

kent ihr wegen seiner Frucht und grossen Blätter auch noch
merken. Er wächst in Asia, und ist eine Art Palmbaum.
Seine Frucht ist so gros, als eine Pflaume, und hat einen
fleischernen Umschlag, den man essen kan. Aus dem Kern
pressen die Indianer ein Oel, das sie stat Butter gebrauchen.

Auch zu Mehl werden die Kerne gemahlen, und daraus
Brod für die Menschen und Kamele gebakken. Aus den Blät=
tern aber macht sich der Indianer fast alles, was er braucht;
nämlich Strikke und Fäden, Körbe, Säkke und Dächer, ja
seine Hütte oder Haus selbst.

Wer nun eine Tasse The, Kaffe oder Schokolade trin=
ken, und etwas ausruhen wil, mag es thun, denn die Po=
lypenjagd geht nun bald an. — Wir bitten uns The oder
Kaffe aus; und Sie, lieber Herr . . wollen wir Schokolade
trinken sehen. Ei wie listig! Ihr möchtet vermuthlich gern
wissen, wie die Schokolade gemacht wird, oder gar, wie sie
schmekt. — Wolan! Ihr solt beides erfahren.

Ihr habt doch schon

Kakaobohnen

gesehen? — Nicht wahr, es sind länglichte dunkelrothe Kerne,
die den Mandeln oder grossen Bohnen ähnlich sehen? Siehe
Tafel neun, Figur sechs. — Sie wachsen in Amerika auf
grossen Bäumen, und in grossen Kapseln, darin gewöhnlich
fünfzig bis sechzig Stük beisammen stekken, siehe Figur acht,
und Figur neun ist Kakaoblüthe.

Wenn

Wenn man nun diese Kakaobohnen röstet und klein stöst, und mit Zukker vermischt, so hat man Schokolade. Aber freilich noch keine gute. Denn sol sie recht gut und stark werden, so mischt man Kakaobohnen, Zukker, Gewürznägelein, Kardamomen und Vanille zusammen; läst es beim Feuer zergehen, und giest kleine runde oder vierekkichte Tafeln oder Kuchen. — Wil man nun Schokolade trinken, so mus sie gerieben, mit etwas Eierdotter vermischt, und in Wasser oder Milch gekocht werden.

Die Spanier machten die erste Schokolade in Amerika. Im Jahr tauſſend fünfhundert und zwanzig brachten sie sie nach Europa; und izt macht man sie allenthalben, und auch in Teutschland häuffig.

Was ist

Vanille

für ein Ding, lieber Herr . . ? Es sind ganz kleine, sehr stark und gewürzhaft riechende Körnchen, deren etliche hundert in einer viertelellen langen schmalen Schote beisammen sizen.

Wist ihr auch was Schoten sind? Könt ihr sie wohl von den Hülsen unterscheiden? O ja! In den Schoten sizen die Saamenkörner alle auf einer Seite der Kapsel; in den Hülsen hingegen hängen sie wechselsweise an beyden Seiten. Richtig, so ists.

Haut darf man also eine Hülse oder Schote nicht nennen. Denn das nent man Haut, was eine Frucht, einen

E 3   Saa-

Saamen, eine Hand des Menschen unmittelbar und dicht
umgibt. *)

---

*) Den Kindern etwas von den eigentlichen botanischen Kenzeichen der Pflan-
zen zu sagen, ist schwer und vielleicht auch ohne sonderlichen Nuzen.
Wie sol man von der Sexual Methode mit ihnen sprechen? Sol man
die Staubfäden oder stamina Männchen; und die Staubwege oder pistilla
Weibchen nennen? Nüzlich mag allenfals noch dis seyn, daß man ihnen Staubwege und Staubfäden; und männliche und weibliche Blumen zeigt, und dabei sagt, wenn man die männliche Blumen und die
Staubfäden wegpflikke, bekomme man keine Früchte. — Nachbar Hans
pflikte einst in seinem Garten alle Männliche Blumen bei seinen Gurken
und Kürbissen sorgfältig weg, um desto mehr Gurken und Kürbisse zu
bekommen. Allein der gute Hans bekam nun gar keine.

Das

Das Thierreich

fangen wir nun an, liebe Kinder. Ihr dürft euch in allem
Ernst darauf freuen, denn ich mache euch wenigstens mit sechs
bis acht hundert kleinen und grossen Thieren bekant. Viele
davon solt ihr lebendig, und einige abgebildet sehen. — Fische und Frösche, Schafe und Elefanten, Vögel und Würmer
wollen wir so genau kennen lernen, als es angeht.

Alles, liebe Kinder, was sich regt, was lebt und empfindet, und sich freiwillig von seiner Stelle bewegen kan,
nent man ein Thier. — Doch gibt es auch verschiedene
Thiere, die sich nie von ihrer Stelle bewegen können, wie
die Seetulpan und noch mehr andere Gewürme.

Der kleine rothe Springer der Floh, ist also so gut ein
Thier, als der grosse Ochs; die kleine Made, die man mit
blosen Augen kaum sehen kan, eben so gut, als der ungeheure Elefant.

Auch der Mensch ist ein Thier, aber freilich das beste,
das klügste unter allen andern Thieren. Ja der Mensch ist
sogar der Herr von allen Thieren des Erdbodens, und von
dem Erdboden selbst. Der liebe Gott hat ihm alles überlassen und alles geschenkt, was auf und in dem Erdboden ist.
Er darf pflikken, fangen und schlachten, wo er wil, und
wenn er wil.

Diese Gewalt, die ihm sein gütiger Schöpffer gab,
wendet er meisterlich an. Er pflikt und ist das beste Obst,
das beste Gemüse. Er sucht sich unter allen Thieren diejeni-

gen aus, welche für ihn das schmakhafteste Fleisch haben. Ja
er macht sogar viele Thiere zu seinen Hausssklafen und Schlacht-
opffern, befördert durch Kunst und Sorgfalt ihre Vermehrung,
und bringt nach und nach grosse Heerden zusammen. — Auch
die wilden Thiere, die Vögel und die Fische weis er zu be-
kriegen, und mit List und mit Gewalt zu fangen. Und das
thut er nicht nur in seinem Vaterland — nein; er läuft und
schift ihnen bis in die entferntesten Länder und Meere nach,
und wühlt sogar auf den Boden der Meere herum, um was
für seinen lekkerhaften Gaumen zu finden.

Und weil der Mensch alles dis thun, und über seine
Handlungen nachdenken, dis wählen, und jenes verwerffen;
und sich das vergangene, das gegenwärtige und gewisserma-
sen auch das zukünftige vorstellen kan, so nent man ihn vernünftig; alle übrigen Thiere hingegen, weil sie das nicht
können, nent man unvernünftig.

Wie viel mag es wohl Arten von lebendigen Thieren
geben, lieber Herr . . ? Denkt einmal, gegen fünf und zwanzig taussend; und man entdekt deren täglich noch mehrere. —
Und wo halten sich alle diese Thiere auf? Einige im Wasser
und auf dem Boden desselben; andere auf der Erde und in
der Erde; und noch andere halten sich bald im Wasser, bald
auf der Erden auf.

Höret nun aufmerksam zu, liebe Kinder, ich wil euch
izt kurz allerhand artige und nüzliche Dinge von den Thieren
überhaupt erzählen.

Bei einem Thier mus man sich den Kopf merken, den
Rumpf und die Glieder. Der Theil, wo der Kopf und Rumpf
zusammen hängen, ist bei vielen Thieren etwas dünner als
der

der Kopf und Rumpf, und wird der Hals genant. Der Rumpf wird bei einigen in den Vorderleib oder die Brust; und in den Hinterleib oder Bauch eingetheilt.

Alle Thiere sind mit einer Haut umgeben, die bei einiger hart, bei andern weich; bei einigen mit Haaren und Federn; bei andern hingegen mit Schuppen und Schildern bedekt ist. — Und fast alle verwechseln jährlich ihre Haut, wie die Insekten und Gewürme. Die Raupe häutet sich in einem Sommer wohl drei bis viermal. — Oder sie verändern ihren äussern Anzug, wie die Gans und andere Vögel, die sich im Sommer mausern, das ist, Federn verlieren, und dafür wieder neue bekommen. Und so gehts auch den Hasen, Wölfen und Bären, die alle Jahr Haare verlieren, und vor dem Winter wieder neue erhalten. *)

Unter der Haut liegen Fet, Fleisch, Knochen, Knorpeln und eine Menge Adern, davon einige mit Blut, andere mit einem weissen Saft angefült sind. Doch gibt es auch Thiere, die weder Knochen noch Knorpeln haben, sondern blos aus einem weichen saftigen Wesen bestehen, wie das Gewürm.

Die vierfüssige Thiere und die Vögel haben rothes warmes Blut; die Fische und Frösche rothes kaltes; und das Ungeziefer oder die Insekten und Gewürme haben weisses kaltes Blut. **)

E 5

Im

---

*) Eigentlich verändern sich die sämtlichen Thiere alle Jahr: Denn es gehen bei allen beständig Theile ab, und andere Theile kommen dazu, so daß also die Haut eines Thiers am Ende des Jahrs nicht mehr aus den Theilen besteht, die sie am Anfang desselben hatte.

**) Hier kan man den Kindern sagen, daß die Kälte des Geblüts der Thiere, wie überhaupt alle Kälte, nur relativ ist. Nicht so kalt nämlich als unser Blut, und nur für unser Gefühl kalt.

Im Leibe der Thiere liegen die Eingeweide, als Herz, Lunge, Milz, Magen und Gedärme, die alle was zu thun haben, und zur Erhaltung des Lebens der Thiere nöthig sind. *)

Einige Thiere hohlen durch Mund und Nasen Othem; andere durch Luftlöcher oder Luftröhren. — Sehr viele Thiere können eine Stimme von sich hören lassen, können sehen, hö= ren und riechen; viele können das nicht. Das Gefühl aber haben alle Thiere mit einander gemein. Und der Mensch ganz allein kan reden. — Ich bit um Verzeihung, lieber Herr . . die Aelstern kan man ja auch sprechen lehren? Rich= tig, mein Kind. Auch die Papagaien, und noch etliche an= dere Vögel, kan man sprechen lehren. Allein sie plappern immer nur einerlei, und nur das, was man sie gelehrt und ihnen oft genug vorgesagt hat. Auch verstehen die Thiere nicht, was sie reden. — Der Mensch aber kan seine Reden ändern, wie er wil. Ich sah und hörte auch einmal eine Aelster sprechen, welche aber immer rief: fanget den Dieb — Spizbub — fanget den Dieb — Spizbub — Herr gebt mir zu fressen — ich bedanke mich — Spizbub du bist, Spizbub.

Einige Thiere bringen lebendige Junge, die wie sie aus= sehen, zur Welt, wie die Schafe und Kühe. Andere Thiere legen Eier, aus denen erst die Junge auskriechen, wie die
                                                                        Hüh=

---

*) Bei der ersten besten Gelegenheit führt man die Kinder zu irgend einem geschlachteten Thier, und zeigt ihnen die Lage des Herzens, der Lunge ꝛc. Und wissen sie noch nicht, was Herzkammern und Herze mit Ohren sind, so wirds ihnen auch gewiesen. Uiberhaupt wäre zu wünschen, daß man die Kinder an alle Orte brächte, wo was neues, was merk= würdiges zu sehen und zu hören ist, und daß man denselben bei Ge= legenheit alles erzählte, was im gemeinen Leben auf irgend eine Weise nützlich ist.

Hühner und Tauben. — Die Kälber, Lämmer, Täubchen und Küchelchen werden nach und nach gros und stark, und endlich werden sie so gros und stark, wie ihre Aeltern, und kriegen auch Kinder. — Fast bei allen Thieren gibt es Männchen und Weibchen, die beisammen seyn müssen, wenn sie oft Junge kriegen, und ihrer immer mehrere werden sollen.

Wovon leben wohl diese viele taussend Thiere? Einige, mein Kind, leben vom Pflanzenreich, und fressen Saamenkörner, Gras, und Kräuter, und selbst die Früchte der Bäume. Das Eichhörnchen frist gern Haselnüsse. Es sammelt sich daher im Herbst eine Menge zusammmen, und verwahrt sie in hohle Bäume auf den Winter. — Andere Thiere leben vom Thierreich, wo immer eins das andere erhascht und frist. Das kleine schwache Thierchen wird gewöhnlich von einem grössern stärkern erwürgt und aufgefressen. Der Wolf raubt und frist Lämmer; der Fuchs Hühner; der Walfisch Heeringe und kleine Gewürme.

Lassen sie sich denn sogleich fangen? Mit Willen freilich nicht. Sie kennen auch ihre Feinde gar wohl, und suchen ihnen gewöhnlich durch List und allerhand Kunstgriffe zu entgehen. Allein weil es der liebe Gott selbst so eingerichtet hat, daß ein Thier dem andern zur Nahrung dienen, und von den lebendigen Geschöpffen eins dem andern Platz machen sol, so werden immer eine Menge kleine Thiere von den grössern erwürgt und aufgefressen. — Wie geht es uns aber lieber Herr . . . ., wenn einmal alle unsere Hühner, Tauben, und Gänse von den Raubthieren zerrissen und aufgefressen werden? Dis geschieht gewis nicht, gute Kinder! Der liebe Gott hat auch in diesem Stück ganz vortreflich für die Menschen gesorgt. Solche Thiere, die die Menschen zum essen

nicht

nicht gebrauchen, schuf er wenig; solche Thiere hingegen, die den Menschen zur Nahrung dienen solten, schuf er ausserordentlich viel.

Wie viel gibt es nicht Schafe, Hasen, Hühner und Gänse auf der Welt? Zween alte Hasen bekommen in einem einzigen Sommer zehn bis funfzehn Junge; und wie viel ein einziges Huhn oft in einem Jahr Eier lege, werden uns vielleicht einige von unsern kleinen Freundinnen sehr gut sagen können? Wie wenig gibt es dagegen Adler, Tieger und Wölfe? Sie bekommen kaum drei Junge alle Jahr.

Manche Fleischfressende Thiere sind den Menschen eine Wohlthat, denn sie fressen das Aas der toden Thiere weg, und machen dadurch, daß es bei uns nicht alzusehr stinkt, und die Luft nicht vergiftet wird. Und welche Thiere thun dis? Die Wölfe, Hunde und Kazen, und noch viele andere ihres gleichen. Kurz, der liebe Gott hat alles sehr gut, und sehr klug gemacht.

Wie lang leben wohl die Thiere, lieber Herr? Doch nicht alle gleich lang? O nein, mein Kind! Einige leben etliche Monate; andere etliche Jahre; einige kaum zween bis drei Tage; andere hingegen erreichen ein Alter von mehr als hundert Jahren. — Ach welche Thiere leben nur zween bis drei Tage? Eine gewisse Art langschwänzichte Fliegen, die man Haft oder Eintagsfliegen nent. — Und welche leben über hundert Jahre? Die Adler. Auch die Walfische werden sehr alt.

Ich könte euch izt noch viele Merkwürdigkeiten von den Thieren überhaupt erzählen; ich wil es aber nicht thun, sondern

dern

dern es auf die Zukunft ersparen, wo ich euch doch noch von
jedem merkwürdigen und nüzlichen Thiere insbesondere das
wichtigste zu erzählen habe.

Lustig, Kinder! Wer von euch sehen und hören, lauf=
fen und springen kan, der folge mir nun. — Wir alle mit
einander, lieber Herr . . ? Ja, alle miteinander, klein und
gros. — Doch, die blöden und ekkelhaften könten vors
erste noch zu Hause bleiben, denn wir gehen allenthalben
hin, wo was zu sehen ist. Wir greiffen und sehen alles an,
was uns nicht beist, und uns sonst keinen Schaden zufügt.

Izt suchen und fangen wir Polypen und andere Was=
serthiere, als Fische, Krebse und Frösche. Morgen jagen
und springen wir Käfern und Buttervögeln nach. Ein ander=
mal sehen wir in einem Kühstal die Kühe melken; und in ei=
nem Schafstal die artigen Lämmer an ihren Müttern sau=
gen. Und endlich öfnen wir die Hühner= und Gänseställe,
und versammeln allerhand Geflügel um uns herum. Auch
die Ziegen wollen wir mekkern hören.

Wo gehts wohl zuerst hin, lieber Herr . . ? Auf die
Polypenjagt. — Polypen sind doch wohl keine Würmer?
Ich kann keinen Wurm sehen, vielweniger in die Hand neh=
men. Und warum denn nicht, mein Schaz. Mir ekkelt al=
zusehr dafür. Auch kan ich ihr krümmen, und wenn sie sich
so sehr ausdehnen, und denn wieder zusammenziehen, schlech=
terdings nicht ansehen. Kurz! Ich bin den Würmern gar
nicht gut. — Wir auch nicht sonderlich, lieber Herr . . Ei,
ei! das gefält mir nicht. Doch ich hoffe, es sey euch nicht
recht ernst, und euer Ekkel habe nicht viel zu bedeuten.

Oder

Oder seyd ihr den

Gewürmen

vielleicht deswegen nicht gut, liebe Kinder, weil sie euch eure Gärtchen zernagt haben? Ists so? Ja freilich, schon deswegen verdienen sie unsern Tadel und unsere Rache. Aber es sind überhaupt garstige Thiere. Auch die Schnekken zerfressen uns so manches Pflänzchen.

Sagen sie uns doch bei dieser Gelegenheit, lieber Herr . . was endlich aus den langen runden Würmern wird, die weder einen abgesonderten Kopf, wie andere Thiere, noch Augen, Nasen und Ohren haben? Wir haben schon oft kleine und grosse davon eingespert, und auf ihre Verwandlung vergebens gelaurt. Sie starben uns immer gleich nach etlichen Tagen. Auch nakte Schnekken sperten wir lezthin ein, um zu sehen, wie sie ihr Haus bauen. Und da sie dis nie thun wolten, legten wir leere Schnekkenhäusser zu ihnen hin, aber sie krochen nicht hinein, und starben auch gar bald, wie die genanten Würmer.

Wie geht das wohl zu, lieber Herr . . ? Ganz natürlich. Ihr gabet ihnen vielleicht nichts zu fressen? O ja! Und was denn? Gras und Erde. — Ich sehe schon, ich mus euch aus eurem Traum helfen, und euch sagen, was Würmer sind, und wie vielerlei Arten es gibt.

Würmer sind Thiere, die weisses kaltes Blut, und weder Knochen noch Füsse, auch keine Fühlhörner, wie die Insekten, wohl aber mehrentheils Fühlfaden haben, Schlam, Gras und Kräuter, und allerhand kleine Thierchen fressen, Eier legen — doch gibt es auch lebendiggebährende unter ihnen, und als Würmer ohne irgend eine Verwandlung sterben.

Und

Und solche Würmer, liebe Kinder, sind diejenigen Würmer, von denen ihr sprechet. Man nent sie

Regenwürmer.

Sie sind mit Ringen umgeben, können sich ausdehnen und wieder zusammenziehen, und kriechen des Nachts, oder auch wohl bei Tage, wenn es regnet oder der Boden feucht ist, und die Sonne nicht auf sie scheinet, aus der Erde hervor, und machen die runde Löcher, die man allerwärts des Morgens darin sieht.

Sie thun den Wurzen der Pflanzen merklichen Schaden, und kleine Gewächse ziehen sie ganz unter die Erde und fressen sie auf. Sie vermehren sich erstaunlich schnel, und sterben nicht, wenn man sie auch gleich in der Mitte zerschneidet und in mehrere Stücke zerhaut. — Ja es wird so gar aus jedem Stük wieder ein neuer Wurm. Wirft man aber einen am Tage, und vorzüglich wenn die Sonne auf ihn scheinen kan, oben auf die Erde hin, so mus er sterben. Der Maulwurf ist ihr schlimster Feind, und gräbt ihnen allenthalben nach.

Es gibt auch Würmer, die man Spulwürmer, Fadenwürmer ꝛc. nent.

Die Fadenwürmer

haben einen Körper, der einem Bindfaden gleicht, sehen fürchterlich und sehr ekkelhaft aus, werden drei bis vier Ellen lang, und wohnen im Wasser und in der Erde, aber auch in Menschen und Thieren.

Die

Die Spulwürmer

werden auch oft etliche Ellen lang, und halten sich sehr gern in den Eingeweiden der Menschen auf.

Auch der sogenante

Blutigel

ist ein Wurm. Er ist länglicht rund, aber an beiden Enden abgestumpft, lebt in sumpfichten Wassern, und saugt Menschen und Vieh, wenn sie im Wasser stehen oder drin herumlauffen, Blut aus, daher man ihn auch zuweilen, statt des Aderlassens gebraucht.

Auch die Schnekken mit und ohne Haus; die Austern und Muscheln, die Polypen, die Einwohner der Korallen, der Seesterne, Seeigel, Meerschwämme, Medusenhaupte, sind Würmer.

Und alle diese Thierchen nebst den Regenwürmern, theilt man in vier Theile oder Ordnungen ein. In der ersten Ordnung stehen die ganz nakten Würmer, die gar keine Gliedmasen haben, in der zwoten diejenigen, die zwar Gliedmasen, aber keine Schale zur Bedekkung haben, wie die nakten Schnekken oder die Schnekken ohne Haus; in der dritten die Schalthiere oder die Würmer mit Häussern oder Schalen, wie die Schnekken und Muscheln, und in der vierten Ordnung die Thierpflanzen, wie die Polypen und Korallen. 2c *)

Die

*) Vier Ordnungen hat also die Klasse der Gewürme. Die erste davon enthält die Intestina, die zwote die Mollusca, die dritte die Testacea oder

Schal-

Die Käsewürmer gehören also nicht zu den Gewürmen? Nein, Kinder, Würmer sind sie zwar, aber nur solche, die sich verwandeln, geflügelt werden und davon fliegen. Wenn eine Schmeißfliege Eier auf das Fleisch legt, so werden nach etlichen Tagen Würmer daraus, die man Larven oder Maden nent. — Sie gehören also zu den Insekten. Denn alle Insekten, die sich verwandeln, heissen in ihrer ersten Gestalt Larven oder Maden.

Aus diesen Larven werden Puppen; und aus den Puppen fliegt endlich wieder eine Schmeißfliege hervor. Unsere Regenwürmer hingegen, unsere Blutigel, Schnekken und Polypen bleiben immer was sie sind, nur etwas grösser werden sie nach und nach.

Der

Schalthiere, und die vierte die Zoophyta oder Thierpflanzen. Und der seelige Ritter von Linne setzte noch die Lithophyta oder Steinpflanzen, als die fünfte Ordnung dazu. — Die Intestina haben ihren Namen von ihrer einfachen äussern Gestalt, denn sie sehen mehr Eingeweiden oder Därmen, als lebendigen Thieren ähnlich. — Die Mollusca halten sich alle, bis auf die nakte Gartenschnekken, im Wasser und die mehrsten im Meere auf, und leuchten des Nachts darin. Der merkwürdige Blakfisch Sepia Loligo, den man auch die Seekaze oder den Tintenfisch nent, giest einen schwarzen Saft in das Wasser, und schützt sich dadurch gegen seine Feinde, die ihn nun nicht mehr sehen und verfolgen können, gehört auch zu den Molluscis. — Die Schalthiere machen den grösten, aber auch den schönsten Hauffen der Gewürme aus. Sie sind eigentlich Mollusca, die in einem mehr oder weniger dikken kalkichten Gehäuse wohnen und darin auch angewachsen sind. Das gröste Schalthier ist die Riesenmuschel, *Chama gigas*, Hohlziegel oder Nagelschulpe, die oft sechshundert Pfund schwer und so stark ist, daß sie das stärkste Ankerthau abbeissen kan. Und das kleinste Schalthier ist der Meerzahn *Dentalium minutum*, der so klein ist, daß man ihn mit blosen Augen kaum von den Sandkörnern unterscheiden kan.

F

Der Wurm also, liebe Kinder, der sich verändert oder
verwandelt, ist kein eigentlicher Wurm, sondern die Raupe
oder Larve von einem künftigen Vögelchen, das man Insekt
nent. Nun verstehn wir alles.

— Ei was sind das für vier Dinge, lieber Herr . . die
die

Schnekken

über ihrem Kopf sizen haben? Es sind Fühlfaden, die sie ge=
brauchen, um den Weg zu finden, den sie gehen wollen. An
den zwei grossen Hörnern sizen ihre Augen, und die kleinen
dienen ihnen vielleicht zum Riechen.

Warum haben denn einige Schnekken Häusser, und
einige nicht? Das hat der liebe Gott so gemacht. — Die
nakten Schnekken kommen ohne Haus aus den Eiern hervor,
bleiben bis sie sterben ohne Haus, und kriechen auch nie in
ein leeres Schnekkenhaus hinein, weil es wider ihre Gewons=
heit ist. — Die Schnekken mit Häussern aber bringen ihre
Häusser mit auf die Welt, und so wie sie darin wachsen, so
wachsen auch ihre Häusser.

Aber sie können doch heraus, wenn sie wollen? Ja et=
was, aber nicht ganz. Sie sind darin angewachsen, und
müssen ihre Wohnung allenthalben mit sich herumschleppen.
O ich bedaure sie! Das hast du nicht nöthig, mein Kind;
denn dadurch haben sie allenthalben ihr Wohnhaus bei sich,
in das sie hinein kriechen können, wenn Regenwetter, oder
rauhe Witterung, oder sonst ein Zufal ihnen zu schaden dro=
hen.

Wirl

Wird es kalt, so verkriechen sie sich in die Erde, oder sonst in ein Loch, und schliessen den Eingang ihres Hausses mit einem klebrichten Saft zu, der nach und nach hart wird. Und so bleiben sie gleichsam schlaffend oder tod, sicher und ruhig liegen, bis es wieder warm wird.

Wie vergrössern denn die Schnekken ihre Häusser, wenn sie ihnen zu klein geworden sind? Sie sezen einen klebrichten Saft, der aus ihnen herausschwizt, an die Oefnung oder Mündung ihrer Häusser, der erst dün ist, hernach aber bald dik und feste wird. Man kan diese neu angesezten Stükke an den Schnekken und Muscheln sehr deutlich sehen, weil sie eine ganz andere Farbe haben.

Wie geht es aber den nakten Schnekken des Winters? Sie verkriechen sich auch unter die Erde, und erwarten darin den warmen Frühling.

Einige Schnekken, die man Dekkelschnekken nent, haben von Geburt an Dekkel an ihren Häussern, und können sie öfnen und schliessen, wenn sie wollen.

Wenn man eine Schnekke auch nur ein wenig berührt, so fährt sie plözlich zu innerst in ihr Haus hinein. Läst man sie aber einige Augenblikke ruhig liegen, oder schlägt man ihr ein Loch in ihr Haus, so kömt sie sogleich wieder heraus.

Wer wird aber so unartig und so unbarmherzig seyn, und ihr ein Loch ins Haus schlagen? Das thut ihr nichts, liebes Kind! Es wächst in etlichen Tagen wieder zu. Ja man darf einer Schnekke ihre Fühlhörner, oder gar ihren Kopf und Schwanz abschneiden, sie stirbt doch nicht; nach

eini-

einigen Wochen bekömt sie Fühlhörner, Kopf und Schwanz wieder.

Und das ist ihr Ernst, lieber Herr. Ja, Kinder, geht einmal hin, und sammelt mir eine Parthie Schneken, so wil ich einem jeden von euch so viel davon zeigen, als er sehen wil. — Ich wil den Schneken Fühlhörner, Köpfe und Schwänze abschneiden, und denn so lange in einem schattichten Ort auf feuchte Erde und Bohnenblätter legen, bis ihnen Kopf und Schwanz wieder gewachsen sind. *)

Und das können sie thun, lieber Herr. Ja Kinder! Wobei man was lernen, und die Almacht Gottes bewundern kan, da darf man wohl einer Schneke den Kopf abschneiden, oder sie gar tödten. Nur nicht aus Muthwillen, und auf eine quälende Art mus man es thun.

Ach sehen sie, lieber Herr. welch niedliche Schneken wir gefunden haben! bunte und weisse, graue, gelbe, braune, röthlicht und grünlichte, kleine und grosse. Das freut mich. Sol ich Köpfe abschneiden? Ach nein, thun sie es nicht. Gut. Was wolt ihr aber nun mit ihnen machen? Ihnen die Freiheit schenken, und wieder zu ihren Brüdern und Schwestern kriechen lassen. Alle? Ja, alle. Die Häuschen aber, die recht schön sind, und darin keine Wür-

---

*) Was ich hier von der Zerstümmelung der Schneken, und der Wiedererhaltung ihrer weggeschnittenen Glieder sage, habe ich durch meine eigne Versuche bewährt gefunden. Ich habe nämlich schon oft von funfzig Schneken, die ich auf obige Weise zerstümmelte, fast immer den vierten Theil am Leben, und mit neuen Fühlhörnern, Köpfen und Schwänzen versehen, erhalten. Doch mus ich gestehen, daß mehrere darunter waren, denen neue Schwänze und Fühlhörner, als denen neue Köpfe wieder wuchsen. — Auch sahen die neu gewachsene Glieder nie den abgeschnitnen völlig ähnlich.

Würmer sind, machen wir rein, und legen sie zu unsern andern Spielsachen hin. — O ihr Herzenskinder! Komt ich geb euch allen einen Kus. Auch verspreche ich euch mit einem Handschlag, daß ihr in Zukunft noch viel schönere Schnekkenhäusser sehen, und vielleicht eigen bekommen solt.

Denkt einmal, liebe Kinder, es gibt in den Meeren so schöne und so wunderbar gebaute Schnekken und Muscheln, daß Liebhaber oft nur für ein einziges Stük fünfzehn, dreissig, sechzig und noch viel mehr Thaler bezahlen.

Der liebe Gott scheint darin sein Vergnügen gesucht zu haben, allerhand niedliche Gestalten und schöne Farben den Schalen zu geben. Denn er schuf runde und halbrunde, lange und kurze, eiförmige, oben und unten spizige und in der Mitte ausgeschweifte, sichelförmige, vielastige, ohrenförmige und tutenförmige Schnekken und Muscheln.

Ist denn Schnek und Muschel nicht einerlei? Nein, Kinder. Diejenige Schalen, die wie eine gerade oder krumme Röhre ausgehöhlt sind, sie mögen übrigens gebogen seyn, wie sie wollen, nent man Schnekken; diejenigen hingegen, die nicht gewunden sind, und breit und bauchicht aussehen, nent man Muscheln. — Die Schnekken haben auch nur eine einzige Schale; die Muscheln dagegen haben wenigstens zwei, und einige davon vier, sechs und noch mehr Schalen.

Und eben deswegen, weil sie so verschiedene Farben, Grösse und Bildungen haben, heissen sie Riesenmuscheln, Perlenmuscheln, Herzmuscheln, Stekmuscheln, Austern, Tuten oder Rollenschnekken, Stachelschnekken, Porcellanschnekken, Kräuselschnekken, Sturmhauben, Schifsboote und Am-

monshörner, Purpurschnekken, Napfschnekken, Meer- oder
Seeohren, Seeröhren und Seewurmgehäuffe, und so weiter.

Sie halten sich alle entweder auf dem Boden des
Meers auf, oder vergraben sich unter den Sand, oder hängen sich an den Felsen und Klippen an, oder sizen wohl gar
andern Meerthieren auf den Rükken. Die Schildkröten tragen oft Schnekken auf ihrem Rükken mit sich herum. Und
von vielen Schalthieren weis man in ihrem Leben gar nichts,
und kent sie nur versteinert.

Die Riesenmuscheln

sind die grösten Muscheln in der Welt, und oft fast sechs
hundert Pfund schwer, und so stark, daß sie die dikksten
Strikke abbeissen können.

Von den

Perlenmuscheln

bekommen wir Perlen und Perlenmuter. — Die Perlen
werden in verschiednen Muscheln gefunden, die theils zu den
Austern, theils zu andern Muscheln gehören. Gemeiniglich
hat eine Muschel mehr als eine Perle, und zuweilen hat sie
deren so viel, daß das Thier daran sterben mus, denn sie
sind bei ihnen eine Krankheit, ohngefähr so eine Krankheit,
als der Stein bei Menschen und Thieren ist. Sie wachsen
dem armen Thier im Kopfe und im Magen.

Perlenmuscheln gibts in allen Theilen der Welt, und
selbst in Teutschland, in einigen Flüssen von Sachsen, gibts
welche. Die besten aber halten sich in den Meeren um Asien,

und

und vorzüglich in dem Persischen Meerbusen auf; und die Perlen, die von daher kommen, werden orientalische Perlen genant, und sehr theuer bezahlt, weil sie grösser und schöner, als alle andere Perlen sind. — Löcher haben die Perlen nicht. Wenn man sie daher fassen, und an den Hals oder Kopf hängen oder stekken wil, so müssen sie erst durchbohrt werden. *)

Die Stekmuscheln

sind vorzüglich darum merkwürdig, weil sie bräunlichte Fäden spinnen, die über eine viertel Elle lang, und so zart, wie Seide sind, und in Reggio und andern Italiänischen Städten zu Müzen, Strümpfen und Handschuhen verwebt werden. Mit diesen Fäden spint sich diese Art Muschel an den Felsen fest, damit sie von den Wellen nicht losgerissen und weggeschleudert werden kan. **)

Die Austern kan man essen, und einige haben auch schöne und theure Schalen, wie der Königsmantel und der Hammer. Ein Königsmantel kostete sonst zehn bis zwanzig, und ein Hammer gar hundert bis zweihundert Thaler. Izt aber sind sie viel wolfeiler geworden. ***)

F 4   Die

---

*) Mytilus cristalli gibt Perlenmuter, und Mytilus margaritiferus hat Perlen.

**) Ist diese Seide der Stekmuschel Pinna Linnaei, nicht der byssus der Alten?

***) Ostrea edulis ist die gemeine Europäische Auster, die wir von den Engländern und Holländern bekommen; Ostrea pallium ist der Königsmantel; und Ostrea malleus der Hammer.

Die Tuten:

oder Rollenschnekken, dazu die sogenante Admirale gehö=
ren, sind die seltensten und theuersten, und kosten izt noch
das Stük zwanzig bis dreissig Thaler, sonst aber ist keins
unter zwei bis drei hundert Thaler verkauft worden. *)

Die Porcellanschnekken

sind gar schöne allerliebste Dinge, die gleich schön rein aus
dem Meere kommen, und nicht erst geputzt, und wie die
übrigen Schnekken und Muscheln, von ihrer obern schmuzigen
Haut gereinigt werden dürffen. Es gibt eine grosse Menge
Porcellanen, die fast alle, der Länge nach, einem halb durch=
schnitnen Ei gleichen, eine platte Grundfläche, und einen
erhabnen Rükken haben, und vorzüglich auf der linken Seite
eingerolt sind. **)

Die Sturmhauben

haben viel ähnliches mit den Römischen Helmen oder Sturm=
hauben, und gleichen fast auch einem, der Länge nach durch=
schnitnen Ei, wie die Porcellanschnekken.

Die Schifsboote

haben einen schönen Perlenmuter Glanz, und werden von
Künstlern sehr niedlich geschnizt, und kosten oft zween bis
acht

*) Conus cedo nulli oder der Extra=Admiral ist die kostbarste Tutenschnekke.
**) Die Holländer, die die stärksten Conchilien Händler sind, bringen alle
    Jahr etliche Schifsladungen Schnekken und Muscheln, aus Asia und
    Afrika als Balast nach Europa.

acht Thaler. Die Indianer machen sich aus den grösten glatten Schifsbooten Pokale und andere nützliche Geschirre.

Die Ammonshörner

aber, welches um sich selbst gewundene Hörnchen sind, die entweder fest an einander liegen, oder wie eine Uhrfeder von einander abstehen, kosten nicht viel, weil man sie an mehrern Orten, und selbst in Teutschland, aber nur versteinert in Menge sind. *) Man nent sie auch Ammoniten, Kornua Ammonis und Widderhörner. Und warum denn? Weil die alten Heiden in Afrika den Jupiter ehedem Ammon genant, und mit Widderhörnern neben den Ohren abgemahlt haben.

Aus den

Purpurschnekken

machten unsere Alten wahrscheinlich ihre Purpurfarbe.

Die Napfschnekken

sind einfache ungewundene, oben gewölbte, inwendig hohle, unten weit offenstehende Schalen, die entweder die Figur einer kurzen Pyramide, oder die Form eines abgekürzten Kegels haben. Der Wirbel ist bei einigen offen, bei einigen verschlossen. Sie kleben an den Felsen.

F 5 Die

---

*) Auf dem Heimberg bei Göttingen gibts sehr viele versteinerte Ammonshörner. — Im Steinreich trift man überhaupt eine unbeschreiblich grosse Menge kleine und grosse Ammonshörner an, wovon man die Originale noch nicht kent. Nautilus orthocera. Linnaei.

Die Meerohren

gleichen einem Ohr, oder einen länglicht runden umgekehrten
Bekken, deſſen gewölbter Theil nach oben hingekehrt iſt; und
darin in einer etwas krummen Linie eine Reihe verſchloſſe-
ner und offener Löcher, in gleicher Entfernung von einander,
bis an den vordern Rand der Schale ſtehen. Vier bis
neun von den vorderſten Löchern ſind gewöhnlich offen, je
nachdem die Schalen gros oder klein ſind. Die Spuren
der verſchloſſenen Löcher gleichen kleinen Warzen. — Es
gibt oft Meerohren, an denen man gegen fünfzig ſolche
Spuren von zugewachſnen Luftlöchern zählen kan. Immer
haben die Meerohren einen treflichen Perlenmuter Glanz,
und geben ſelbſt die ſogenante Pelenmuter. Sie hängen an
den Felſen unter dem Waſſer, ſiehe Tafel elf, Figur zehn.

Auch die Pabſtkronen, Biſchofsmüzen und Windeltrep-
pen ſind ſeltne und koſtbare Schnekken. *)

Die Pabſtkronen

haben ihren Namen von der Aehnlichkeit, die ſie wegen ihrer niedlich gezakten Wendungen mit der dreifachen Pabſt-
krone haben.

Die fatalen

Schifwürmer, **)

die im Jahr tauſſend ſieben hundert zwei und dreiſſig den
Holländern den Untergang drohten, weil ſie ihnen alle ihre
Pfähle

---

*) Voluta mitra papalis und mitra episcopalis, und Turbo ſcalaris Linnaei.
**) Teredo navalis.

Pfähle und Schiffe zernagten und durchlöcherten, sind auch
Schalthiere. Sie brachten sie an den Schiffen aus Ame=
rika mit.

Ach, von dergleichen schönen Schalen möchte ich welche
sehen! Haben Sie denn gar keine davon, lieber Herr . . ?
O ja! ich habe viele schöne Schnekken und Muscheln, die ihr
nächstens alle sehen solt. Aber keine von den theuren habe
ich, die einen und mehr Thaler kosten. Haben sie denn auch
keine Abbildung davon? O ja! es stehen selbst in diesem Bu=
che welche. Suchet einmal die fünfte Tafel auf. — Rich=
tig, hier oben sind welche. Und in diesen sonderbaren Din=
gen solten Thiere wohnen? Wie heist Figur eins? Windel=
treppe. — Wie Figur zwei? Pabstkrone. — Wie Figur
drei? Purpurschnekke. — Wie vier? Oranienadmiral. —
Wie fünf? Hammer. — Was mag wohl dis närrische Ding
hier in der Mitte, bei Figur neun seyn? Ein Medusenhaupt.
Und Figur zehn, ist ein Meerigel, Figur elf ein Widder=
oder Ammonshorn, und Figur zwölf ein See= oder Meer=
stern. Und auch in diesen sollen also lebendige Thierchen
wohnen? O ja! Aber ihre Häusser sind doch nicht so hart,
wie die Schnekkenschalen? Nein, lange nicht so hart. Sie
gleichen fast nur troknen Baumrinden.

Die Meersterne

haben etliche lange Stralen, und gleichen deswegen den
Sternen am Himmel. Man trift sie zuweilen versteinert an,
und nent sie Asteriten. — Je mehr Strahlen ein Meer=
stern hat, desto theurer ist er.

Die

Die Meerigel

oder Seeigel sind fast ganz rund, und ganz mit beweglichen Stacheln bedekt. Sie haben gewöhnlich zwei Löcher, davon das eine das Maul, und das andere der Hintere ist. Bisweilen sind auch beide in einem einzigen Loch beisammen. Wenn die Meerigel noch jung sind, haben sie keine Stacheln, und sind ganz nakt. Die Stacheln dienen ihnen stat der Waffen. — Man findet ganze Meerigel und auch nur ihre Stacheln versteinert, und nent jene Knopfsteine, und diese Judensteine.

Und warum meint ihr wohl, das dis Ding bei Figur neun

Medusenhaupt

heisse? Weil es so unzählich viel Gelenke hat, als die Fabel der Prinzessin Medusa Schlangen auf dem Kopf angedichtet hat.

Die Medusa sol eines ehemaligen Sardinischen Königes Tochter gewesen seyn. Und da sie die Göttin Minerva beleidigt, habe sie ihre schöne Haupthaare in lauter lebendige Schlangen verwandelt ꝛc. — An manchem Medusenhaupt hat man schon gegen achtzig taussend Gelenke gezählt.

Wisset ihr auch, liebe Kinder, wie man die Wohnhäusser der Gewürme nent? Ja, Conchilien. Und wenn man eine Samlung davon in einer Stube oder sonst wo aufbewahrt, so nent man es ein Conchilienkabinet. Gut. Wie nent man aber Steine, Thiere und Pflanzen überhaupt?

Na=

Naturalien; und eine Sammlung davon? Naturalienkabinet.

Gebet achtung, Kinder! Wenn ich ruffe: Marsch! so
müssen diese zween Schnekken aus ihren Häussern heraus —
Marsch, marsch! — Ach allerliebst! Sie kommen, sie kommen — hier sind sie. — — Nun sollen sie wieder hinein — Pakt euch, pakt euch zurük!

Nicht wahr, Kinder, ich bin künstlich? Das sind sie
zwar, lieber Herr .. aber ohne Zauberei gehts doch zu.
Ich sahe wohl, was sie mit den Steknadeln machten. —
Hat denn der kleine Mann meine Kunst schon entdekt? Ei,
so wil ich es euch nun allen sagen, wie ich es machte,
daß die Schnekken auf meinen Befehl sogleich herauskamen.

Sehet, mit diesen Steknadeln stach ich hinten so lange
in ihre Häusser hinein, bis sie völlig heraus waren, und
uns ihre gehorsame Aufwartung machten. — Daß sie aber
wieder in ihre Häusser zurük marschirten, war die Ursache,
weil ich sie mit den Nadeln an ihre Köpfe stach, Tafel
drei, Figur sechs ist eine solche Gartenschnekke; und Figur
vier eine nakte Schnekke abgebildet.

Was nüzen uns die Schnekken- und Muscheln-Ein-
wohner? Man kan sie fast alle essen. Die braune Wein-
bergschnekke, zum Beispiel, die sich des Winters mit einem
Dekkel zuschliest, wird an vielen Orten in Buttersoffen, oder
gebraten, oder als ein Salat mit Essig und Oel gespeist. —
Viele Thiere, die ihr ohne Ekkel kaum ansehen, geschweige
denn essen würdet, werden von andern Leuten für Lekkerbissen gehalten. Die Kalifornier in Amerika, und noch viele
andere Leute in der Welt, essen alles Gewürm, es mag
aus-

aussehen und riechen wie es wil. Je dikker und länger sie sind, desto gieriger greiffen sie darnach, und desto hastiger fahren sie damit dem Munde zu.

Für ein solches Traktament Würmer bedankte ich mich. Aber doch nicht für eine Portion Austern? — Sind denn im Ernst die Austern auch Würmer? Allerdings mein Kind, aber freilich eine ganz andere Art, als die Gartenwürmer und die nakte Schnekken. Die Austern sind zweischalichte dikke runde Meereinwohner, die beständig auf einer Stelle und in ihrer Schale bleiben, und ihr Leben nur dadurch zeigen, daß sie ihre Schale öffnen, und denn wieder schliessen. Die Austern strekken eine Art Zunge oder Bein aus ihrem Gehäusse heraus, und saugen sich damit fest, und ziehen ihr Haus eben so wie die Krebse das ihre, nach sich. Da aber diese Bewegung den Austern sehr langsam ist, so sagt man, sie bewegen sich gar nicht. — Zu Leiden zeigt man eine Austerschale, die hundert und fünfzig Pfund wiegt. *)

Wie bekomt man denn die Schnekken und Muscheln, und übrigen Schalthiere des Meers? gewisse Männer, die man Taucher nent, müssen sie suchen. Man hängt sie an Strikke, bindet ihnen einen Meerschwam vor den Mund, und einen Korb, Sak oder Nez auf den Rükken, und läst sie sodenn ins Meer hinünter, wo sie die verschiedene Schnekken und Muscheln, Austern, Perlenmuscheln, Meerschwämme, Korallen ꝛc. aufsuchen, und in ihren Korb werffen. Wenn nun der Korb gefült ist, oder der Taucher nicht mehr so viel Othem hat, länger unter dem Wasser zu bleiben, so gibt er

an

---

*) Siehe delices de Leyde' pag. 83.

an einem Strik ein Zeichen, daß man ihn sogleich heraufzie-
hen sol. — Häuffig werden auch Korallen, Muscheln und
Schnekken an die Ufer der Meere oder auf die Sandbanke
geworfen, wo man sie sodenn ohne Gefahr wegnehmen kan.

Von den Tauchern aber komt mancher ums Leben.
Sie erstikken unter dem Wasser, oder werden von Meerthieren angefallen. — Ist es denn rathsam oder vernünftig, daß
ein Mensch wegen etlicher Schnekken und Muscheln sein Leben wagt? Ich glaube. Bedenkt einmal, liebe Kinder,
wie viel tauffend schön und wunderbar gebaute Geschöpfe
Gottes wir sonst nicht kennen würden? Die Menge der Con-
chylien ist erstaunenswürdig, und ihre Verschiedenheit ist unbeschreiblich gros. Es gibt so kleine Schnekken und Muscheln, daß man sie kaum von den Sandkörnern unterscheiden kan; aber auch so grosse, wie ihr wisset, daß sie gegen sechshundert Pfund wägen.

Sie nanten vorhin Perlenmuscheln und

Perlen

lieber Herr. — Wachsen denn im Ernst die schönen hel-
glänzenden Perlen in dem Leibe gewisser Muscheln? Ja Kinder! Die ächten Perlen wachsen wirklich in dem Leibe verschiedener Muscheln, die man deswegen auch Perlenmuscheln
nent. Auch die Schalen dieser Thiere sind schäzbar, sie geben die sogenante Perlenmuter, aus der man Halsbänder,
Dosen und noch verschiedene niedliche Dinge macht.

Warum sagen Sie — ächte Perlen, und nicht gera-
dehin Perlen? Weil es auch unächte, oder von Wachs und

Fisch-

Fischschuppen gemachte Perlen gibt, die viel häuffiger und wohlfailer sind, als die ächten. — Sehet hier hab ich ächte und unächte Perlen! Welches sind wohl die ächten, und welches die unächten? Dis sind die ächten, und dis die unächten. Und wie macht man denn diese? Man bläst kleine und grosse gläserne Kügelchen, und läst darein einen Firnis lauffen, der von der glänzenden Materie der Fischschuppen gemacht wird, und fült sie sodenn mit Wachs aus. — Ihr sehet also, daß man die unächten Perlen klein und gros, und gerade so machen kan, wie man sie haben wil. Die ächten Perlen hingegen müssen bleiben, wie sie in den Muscheln gewachsen sind.

Was sind denn das für kleine rothe Kügelchen und länglicht runde Steinchen, die verschiedene Frauenspersonen am Hals tragen? Das sind

Korallen,

von denen ich oben sagte, es seyen eigne Thierchen, oder es wohnten wenigstens lebendige Thierchen darin. — Es gibt weisse und rothe Korallen, die als kleine niedliche Bäumchen an den Felsen im Meer wachsen; auf der fünften Tafel, Figur sechs, ist ein solches Korallenbäumchen abgebildet. — Auch Pater Noster Kügelchen, und Knöpfe drechselt man aus den Korallen.

Die Meerschwämme,

die wir zum Aufwaschen und Reinmachen gebrauchen, sind ebenfals Wohnungen lebendiger Thiere, und wachsen auch an den Felsen der Meere, nach und nach zu einer ziemlichen Grösse.

Was

Was sind Figur sieben und acht für Dinge? Das sind die wunderbaren

Polypen,

liebe Kinder, von denen ich euch schon lange was zu erzählen versprochen habe. — Nicht wahr, sie sehen zarten Würzchen, oder kleinen Pflänzchen ähnlicher als einem Thier? Man nent sie deswegen auch **Thierpflanzen.** Wo wohnen sie? In Teichen, und andern ruhigen, aber doch frischen Gewässern, wo sie an den Meerlinsen und andern kleinen Gewächsen zu hängen pflegen.

Wie fängt man sie denn? Man schöpft sie samt den Gewächsen, woran sie sizen heraus, und giest sie in ein reines helles Glas, und wenn man dasselbe sodenn einige Zeit lang ruhig gehalten, kan man gewöhnlich die Polypen an den Pflänzchen herum hängen sehen.

Es gibt gelbe, braune, grüne und rothe Polypen, davon man einige, wegen ihrer Gestalt, Federbuschpolypen; andere Hornpolypen; und noch andere Armpolypen nent. Figur sieben ist ein Federbuschpolype, und heist so, weil etliche Polypen beisammen sizen, und eine Art von Blumenstraus vorstellen; und Figur acht ist ein Hornförmiger Armpolype.

Die Vermehrung dieser merkwürdigen Thiere geht sehr wunderbar zu. Sie legen keine Eier, und bringen auch keine lebendige Jungen zur Welt, wie die andern Thiere; sondern die Jungen wachsen an den Alten heraus, wie die Blätter an den Saladpflanzen.

G   Der

Der junge Polype sieht Anfangs wie ein kleines Knöpf=
lein oder Wärzlein aus; sodenn wird er nach und nach grös=
ser; und nach etlichen Tagen hat er schon viel Arme, und
trent sich von seiner Muter, und lebt vor sich.

Was essen die Polypen? Wasserflöh und Wasserwür=
mer, die sie mit ihren Armen so behende zu erhaschen wis=
sen, wie die Spinne eine Fliege, oder die Kaze eine Maus
erhascht. — Es ist lustig anzusehen, wenn ein alter Polype,
an dem Kinder und Kindskinder noch feste hängen, eine
Beute erhascht, und solche sodenn jeder junge Polype haben
wil; denn wenn sie der Alte zum Munde bringt, so scheint
es, als wolten ihm seine Kinder das Brod vor dem Mund
wegnehmen.

Das merkwürdigste dieser kleinen Thierchen, ist dis,
daß man ihnen Kopf und Schwanz abschneiden oder zerspal=
ten, ja sie der Länge nach und quer in Stükke zerschneiden,
und zerstükken darf, ohne daß sie sterben; ja es wird sogar aus
jedem weggeschnitnen Stük ein neues Thierchen, das für sich
lebt, wächst und groß wird.

Kopf also, Schwanz und alles wächst ihnen wieder,
was man ihnen abgeschnitten hat? Ja, mein Kind. Man
darf sie auch umkehren, und zwei in einander stekken, und
sie leben doch fort.

Auch

Der Bandwurm

ist so ein merkwürdiges Geschöpfe. Er hält sich im Leibe
der Menschen und der vierfüssigen Thiere auf, gleicht einem

Ban=

Bande, das aus vielen Gliedern oder Stükken zuſammen ge=
ſezt iſt, das einen Mund und für jedes Glied ſeine eigene
Eingeweide hat, und für Menſchen und Thiere ſehr gefähr=
lich iſt, weil er oft zehn bis zwanzig Ellen lang wird,
und ſehr viel friſt. — Sobald ſich ein Glied von dem an=
dern trent, ſo wird jedes ein beſondres lebendiges Thier.

Soviel von den Gewürmen.

Erzählen ſie uns izt vielleicht die Geſchichte der Kä=
fer, und Papilionen lieber Herr ..? Ja, Kinder — ich
habs euch ja verſprochen. — Wiſſet ihr denn auch wohl
ſchon, was Käfer und Papilionen ſind, und wie man ſie
nent? Nein. Nun ſo wil ichs euch ſagen:

Inſekten

nent man ſie oder Thierchen, die an ihrem Leibe viele Ein=
ſchnitte — die Spinne allein hat keine Einſchnitte — und
mancherlei Ringe, an den Seiten verſchiedene Luftlöcher,
und am Kopf zwei bewegliche Fühlhörner haben, womit ſie
alles um ſich her betaſten und erfahren, ob ſie vorſich
der hinterſich, links oder rechts gehen, ſich beugen oder ganz
zurük begeben ſollen; auch haben ſie wenigſtens zwei Au=
gen *) die einzige Waſſerfloh hat nur Ein Aug auf der
Stirn, wenigſtens ſechs Füſſe, ein Herz mit einer einzigen
Höhlung oder Kammer ohne Herzohren, und weiſſes kaltes
Blut.

G 2   Die

*) Die Augen der mehrſten Inſekten ſind vielfach. Leuwenhoek hat an einem
Schmetterling 12000 Augen gezählt. — Auch haben ihre Augen keine
palpebras, keinen irin und keine pupillam.

Die Vögel hingegen, und die vierfüssigen Thiere, haben in ihrem Herzen zwo Höhlungen oder Kammern, und noch zwo andere hohle Theile, die man Herzohren nent, dicht daran liegen. Ohren aber zum hören haben die Insekten nicht, ja sie hören auch ganz und gar nichts.

Kan man die Insekten essen? Ja, einige wohl. Sie sind nicht alle giftig. — Wolt ihr ein Gericht Maikäfer haben? Nein, o nein! — Aber eine Portion Krebse wären euch doch anständig? O ja!

Im Ernst, lieber Herr .. ist man irgendwo die Käfer, Ameisen, Bienen ꝛc.? Ja wohl. Ich kan euch versichern, daß es fast kein Thierchen auf der Welt gibt, das nicht irgendwo mit grossem Appetit von Menschen solte aufgezehrt werden. Würmer, Läuse und Heuschrekken solten den armen Wilden in Amerika oft sehr gut schmekken, wenn sie deren nur genug hätten.

Heuschrekken ist man im Morgenland häuffig. Auch Johannes der Täuffer as ehedem welche. — Es komt bei uns Menschen alles auf die Gewohnheit an. Wer von Jugend auf rohe Fische, Wurzen und Baumrinden gegessen, wird krank, wenn er weisses Brod oder Dorten essen sol. Nicht wahr, uns solten die Dorten schon besser behagen?

Haben die Insekten denn ordentliches Fleisch, wie die Hühner? Nein, sie haben nur ein saftiges und knorpelichtes Wesen. Auch ihr Blut ist kein eigentliches Blut, sondern nur ein weisser Saft.

Nasenlöcher und Ohren haben die Insekten auch nicht; und doch hören und riechen einige sehr gut. Was aber einigen

am

am Geruch und Gehör abgehen solte, das ersezen ihnen ihre viele Augen. Denn einige Insekten haben sechs, andere acht, noch andere zehen, und viele wohl noch mehrere, ja gar etliche taussend Augen. Die Fliegen, zum Beispiel, haben acht tausfend, und die Papilionen sogar vier und dreissig tausfend Augen.

Ach, Sie spassen nur, lieber Herr . . ! Eine Fliege solte acht tausfend Augen haben? Ja, Kinder, es ist mein wahrer Ernst. Mit einem guten Vergrösserungsglas kan man sie alle zählen. Zween gelehrte Männer, mit Namen **Leuwenhoek** und **Swammerdam** haben sie auch wirklich gezählt. Und diesen beiden grossen Naturhistorikern darf man sicher glauben.

Wozu aber brauchen denn diese kleine Thierchen so viele Augen? Damit sie bei ihrem schnellen Fliegen auf alle Seiten sehen, und den Gefahren entgehen können, die ihnen fast allenthalben drohen. Sie bedienen sich ihrer vielen Augen gleichsam stat Vergrösserungsgläffer, um alles um sich her genau ansehen und unterscheiden zu können.

Bedenket einmal, liebe Kinder, wie oft sich die kleine Biene bei ihrem Honigsammeln verirren würde, wenn sie manchmal eine halbe, auch wohl eine ganze Stunde weit, von ihrer Wohnung wegfliegen, und die Blumen aufsuchen mus, darin sie ihren süssen Saft finden kan. Da sie aber eine Menge Augen hat, verirt sie sich fast nie, und kömt mit Süsigkeit belastet, wieder zu ihren Kameraden zurük.

Haben alle Insekten Flügel? Nein, nicht alle. Die Läuse und Flöhe, Krebse und Spinnen haben keine Flügel. Denn nur diejenige Insekten haben Flügel, die sich auf den Pflanzen aufhalten, und sich zugleich auch von denselben näh=

nähren. Diejenige aber, die auf andern Thieren wohnen, und ihre Nahrung bei ihnen finden, wie Läuse und Flöhe, haben keine Flügel. — Doch machen die Wespen, Fliegen und Mükken hier eine Ausnahme. Sie leben nicht allein von Pflanzen, und haben doch Flügel.

Die Flügel der Insekten sind ungemein verschieden. Bei einigen sind sie nakt und unbedekt, wie bei den Fliegen und Papilions; bei andern mit harten Flügeldekken bedekt, wie bei den Käfern; und noch andere haben nur halbe Flügeldekken, wie die Bet= und Baumwanzen, und deswegen können diese auch schlecht, und jene gar nicht fliegen.

Wie viel Füsse sagten sie, lieber Herr . . daß die Insekten hätten? Wenigstens sechs, wie die Käfer, Papilions und alle andere geflügelte Insekten. Die ohngeflügelten hingegen haben deren mehrere. Die Spinne, zum Beispiel, hat acht Füsse, der Krebs zehn, der Kellerwurm vierzehn, eine gewisse Art Assel hundert und acht und vierzig, und ein gewisser Vielfus gar zweihundert Füsse.

Nun das mag ein Gewusel seyn — ja wohl zweihundert Füsse! Was machen sie denn mit so vielen Füssen? Ihr könt euch leicht vorstellen, gute Kinder, daß der liebe Gott allerhand weise Absichten werde gehabt haben, warum er dem einen Thierchen zween; dem andern vier; diesem sechs; jenem zehn; einem andern hundert; und vielen hingegen gar keine Füsse gegeben hat. Denn was er einem Thierchen gibt, das ist allemal sehr gut, und gerade das beste, das nothwendigste für dasselbe.

Er wies nicht allen Insekten einerlei Nahrung, und auch nicht einerlei Arbeit an. Einige solten sich auf der Erde be; und andere im Waſſer aufhalten, und daſelbſt auch ihre Speiſſe, entweder aus dem Pflanzenreich, oder aus dem Thierreich, hernehmen.

Einigen gab er beswegen, weil ſie ihr Brob in der Erde ſuchen müſſen, Füſſe zum Graben; andern aber Füſſe zum Schwimmen, weil ſie ihre Nahrung im Waſſer finden. Andere bekamen Springfüſſe, wie die Flöhe und Heuſchrek-ken, um ſchnel von einer Stelle zur andern zu ſpringen, und dadurch theils ihre Nahrung zu finden, theils ihren Feinden zu entfliehen.

Andere verſah er mit einem Rüſſel, der eben ſo bewun-derungswürdig iſt, als der Rüſſel des Elefanten, und den einige zur Bereitung eines ſüſſen Saftes, wie die Bienen; andere zum koſten ſtat der Zunge; noch andere als einen Bohrer; und faſt alle als eine Saugröhre gebrauchen.

Kurz, die Einrichtung des Geſchmaks der Inſekten iſt ſo verſchieden und ſo wunderbar, daß man über die Almacht und Weisheit Gottes erſtaunen mus, wenn man alles um ſich her kriechen und fliegen, eſſen und trinken ſieht, und doch keinen Mangel an irgend einer Speiſe bemerkt.

Und dis komt daher: Einige Inſekten haben Belieben an Wurzen und faulem Holz; andere an Blättern und Kräu-tern; einige an Schlam, Erde und Koth; andere an Fleiſch, Haaren und Leder.

Und keins verirt ſich in Wählung ſeiner Speiſſe? Nein. Jedes kent ſeine Nahrung ganz genau, und weis ſolche aus hundert andern Dingen heraus zu ſuchen. Fehlt ihm

G 4　　　　　　　　aber

aber seine gewohnte Speisse, so stirbt es lieber Hunger, ehe
es eine andere frist.

Und eben deswegen legt das Weibchen auch seine Eier
gewis immer nur an den Ort, wo seine künftige Brut gleich
was zu fressen sind, so, daß es also keine Nahrungssorgen
haben darf.

Einige legen daher ihre Eier unter die Erde an aller-
hand Wurzen und faules Holz; andere an Pflanzen, Fleisch,
Koth und andere unreine Orte; andere begraben tode Mäuse,
Maulwürfe, Frösche, und legen sodenn ihre Eier auf sie.
Einige graben unter die Baumblätter Löcher, und legen ihre
Eier hinein, wie die Blatwespen oder Galinsekte; andere, wie
die Motten schaben gar von Zeug oder Tuch eine zarte Wolle
ab, und vermischen sie mit einem Schleim so, daß eine Art
von Fils entsteht, den sie wie eine Walze zusammenrollen.
Wenn nun die Würmchen nachher darin wachsen, so beissen
sie ihre Kammern auf, und sezen von ihrem neuen Vorrath
hinzu; und daher komt es, daß sie oft grün, blau und roth
aussieht, je nachdem sie in einem, so oder anderst gefärbten
Zeug, gewohnt hat.

Und wie viel Mühe gibt sich nicht die Spinne mit ihren
Eiern? Sie klebt sie sich an einen Fus, und schlept sie so,
bis zur Geburth, mit sich herum.

Die Biene baut für sich und ihre Nachkommen ein
trefliches Haus von Wachs, darin etliche tausend sechseckichte
Zellen sind, die ihr und ihren Geschwistern, zur sichern
Wohnung und zur Ausbrütung ihrer Eier dienen. Und damit die ausgebrüteten Würmchen sogleich was zu fressen haben,

ben, legt sie eine Vorrathskammer an, und sammelt für sich und ihre Nachkommen, auf etliche Monathe Vorrath ein, gleichsam als wenn sie die Ankunft des Winters wüste.

Auch die Ameisen sammeln den Sommer über ein, und sorgen für die Zukunft. — Und so darf man mit Grund der Wahrheit von allen Arten von Insekten sagen: Jede sorgt für die ihrigen schon, ehe sie da sind. — Es ist eine wahre Lust, einer Mutter zuzusehen, wie viel Mühe sie sich gibt, bis sie den rechten Ort gefunden, wo sie ihre Eier hinlegen kan. Und hat sie ihn gefunden, so freut sie sich, legt ihre Eier ganz ordentlich hin, und fliegt oder läuft, ohnbesorgt wie es ihrer künftigen Brut ergehen werde, davon und stirbt.

Wie gehts diesen Eiern aber im Winter? Gut, sie können die gröste Kälte ertragen. Schne und Eis schadet ihnen nicht. Sie werden jederzeit lebendig, sobald es warm geworden, und die Zeit zu ihrem Auskriechen vorhanden ist.

Ach wie mächtig und gütig ist doch der liebe Gott, daß er so vielerlei artige Thierchen gemacht, und für alle so treflich gesorget hat! Wie gieng es uns, wenn wir nur acht Tage die gesamten Insekten, geschweige denn gar alle lebendige Thiere füttern solten.

Gibts denn so gar viele Insekten, lieber Herr..? Ja Kinder, gegen fünfzehn taussend. Und davon ist der Krebs das gröste, und die Milbe das kleinste.

Die Krebse solten Insekten seyn? Das hät ich nicht gedacht! — Ihr habt doch wohl schon Krebse gesehen? O ja!

G 5 Aber

Aber vielleicht noch keine Milben? Denn diß sind gröstentheils so kleine Würmchen, daß man sie mit blossen Augen nicht sehen kan, wenn ihrer auch gleich fünfzig auf einem Klumpen beisammen sizen — doch kan man auch viele sehr leicht mit blossen Augen sehen. *)

Nun wie gros meint ihr denn, daß diese kleine Milben seyn? Denkt nur so gros, daß ihrer taussend auf einem Senfkorn bequem beisammen wohnen können, und doch noch Plaz für etliche taussend übrig bleibt. Ach das ist erstaunlich viel! Ein Senfkorn ist schon klein genug; wie klein mag nun eine solche Made seyn?

Und je kleiner diese Würmchen sind, liebe Kinder, destomehr erstaunt man über die Macht und Geschiklichkeit Gottes, wenn man durch Hülfe der Vergrösserungsglässer, Blutgefässe und abgetheilte Glieder bei ihnen wahrnimt.

Wo halten sich wohl die fünfzehntaussenderlei Insekten alle auf? Allenthalben, im Wasser und auf der Erde. Sie sind über den ganzen Erdboden ausgestreut. Es ist allerliebst, daß man sowohl bei Tag, als bei Nacht eine unzählbare Menge lebendige Thierchen sehen kan.

Gleich nach Sonnenuntergang wimmelts auf Bäumen, Blumen, Wiesen und Feldern vol Insekten, und andern Thierchen, die sich freuen und lustig machen. Auch in den Teichen lebt alles von kleinen und grossen Thierchen. Hier tanzen die Mükken, dort quaken die Frösche. — Wer, liebe

---

*) Ein kleines Handmikroskop, daß selten über Einen Gulden kostet, und doch wenigstens zehn bis sechszehnmal vergrössert, wird sich jeder Liebhaber der Natur gewis bei Zeiten anschaffen.

liebe Kinder, kan bei solchem Anblik blind, taub und ohn=
empfindlich seyn?

Aber so viele tausend Insekten werden gewaltig viel
Schaden thun? Das thun sie zwar, wenn ihrer zuviel wer=
den. Läst man zum Beispiel, nur zwei Raupennester auf
einem Baume sizzen, so fressen sie ganz sicher in etlichen
Wochen den ganzen Baum kahl; und denn hat freilich die
Erndte ein Ende. Faul und nachlässig darf man daher nicht
seyn, wenn sich viele Raupen und anderes Ungeziefer in ei=
nem Garten zeigen.

Daß aber auch viele Insekten den Vögeln, und sich
einander selbst, und vielen andern Thieren zur Nahrung die=
nen, ist euch bekant. Und welchen Nuzen schaffen uns
nicht die Krebse, Bienen, Kochenillen und Seidenwürmer?
Die Krebse essen wir, die Seidenwürmer liefern uns Seide;
und die Bienen versorgen uns mit Honig und Wachs.

Ihr sehet also, liebe Kinder, daß in der Haushal=
tung Gottes jedes Insekt seine Bestimmung hat, und daß
keins nur so von ohngefähr da ist. Alle zusammen haben
ihre angewiesene Geschäfte, die sie nie vernachlässigen, son=
dern alle Jahr richtig und ordentlich besorgen müssen.

Und weil sie als kleine Geschöpfe, gar leicht von der
boshaften Hand eines Menschen, oder sonst eines Feindes, in
ihrer Arbeit oder in ihrem Glük gestört, oder ihnen wohl
gar das Leben geraubt werden könte, so lehrte sie ihr Schö=
pfer, der Gefahr durch eine schnelle Flucht zu entgehen, oder
sich durch Gabeln, Scheeren und Stac ..., womit sie am
Hinterleib versehen sind, zu retten. Wie sehr schmerzt nicht
ein Bienenstich!

Ei=

Einige Insekten retten sich durch ihre Farbe, wie die Raupen, die häuffig die Farbe derjenigen Gewächse haben, wovon sie sich nähren. Andere entfliehen vermittelst eines Fadens, an dem sie sich halten und plözlich herablassen, wenn sie einen Feind nahe sehen.

Einige Raupen erschrekken durch die geringste Berührung so sehr, daß sie als ein Kügelchen niederfallen, und sich daburch retten. Die Goldkäfer ziehen ihre Füsse zusammen, wenn man sie berührt, und die Spekkäfer scheinen gar tod zu seyn, und rühren sich nicht, wenn man ihnen auch gleich einen Fus um den andern abreist, sie brent und sticht.

Durch allerhand List also wissen die Insekten ihren Feinden zu entwischen, und wo eins allein sich nicht mehr retten kan, so helfen ihm seine Kameraden, wie es die Wespen und Bienen machen, denen man zwar nie, aber denn am wenigsten, allzu nahe kommen darf, wenn man sie beleidigt hat.

Noch eins, lieber Herr . . . sterben denn die Spekkäfer vom Stechen und Brennen nicht? O ja, wenn man sie zu viel sticht und brent. Geschichts aber nur ein wenig, so stehen sie, wenn man sie eine Zeitlang ruhig liegen läst, wieder auf, und lauffen oder fliegen davon.

Die Insekten haben ein zähes Leben. Man darf einer Fliege den Kopf abreissen, und sie lebt und fliegt doch noch etliche Stunden herum; ja ein Holzkäfer oder Holzbok kan gar sechs bis acht Wochen an einer Nadel angespiest leben. Aber ohne Nahrung doch nicht? O ja, ohne Nahrung.

Die

Die volkomnen Insekten essen sehr wenig, und ans Trinken denken sie gar nicht, bis an die Grillen, die gerne trinken. Ja einige Papilions haben gar kein Maul, deswegen sie auch etliche Stunden, und nur so lange leben, bis sie sich begattet, und für ihre Nachkommen gesorgt haben.

Gibts noch mehr Insekten, die nur eine so kurze Zeit leben? Ja, das sogenante Uferaas, lebt kaum einen Tag. — Und welche unter ihnen leben am längsten? Die Krebse, welche zehn bis achtzehn Jahre alt werden.

Die Insekten entstehen also nicht aus alten Lumpen, faulem Holz und andern unreinen Dingen, wie unwissende Leute oft glauben; sondern aus Eiern, die blos durch die Wärme der Luft ausgebrütet oder lebendig gemacht werden.

Aber die, aus den Eiern hervorgekrochne Geschöpfe, sind nichts als elende Würmchen, die ihren Aeltern noch in keinem Stükke ähnlich sehen, und davon einige Füsse haben, andre nicht. Diejenigen, so keine Füsse haben, müssen fast alle von ihren Aeltern eine Zeitlang ernähret, oder an solche Orte gelegt werden, wo sie ihre Nahrung von selbst finden können, wie die Maden im Käs und Fleisch. Diejenige hingegen, so Füsse haben, suchen ihre Futter selbst auf allerhand Blättern und Gewächsen, und wachsen in kurzer Zeit so schnel, daß sie ihre äussere Haut, weil sie ihnen zu eng geworden, vier bis siebenmal ablegen, und sich gleichsam wieder jung machen können.

Bis izt, liebe Kinder, heissen alle diese Würmer eigentlich noch nicht Insekten, sondern Larven, die nichts thun als fressen, und allenthalben, wo sie häuffig sind, gewaltig

viel

viel schaden. Die Insekten selbst aber schaden fast gar nichts,
sie sind mehr beschwerlich als schädlich. Weil sie aber doch
ihre Eier allenthalben hinlegen, so nent man sie mit Recht
ebenfals schädliches Geschmeis oder Ungeziefer.

Bald nachher, wenn sich die Larven oder Würmer eine
Zeitlang auf ihrer Waide belustigt und sat gefressen, und ihre
Volkommenheit als Würmer erreicht haben, und also ganz
ausgewachsen sind, verlassen sie ihre Geselschaft, gehen aus=
einander, fressen nichts mehr, suchen sich einen bequemen,
und von aller Gefahr sichern Ort aus, und machen sich nun
zu der grossen Veränderung oder Verwandlung geschikt, die
mit ihnen vorgehen sol. Sie treten daher nun in einen mit=
lern Zustand ihres Lebens, schliessen sich in ein dunkles Grab
ein, und heissen wegen ihrer Aehnlichkeit mit einem einge=
wikkelten Kind, Puppen.

Ach ja, so sehen sie aus! Nun wie denn, mein Kind?
Eine so, die andre anders. Sie sehen sich nicht alle ähnlich.
Richtig. — Nicht wahr, man mus verschiedene Puppen gese=
hen haben, wenn man sich von ihrem sonderbaren Bau über=
zeugen wil? Auf unsern Kupferplatten sind vier Puppen
abgebildet — suchet sie einmal! Eine ist auf der dritten
Tafel bei Figur siebzehn; die drei übrigen aber stehen auf
der zehnten Tafel, bei Figur sechs und zwanzig, neun und
zwanzig, und neun und dreissig.

In diesen, oft sehr schön und wunderbar gebauten
Hülsen oder Puppen, bleiben die künftigen Thierchen zwo
bis vier Wochen, ja wohl gar drei, sechs bis zehn Monath,
ohne alle Nahrung liegen, und scheinen tod zu seyn. Man
darf sie gefrieren, oder gar eine Zeit lang in Wasser kochen

laf=

laſſen, ſie ſterben doch nicht, ſondern erwachen gleichſam, jedes zu ſeiner beſtimten Zeit, ſo zu reden, wieder aus ihrem unempfindlichen Schlaf, und kommen endlich, mit allerhand Farben geziert, lebendig hervor.

Und nun erſt ſind ſie volkomne Inſekten, und werden mit allerhand Namen belegt. — Was thun ſie izt? Izt genieſſen ſie eine kurze Freude, ſchwärmen auf verſchiednen Blumen, Bäumen und Blättern ꝛc. herum, begatten ſich, legen Eier und ſterben.

Kinder, ſind wir Menſchen nicht faſt wie die Inſekten beſchaffen? Erſt lagen wir in den Leibern unſrer Mütter, wie in einem Grab verſchloſſen; nachher wurden wir lebendig gebohren, lebten bisher, genoſſen allerhand Freuden mit Traurigkeit verknüpft; bald oder ſpät, aber gewis, gehen wir ins Grab; und endlich nimt uns der liebe Gott, wenn wir braf und rechtſchaffen gelebt haben, zu ſich in den Himmel, wo es uns ſodenn auf immer und ewig wohl ſeyn wird.

Gehts mit allen Inſekten ſo zu, lieber Herr.. Wie Sie uns izt erzählt haben — erſt Eier, hernach Würmer oder Larven, denn Puppen und endlich erſt Käfer oder Papilions? Nein, liebe Kinder, die Spinnen haben ſogleich, beim Auskriechen aus den Eiern, ihre völlige Geſtalt, und verändern ſich nie mehr, auſſer daß ſie nach und nach gröſſer werden. Die Aſſeln oder Kellerwürmer aber, und wie man glaubt, auch die Erdflöhe, Baumwanzen und Waſſerwanzen, bringen ihre Jungen gleich lebendig auf die Welt, die ſogleich ganz ihren Aeltern ähnlich ſehen.

Aber die Fliegen, Käfer und Schmetterlinge werden doch nach und nach auch gröſſer, wie die Spinnen? Und

aus

aus den kleinen Brachkäfern werden vermutlich in etlich Wochen Maikäfer, und aus den kleinen Fliegen grosse? Nimmermehr, Kinder. Jedes Insekt bleibt so, wie es aus seiner Puppe gekommen ist, bis an seinen Tod unverändert. Nie wird also aus einem kleinen Käfer ein grosser, wie aus dem Kalb eine Kuh oder ein Ochse wird.

In wie viel Hauffen theilt man denn die gesamten Insekten ein, lieber Herr..? Euch Kindern kan ich antworten, in drei Hauffen: Erstlich in vier flüglichte, wie die Käfer, Wasserjungfern, Wanzen, Papilions und Bienen: Zweitens in zweiflüglichte, wie die Fliegen und Mükken: Drittens in ohngeflügelte, wie die Spinnen, Läusse, Flöhe und Krebse.

Grossen Leuten aber würd ich auf die Frage: Wie viel gibt es Hauffen oder Ordnungen von Insekten? antworten, sieben: Die erste Ordnung hat ganze Flügeldekken, wie die Käfer: Die zwote hat halbe Flügeldekken, wie die Wanzen: Die dritte hat gefiederte Flügel, wie die Schmetterlinge: Die vierte hat nezförmige Flügel, wie die Wasserjungfern: Die fünfte hat Flügel mit Adern, wie die Bienen: Die sechste hat zween Flügel, wie die Fliegen: Und die siebente Ordnung endlich hat gar keine Flügel, wie die Spinnen, Läusse, Flöhe und Krebse. *)

Ach

*) Vielleicht geschieht manchem Lehrer ein Gefallen, wenn in den Anmerkungen hie und da die systematische Benennungen der Ordnungen rc. nach des Ritters von Linné Natursystem angezeigt werden: 1) Coleoptera mit Flügeldekken. 2) Hemiptera mit halben Flügeldekken. 3) Lepidoptera mit gefiederten Flügeln. 4) Neuroptera mit Nezförmigen Flügeln. 5) Hymenoptera adrichte Flügel. 6) Diptera zweiflüglichte. 7) Aptera ohngeflügelte.

Tab. II.

E.L.H. Waagen del.   J.G. Sturm sc.

Ach wie begierig bin ich doch auf die Beschreibung der Insekten! — Ich auch, lieber Herr . . ich wil in Zukunft manchen

Käfer

fangen und einsperren. — Gut. Aber doch nicht den nächsten besten? O ja, kleine und grosse, schöne und wüste, stinkende und — kurz, so wie ichs kriegen kan, denn Käfer gibts ja genug.

Da hat er recht, mein Sohn. Käfer gibts wirklich den ganzen Sommer über, und noch bis an den Winter hin in Menge; aber wird ihm auch jede Sorte, die er haben wil, sogleich vor seine Augen hinfliegen, und sich fangen laffen?

O das verlang ich nicht! Ich wil sie schon aufsuchen und finden. Ein Käfer hält sich da auf, der andere dort. Einer kömt im Frühling, der andere im Sommer, der —

Genug vors erste. — Um guter Ordnung willen, wil ich euch nun kurz die ganze Käfergeschichte erzählen, und denn noch die merkwürdigsten Käfer selbst beschreiben.

Es gibt zwo Familien von Käfern, Erdkäfer und Wasserkäfer. — Die Wasserkäfer entstehen aus Würmern, die sich im Wasser aufhalten. — Die Erdkäfer hingegen kommen aus Würmern, die sich auf der Erde und in der Erde aufhalten.

Die Erdkäfer haben, so wie auch die Wasserkäfer, zween dünne durchsichtige, mit zween hornartigen Dekken

H   ver=

versehene Flügel, und sechs Füsse, und entstehen aus Würmern, die nahe am Kopf sechs Füsse haben, den grösten Theil ihres Lebens in der Erde, oder im Mist oder Holz, oder auf Blättern zubringen, sich von Blättern, Wurzen, faulem Holz, todten Mäussen und andern unreinen Dingen nähren, vom Ei an bis zum Käfer etliche Monat, ja ein, zwei bis sechs Jahre in der Erde oder Mist bleiben, sich etlichemal häuten, des Winters tief in die Erde verkriechen, damit sie vom Frost keinen Schaden leiden, und hier so lang ohne Nahrung liegen bleiben, bis sie von der Frühlings Wärme wieder in die Höhe gelokt werden.

Und so gehts alle Jahr, bis sich endlich die Würmer im Herbst in einen Ballen Erde oder Mist oder Laub einschliessen, Puppen werden, und denn im Frühjahr Käfer werden, und nach und nach aus ihren Löchern hervorkommen, davon fliegen, sich begatten, Eier legen und dann sterben, oder von Vögeln 2c. gefressen werden.

Und weil sie an allem kiefen oder nagen, gab man ihnen den Namen Kiefer oder Käfer. Wie lang leben die Käfer? Einige leben nur Einen höchstens zween Monathe, und werden deswegen Monatskäfer genant. — Der Maikäfer ist ein Monatskäfer, und hat seinen Namen vom Monath Mai, darin er gewöhnlich lebt; so auch der Junius oder Brachkäfer, weil er im Brachmonat lebt und herumfliegt. — Andere leben vom Frühling bis in Herbst; ja einige wohl gar zwei, drei und noch mehrere Jahre, wie die Roskäfer, Goldkäfer 2c.

Einige Käfer haben eins, zwei, drei Hörner; andere dagegen haben keins. Bei vielen haben auch nur die Männchen

chen welche, oder es sind der Weibchen ihre doch merklich kleiner, wie ihr vermutlich schon bei den Hirschkäfern werdet gesehen haben.

Einerlei Farbe haben die Käfer auch nicht. Es gibt schwarze und braune; blaue und grüne; gelbe rothe und schekkichte.

Auch an Grösse sind die Käfer sehr von einander unterschieden. Es gibt welche, die nicht grösser, als ein Steknadelknopf sind; aber auch welche, die so gros, als ein Sperling sind, wie der Amerikanische Elefantenkäfer, und der Afrikanische Goliath.

Wie vielerlei Sorten von Käfern gibts denn, lieber Herr . . ? Mehr als achthunderterlei, die zwar alle zusammen in Erd= und Wasserkäfer eingetheilt werden, wie ihr wisset; allein um sie noch leichter von einander unterscheiden zu können, theilt man sie auch noch wegen ihrer Bildung, Farbe, Nahrung 2c. in Kolbenkäfer, Spekkäfer, Aaskäfer, Rüsselkäfer, Holzkäfer, Wasserkäfer, Zangenkäfer 2c. — Die Maienkäfer zum Beispiel gehören zu den Kolbenkäfern oder Scarabäen.

Nun, Kinder, wie sehen denn eure liebe

Maikäfer

aus? Könt ihr sie mir beschreiben? O ja! Sie haben oben zwei hornartige braunrothe Flügeldekken, und darunter zween Pergament ähnliche dünne Flügel, einen schwarzen, mit weissen Strichen und Seitenflekken, versehenen Unterleib, sechs Füsse, zwei Fühlhörner, bald braune bald rothe und schwarze

Hals=

Halsschilde; an den Füssen Zakken zum Graben; und kommen im Mai, zuweilen auch früher oder später, je nachdem die Luft wärmer oder kälter ist, aus der Erde hervor, worin sie — sie — sol ich helfen? worin sie über drei Jahre lang als Würmer, die man Engerlinge nent, gelegen, und sich von den Wurzen verschiedener Pflanzen genähret haben, fliegen hin und her, fressen allerhand Laub, paaren sich, und bleiben dabei lange an einander hängen.

Das Weibchen kriecht nach der Paarung, ohngefähr eine Spanne tief, in die Erde, und legt ihre helgelbe läng= licht runde Eier darein, kriecht wieder heraus, lebt noch etliche Tage und stirbt.

Oft bleiben auch ganz fertige Maikäfer noch ein Jahr unter der Erden. Und einige verstekken sich durch einen Win= terschlaf in der Erde, und kommen den nächsten Mai wieder lebendig hervor, fliegen herum, und machen sich noch einmal lustig. *)

Im Mai also, auch wohl später, aber selten früher, weil sie die Kälte scheuen, kommen die Maikäfer aus der Erde heraus, sizen und hängen den Tag über auf Bäumen und Gesträuchen hin und wieder ganz ruhig; des Abends aber, da es etwas kühle geworden — denn sie können grosse Hize eben so wenig als grosse Kälte ertragen, schwärmen sie Schaarenweis um Bäume, Blüte und andere Gewächse

her=

---

*) Oder kan sich ein Maikäfer gar zwei Jahr nach einander, den Sommer, Herbst und Winter über, in der Erde verstekken, und also drei Frühlin= ge nach einander im Mai herumfliegen? Ich zweifle. Doch wil ich's dis Jahr ernstlich untersuchen. — Daß sich auch die Einhornkäfer den Winter über verstekken, weis ich aus der Erfahrung.

herum. Und ihr springet ihnen nach und erhaschet sie —
nicht wahr, Kinder?

Ei könt ihr auch Mänchen und Weibchen von einander
unterscheiden? O ja! die Mänchen haben breitere und längere Blätter an ihren Fühlhörnern, als die Weibchen. Richtig. Und diese Blätter können die Maikäfer wie einen Fächer
ausbreiten und zusammen ziehen.

Nun so sehet izt eure Kupfertafeln an, ob ihr nicht
Maikäfer darauf findet. — Ach hier, auf der achten Tafel,
sind sie! Käfer, Würmer, Eier und alles bei einander. Figur neun und dreissig ist ein Mänchen — Figur acht und
dreissig ein Weibchen, das so eben aus der Erde kriecht —
Figur sechs und dreissig sind Eier — Figur fünf und dreissig
ein kleiner, und Figur sieben und dreissig ein grosser Maikäfer, Wurm oder Engerling — und Figur vierzig ist vermutlich das Loch, woraus das Mänchen gekrochen ist? Richtig, so ists, liebe Kinder! Ihr habt alles errathen. — Verschiedene Vögel suchen die Maikäfer auf, und füttern ihre
Jungen damit.

Nun suchet auf eben dieser Kupferblatte den

Brachkäfer

oder Juniuskäfer, der mit dem Maikäfer viele Aehnlichkeit
hat. — Hier oben ist er, bei Figur sieben. Er ist kleiner,
als der Maikäfer, sieht blasbraun aus, hat an seinen Fühlhörnern keine Blätter, wie der Maikäfer, sondern nur kleine
Kölblein, sizt auf keinen Baum oder Gebüsch, fliegt gewöhnlich nur den Tag über, doch auch noch des Abends eine Zeitlang herum, und schadet dem Getraide. Er hat sechs sehr

H 3 haa-

haarichte Füsse, davon immer ein paar länger ist als das andere.

Der unvergleichlich schöne grüne

Goldkäfer

hat keine gewisse Zeit, wenn er aus der Erde, hohlen Eichen und Ameisenhauffen, wo sich seine Larve, die sich von faulem Holz und Ameisenpuppen nährt, sehr gern aufhält, hervorkömt. Er ist fast so gros, wie ein Maikäfer, und hält sich am liebsten auf der weissen Holunderblüte und Narziffen auf, siehe Tafel sieben, Figur fünf und zwanzig.

Mit Obst und angefeuchtetem Brod kan man einen Goldkäfer, zwei bis drei Jahre lang lebendig erhalten. Ach das ist allerliebst! Nicht auch so die Maikäfer? Nein, o Schade! — Daß ihr Kinder doch die Maikäfer so sehr lieb habt!

Aber die Goldkäfer sind ja weit schöner? Das sind sie wohl, sie lauffen und fliegen aber nicht so gern, wie unsere Maikäfer, denen wir ein Liedchen vorsingen, und denn fliegen sie, und wir springen mit ihnen herum, und freuen uns. Die Goldkäfer aber lauffen und fliegen nicht, wir mögen sie kizeln oder ihnen was vorsingen; ja so bald wir sie an einem Fus berühren und anknüpfen wollen, ziehen sie Kopf und Füsse zusammen, und stellen sich tod.

Habt ihr auch schon einen lebendigen

Nashornkäfer

gesehen? Nein, keinen lebendigen und keinen toden, auch keinen abgebildeten. Nun so sehet indessen, bis ihr einen leben-

lebendigen bekomt, den an, der in euerm Buch, Tafel acht, Figur ein und dreissig abgebildet ist.

Ach so sehen diese Käfer aus! Sie sind ja zwei bis dreimal grösser, als die Maikäfer? Wo halten sie sich wohl auf? In allerhand faulem Holz, vorzüglich aber in Eichenholz und in Gerberlohe.

Man nent sie deswegen Einhornkäfer, weil sie ein Horn an der Nase oder auf dem Kopf haben, und also dem grossen vierfüssigen Thier ähnlich sehen, das ein Horn auf der Nase hat, und deswegen Nashorn oder Rhinoceros ganant wird.

Diese Nashornkäfer können sich auch, wie die Maikäfer, den Winter über in faulem Holz, oder sonst wo in einem Schlupfwinkel verstekken, und denn im folgenden Frühling wieder lebendig hervorkommen, und zu ihren neuangekomnen Kameraden fliegen.

So weis ich ein Beispiel, daß sich ein Nashornkäfer im Herbst 1772 in einer Stube verlauffen, und hinter ein Bret verstekt hat. Um Weihnachten hörte man immer ein Genag, und Niemand wuste, wer es machte, denn Mäuse gabs in diesem Hause nicht, und eine Grille oder ein Holzbok oder sonst ein Käfer, konte es auch nicht seyn.

Aber siehe, im März 1778 kam ohnvermutet der entlauffene Nashornkäfer hinter einem Bret hervor, und lief ganz flenk so lange herum, bis ihn die frohen Kinder zum zweitenmäle gefangen nahmen. Er wurde bald nachher getödtet, und von einem dieser Kinder, als ein merkwürdiger Deserteur in seinem kleinen Naturalienkabinet aufgestelt.

H 4   Holz=

Holzbökke,

liebe Kinder, heist man diejenige Käfer, die mit ihrem scharfen Zangengebis grünes und troknes Holz, Aeste und Zweige, ja gar hölzerne Geräthschaften durchbohren, und ihre Eier hinein legen. Aus diesen Eiern werden Würmer, die das Holz gewaltig durchlöchern, sich endlich aber verpuppen, und als Käfer davon fliegen.

Und warum nent man sie denn Holzbökke? Weil sie gerne stossen und bohren, und ihre lange Fühlhörner fast eben so gebogen tragen, wie die Ziegenbökke. Es gibt eine Menge kleine und grosse Holzbökke. Einen kleinen könt ihr auf der zehnten Tafel, bei Figur sechs; und einen viel grössern auf der achten Tafel, bei Figur dreissig sehen. Sie sehen schwarz, gelb und braunflekkicht aus, und haben allesamt ein so zähes Leben, daß sie, wie ihr wist, sechs bis acht Wochen ohne Nahrung, an eine Nadel gespiest, lebendig bleiben können.

Unser kleiner Holzbok, Figur sechs, legt seine Eier auf die Haselnußstauden, und zwar jedes Ei einzeln, oben an die Spize oder Aeste und Zweige, oder in die Augen derselben. Wenn nun aus dem Ei ein Würmchen wird, so frist es so lang in dem Mark des Zweiges fort, bis es ausgewachsen ist, nun zur Puppe werden, und nach etlichen Tagen als Käfer davon fliegen kan. Und weil es das Mark oder den Kern aus dem Ast weggefressen hat, so kan er nicht mehr wachsen, sondern mus verderben.

Sehet einmal euren Haselnußstrauch auf der zehnten Tafel, Figur fünf, recht an, ob nicht eine solche Larve von diesem Käfer in einem Ast drin stekt? Doch ja hier stekt eine, bei Figur sieben.

Auch

Auch hängen Haselnüſſe an dieſem Strauch — ſehet ihr ſie? O ja, hier oben ſind zwo, und hier unten bei dem Eichhörnchen Eins. Was, Eichhörnchen? Das iſt ja eine Maus, eine Eichelmaus, die auf Nusbäume ſteigt, und Nüſſe friſt. Unten erzähl ich euch vieles von dieſen kleinen artigen Mäuschen. Auch von der groſſen Haſelmaus, die hier bei Numro ſiebzehn ſizt, kömt unten vieles vor.

Kinder, knakket ihr auch gern Haſelnüſſe auf? O ja, ſehr gern! Alſo werdet ihr auch ſchon oft, ſtat den Kerne, dikke häsliche Würmer darin gefunden haben? Sie haben recht, ſchon oft. Wie kamen ſie denn wohl hinein? Eine gewiſſe Art Käfer, die man

Haſelnußkäfer

nent, ſiehe Tafel acht, Figur ein und vierzig, bohrt in die, noch grüne weiche Nüſſe, ein Loch, und legt Ein Ei hinein, aus dem ohngefähr in vierzehn Tagen, ein Würmchen wird, das den Kern nach und nach aufzehrt, und wenn er faſt oder ganz damit fertig iſt, ſich durchbohrt, im Herbſt in die Erde kriecht, ſich daſelbſt verpupt, und den nächſten Sommer drauf, zum Käfer wird.

Kommen die Würmer in den Aepffeln, Birnen und Zwetſchen auch von Käfern her? Nein, dieſe kommen von Schmetterlingen und von Fliegen her, die — doch davon weiter unten.

Wovon nun noch, liebe Kinder? — Vom Roßkäfer, Schröter oder Mäuſebegraber? O, lieber Herr ... von allen dreien noch. Kent ihr ſie etwan ſchon? Ja, den Roßkäfer

H 5 und

und den Schröter; aber den Mäusebegraber noch nicht. Gut,
ihr solt ihn nun bald sehen, und sogar dabei seyn, wenn er
eine Maus oder sonst ein todes Thierchen begräbt. Ists ihr
Ernst, lieber Herr . . Ja, gewis — ich geb euch meine
Hand darauf.

        Der grosse

Schröter

oder Hirschkäfer entsteht aus einem Wurm, der sechs Jahre
lang faules Eichenholz fressen, und sich denn verpuppen mus,
ehe er zum Käfer werden kan. Ist er einmal Käfer, so geht
es ihm, wie allen seinen Vettern: er schwärmt etliche Tage
herum, begattet sich, legt Eier und stirbt.

        Wo halten sich denn die Schröters auf, daß man sie
nie sieht? In Eichenwäldern, und sonst nirgends; und das
nur in den zween Monaten Junius und Julius. Sie leben
und sterben in den Eichenwäldern. Fressen sie vielleicht Eichenblätter? Ja, oder sie saugen vielmehr einen Saft aus
denselben heraus. Wenn ihr ihnen aber Honig gebt, so lauffen sie euch, wie die Hündchen, nach. Ach das wollen wir
thun, sobald wir welche haben.

        Ei solte es nicht angehen, lieber Herr . . daß wir
zween Schröter zusammen an einen Wagen spanten, und sie
ziehen liessen? O ja, das geht wohl an, stark sind sie genug
darzu. Ihr könt ihnen ein ordentliches Joch machen, so wie
es die Ochsen haben, damit sie bequem ziehen können. O ja,
das sollen sie haben. Wir laden ihnen Gras, Blumen,
Sand und Steinchen auf, eins ums andere von uns ist
Fuhrman, und wenns Bergan geht, und sie nicht mehr ziehen

ben können, holen wir noch zween Frische aus dem Stal
dazu, und spannen ihnen vor. Richtig, so machen wir es —
ach das wird eine Freude geben!

Nehmet euch aber in Acht, liebe Kinder, daß sie nicht
eure Finger zwischen ihre Hörner kriegen, und aus eurer
Freude ein Weinen wird, denn sie haben gefährliche Hörner
mit Zinken und Zähnen, und können jämmerlich damit klem=
men oder drükken. *)

Wie gefält euch denn der auf unserer siebenten Tafel,
Figur zwanzig abgebildete Schröter? Sehr wohl — ja, ja
so sehen sie aus — Ists ein Mänchen oder ein Weibchen?
Ein Mänchen. Die Weibchen sind viel kleiner, und haben
lange keine so grosse Hörner, wie die Mänchen.

Diese Käfer, liebe Kinder, haben allerhand Namen:
Man nent sie Schröter oder Klemmer, und weil sie vorzüg=
lich die Pferde gern klemmen, auch Pferdeklemmer oder Pfer=
deknifer; ferner Hirschkäfer oder fliegende Hirsche, wegen der
Aehnlichkeit ihrer Hörner, mit den Hörnern oder Geweihen
eines Hirsches; und denn noch Feuerschröter oder Feuer=
würmer,

---

*) Ich fürchte nicht, daß man mich hier im Verdacht hat, als billige ich die
   Quälung der Thiere, da ich den Kindern erlaube, mit Käfern und
   Schrötern zu spielen. — Ein Thierchen zum Spas quälen, oder gar
   zu tode martern; und nur damit etliche Stunden spielen, ist zweierlei.
   Ein Kind sol und darf allezeit einen Käfer fangen, und an einen Fa=
   den knüpfen, und damit herum springen. Dann aber mus es ihn
   wieder losmachen, und zu seinen Kameraden fliegen lassen. So lange
   mus kein Kind seine Käfer oder Schröter einsperren, bis sie sterben. —
   Mit den Schrötern, denke ich, hat es keine Noth; diese werden sich
   schon selbst frei machen, oder den kleinen Fuhrmann so in die Finger
   kneipen, daß er sie gern losläßt.

würmer, weil einige alberne Leute glauben, sie greiffen glühende Kohlen an, und tragen sie von einem Ort zum andern.

Jeder Schröter hat neben und zwischen seinen Hörnern, sechs lange und kurze Fühlhörner, und am Maul vier gelbe harichte Stiele, mit denen er seine Nahrung einsaugt, und ihm also stat des Mundes dienen.

Der Roskäfer

oder Mistkäfer, siehe Tafel acht, Figur siebzehn, entsteht ebenfals wie andere Käfer, aus einen Wurm, der höchstens ein Jahr im Mist gelegen, und Mist gefressen hat.

Es gibt etliche Sorten von Mistkäfern. Einige legen ihre Eier im Mist hin und her zerstreut; andere in zusammengedrükte Pillen von Mist.

Und zu dieser Sorte gehört der grosse schwarze Mistkäfer, wie der unsrige ist. Es fliegen nämlich diese Käfer gern umher, und sezen und bohren sich unter allen Mist, den das Vieh und vorzüglich das Pferd, auf den Straßen fallen läßt. Und daher komt es auch, daß man sie Roskäfer nent, weil man sie sehr häuffig in Pferd= oder Rosmist antrift.

Wo so ein Käfer nun einmal sizt, da gräbt er ein Loch in die Erde, knetet mit Maul und Füssen ein wenig Mist, in ein Klümpchen oder Pilchen zusammen, stekt es in sein gemachtes Loch, legt ein Ei darauf, dekt es noch mit etwas Mist zu, und fliegt weiter.

Und so macht er es wohl an zehn und mehr Orten. — Nach etlichen Tagen wird ein solches Ei lebendig, und der

Wurm

Wurm frist nun al den Mist, den seine Muter für ihn hingelegt hat, nach und nach, und bis aufs Frühjahr völlig
auf, und wird izt, nachdem er sich viermal gehäutet hat, zum
Käfer.

Nun

Todengräber,

oder wie wir dich vorhin genant haben, Mäusebegraber wo
stamst du denn her? Und wo wohnst du? Ich stamme von
Käfern her, die eben so aussahen, wie ich; und die auch, wie
ich, sechs bis acht Wochen als Würmer unter der Erde
bei einer todten Maus, Frosch oder Kröte gelegen, und sich
an ihrem Fleisch sat gefressen haben.

So? Du liebst also stinkendes Fleisch? Wie findest du
es aber? Ich fliege so lange hin und her, bis ich eins ent-
dekke; und weil ich einen sehr guten Geruch habe, find ich
immer bald was. Warum begräbst du aber deinen Fras?
Das thu ich mehr um meiner Kinder, als um meinetwillen;
denn ich lege meine Eier darauf, die nach etlichen Tagen
lebendig werden, und also gleich was zu fressen haben müssen — denn wir Todengräber können sonst nichts fressen
als Fleisch. Liessen wir nun die Mäuse blos auf der Erde
liegen, so würden sie vertroknen, oder gar von einer Käze
aufgeschmaust werden, und denn wär es um unsere Kinder
geschehen.

Wie kanst du aber, als ein so kleines Thierchen, eine
Maus, oder gar einen Maulwurf, der doch wenigstens
hundertmal grösser und schwerer, als du bist, von der
Stelle bringen und begraben? Ich allein kan es freilich
nicht

nicht — Meine Kameraden helfen mir. Wenn wir nur
unser zween sind, so gehts freilich etwas langsam her, sind
unser aber drei, vier oder fünf beisammen, o, so mus der
Maulwurf, und auch wohl noch ein grösseres Thier, in
einer oder höchstens in zwo Stunden, schon so gut in der
Erde stekken, daß man es kaum merkt, wo wir ihn
hingelegt haben.

Und damit unsere Arbeit gut und geschwind von stat=
ten gehe, durchsuchen wir erst die Stelle sehr genau, wo
die Maus liegt, und wo wir sie begraben wollen. Ist die
Erde lokker und tief genug, so fangen wir das Graben an;
ist die Erde aber steinicht oder nicht tief genug, so schlep=
pen wir unsern Toden so weit fort, bis wir eine bequeme
Stelle gefunden haben.

Und das könt ihr, kleine Käferchen? Wie macht ihr
denn das? Wir ziehen und drükken von unten auf, und von
hinten und von vornen. — Und wenn sodenn alles vorbei
ist, und wir unsere Beerdigung geendiget haben, so begat=
ten wir uns, legen Eier und sterben.

Kinder, dis ist alles richtig. Gerade so machen es
die Todengräber. Ich sahe ihnen schon oft mit viel Ver=
gnügen zu. Und ihr solt sie nun auch bald sehen, wenn
ihr Lust dazu habt. — Von Mai an bis in August könt
ihr auf sie lauren. Ihr leget ihnen in eurem Gärtchen,
oder sonst wo, eine tode Maus oder Frosch hin — ich
wette, nach zween, drei oder vier Tagen, stellen sich die
Herren Todengräber zur Beerdigung derselben ein. Und
zieht man ihnen ihren Toden wieder aus dem Grab heraus,
so schreiten sie plözlich zur zwoten Begräbniß.

Ist

Ist ihnen aber ein Thier zu groß, wie zum Beispiel eine Kaze oder eine Schlange, so begraben sie nur soviel davon, als ihre künftige Brut zur Nahrung nöthig hat. — Zwanzig bis dreißig neue Todengräber kommen gewöhnlich aus einem solchen Grab hervor.

Sehet nun zu, liebe Kinder, ob auf eurer vierten Kupfertafel nicht das artige, euch so sehr liebe, rothe, und mit schwarzen Punkten gezeichnete

Marienkäferchen

abgezeichnet ist? Doch ja, hier ist eins, bei Numer zehn. — Ach das allerliebste Marienkäferchen! Es ist uns Kindern, wegen seiner schönen Farbe, und weil es from ist, schon lang sehr lieb und werth gewesen.

Weil es aber auch Gotteskühlein, Gottesschäflein, Gotteslämlein genant wird, sind wir ihm vor allen andern Thierchen vorzüglich gut. — Und das verdient es auch, liebe Kinder. Es schadet uns gar nicht, ja es nüzet uns vielmehr, weil es die so schädliche Blatläuße wegfrißt.

Nun noch ein paar Worte vom Spekkäfer, Ohrwurm, Bücherwurm und der Spanischen Fliege; und denn erzähl ich euch die Geschichte der Wasser Insekten.

Den schwarzen

Spekkäfer

kent ihr schon, wie ich glaube — Tafel acht, Figur zwei und dreißig ist er auch abgebildet. Nicht wahr, Kinder;

er

er hat die sonderbare Gewohnheit, daß er sich tod stelt, sobald man ihn auch nur ein wenig anrührt, und sich lieber seine Fühlhörner, und einen Fus um den andern aus dem Leibe reissen, und sich stechen und brennen läst, ehe er sich rührt.

Ob er sich tod stelt, oder in eine Art von Ohnmacht fält, wenn man ihn so martert, ist nicht bekant. Aber so viel weis man aus der Erfahrung gewis, daß er nicht stirbt, sondern ohnvermuthet davon läuft, wenn man ihn etliche Augenblikke ruhig liegen läst, und er noch Füsse hat, hat man ihm aber seine Füsse abgerissen, so fliegt er davon.

O ja, wir kennen diesen Spek= Fleisch= und Mehldieb ganz gut. Er kriecht und bohrt sich durch allerhand List in die Speisekammern, und frist und beschmeist trokken Spek, Fleisch und Mehl, und alles, was darin hängt und liegt.

Ihr habt recht, Kinder, die Spekkäfer sind den Speise= kammern sehr gefährliche Gäste. Sie und ihre Larven kön= nen in etlich Tagen ein gros Stük Spek, Unschlit und Talk auffressen. Und wenn sie gros und sat genug sind, verkrie= chen sie sich in die Winkel, oder in Holzrizen, und werden dort zu Käfern.

Es gibt allerhand kleine und grosse, schwarze, braune und graue Spekkäfer. Auf der zehnten Tafel, Figur fünf und vierzig, ist der sehr bekante schwarze, mitten auf dem Rükken graue und schwarzpunktirte Spekkäfer abgebildet, der sich allenthalben hinschleicht, wo fette Sachen sind. Seine Larve ist im Stande, die dikksten Bücherdekken, ja selbst halbe Bücher zu durchlöchern.

Der

Der verrufne

Ohrwurm

mit den zwo Schwanzgabeln, wird euch doch auch schon be=
kant seyn? Siehe Tafel sieben, Figur ein und zwanzig. —
Er hält sich in verschiednen Früchten und Blumen, und be=
sonders häuffig in den Sonnenblumen auf, seine Eier aber
legt er in Baumrinden, zwischen Steine in die Erde ꝛc., und
kömt gleich so aus dem Ei, wie er in seinem Alter ist, und
erst nach der vierten Häutung bekömt er Flügel.

Kriecht er denn wirklich den Menschen in die Ohren?
Nein, es ist ein bloses Mährchen, und nur eine Meinung
der Unwissenden. Denn er sowohl, als alle übrigen Insek=
ten, können das Ohrenfet schlechterdings nicht ertragen. Der
gemeine Mann gab also diesem Käfer gewis deswegen den
Namen Ohrwurm, weil vermuthlich einst einer Jemand von
ohngefähr ins Ohr gekommen ist.

Auch von den verhasten Bohrkäfern, die trokne Pflan=
zen und Kräuter, Insekten und Vögel, und Fische, und Bü=
cher, und viele andere Dinge durchbohren und zerfressen, und
ihre Eier drein legen, werden euch gewis einige bekant seyn?
O ja, wer solte diese schlimme Vettern nicht kennen, da sie
fast alles in den Häussern durchbohren und zerfressen. —
Nicht wahr, der sogenante

Kräuterdieb

ist einer davon? Richtig, und zwar einer der schlimsten.
Nichts ist für ihm sicher. Wo er hinkömt, zernagt und zer=
rißt er alles. Den Insektensamlungen, Büchern und Urkun=

J   den

den aber ist er am gefährlichsten, Tafel zehn, Figur sechs und dreissig ist einer etwas vergrössert abgebildet, denn gewöhnlich sind sie, wie ihr wisset, nur so gros als eine Laus. *)

Sind die kleine Maden, die die Pelzwerke so sehr zernagen, auch Käfer? Nein. Sie sind eine Art Schmetterlinge, davon ich euch weiter unten was erzählen werde.

Die sogenante

Spanische Fliege

ist auch ein Käfer, ein recht sehr schöner, länglicht runder Käfer. Und wie sieht er aus? Schön grün, und glänzt wie Gold. Und wo hält er sich auf? In Teutschland, Spanien, Frankreich, Holland ꝛc. vorzüglich auf Holunderbäumen. — Warum nent man ihn aber eine Fliege, und zwar eine Spanische Fliege, da er doch ein Käfer ist? Vermutlich deswegen, weil er einer Fliege viel ähnlich sieht, fliegen kan, und in Spanien häuffig gefunden wird, und ehedem allein aus Spanien zu uns gebracht worden ist.

Man

---

*) Auch der Dermestes Lardarius oder Spekkäfer, der Dermestes Pellio, der Termes Pulsatorium oder Bücherlaus, und der Phalangium Cancroides oder Bücherskorpion sind den Büchern und Urkunden, mehr aber den Kleidern, Fleisch und vielen andern Dingen schädlich. Von allen diesen Schelmen, und vorzüglich von den zween Erzbösewichtern, dem Ptinus Fur oder Kräuterdieb, und dem Dermestes Puniceus, handelt ganz ausführlich die Abhandlung von den, den Urkunden und Büchern in Archiven und Bibliotheken schädlichen Insekten, die 1774 als eine Preisschrift, bei der königlichen Societät der Wissenschaften zu Göttingen das Accessit erhalten hat, und im Hannöverschen Magazin vom Jahr 1775 im zwölften bis vierzehnten Stük abgedrukt worden ist.

Man troknet und zerstöst diese Spanische Fliegen oder Käfer *) in den Apotheken zu Pulver, vermischt sie mit Fet und Oel, und macht ein Pflaster davon, welches Blasen zieht, und Vesicatorium genant wird. Im gemeinen Leben sagt man auch, man hat ihm eine Spanische Fliege gesezt. — Dieses Pflaster zieht üble Feuchtigkeiten aus dem Geblüt weg.

Das kleine Käferchen auf der siebenten Tafel, Figur acht und zwanzig, ist ein

Schildkäferchen.

Es hat in der Mitte zween rothe Flekken, und hält sich auf Weiden und allerhand Hekken und Gebüschen auf. — Das Käferchen bei Figur sechs und zwanzig, sieht bläulicht aus, und hält sich auch auf Weiden auf.

Auch

Die Erdflöhe,

die im Frühjahr fast alle hervorstoffende Keime abnagen, das junge Gesäm zerfressen, und sonst noch vielen andern Gewächsen grossen Schaden thun, sind kleine Käferchen. **)

Sie heissen deswegen Erdflöhe, weil sie meistentheils nur so gros, als Flöhe sind, und so geschwind auf der Erde wegspringen können, daß man sie kaum erhaschen kan.

J 2

Und

---

*) Meloe veficatorius.

**) Mordella aculeata. Wenn man acht oder zehn Tropfen Fischtran, und eben so viel Tropfen Wasser, dicht um eine Pflanze herum giest, so entfernen sich alle Erdflöhe, und kommen nie wieder.

Und so gibts noch eine Menge kleine und grosse Erd
käfer, die ihr in Zukunft aufsuchen könt, wenn ihr Lust und
Zeit dazu habt.

Nicht nur auf dem Land aber, liebe Kinder, halten
sich Käfer auf, welche aus Würmern entstehen, die sich in
Puppen verwandeln, und nachgehends Käfer werden; sondern
es leben dergleichen Insekten auch im Wasser, das sie nur
in dem Falle verlassen, bis sie als Käfer aus einem Wasser
ins andere geflogen, sich begattet und ihre Eier darein ge
legt haben.

Und sonst gibts keine Wasserinsekten mehr? O ja
noch eine Menge, theils geflügelte, theils ohngeflügelte.
Kent ihr denn die langleibigte Wasserjungfern nicht? Nein
wir sahen zwar schon oft so was langleibiges schnel bei uns
vorbei fliegen — vielleicht waren es Wasserjungfern. Aber
in der Nähe sahen wir noch keine.

Nun so habt nur noch etliche Wochen Gedult. Ihr
solt genug sehen. Eine Abbildung von einer kleinen steht
in unserm Buche. Ich zeige sie euch aber noch nicht, weil
ich euch erst was von den Wasserkäfern erzählen wil.

Es gibt allerhand Sorten von

Wasserkäfern

kleine und grosse, schwarze und braune 2c. die allesamt platte
Köpfe, hervorragende Greifzangen, vier Fühlspizen, und
sechs Füsse haben, davon die zween hintersten viel breiter
und länger, als die andern sind, weil sie sie im Schwim
men zum Rudern gebrauchen.

Ei

Ein solcher Wasserkäfer von mittelmässiger Grösse ist Tafel acht, Figur fünfzehn abgebildet. Er sieht schwarz= grau aus, auf den Flügeldekken aber hat er schmale gelbe Streiffe, und wird den ganzen Sommer über in weichen und stilstehenden Wassern gefunden. Seine Larve schwimt so lange im Wasser herum, bis die Zeit ihrer Verwandlung da ist; alsdenn aber kriecht sie ans Ufer in die Erde, und bleibt darin so lange liegen, bis sie zum Käfer geworden und davon fliegen kan. Unser Käfer ist ein Weibchen, das Män= chen hat ganz glatte, und glänzend schwarzbraune Fliegel= dekken.

Der kleine Käfer bei Figur sechszehn, ist ein

Stinkkäfer

der seine Eier in faules und stinkendes Wasser legt, und dessen Larven sich im Wasser sehr schnel hin und her bewe= en.

O kommen sie doch lieber Herr .. was da vor ein häßlich Thier um mich her fliegt — ohe es wil mich ste= chen — kommen sie doch! Nun wo ists denn? Ach nun ists fort. Es war — es war — gewis ein fliegender Elefant? Schäme er sich doch, sich in meiner Gegenwart für was zu fürchten.

O verzeihen sie, bester Herr .. ich schäme mich, daß ich so ängstlich gethan. Ich glaube gar, es war nur eine Wasserjungfer. — Wie sah das Thier denn aus? Es hatte einen dikken Kopf, einen sehr langen dünnen Leib, und — Freilich war es eine Wasserjungfer. — Sol ich euch denn

nun mit diesen niedlich und wunderbar gebauten Thieren
bekant machen? Ach ja, Herr … ach ja! Nun so höret
aufmerksam zu:

Die Wasserjungfern

oder Wassernympfen, Libellen, Teufelspferde oder
Spinnejungfern — denn alle diese Namen gibt man ihnen,
entstehen nebst einem andern Wasserinsekt, das Uferaas
heist, aus Würmern, die sich im Wasser aufhalten, und
von kleinern Würmern, als sie sind, sich nähren, ja sich wohl
untereinander selbst auffressen.

Wenn sie aber gros genug geworden, und als Würmer
die gröste Volkommenheit erreicht haben, kriechen sie ans Ufer,
oder auf ein, aus dem Wasser hervorragendes Gras, oder
sonst an einen troknen Ort, und bleiben daselbst, ohne sich zu
verpuppen, so lange ruhig sizen, bis ihnen der Leib aufplazt,
und das geflügelte Insekt heraussteigt und davon fliegt.

Die Wasserjungfern haben vier nezförmige ohnbedekte
Flügel, zwei grosse durchsichtige Augen, die fast den grösten
Theil des Kopfes ausmachen, und einen sehr langen Hinterleib, der aus zehn Gelenken besteht, und sich hinten mit
zwo oder drei kleinen Zakken endiget. Ihr Hals ist nur
so dik, als eine Steknadel, und können ihn drehen, wie sie
wollen, siehe Tafel acht, Figur zwölf.

Sie fliegen sehr schnel, und sizen gern auf Kornähren,
ob sie sich gleich nicht davon nähren, sondern nur darauf
ausruhen, und sich um ihre Nahrung umsehen.

Ei

Ei was freſſen ſie wohl? Kleine durch die Luft ſchwaͤr=
mende Inſekten. Wenn ſie eins zur Beute gemacht haben,
ſo ſezen ſie ſich irgend wohin, und verzehren es mit Haut
und Haar.

Wie faͤngt man denn die Waſſerjungfern, lieber Herr,
ich kan keine fangen, ich mags machen, und hinter ihnen
her ſpringen, wie ich wil. Das glaub ich wohl. Im
Flug iſts ſehr ſchwer, eine zu bekommen. Nur Morgends
und Abends, und bei Regenwetter, kan man ſie auf Baͤu=
men und Hekken ſtilſizend erhaſchen, und ſonſt nicht.

An Groͤſſe und Farbe iſt bei den Waſſerjungfern ein
merklicher Unterſchied. Einige ſind ſo lang, als ein Manns=
finger, andere dagegen haben kaum die Laͤnge eines Kinds=
fingers. Einige ſind dunkelbraun, und ſchoͤn blau und gruͤn
uͤber den ganzen Leib geflekt, andere haben eine gruͤne, oder
rothe, oder helbraune Grundfarbe, und ſchwarze, blaue und
gelbe Flekken, und Streiffe. Sodenn gibts auch faſt ganz
gelbe, ganz graue, und ganz blaue Waſſerjungfern. Und bei
allen uͤberhaupt endiget ſich der Hinterleib mit einer kleinen
Gabel, von zween oder drei Zinken.

Ihre Eier legen ſie ins Waſſer. Sie ſezen ſich des=
wegen, damit ſie nicht nas werden, auf ein ſchwimmendes
Stuͤkchen Holz, oder auf einen, aus dem Waſſer hervor=
ragenden Stein, oder auf einen Schilf, und laſſen nun
ihre Eier ins Waſſer fallen, die ſogleich nach etlich Tagen
lebendig werden.

Das Uferaas

koͤmt auf eben dieſe Weiſe auf die Welt, wie die Waſſer=
jungfern, hat eben ſoviel Fluͤgel, und legt auch ſeine Eier

J 4   eben

eben ſo, und eben dahin. Aber es iſt kleiner, und auch
an Farbe etwas unterſchieden. Es ſieht faſt ganz grau
aus, und hat zwo oder drei lange Schwanzſpizen, ſiehe
Tafel acht, Figur drei und dreiſſig, und friſt gar nichts;
denn es lebt nur Einen Tag, und wird daher auch von
einigen Eintagsfliege oder Ephemerum genant.

Uferaas aber heiſt es deswegen, weil ſich ſeine Larve
im Waſſer immer an den Ufern, und friſchbetheerten Schiffen aufhält, und man ſich derſelben in Holland und verſchiedenen andern Orten, an den Angeln als eines Aaſes
zum Fiſchfang bedient. — Auch Haft nent man es, weil es
an den friſchbetheerten Schiffen haften oder hängen bleibt.

Kinder, wolt ihr nun auch die ſonderbaren

Ameiſenlöwen

oder Ameiſenräuber ſehen und kennen lernen? Ach ja!
Wo ſind ſie? Wie ſehen ſie aus? Es ſind doch wohl keine
ordentliche vierfüſſige Löwen? Nein, es ſind geflügelte Inſekten, die faſt ganz den Waſſerjungfern ähnlich ſehen.

Sind ſie auch ſo ſchwer zu fangen, wie die Waſſerjungfern? Nein, lange nicht ſo ſchwer. Sie fliegen zwar
nur des Nachts herum, aber doch nicht ſchnel, ſondern ſehr
langſam, und ſizen oft ſtille, und beſuchen ſogar die Leute
in ſandichten Gegenden, wenn die Fenſter offen ſind, in
ihren Stuben. Ei das iſt kühn! Stechen ſie denn nicht?
Nein. Nun ſo gehts noch an.

Iſt in unſerm Buche ein ſolcher Ameiſenlöwe abgebildet? Nein, ich unterlies es, weil er faſt ganz unſerer Waſ-
ſer-

ſerjungfer ähnlich ſieht; dagegen aber hab ich ſeine Larve abbilden laſſen, die für euch weit merkwürdiger iſt, und euch, wie ich hoffe, weit mehr Vergnügen machen ſol, als das geflügelte Inſekt ſelbſt, das doch keine Gruben gräbt, und keine Ameiſen fängt, und eigentlich kein Ameiſenlöwe mehr iſt.

Unſer Ameiſenlöwe ſteht auf der zwoten Tafel, bei Figur ſiebzehn. — Dis iſt ein Ameiſenlöwe, aus dem ein geflügeltes dünleibiges Inſekt werden ſol? Ja Kinder, ſo ſieht er aus, wenn er völlig ausgewachſen, und zur Ver=puppung reif iſt.

Aus dem Ei kömt er freilich viel kleiner. Weil er aber gleich in ſeiner Jugend ſehr haſtig Ameiſen raubt und friſt, ſo wird er bald gros und dik.

Was hat er für eine Farbe? Braun, roth und aſch=grau unter einander. — Und worin beſteht denn ſeine Liſt und Kunſt? So bald er aus dem Ei gekrochen, das ſeine Muter aus Liebe zu ihm in den Sand nahe zu Ameiſen, weil er dieſe gern friſt, gelegt hat, gräbt er ein trichter=förmiges Grübchen, ſezt ſich mitten drein, und laurt nun auf kleine Würmer, auf Ameiſen und Fliegen, die er, ſo bald ſich eine ſeinem Loch genahet, ſo liſtig mit Sand zu werffen weis, daß ſie herunter ſtürzen mus, und von ihm nun mit ſeiner Fangzange erhaſcht und ausgeſaugt werden kan.

Seine Zange iſt hohl, und innen mit einer Saug=röhre verſehen. — Es iſt eine Luſt, ihm in ſeiner Arbeit, und wenn er auf eine Beute lauret, zuzuſehen. Er läuft

J 5   und

und arbeitet hinterwärts. Erst gräbt er im Ring herum, und dann, wenn alles um ihn her ruhig und sicher ist, gräbt er auch der Mitte und nach innen zu.

Wo bringt er denn aber den Sand hin? Er wirft ihn mit seiner Zange links und rechts auf die Seiten. — Beim Spazierengehn kan man in sandigten Gegenden oft eine Menge kleiner und grosser Löcher beisammen sehen; denn wie der Ameisenlöwe wächst, so macht er sich auch ein grös= ser Häuschen.

Des Tags sizt und verbirgt er sich gewöhnlich an den Seiten seiner Löcher, des Nachts aber liegt er fast immer in der Mitte desselben mit ofnen Fangzangen. Bei Mohn= schein also, doch zuweilen auch bei Tage, kan man dis wun= derbare Thierchen arbeiten und schmaussen sehen. Man darf nur sehr leise zu ihm hingehen, ruhig stehen bleiben und ihm eine lebendige Fliege oder Ameise zu werfen, so kan man ihn alle seine Künste machen sehen.

Verdrüslich mus man aber nicht gleich werden, wenn man lange genug bei einem Grübchen auf die Ankunft eines solchen Löwen gelaurt, und Ameisen hinein geworfen hat, und er doch entweder gar nicht kömt, oder doch samt seiner Beute plözlich unter den Sand flieht, und sich bei seiner Mahlzeit nicht zusehn lassen wil.

Nun merkt euch noch die schmalleibige

Blatläussefresser.

Oder kent ihr sie etwan schon? O ja, sie sehen fast ganz den Wasserjungfern ähnlich, fliegen auch, wie sie, bei Tag her=
um,

um, und nähren ſich von den, faſt auf allen Gartengewäch-
ſen ſizenden Läuſſen. Richtig.

Aber was macht ihr denn aus den

Blatläuſſen

ſelbſt? Kent ihr dieſe alſo auch ſchon? O freilich! Wer ſolte
dieſe ſchädliche Dinge nicht kennen, die in den Gärten alles
verderben und ausſaugen, wo ſie hinkommen. — O wie ſo
manches Roſenknöspchen zerfreſſen ſie nicht alle Jahr! Man
kan oft die Roſen für Blatläuſſen kaum anrühren.

Wo kommen denn dieſe häslichen Thiere ſo ſchnel,
und in ſo groſſer Menge her? Sie haben doch wohl keine
Flügel? O ja, die Männchen haben wirklich Flügel, aber
die Weibchen nicht. Jene fliegen deswegen von einer Pflanze
zur andern, und ſuchen dieſe zur Begattung auf.

Nach der Begattung legen die Weibchen entweder
Eier, oder ſie bringen lebendige Jungen zur Welt. Denn
bei ihnen, und nur noch etlichen andern Thieren, hat der
alweiſe Gott die Ausnahme gemacht, daß ſie bald Eier legen,
bald lebendige Jungen zur Welt bringen können, da es ſonſt
bei allen Thieren Mode iſt, entweder Eier zu legen, oder
lebendige Junge zur Welt zu bringen. *) Tafel acht, Figur
ſechs könt ihr eine Johannisbeerſtrauch Laus abgebildet ſehen.

Was

*) Die Blatläuſe aphes, die man auch unter dem verhaßten Namen des
Mehlthaues kent, weil der gemeine Mann glaubt, ſie fallen mit dem
Thau aus der Luft herab, ſtechen, wenn ſie ihre Eier legen wollen, ein
Blat an, theilen die Häute von einander, und legen die Eier dazwi-
ſchen.

Was nun, Kinder? — Doch beinahe hätt' ich die Kameraden der Blatläuſſe vergeſſen — nämlich die Schild=läuſſe, die Wanzen, Heuſchrekken, Grillen und Cikaden, die doch alle zuſammen in die Klaſſe derjenigen Inſekten gehören, davon einige keine Flügel, andere aber zween oder vier Flügel haben. — Izt machen wir uns alſo kurz noch mit dieſen Thierchen bekant; denn aber, beluſtigen wir uns mit der Beſchreibung der Schmetterlinge.

Die Schildläuſſe ſind kleine zweiflüglichte Thierchen, davon die Weibchen einem Schild, die Männchen aber einer Fliege ähnlich ſehen. — Die merkwürdigſte Schildlaus iſt die amerikaniſche

Koſchenille

oder das ſogenante Purpurwürmchen, wovon die ſchönſte rothe Farbe gemacht wird. — Sehet, Kinder, dis iſt ein ſolches amerikaniſches Koſchenilwürmchen! Es iſt tod und getroknet. Sieht es nicht faſt gerade ſo aus, wie unſere Schildlaus auf der ſiebenten Tafel, bei Figur achtzehn, die auch Koſchenille genant, und in Europa hie und da, ja ſelbſt in Teutſchland an den Wurzen einer gewiſſen Pflanze gefunden, und zur Scharlach Farbe, wie die amerikaniſche Koſchenille, gebraucht wird?

Die

ſchen. Im Frühjahr gebähren ſie lebendige Junge, und im Herbſt legen ſie Eier. Die ſämtlichen Blatläuſe ſind ein wahres Wunder einer un-gemeinen Fruchtbarkeit; denn jede weibliche Blatlaus wird von einer einzigen Begattung jedesmal bis ins fünfte Glied befruchtet, und kan alſo in einem Augenblick eine Aeltermuter von wenigſtens 4000 Nach-kommen vorſtellen.

Die amerikanische Koschenille hingegen wohnt auf dem sonderbaren Feigenbaum, davon oben, Seite drei und zwanzig, gesprochen worden ist, davon ein Blat aus dem andern, und aus den Blättern die Feigen heraus wachsen, und wird von den Einwohnern gesammelt und getroknet, und nach den übrigen Theilen der Welt geführt, und davon die Scharlach oder Purpur Farbe gemacht. — Bei Figur neunzehn steht die Fliege, die aus dem Europäischen Koschenilwürmchen wird. Wahrscheinlich sieht die Amerikanische Koschenilfliege auch eben so aus.

Ehedem aber, machte man, wie ihr wisset, den Purpur, oder die schönste rothe Farbe aus einer Art Muscheln oder Schnekken, die man deswegen Purpurschnekken nante.

Auch aus kleinen Würmern, die in Spanien und Frankreich auf Eichenblättern, in kleinen rothen Bläschen wohnen, und Kermes genant werden, macht man die bekante schöne rothe Kermesinfarbe, oder den Französischen und Venetianischen Scharlach.

Die Wanzen

sind sehr verschieden. Es gibt Wasserwanzen, Bet- Erd- und Baumwanzen, die alle viel Aehnlichkeit mit den Käfern haben, und theils fliegen können, theils nicht. — Sie verwandeln sich nicht, sondern kommen alle gleich so auf die Welt, wie sie nachher immer bleiben, ausser, daß einige bei der vierten Häutung Flügel bekommen.

Die Wasserwanzen halten sich in stilstehenden Wassern auf, und nähren sich von allerhand kleinen Insekten.

Da-

Tafel acht, Figur vier ist eine schmalleibige; und Figur fünf eine breitleibige Wasserwanze abgebildet. — Die Breitleibige wird auch Wasserscorpion genant, weil sie den Erdscorpionen ähnlich sieht.

Die Betwanzen

sind kleine runde Dinge, die sich in Betten und andern warmen Orten aufhalten, braunroth aussehen, und ohngefähr so gros, wie eine Wasserlinse sind, siehe Tafel acht, Figur zwei.

Des Tags über sizen sie gewöhnlich in den Fugen oder Spalten des Holzes; des Nachts aber, oder sobald die Bette, oder die Löcher warm geworden, kommen sie hervor, und saugen den Menschen Blut aus, und stechen dabei manchmal so sehr, daß man aufwacht, und oft gar nicht mehr einschlaffen kan. — Sie stinken gewaltig, und können nicht fliegen. *)

Die Heuschrekken

und Grillen machen zusammen Eine Familie aus, weil sie beide hinten Springfüsse haben, sich von Gras, Laub, Getraide,

---

*) Wenn man ein paar Hände vol Walnußblätter, oder auch grüne Walnusschalen, in einem halben Maas oder halben Quartier Wasser, eine halbe Stunde kochen läst, und sie sodenn gut ausdrükt, so bekomt man ein Dekokt, durch das man die häslichen Betwanzen auf immer los werden kan, wenn man die Betstellen, wo sie sizen, damit bestreicht. — Auch mit Lavendelblättern und Lavendelbülte kan man sie so ziemlich vertreiben. — Und mit Alaunwasser frischgelöschter warmer dünner Kalch, tödet die ganze Wanzenfamilie, Alte, Junge und Eier miteinander.

träide, Rinden und Wurzen nähren, und in der Erde in kleinen Löchern wohnen, auch beider Männchen mit ihren Oberflügeln ein Geschwir machen.

Die Heuschrekken oder Grashüpfer haben ihren Namen von Heu und Schrekken. Warum von Heu? Weil sie im Julius, oder zur Zeit der Heu = Ernte, sehr häuffig auf den Wiesen angetroffen werden. — Und warum von Schrekken? Weil Schrekken so viel heist, als schreiten, springen, hüpfen; denn sie springen mit ihren zween Hinterfüssen über das höchste Gras weg, um ihre Nahrung zu finden, und ihren Feinden entgehen zu können.

Die sämtlichen Heuschrekken sterben immer noch vor dem Winter; aus den Eiern aber, die die Weibchen in die Erde gelegt haben, kommen im Frühjahr, ohne Verwandlung, gleich volkomne kleine Heuschrekken hervor, die aber doch noch keine Flügel haben, sondern solche erst bei der vierten Häutung bekommen.

Was ist das wohl für ein Thierchen, liebe Kinder, das auf der achten Tafel, Figur acht abgebildet ist? Ach eine niedliche Heuschrekke! — Die Heuschrekken haben verschiedene Farben und Grössen. Doch sehen die meisten grün und röthlicht gelb aus.

Schaden sie auch was? Ja, wenn sie sich in alzugrosser Menge versammeln, fressen sie oft Kraut und Gras, und alles auf, was sie vor sich finden. Fält euch nicht die Straffe ein, die der liebe Gott ehedem dem König Pharao in Egipten durch Mosen mit Heuschrekken anthun lies, weil er die Kinder Israel nicht wegziehen lassen wolte?

Aber

Aber auch essen kan man diese Grasfresser, wie wir von Johanne dem Täuffer wissen, der sie mit wildem Honig vermischt wirklich gegessen hat. — Und noch izt ist man sie an vielen Orten in der Welt.

Sol ich euch eine Portion Heuschrekken auftischen, liebe Kinder? Wir danken Ihnen gar sehr dafür. Sie würden bei uns gewis die Wirkung eines Brechmittels haben. Dank sey es dem lieben Gott, daß er uns bessere und wohlschmek-kendere Speissen zu unserer täglichen Nahrung bescheret hat.

Die Heuschrekken zanken sich zuweilen so sehr mitein-ander, daß sie sich zerstümmeln und tödten, und die über-wundenen hernach auffressen.

Die Grillen

theilt man in Haus- und Feldgrillen ein. — Die Haus-grillen oder Heimchen, wie man sie auch nent, siehe Tafel acht, Figur vier und dreissig, wohnen gewöhnlich in Küchen, Brau- und Bakhäussern, in Stuben unter den Oeffen, und an andern warmen Orten, und nähren sich daselbst von aller-hand Saamenkörnern, von Brod und was sie sonst auftrei-ben können.

Sie sehen braungelb aus, haben zwei lange Fühlhör-ner, vier kürzere Freszangen, zween Schwanzspizen, und die Weibchen noch darzu in der Mitte einen noch längern Sta-chel, womit sie ihre Eier in die Erde legen, und vier Flü-gel, davon die zween untre länger, als die obern sind.

Und diese zween Oberflügel schlagen die Männchen an-einander, und machen damit, gewöhnlich des Nachts, ein

Ge-

Getös und Geschwirl, das manchen Leuten sehr angenehm, manchen aber gänzlich zuwider ist. Ja es gibt sogar so einfältige Leute, welche glauben, daß ein Unglük im Haus entstehe, oder gar Jemand darin sterbe, wenn die Grillen langsam und ängstlich schwirren.

Soviel ist richtig, liebe Kinder, wenn die Grillen hastig singen, so regnet es bald. — Den Tag über sizen sie gewöhnlich in ihren Löchern verborgen; des Nachts aber gehen sie hervor, um ihre Nahrung zu suchen. — Sie sind schwer zu fangen, weil sie ausserordentlich schnel lauffen können. — Einige Afrikaner kauffen die Grillen, und sperren sie in Bauer, und lassen sich von ihnen eins vorsingen. *)

Die Feldgrillen wohnen auf Aekkern und Wiesen, und fressen Graswurzen, nasses und feuchtes Getraide, und was sie sonst in der Erde antreffen. — Die Grillen trinken gern. Die in den Küchen lekken überal herum; die auf dem Feld aber saugen die Thautröpfchen vom Gras weg.

Eine Sorte von Feldgrillen wird Maulwurfsgrille oder fliegender Erdkrebs genant, weil ihre zween vordre Füße Maulwurfs und Krebsfüssen ähnlich sehen. Sie ist etwas grösser, als die Hausgrille, sieht braungelb aus, frist Graswurzen und Getraide, und thut sehr vielen Schaden, und lebt, vom Ei an bis sie Flügel bekömt, fast zwei Jahr.

Und

*) Wem die Grillen zuwider sind, der kan sie mit Hollunderrauch gänzlich vertreiben. Denn sobald sie diesen Rauch riechen, werden sie ganz betäubt, lauffen aus ihren Rizen hervor, und lassen sich mit den Fingern fangen, oder sterben wohl gar davon von selbst.

K

Und eben so lang lebt auch die dikkopfige schwarzbraune Feldgrille, die sich auf Wiesen an kleinen Anhöhen aufhält, und ihre Gegenwart durch ihren hellen Gesang verräth. Sie grilt oder schwirt fast Tag und Nacht fort. Die Maulwurfsgrille hingegen fängt ihr Liedchen erst des Abends an. — Verschiedene Vögel, Eidexen und Maulwürffe fressen die Grillen gern.

Von den Cikaden könt ihr euch das wandelnde Blat und den Schaumwurm merken.

Das wandelnde Blat

ist in Amerika zu Hausse, und sieht fast den Heuschrekken ähnlich. Seinen Namen hat es von der öftern Veränderung seiner Farbe bekommen; denn es sieht erst wie ein grünes, hernach wie ein verwelktes, und endlich wie ein verdortes Blat aus.

Einfältige Leute liessen sich daher weis machen, das Thierchen stekke, wenn es genug gelebt habe, seine Füsse in die Erde und sterbe; nach etlich Tagen aber bekämen die Füsse Wurzen, und es werde aus dem Thierchen eine grünende Pflanze. — Nicht wahr Kinder, so was zu glauben, ist albern?

Gewis wahr aber und sehr merkwürdig ist, daß die Larven

Der Schaumwürmer,

Die samt ihren Aeltern, sehr kleine Thierchen sind, auf den Blättern der Weidenbäume oft so viel Schaum zu machen pflegen, daß er sehr häuffig herabfliest;

Und

Und daß es in Asia und Amerika kleine und grosse, gelb roth und grün gestreifte, den Heuschrekken ähnliche Thierchen gebe,

Die Leuchtenträger

oder Laternenträger genant werden, weil ihr Kopf, oder richtiger die, auf ihrem Kopf stehende Blase, die bei einigen grösser, als eine Haselnus ist, des Nachts so stark leuchtet, daß sie von den Wilden in Amerika, stat der Laternen gebraucht werden.

Sie binden sich deswegen Eine, oder zwo solche Blasen an den Fus, und eine an die Hand, und reisen sodenn oft viele Meilen weit, bei dunkelster Nacht fort. Auch lesen und schreiben kan man bei einer solchen Blase.

Auch ein gewisser Käfer, den man Johanniswurm nent, leuchtet des Nachts.

Nun folgt endlich einmal die Geschichte der

Schmetterlinge.

Ihr habt wohl schon eine Menge Schmetterlinge gesehen, liebe Kinder? O ja! Schon viele hundert. Wir haben auch schon manchen gefangen, und viele vom Ei an mit Kohlblättern aufgezogen.

Nun wie entstehen sie denn? Erst sind sie Würmer oder Raupen, und fressen Kohlblätter, Laub und Gras; hernach werden sie Puppen, und fressen nichts mehr; und

end=

endlich erſcheinen ſie als vielfarbige, und ſchön gepuzte
Vögelchen.

Und wie lang ſteht es denn an, bis aus einer Raupe
ein ſo herliches Thierchen wird? Die Zeit iſt ohngleich;
einige verwandeln ſich früh, andere ſpät. Einige ſind oft
ſchon in etlich Wochen fertig; andere erſt in etlichen Monaten;
und noch andere liegen ſogar zween Winter in ihrer Puppen
verſchloſſen, und erſcheinen erſt im zweiten Jahr als Schmetterlinge.

Es gibt ſehr viele Sorten von Schmetterlingen; es
gibt kleine und groſſe; blaue und rothe; gelbe und grüne;
bunte, braune und weiſſe Schmetterlinge.

Ach wie gros iſt nicht das Vergnügen, dergleichen
niedliche Thierchen bei einem Spaziergang um ſich herumfliegen zu ſehen! Ja Kinder, wie würdet ihr erſt gukken,
wann die ganze Schmetterlings Republik bey Tag herum-
flöge! Geſchiehts denn nicht? Nein, die meiſten fliegen
nur des Nachts herum.

Wiſſet ihr denn im Ernſt noch nicht, daß es Tag-
Nacht- und Dämmerungs-Schmetterlinge gibt? Nein —
doch ja! die Seidenwurm-Schmetterlinge gehören ja zu der
Nachtvögeln! Nicht wahr? Richtig.

Die Raupen der drei Arten von Schmetterlingen freſſen zwar alle Laub, Kraut und Gras; allein in ihrer Verwandlung ꝛc. ſind die Tagvögel von den Nacht- und Däm-
merungsvögeln ſehr unterſchieden.

Die Raupen der Tagvögel hängen ſich nämlich in
freier Luft an Bäume, Kräuter, Blätter, Pfähle und Wän-

b

be, und machen sich durch allerhand künstliche Anklebungen zu der grossen Veränderung geschikt, die mit ihnen vorgehen sol — die weisse und schwarzflekkichte Johannis= und Sta= chelbeer = Raupe zum Beispiel, zieht nur etliche Fäden von einem Blat oder Aestchen zum andern, und hängt so frei schwebend darinne.

Einige Raupen der Nachtvögel hingegen spinnen sich, wenn die Zeit ihrer Verwandlung herannahet, ein, das heist, sie machen ein Gewebe um sich herum, darin sie als Puppen liegen; und andere von ihnen graben sich in die Erde ein, oder verstekken sich unter dem Laub, oder sonst wo.

Eine jede Sorte von den Nachtvögelraupen macht eine besondere Art von Gespinst. Einige machen ein weit= läuftiges geschlosnes enges oder geräumiges Gespinst, und legen sich mitten drein, wie die braunhaarichte Grasraupe, die buntköpfichte schädliche Gartenraupe rc. Andere machen ein so dichtes Gewebe um sich herum wie Papier, als die Ringelraupen.

Viele Raupen durchwirken und bekleben ihr Gespinst so künstlich mit Gras, Holz und Rinde, oder auch mit ihren eigenen Haren, daß sie ihren Gräbern dadurch, sowohl eine besondere Schönheit, als auch eine grosse Festigkeit verschaf= fen, wie die meergrüne gelbstreiffige Obstbaumraupe, die Bärenraupe rc.

Ihr habt oben erfahren, liebe Kinder, daß jedes In= sekt den Ort ganz gut wisse, wo es seine Eier hinlegen sol, damit seine künftige Brut, beim Auskriechen gleich was zu fressen finde. — Und so wissen und machen es nun gerade

K 3

die

die Schmetterlinge auch. Denn ihre Kinder, die Raupen fressen nicht jedes Blat, nicht jedes Kraut. Einige zum Beispiel, fressen nur Kohlblätter, andere nur Baumblätter; und ehe sie was anders fressen, sterben sie lieber Hunger.

Wovon würden also die Raupen ihren Hunger stillen und ihr Leben erhalten, die nichts als Nesseln und Gras fressen, wenn ihre Mütter die Eier, woraus sie gekrochen sind, auf einen Birnbaum gelegt hätten?

Und wie würden die mit ihren Schiksal zufrieden seyn, welche unten auf der Erde lägen, da sie doch ihr Futter nirgend als auf Apfel= und Birnbäumen finden können? Würden sie nicht hundert Gefahren, ja den gewissen Tod, auf ihrer Reise zu irgend einem Apfelbaum ꝛc. unterworffen seyn?

Allein der gütige Gott hat auch für diese blinde, verachtete Würmchen, die, was sie sieht, verfolgt und mit ihrem Glük und Leben, nach Gefallen umzugehen pflegt, gesorgt, und läst keins nur so von ohngefähr umkommen.

Er hat deswegen den Papilionen befohlen, ihre Eier gerade dahin zu legen, wo die daraus kommende Jungen sogleich einen gedekten Tisch finden. — Und dis thun alle Schmetterlinge sehr akkurat, gleich als wenn sie wüsten, daß ihre künftige Brut nichts als Nesseln und Kohlblätter fressen würde.

Der liebe Gott hat sie allesamt eine genaue Vorsorge für ihre Kinder gelehrt. Denn woher wüsten sie sonst, was die Nahrung ihrer künftigen Jungen seyn würde, da sie doch

selbst

selbst keine Blätter fressen, sondern nur mit den Säften etlicher Blumen ihr kurzes Leben erhalten.

Nicht wahr, Kinder, ich hab oben gesagt, alle Thierchen wären zu was nüzlich und gut; und der liebe Gott hätte jedem in seiner Haushaltung eine gewisse Arbeit angewiesen? Ja! Sprach ich da nicht auch von den Raupen? Ja! Und was denn? Sie wären schädlich und nüzlich. Sie zerfräsen zwar Bäume und Pflanzen; wären aber auch vieler Vögel Speiße. Richtig, und so denk ich noch von ihnen.

Was denkt denn ihr von den Raupen, liebe Kinder? Sagt mir einmal offenherzig eure Meinung! Wir denken völlig wie Sie, lieber Herr . . ! Ja man solte sogar manche Raupen mit Willen einen Baum, oder eine Pflanze zerfressen lassen, weil nachher so prächtige Vögelchen aus ihnen werden, die wir Kinder so herzlich lieb haben.

Ei, dürffen wir nicht unser Schmetterlings Liedchen singen? O ja! Singt nur — ich singe mit:

Es war einmal ein hübsches Ding
Von Farben und Gestalt,
Ein kleiner bunter Schmetterling,
Erst wenig Stunden alt.

Sein breit und doppelt Flügel paar,
War purpurroth und blau,
Gesäumt war es mit Golde gar,
Das trug er recht zur Schau.

Zu allen Blumen flog er hin,
Und, wie mein Mährchen spricht,
Rief er: Seht doch, wie schön ich bin!
Gefal ich euch denn nicht?

Ei Kinder, wisset ihr schon, daß nicht alle Arten von Rau=
pen schädlich sind? O ja, die Seidenraupen sind ja nicht
schädlich. Nicht wahr? Richtig. Sie spinnen alle Jahr
soviel Seide, daß sich viele tausend Menschen damit beschäf=
tigen und ernähren können.

Ists euch wohl lieb, wenn ich euch izt, stat aller
andrer Raupen, die Seidenraupen, und den ganzen Seiden=
bau beschreibe? O sehr lieb, bester Herr . . ! — Ach den
Seidenbau!

Die Seidenwürmer

oder richtiger, die Seitenwurm=Schmetterlinge sind eine Art
Nachtvögel, die ihre Eier in den Ländern, wo sie wild
herumfliegen, auf Maulbeerbäume; wo sie aber in Stuben
und Kammern aufgezogen werden, dahin legen, wo Maul=
beerblätter sind.

Diese Eier sind rund und plat, und haben in der
Mitte ein Grübchen, und sehen Anfangs gelb; dann braun;
und endlich grau aus.

Und aus diesen Eiern kommen braune schwarzköpfichte
Würmer, die neun Ringe, sechszehn Füsse, auf jeder Seite
neun Oefnungen, und hinten eine Hornspize haben.

So

So bleiben sie aber nicht lange; denn bei jeder Häutung ändert sich ihre Farbe, und endlich werden sie weislicht gelb.

Jede Seidenraupe ist, wie alle andere Arten von Raupen, weiter nichts, als ein Schmetterling, den viele Häute oder Felle bedekken, die er nach und nach ablegen mus. Und bis thut die Raupe bald nach ihrer Geburt; und nachgehends häutet sie sich wohl noch viermal, ohngefähr alle sieben Tage.

Bei dieser Häutung scheint sie krank zu seyn, und bleibt einige Stunden, und oft über einen Tag stille sizen, ohne zu essen und sich zu bewegen.

Zwischen diesen Häutungen nährt sie sich von Maulbeerblättern, und wächst innerhalb sieben Tagen so schnel, daß ihr die äussere Haut zu enge wird. Und das ist eben die Ursache, warum sie solche ablegen mus.

Zehn bis dreizehn Tage nach der vierten Häutung, nachdem sie sich genug gesättiget, und ihr höchstes Alter, von vierzig bis ein und vierzig Tagen, glüklich erreicht hat, wird sie am Hinterleib gelb, entlediget sich von allem Unrath, und behält nur den zähen Saft noch bei sich, aus dem sie nachher Seide spint.

Und wie geht bis zu, lieber Herr . . ? Der Saft verursacht ihr Schmerzen; daher kriecht sie mit aufgerichtetem Kopfe so lang zwischen den Reisern ängstlich herum, bis sie einen bequemen Ort gefunden, wo sie ihren ersten Faden ankleben, und sich befestigen kan.

Ist

Ist dis geschehen, so krümt sie sich so lang mit dem ganzen Leib nach allen Seiten, bis ihr Gespinst fertig, und aller Saft aufgesponnen ist.

Da nun bei dieser Krümmung beständig zween Fäden aus ihrem Maul gehen, so entsteht um sie herum ein Gewebe, das man Kokon nent.

In diesem Kokon legt die Raupe nach etlichen Tagen die lezte Haut, daran die sechszehen Füsse hängen bleiben, ab; wird eine Puppe, und nach drei Wochen geflügelt; durchbohrt ihr Gefängnis, und fliegt endlich als ein Schmetterling davon.

Und was macht dieser Schmetterling nun. Er schwärmt etliche Tage herum, sucht einen Gatten, begattet sich und stirbt. — Und die zwei bis dreihundert Eier, die das Weibchen legt, geben nachher wieder neue Seidenraupen. — Und so gehts immer fort.

Ach wenn wir doch bald eine Seidenraupe könten spinnen sehen! In wenig Wochen sol es geschehen, liebe Kinder! Indessen begnüget euch mit der Abbildung des wilden und zahmen Seidenbaus, die auf der dritten Kupfertafel steht.

Ach allerliebst! Da sizen zwo Seidenraupen auf einem Maulbeerbaume — hier legt ein Schmetterling Eier — was hat der drollichte Junge hier in seinem Körbchen? Etwan Maulbeerblätter, die ihm diese Mamsel abkauffen wil? Ja, Kinder! Dis Jungferchen möchte gern ihre Seidenraupen füttern, und hat keine Maulbeerblätter mehr auf ihrem Baum; daher müs sie welche kauffen.

Fres-

Fressen denn die Seidenraupen gar nichts anders, als Maulbeerblätter? Gerne nicht. Zarte Saladblätter fressen sie zwar zur Noth noch; allein sie werden gewöhnlich krank davon, und sterben, ohne einen Kokon gesponnen zu haben; und wenn sie auch gleich Seide spinnen, so taugt sie nicht viel, oder gar nichts.

Ei hier kriechen so eben kleine Räupchen aus den Eiern — Dis ist gewis ein Kokon — und dis eine Puppe? Ja, Kinder, so ists. — Und dis wär also ohngefähr eine Abbildung des wilden Seidenbaues. Auf dem Maulbeerbaum sizt bei Figur zwölf eine kleine, und bei Figur zwölf eine grössere, fast halb ausgewachsne Seidenraupe, an der man den Schwanzstachel schon sehr gut sehen kan. Der Schmetterling bei Figur dreizehn legt so eben ein Ei, und hat deren schon vierzehn gelegt. Bei Figur fünfzehn sind drei Räupchen eben aus den Eiern gekrochen, und sieben wollen gerade auch draus raus. Figur sechszehn ist ein Kokon, und Figur siebzehn eine Puppe. Es solten freilich Eier, Puppe und Kokon oben auf dem Maulbeerbaum seyn, wenns der ordentliche rechte wilde Seidenbau seyn sol; da aber der Plaz auf dem Baume mangelte, haben sie nur unten hin gezeichnet werden müssen.

Nun auch ein paar Worte vom zahmen Seidenbau. — Sehet ihr auf eurer dritten Kupfertäfel, in der Stube bei den zwo Frauenspersonen nichts vom Seidenbau? Doch ja! Sind das nicht Seidenwürmer und Kokons, die hier oben auf diesen zwei Brettern oder Schichten liegen? — Und die Mama haspelt gewis Seide ab?

Ei

Ei wie ſieht denn die rohe Seide aus, lieber Herr..?
Gewöhnlich gelblicht weis, denn die verſchiedene ſchöne Farben, gibt ihr erſt die Kunſt des Färbers. — Iſt viel Seide
auf einem Kokon? Gegen vierhundert Ellen. Ach das iſt
viel! Wie gros iſt denn wohl ſo ein Kokon? Ohngefähr ſo
gros, als ein kleines Hühnerei. Und alles dicht herum iſt
Seide? Ja, faſt alles.

Zuerſt macht die Raupe ein weitläuftiges und durch-
ſichtiges Geſpinſt, das man Werk nent, und daraus, wie
auch aus den durchlöcherten Kokons, die ſogenante Floret-
ſeide geſponnen wird. — Sodenn ſpint ſie ihr dichtes ſeid-
nes Häuschen, das aus lauter zarten Fäden beſteht, die man
abhaſpeln kan. — Hernach verfertiget ſie ſich ein Blaſen-
oder Pergament ähnliches Bälglein, darin ſie vier bis fünf
Tage ruhig liegen bleibt. — Und endlich wird ſie eine
Puppe, wo ſie noch ein braunes zartes Häutchen umgibt.

Und alle dieſe Häute und Geſpinſte kan man gebrauchen? Ja alle, bis auf das lezte, das zu nichts taugt. —
Wie kriegt man denn die Seide von den Kokons herunter?
Verwirt ſie beim abhaſpeln nicht? O ja, ſehr leicht. Man
wirft die Kokons beswegen in kochendes Waſſer, und dann
geht das Haſpeln ſehr gut.

In heiſſes Waſſer? Können das denn die darinſtek-
kende Vögelchen ertragen? Nein, ſie müſſen alle ſterben —
Man erſtikt ſie auch in heiſſer Sonne oder in Bäköfen. —
O das iſt grauſam! Ja wohl alle ſterben. Könte man denn
nicht ſo lange mit dem Haſpeln warten, bis die Schmetterlinge heraus wären? O ja, das könte man wohl, wenn man
keine gute Seide haben wolte. Denn diejenige Kokons, die
die

die Schmetterlinge durchgebohrt haben, kan man nicht mehr abhaspeln, weil die Fäden beinahe alle abgebissen sind.

Bei einigen aber muß man mit Vorsaz so lang warten, bis die Vögel ausgekrochen sind, damit die Weibchen Eier legen, und man wieder junge Seidenraupen bekömt.

Man wirft aber doch die durchlöcherten Kokons nicht weg, sondern man spint sie, wie den Flachs, und erhält davon die bekante Floretseide.

Auch das dritte Häuschen, das Pergamentähnliche Bälglein nüzt man; man macht davon eine Art Zeug, das man Seidewad nent.

Wohin, lieber Herr . . legen denn die Seidenwürmer in den Stuben ihre Eier? Auf Papier oder andere Dinge, die auf die Schichten gelegt oder gehängt werden. — Das mag ein Spaß seyn, wenn die Eier lebendig werden, und die Raupen in der ganzen Stube herum kriechen! Das lassen sie wohl bleiben. Wo nichts zu fressen ist, da kriechen sie nicht hin. Jede Raupe bleibt auf der Stelle, wo man sie und ihre Maulbeerblätter hingelegt hat.

So, also bleiben die Eier nicht so lang an ihrem Geburts-Ort liegen, bis sie lebendig geworden sind? Nein, man krazt sie weg, legt etliche taußend, den Winter über, zusammen in Gläser oder andere Kapseln, und sezt sie bis aufs Frühjahr an einen kühlen Ort, damit die Würmer nicht zu früh, und in einer Zeit auskriechen, wo es uns noch an Maulbeerblättern mangelt. Dann im Winter stehen unsere Maulbeerbäume kahl und ohne Blätter; und getroknete fressen sie nicht gern.

Wann

Wann läſt man ſie denn auskriechen? Im Mai ohn=
gefähr legt man ſie in Schachteln oder Sieben, oder auch
nur blos auf den Schichten herum; und nun kriechen die
Würmchen in zwölf bis fünfzehn Tagen, auch früher auch
ſpäter, je nachdem die Stube warm oder kalt iſt, aus.

Den jungen Würmern muß man zuerſt friſche zarte
Maulbeerblätter geben; wie ſie aber wachſen und ſtärker wer=
den, ſo gibt man ihnen auch nach und nach gröſſere und
härtere Blätter.

Wie oft gibt man ihnen friſche Blätter? Des Tags
zweimal; und allemal muß man die alten Blätter wegneh=
men, denn ſie lieben die Reinlichkeit gar ſehr. Sie müſſen
deswegen in einer reinen Stube wohnen, wo nicht viel
Staub und Unruhe iſt; und wo es weder zu kalt noch zu
warm iſt. *) Wo aber eins von dieſen Stükken vernach=
läſſigt wird, und man ihnen die unrechten Maulbeerblätter,
oder zu wenig, oder gar Saladblätter gibt, ſo ſpinnen ſie
wenig und ſchlechte Seide, kränkeln oder ſterben gar häuffig
weg. — Mükken, Weſpen und Spinnen dürffen ſchlechter=
dings nicht in die Stube kommen, weil ſie ihre Feinde ſind,
und ihnen gewaltig zu ſchaden ſuchen. — Auch Bliz und
Donner können ſie nicht wohl vertragen.

Alle dieſe Künſteleien hat man nun im Morgenland,
in Portugal, in Spanien, Italien und andern warmen Län=
dern nicht nöthig, weil darin faſt kein Winter iſt, und die

Maul=

---

*) Eine Wärme von 18 Grad nach Reaumur Thermometer, muß man der
   Stube oder Kammer geben, wo die Seidenraupen geſund bleiben, und
   ſich glüklich einſpinnen ſollen. — Zweitauſſend fünfhundert bis drei=
   tauſſend, oder acht bis zehn Pfund Kokons geben ein Pfund Seide.

Maulbeerblätter immer grün sind und Blätter haben, und also die Raupen beständig was darauf zu fressen finden. — Man trift also in diesen Ländern auf den Maulbeerbäumen fast immer Eier, Raupen, Kokons und Schmetterlinge zu gleicher Zeit an.

Ersäuft oder erstikt man hier zu Lande die Vögelchen auch in ihren seidnen Häuschen? Allerdings. Die Leute steigen auf den Bäumen herum, und sammeln soviel Kokons, als ihnen beliebt. Etliche aber lassen sie hängen und durchbohren, damit an Schmetterlingen, an Eiern und Raupen kein Mangel entstehe.

Das Vaterland der Seidenwürmer ist das wärmere Asien. Von hieraus brachte man sie vor mehr als zwölfhundert Jahren nach Italien. Bald nachher kamen sie nach Spanien. Und endlich wurden sie in Frankreich; und nun seit etlichen Jahren sogar selbst in unserm Teutschland bekant, und mit grossem Vortheile erzogen. — Wie gros ist nicht der Seidenbau in den Brandenburgischen Landen? — Auch in Oesterreich; in Westfalen; in Dresden; in Hannover ꝛc. legt man sich izt sehr eifrig auf den Seidenbau.

Gibts sonst keine Raupen mehr, lieber Herr .. die auch so was spinnen, wie die Seidenraupen? Nein, Kinder! Es spinnen zwar einige auch allerhand zarte und künstliche Gewebe; allein man kan sie zu nichts gebrauchen. Desto herrlichere Vögelchen aber werden zum Theil aus ihnen. — Nächstens zeig ich euch eine grosse Parthie Schmetterlinge, die ich selbst gefangen, und gesammelt habe. Auch das vortrefliche Insektenbuch des seeligen Rösels las ich euch nächstens sehen.

Wie

Wie kriegt man denn die Nachtschmetterlinge lebendig zu sehen? Man mus des Abends und des Nachts auf sie lauren, oder ihre Larven mit nach Hausse nehmen, einsperren und so lange füttern, bis sie sich verpuppen, und zu Schmetterlingen werden. Vortreflich! Ja, Ja, lieber Herr..! Das wollen wir thun.

Aber wo sizen dann die Nachtraupen? Auf allerhand Obstbäumen, auf Weiden, auf Holunderbäumen, auf Linden, Fichten und Eichen, auf Weinrehen, Hopfen, Schlehen, Stachel= und Himbeeren und Hekken; ja auch auf Wolfsmilch= kraut, auf Brennesseln, Sauerrampfer, Spargel, Erbsen, Rüben und Gras.

O daß ist gut! Hier wollen wir sie schon finden.— Und wir solten denken, daß uns unsere Holzbauren und unsere Besenweiher, um ein gutes Wort, auch welche von ihren Dörfern und Wäldern mitbringen werden? Das ist ein guter Einfal, Kinder! Diese Landleute können uns dergleichen Thierchen am besten anschaffen, da sie fast immer in den Gehölzen und Wäldern was suchen und arbeiten.— Man mus aber wohl zusehen, daß sie nicht immer einerlei Raupen, und für jede Raupe auch die rechte Nahrung mitbringen.

Wie hebt man aber die Schmetterlinge auf, lieber Herr..? Wenn in einer Schachtel zuviel beisammen sind so schaden sie sich einander, und man kan sie auch nicht recht sehen? Das glaub ich wohl. Wer wird sie aber in einer Schachtel beisammen herum irren lassen? Man mus jeden Schmetterling an eine Steknadel spiessen, und soviel Raum zwischen jedem lassen, daß sie ihre Flügel ausbreiten können.

Wi

Wie kan man aber die Raupen der Nachtvögel, von den Raupen der Tagvögel unterscheiden? Durch öfteres ansehen. — Die Nachtvögelraupen verstekken sich auch gewöhnlich bei Tag, und sizen ruhig auf ihrer Stelle; des Nachts aber kriechen sie herum und freßen. Doch machen viele davon eine Ausnahme. Die Seidenraupe zum Beispiel, frist Tag und Nacht fort. Und so machen es auch einige Tagraupen. — Einige Nachtraupen haben auch am Hinterleib ein Horn; und die meisten sind auch ohngleich gröſſer, als die Tagraupen, und leben häuffig in Geselschaft. Einige sind auch mit Haaren bedekt.

Die Tagraupen hingegen leben gewöhnlich in Geselschaft, freſſen des Tags und ruhen des Nachts, haben mehrentheils viel Haarborsten oder Dornen, daher man sie auch Dornraupen nent. — Die Eier dieser Tagschmetterlinge sind theils rund und grün; theils kegelförmig und gelb; und ihre Puppen sind mit goldnen und silbernen Flekken geziert. — Einige dieser Tagraupen gibts den ganzen Sommer; andere aber nur in gewiſſen Monaten. — Sie halten sich, wie die Nachtraupen, auf allerhand Bäumen, Kräutern und Pflanzen auf.

Auf der zehnten Tafel könt ihr breierlei Tagraupen, nebst ihren Puppen, Schmetterlingen und Eiern sehen: Figur ein und dreiſſig ist der schädliche blasgelbe Obstbaumschmetterling, Figur drei und dreiſſig sind seine Eier, die er auf die Birn- und Aepfelbäume legt, und daraus nachher solche Raupen werden, wie Figur zwei und dreiſſig, eine ist, und die oft in etlich Tagen ganze Bäume kahl freſſen. Figur sieben und dreiſſig ist der gelbgraue Kohlschmetterling, der seine kegelförmigen Eier, siehe Figur vierzig, auf die untere

L

tere

tere Seite der Kohlblätter ſezt, daraus grasgrüne gelbgeſtreifte
Raupen werden, ſiehe Figur acht und dreißig. *) Figur fünf
und zwanzig iſt die Kirſchbaumdornraupe, aus der der ſchöne
braune, ſchwarz und blau geflekte Schmetterling bei Figur
ſechs und zwanzig wird, der ſich faſt gleich zu Anfang des
Frühlings ſehen läſt. — Figur neun und zwanzig iſt der
Apfel und Birnbaumſchmetterling, der ſeine Eier in Aepfel
und Birn legt, aus denen hernach ſolche Würmer werden,
wie Figur acht und zwanzig einer iſt, und ihr ſchon oft in
Aepffeln und Birnen, zu eurem Verdrus, werdet angetroffen
haben, und die die Aepfel und Birn oft gewaltig zerfreſſen.
Auch in den Zwetſchen und Pflaumen halten ſich, wie ihr
wiſſet, eine Art ſolcher Würmer auf. — Figur ein und vierzig iſt die ſchädliche Pelzmade, deren Larve, Figur zwei und
vierzig die Pelzwerke und viele andere Dinge beſchädiget. —
Figur fünf und dreißig iſt die Inſektenmade, deren Larve,
Figur vier und dreißig, die Inſektenſamlungen ſo ſehr zer-
friſt. — Im Mai und Junius fliegen dieſ zwei ſchädliche
Thierchen gewöhnlich des Abends und Nachts, in den Kammern und Stuben herum, und ſuchen einen bequemen Ort,
um ihre Eier dahin legen zu können. — Nun noch ein
paar Worte von dem ſchädlichen

Weiſſen Kornwurm,

der aus einem Ei entſteht, das ein braunrothes ſchwarz und
braun geflektes Vögelchen, das man gewöhnlich Kornſchabe
oder

---

*) Um dieſe, allen Arten von Kohl ſo ſehr ſchädliche Raupe zu vertreiben
muß man entweder Pflanze für Pflanze, alle acht Tage, ein oder zwei
mal, auf der untern Seite anſehen, und die Eier zerquetſchen; oder
rings um das Kohlfeld Hanf ſäen.

Tab. III.

F. L. H. Waagen del.   J. G. Sturm sc.

oder Kornmade nent, auf Rokken, Weizen, Gerste, Erbsen, Bohnen, Haber 2c. legt, erst Ein Körnchen anbohrt und zer=
frißt, hernach aber zwei, drei bis achte, über seine Speise=
kammer eine Haut spint, und dann, wenn er gros genug
geworden, sich in die Rizen der Balken oder Bretter ver=
kriecht, zur Puppe und endlich zum Schmetterlinge wird.
Auf manchen Kornböden kan man oft viel tauffend solche
weiffe Kornwürmer beisammen sehen.*)

Wovon, Kinder, sol ich euch nun was erzählen? Von
der Familie der Bienen, Wespen und Ameisen? Oder von
der Familie der Fliegen, Schnaken und Mükken? Ach von
der erstern Familie — von den Bienen und Ameisen. Gut.

Fast alle Thierchen in dieser Familie haben vier ade=
richte Flügel, und einen Stachel, mit dem sie sich gegen
ihre Feinde vertheidigen.

Die Ameisen

solten Flügel haben, lieber Herr . . ? Ja, Kinder, die
Männchen und Weibchen werden geflügelt, wann sie ganz
ausgewachsen sind. Aber die Ameisen von keinem Geschlecht,
die man Spadonen oder Zwitter nent, bekommen keine Flü=
zel, und müssen gleichsam das Haus bestellen, und für ihre
Nachkommenschaft sorgen.

L 2   Es

*) Noch schädlicher, als die weiffen Kornwürmer sind die sogenanten schwar=
zen und rothen Kornwürmer, die von kleinen Käfern herkommen, oder
vielmehr selbst Käfer sind — Doch sie und ihre Larven verheren die
Kornböden. Alle drei, den rothen, schwarzen und weiffen Kornwurm'
kan man nach und nach ganz von den Kornböden verbannen, wenn
man das Getraide oft umsticht, und die Balken und Bretter mit Theer
bestreicht.

Es gibt fünf Sorten von Ameisen: Erstlich Hügel-Ameisen — Zweitens grosse schwarze — Drittens kleine schwarze — Viertens rothe — Und fünftens gelbe Ameisen. — Die Hügel-Ameisen sind die grösten.

Am Kopfe haben alle Ameisen eine doppelte Säge, einen Mund, ein paar Hörner, zwei Augen und einen Hals, der mit der Brust zusammen hängt.

Die Säge besteht aus einer knochenartigen Materie, und sizt an beiden Seiten des Mundes, hat vier oder fünf Zähne, und an den Enden feine Haken.

Der Mund besteht aus einer hohlen Röhre, die ihnen stat einer Kehle dient, und aus vier beweglichen und mit Gelenken versehenen Hörnern, die sie als Lippen und Finger gebrauchen, um ihre Nahrung in die Kehle zu bringen.

Ihre Augen sind ohnbeweglich, daher sehen sie vor sich nichts, und müssen sich ihrer Fühlstangen bedienen, um gerade aus, ohne Gefahr lauffen zu können.

Jede Ameise hat sechs Füsse, davon die zween vordern die kürzesten, und die hintern die längsten sind.

Haben die Ameisen auch einen Stachel wie die Bienen? Ja, aber nur die rothen, deren Stich zwar sehr schmerzt, aber bald wieder vergeht.

Die Ameisen vereinigen sich in verschiedene Gesellschaften oder Kolonien, die gewöhnlich nahe beieinander leben. Wenn sich aber eine von einer andern Farbe, oder aus einer andern Gesellschaft, in eine fremde Kolonie wagt, so wird

ſie den Augenblik getödet und verzehrt, oder aus der Kolo=
nie weggetragen.

So oft ſich zweierlei Ameiſen begegnen, haben ſie
kleine Scharmuzel mit einander, und tödten ſich. Wird
aber der Feind ſtark, ſo zieht man in guter Ordnung in
Streit, und fängt eine heftige Schlacht an. Es bleiben
oft fünfzig und mehrere Toden auf dem Plaze; und der Sie=
ger erobert ſogleich das feindliche Lager, und ſtelt Schildwa=
chen aus, die auf die Flüchtlinge lauren müſſen. Erwiſchen
ſie einen Feind, ſo muß er ſterben; treffen ſie aber einen
von ihren Kameraden an, der ſich im Treffen verirt, oder
aus der Gefangenſchaft losgemacht hat, ſo legen ſie ihn
auf die Schultern, und tragen ihn nach Hauſſe.

Wo ſind denn die Ameiſen des Winters? Sterben
ſie vielleicht im Herbſt? Ja, einige wohl; aber alle nicht.
Im Winter haben ſie ihre Wohnungen eine, auch wohl
zwo Ellen tief in der Erde.

Ihre Stadt iſt in viele kleine Zellen abgetheilt, die
alle, vermittelſt kleiner runder unterirdiſcher Kanäle, gemein=
ſchaft mit einander haben. — Und dadurch können ſie ſehr
bequem ab und zu gehen; auch ſchadet ihnen der Regen
nicht viel. — Ihre Zellen ſind länglicht rund, aber ganz
ohne Kleiſter.

Erſtlich zerſchneiden ſie die Erde mit ihren Sägen
in kleine Stükchen, und ſchaffen ſie hernach mit den Haken
an ihren Füſſen weg. — Ihr Haus halten ſie ſehr rein;
und ſo bald einer von ihren Kameraden ſtirbt, wird er aus
der Kolonie herausgetragen, und an den nächſten beſten Ort
hingelegt.

L 3 Man

Man hielt ehedem die Regierung der Ameisen für Republikanisch, und für einen Körper, der aus Mitgliedern männlichen und weiblichen Geschlechts bestünde. Allein die meisten sind, wie die Bienen, von keinem Geschlecht, und blos zur Verpflegung und Auferziehung der Jungen bestimt, die die Ameisenkönigin in die Zellen gelegt hat: Sie legt innerhalb sieben oder acht Monaten sieben bis acht tausend Eier.

Eine jede volkomne Kolonie hat wenigstens Eine Königin, die an Grösse und Farbe von den andern Ameisen unterschieden ist. Sie ist fünfmal grösser, und hat, ausser den zwei Augen, die die übrigen Ameisen auch haben, noch drei kleine Augen, vorne am Kopf, die ein Dreiek ausmachen, und ihr dazu dienen, daß sie alle dunkle Gänge ihres Pallastes bequem durchwandern, und Eier in die Zellen legen kan. In welche Zelle sie kömt, da wird sie mit Freuden empfangen. Ihre Unterthanen springen und tanzen um sie herum, und leisten ihr allerhand Dienste. Hat sie aber die Eier gelegt, so nimt die Liebe ab, so achtet man sie nicht mehr viel. — Die Bienen hingegen leben nicht ohne ihre Königin. Sie lieben sie immer, und wo sie ist, da bleiben sie auch.

Gelbe Ameisen gibts am meisten. Ihre Königin legt vom Januar bis zum September in jede Zelle etliche Eier, und in alle Zellen zusammen gegen acht tausend Eier. — Und dis sind dreierlei Eier: männliche, weibliche und keines Geschlechts. Die männlichen und weiblichen Eier legt sie im Frühling; und die von keinem Geschlecht, oder die Zwitter, im Julius und August. — Die weiblichen Eier sind schwarz; die männlichen bräun; und die Zwitter weis und durchsichtig.

Di

Die Arbeiter oder Zwitter-Ameisen sizen etliche Tage über die Eier, und nun werden sie alle weis; bald nachher rauh und mit kleinen Haaren bedekt; und endlich zeigen sie sich als Würmchen, die sich aber noch nicht von ihrer Stelle wegbewegen können. — Sobald nun diese Würmchen gros genug sind, werden sie von den Arbeitern an einen bequemen Ort in der Oberfläche der Kolonie gebracht, und von ihnen nicht mehr mit Speise versorgt.

Wie gehts denn izt diesen Würmchen? Izt fangen sie an zu spinnen, und verwikkeln sich in etlich Tagen in eine Art eines seidnen Gewebes, und werden Püppchen. — Und dis sind nun die sonderbaren Dinge, liebe Kinder, die einige Leute fälschlich Ameiseneier nennen.

Wie lange bleiben denn die Ameisen-Puppen? Die weiblichen sechs Wochen; die männlichen und Zwitter aber nur vier Wochen.

Habt ihr schon gesehen, liebe Kinder, wie viel Mühe sich die Ameisen mit ihren Püpchen geben? O ja! Des Morgens bringen sie sie an die Sonne, und des Abends, oder wenn es regnen wil, tragen sie alle wieder in ihr Nest. Und wenn man ihnen etliche Püpchen nimt, oder ihnen gar ihren Palast zerstört, so schleppen sie Eier, Würmer und Püpchen mit so erstaunlicher Geschwindigkeit zusammen, daß in einer halben Stunde alles wieder unter der Erde, und in Sicherheit ist.

Warum legen denn die Ameisen ihre Püpchen an die Sonne? Damit sie eher reif werden. — Die weiblichen werden zuerst reif, und erscheinen in der Gestalt grosser Fliegen, und fliegen sogleich davon. Bald nachher folgen die

L 4 mãn=

mänlichen als kleine Ameisen = Fliegen; Die Zwitter aber ha=
ben keine Flügel, und müssen da bleiben und arbeiten, und
gleichsam ihr Haus auf die Zukunft bestellen.

Ists wohl andem, lieber Herr . . ? Daß die Ameisen
Voraths = Kammern auf den Winter anlegen? Ja Kinder,
es ist andem. Sie sammeln wirklich allerhand Samenkörner
zusammen, und verwahren sie so gut unter der Erde, daß
sie nicht nas werden oder gar verderben. — Und doch essen
sie des Winters nichts davon, weil sie in Ohnmacht liegen,
und erst im warmen Frühling wieder erwachen. In Ohn=
macht liegen, und doch einsammeln? Wozu denn, lieber
Herr . . ? Damit sie gleich was zu schmausen haben, wann
sie erwachen. Denn im Frühjahr gibts nicht gleich was
für sie zu naschen.

Die Ameisen schaden doch nichts? O ja! Sie zernagen
und zerfressen manche Kirsche und manche Birn; ja schon
durch ihr vieles Auf= und Ablauffen an den Pflanzen und
Bäumen, verderben sie manches Blat und manche Blüte=
knospe. *) Die rothen Ameisen haben auch Stachel.

Aber die Ameisen nüzen doch auch zu was? Nein, zu
nichts, ausser daß sie verschiedenen kleinen und grossen Thie=
ren zur Speisse dienen.

In Amerika gibts so viele und so grosse Ameisen, daß
etliche Kolonien von ihnen oft in wenig Tagen ein ganzes
Zukkermagazin auffressen. Der Ameisenfresser, Tafel zwei,
Fi=

---

*) Wenn man Eingeweide von Fischen in die Ameisenhauffen gräbt, und
einen Strik, der in Fischsaft getaucht worden, an die Bäume knüpft,
so entfernen sich die Ameisen augenbliklich.

Figur achtzehn, ist ein amerikanisches Thier, das nichts als Ameisen frist.

Die Bienen,

liebe Kinder, nüzen uns schon mehr, als die Ameisen. — Man bekömt gewöhnlich aus einem einzigen Bienkorb im Herbst zwei bis vier Pfund Wachs; und zwanzig, dreissig, vierzig und oft noch mehr Pfund Honig.

Ach das ist viel Honig! Doch ich glaube es — diese kleine Thierchen sind ja den ganzen Sommer über fleissig genug, und fliegen alle Tage vier bis fünfmal nach Honig und Wachs aus, und kommen fast immer, reich damit bela= stet, in ihren Korb zurük.

Die Bienen wären wirklich ganz gute Thierchen, wenn sie nur keinen so fatalen Stachel hätten, womit sie die Leute stechen, die ihnen nahe kommen. Haben sie euch denn schon gestochen, liebe Kinder? Nein, aber andere Leute, die des= wegen erbärmlich weinten.

Was thaten ihnen denn diese Leute? Nichts, gar nichts; sie wolten sie nur fangen, und — zum Spas tod machen? Nicht wahr? O nein, lieber Herr . . ! Sie wolten nur zu sehen, wo sie ihr Wachs und Honig hätten; und dann wolten sie sie wieder fliegen lassen.

Gut. Ich wils euch zu Gefallen glauben. — Allein wusten diese neugierigen Leute dann nicht, daß die Bienen ihre Wachsmaterie hinten an den Füssen hängen, und ihren Honig im Leibe drin haben, den man also nicht eher sehen kan, man ermorde sie denn?

Keine

Keine Arbeitsbiene läst sich so leicht ohngerochen fangen. Wer sie fängt, wird von ihr gestochen, wenn sie auch gleich ihr Leben darüber einbüst.

Es ist also schon sehr gefährlich, nur allzu nahe zu den Bienenkörben hinzugehen, geschweige denn, eine zu fangen, oder sie gar zu schlagen. Man hat Beispiele, daß sie Menschen tod gestochen haben, die sich gegen sie gewehrt, und unter sie hinein geschlagen haben, denn sie leiden nur den, nahe bei sich, der täglich bei ihnen ist, und für sie sorgt. Sie stechen ihren Herrn nicht, wenn er auch gleich mitten unter ihnen steht, und eine, oder zwei bis drei hundert auf einmal in die Hand nimt, und von einer Stelle zur andern trägt. *) Es ist eine nüzliche Kunst, diese kleine Thiere so zahm zu machen.

Geht also ja nie alzu nahe zu den Bienen hin, liebe Kinder! Und solte eins von euch je einmal gestochen werden, so sey es geduldig, und werde durch Schaden klug und vorsichtig.

Lieber Herr . . gibts bei den Bienen auch Männchen, Weibchen und Zwitter, wie bei den Ameisen? Ja, Kinder! Es befinden sich in jedem Bienenstok dreierlei Bienen: Arbeitsbienen oder Zwitter; Männliche Bienen oder Thronen; und Bienenmütter, Weisel oder Königinnen.

Die Arbeitsbienen sind die kleinsten; die Königinen sind grösser; und die Männchen sind die grösten Bienen. —

Ihr

---

*) Herr Wildmann, ein grosser Bienenfreund that dis. Er grif in den Korb hinein, und nahm einige tausend auf einmal heraus, und trug sie, samt der Königin, von einer Stelle zur andern.

Ihr habt sie doch alle drei schon gesehen? O nein! Arbeits=
bienen wohl; aber noch keine Königinnen, und keine Männ=
chen.

Doch Männchen haben wir gesehen: Sinds nicht die=
jenige Bienen, die fast um die Hälfte grösser sind, als die
Honigsamlerinnen, keine Stachel haben, überaus träge und
schläfrig sind, und im Herbst leicht gefangen werden können?
Richtig. Diese sind es.

Es fehlt euch also nur noch die Königin: Und diese
könt ihr indessen auf der vierten Tafel, Figur fünf ansehen,
bis ich euch eine lebendige oder tode, zeigen werde.

Ach das ist sie! So sehen die Bienenköniginnen aus?
Sie hat einen Stachel, und ist merklich länger als die Männ=
chen und Arbeitsbienen; sieht aber übrigens den Arbeits=
bienen ganz ähnlich.

Die siebente Figur ist ein Männchen; und die sechste
eine Arbeitsbiene. — Und hier oben sind zween Bienenkör=
be: Figur drei ist ein geschlossener Korb, wo die Bienen
aus= und einfliegen; und Figur vier ist ein offener Korb,
worin man die sechseckichte Zellen, davon einige offen, und
andere geschlossen, und mit Honig oder Püpchen angefült
sind, sehen kan.

Wie viel gibts wohl Bienen in einem Korb, lieber
Herr . . ? Bald wenig bald viel. In einigen sind zehn=
fünfzehn= bis zwanzig taussend; und in andern dreissig=
vierzig= bis siebenzig taussend. —

Und

Und in einem jeden Korbe iſt nur eine einzige Königin; nur zwei= drei= bis ſechszehn hundert Männchen; aber
viele tauſſend Arbeitsbienen. Und warum von dieſen ſoviel?
Weil ſie allein arbeiten, und für die übrigen Brod anſchaffen müſſen.

Sammeln denn die Königinnen und die Männchen
nicht auch Honig und Wachs ein? Nein. Sie kommen nie
zum Korb heraus. Was nüzen ſie denn alſo im Korbe?
Sie begatten ſich mit einander; die Königin legt Eier; und
die Männchen brüten ſie aus; deswegen nent man ſie auch
Brutbienen. Nun das iſt gut. So ſind ſie doch alſo zu
was, nuz, und nicht ganz Faullenzer.

Wie viel Eier legt wohl eine Bienenkönigin? Dreiſſig
bis vierzig tauſſend. Ach — und die alle auf einmal? O
nein! Sie läſt ſich acht bis zehn Wochen Zeit dazu. Aber
alle Tage legt ſie eine gewiſſe Portion. Wieviel ohngefähr,
lieber Herr . . ? Zwei bis drei hundert. Und ehe ſie dis
thut, geht ſie erſt in Begleitung etlicher Männchen vor den
Zellen vorbei, in die ſie Eier legen wil, und ſieht zu, ob
ſie auch in guten Stande ſind. Und nun legt ſie in jede
Zelle ein Ei.

Und ſo macht ſie es alle Tage, bis die ſämtlichen
Zellen, die kleinen und die groſſen mit Eiern angefült ſind.
Sind denn nicht alle Zellen gleich gros? Nein die Bienen
bauen dreierlei Zellen: Kleine für die Arbeitsbienen; etwas
gröſſere für die Königinnen; und noch gröſſere für die Männchen. — Königliche Zellen ſind in einem Korbe nur ſechs
bis zehn; Männliche etliche hundert; Zwitter Zellen aber
viele tauſſend.

Und

Und alle diese Zellen machen die Bienen? Ja, Kinder! Wer sonst? — Die erste Beschäftigung der Bienen ist, alle Rizen und Löcher mit einer klebrichten Materie zu verstopfen, und ihre Zellen zu bauen; und dann erst sammeln sie Honig und Wachs in ihren Vorraths-Kammern ein.

Es ist eine Lust die Bienen in ihrem Korbe arbeiten zu sehen. Einige verkleben die Löcher für die Kälte, für Würmern und andern ungebetnen Gästen; andere bauen Zellen; wieder andere tragen Wachsmaterie zu; und noch andere lauern unter der Thür auf die Wachssamler, und nehmen ihnen ihre Last ab, wobei sie so lange an den Füssen schütteln, bis die Wachskörnchen herabfallen.

Diese Körnchen tragen sie sodenn in die Wachsvorrathskammer; und die Wachssamler fliegen von neuem wieder auf Beute aus. Sind aber keine solche Handlanger da, so legen sie ihre Last selbst in die Zellen ab. Sie stekken zu dem Ende ihre Hinterfüsse in die Zellen, und streiffen das Wachs mit den zween Hinterfüssen — Denn die Bienen haben sechs Füsse — herab, worauf es die andern Bienen mit den Füssen durchkneten, glatstreichen und Schichtenweis übereinander legen.

Nicht wahr, Kinder, ihr glaubet, die gelben Körnchen an den Füssen der Bienen, seyen schon ordentliches Wachs? Ja freilich! Ist es denn nicht so? Nein. Die Bienen müssen sie erst verschlingen, damit sie in ihrem Wachsmagen gleichsam geläutert, und zu Wachs werden. Nach kurzer Zeit aber geben sie dieses Wachs als einen Brei von sich, aus dem sie nun mit ihren Zungen, Zähnen, und Füssen, die so wunderbare sechsekkichte Zellen verfertigen.

Auch

Auch der Honigsaft mus erst einige Zeit in ihrem Ho
nigmagen gelegen haben, ehe sie ihn als brauchbaren Honi
von sich geben können.

Eine Biene sammelt immer, wenn es angeht, Honi
und Wachs zugleich. Das Honig verschliessen sie in ihre
Honigmagen; das Wachs aber klebt sie an ihre Hinterbein
so geschwind und künstlich an, daß man darüber erstaune
mus. — Gebt nur einmal auf sie achtung, Kinder, wen
sie sich auf den Blumen, mitten unter den Staubfäden hei
um wälzt; so könt ihr sie den Staub, der an ihren Haare
hängen bleibt, an ihre Hinterbeine ankleben sehen.

Und weil die Bienen auf allerhand Blumen heru
schwärmen, so haben auch ihr Honig und Wachs nicht im
mer einerlei Farbe und einerlei Geschmak. — Sie haben je
den Monat ihre gewisse Blumen, die sie besuchen. Die Lin
denblüte aber hat für sie die beste und angenehmste Speisse
Wenn es also um die Lindenblüte Zeit regnet, so leiden di
Bienen gewaltig, und es ist keine gute Honigernde zu er
warten. — Nässe können die Bienen überhaupt gar nich
vertragen.

Wie gehts aber diesen kleinen, nützlichen Thierchen de
Winters, lieber Herr . . ? Sie bleiben alle lebendig, wan
sie was zu fressen haben — dann die Kälte schadet ihne
nicht, es ist in ihrem Korbe warm genug — und sammel
im Frühjahr und Sommer wieder Honig und Wachs ein.

Wenn man ihnen aber ihren Honig nimt; oder sie we
gen nasser und kalter Witterung keinen Vorrath haben ein
sammeln können; so müssen sie alle sterben. Gewöhnlich abe

füt

füttert man diese armen Schelmen den Winter über, weil man gewis weis, daß sie es in Zukunft reichlich ersezen werden.

Wie geht dis aber zu, lieber Herr . . .! Daß man schon im Herbst welche tod vor ihren Körben liegen sieht, da doch noch viele Blumen in den Gärten sind, worauf sie Honig hätten finden können? Dis waren gewis keine Honigsamlerinnen, sondern Faullenzer, die zu dieser Zeit nichts mehr in den Körben nuzen, und also hinaus gejagt oder gar getödet werden. — Zuweilen aber findet man wirklich auch tode Zwitter vor den Körben liegen.

Höret einmal, wie dis zugeht: Wenn in einem Bienenkorbe alzuviel Bienen, und zwo, drei oder gar noch mehrere Königinnen sind, so müssen sich die junge Königinnen eutschlüßen, ihr Vaterland auf ewig zu verlaffen, und mit etlich tauffend Männchen und Zwittern eine eigene Kolonie anzulegen — Denn mehr als Eine Königin, wird in einem Korbe nicht gelitten. Sie müssen entweder auswandern oder sterben — Die meisten wählen das lezte, und wandern aus, oder schwärmen weiter, wie man es nent.

Da nun die Bienen ihre Königin ausserordentlich lieben; ihr alles zu Gefallen thun; nur da bleiben, wo sie ist; und ihr allenthalben nachfolgen, wo sie hin zieht; auch Arbeit und Fleis unterlaffen, und nicht das geringste mehr einsammeln, wenn sie stirbt, oder durch einen Zufal umkömt. Kurz, da die Königin das Kommando im Korbe führt, so darf sie nicht fürchten, daß sie allein und ohne Begleitung ausziehen müffe: Es folgen und schwärmen ihr immer etliche tauffend nach.

Und

Und wohin? An den nächsten besten Baum; oder sonst wohin. — Fand nicht Simson auf einem Löwen Honig? Und flos nicht ehedem im Lande Kanaan der Honig von den Bäumen herunter? — Und noch gibts Länder in der Welt, wo die sämtlichen Bienen wild herum fliegen, und ihren Honig auf Bäumen legen.

Ach das möcht ich sehen! Gibts bei uns auch solche wilde Bienen? Doch was frage ich lange — Freilich! Wo solten denn sonst die, aus den Körben weggejagten, ihren Honig hinlegen? Nein, mein Kind! Wir haben keine solche wilde Bienen — ausgenommen die Hummeln oder Immen, von denen ich nun gleich auch was erzählen werde — Denn die weggeflogenen Bienen fängt man wieder auf, und gibt ihnen einen eigenen Korb zu ihrer Wohnung ein.

So? Und wie gehts diesen armen Thierchen in dem leeren Korb? Gut, Kinder! Sie fliegen gleich nach etlichen Stunden nach Honig und Wachs aus, und bauen und wirtschaften, wie ihre Aeltern.

Und diese junge ohnerfahrne Vögelchen solten sogleich ihren Korb verlassen, und nach Honig ausfliegen? Finden sie denn ihre Heimat wieder? O ja! Selten verirt sich eins. Wenn es aber doch geschieht, daß eins vor eine fremde Thier kömt, so wird es sogleich mörderlich angefallen und getödet. Und daher komt es, daß man zuweilen bei einem Korbe tode Arbeitsbienen sind.

Aber das eigentliche Mordfest halten die Bienen im Herbst, wenn es anfängt kalt zu werden, und sie nicht mehr einsammeln können. Und über wen denn? Wen ermor
bei

ben sie da? Ihre Kameraden, die Männchen. Diese müssen
im Herbst alle sterben. — Einige tödten sie gleich im Korbe;
und andere jagen sie als unnüze Fresser hinaus, die alsdenn
bald Hunger sterben, erfrieren oder von Vögeln gefressen
werden.

Und das können die kleinen Bienen gegen ihre Kame=
raden thun? Nun bin ich ihnen nicht mehr gut. — Warum
sind sie aber wohl so grausam? Weil sie gerade noch so viel
Honig aufgespart und übrig haben, als sie und ihre Köni=
zin den Winter über gebrauchen. — Würden nun die gros=
en Mäuler der Männchen noch dazu kommen, so müsten sie
nitten im Winter alle zusammen Hunger sterben.

Nun, Kinder! Wer von euch noch keine lebendige

Hummel

der Imme gesehen, der sehe indessen auf der vierten Ta=
el, bei Figur acht eine Abbildung davon an. — O Hum=
neln haben wir schon viele gesehen. Sie sind ein, zwei bis
iermal grösser und haarichter, als die Bienen, schwarz und
raunroth, oder schwarz mit gelben und röthlichten Flekken,
aben einen Stachel, und schwärmen eben so gern auf den
lüten herum, als die Honigbienen.

Was sie aber auf den Blüten machen; ob sie auch Ho=
ig und Wachs sammeln, das wissen wir nicht. Auch wo
e wohnen, ist uns noch nicht bekant. Wolten Sie es uns
icht sagen, lieber Herr . . ?

Die Hummeln wohnen gewöhnlich unter der Erde in
läuse= oder Maulwurfslöchern, oft aber auch in leeren Bie=

M   nen=

nenkörben, in hohlen Bäumen und andern Winkeln und L
chern, so wie auch die Wespen. — Ihr Nest besteht au
dürren Blättern, die sie mit einer klebrichten Materie z
sammen kleistern. Oben bauen sie es gewölbt, damit Reg
und Erde, und was sonst darauf fallen mag, leicht darüb
wegrollen kan; und innen haben sie ihre Zellen, worein
ihre Eier legen.

Das Einsammeln des Honigs aber ist bei den Hum
meln nicht Mode. Jede sucht nur für sich was zu fresser
und wenn sie nicht gleich was sind, so dringt sie sich in
Gewalt in einen Bienenkorb hinein, und frist und stiehlt di
sen Thierchen ihren Honig weg. Die Bienen müssen dah
immer vor ihrer Thür Wache halten, damit von diesen u
verschämten Gästen nicht zu viel kommen.

Gibts viel Hummeln in einem Nest? O ja, etlich
tausend. Sie haben auch Männchen, Weibchen und Zwitte
wie die Bienen. — Jagen sie einander auch so zum Hau
naus, wie diese? Ja, Kinder! die Männchen müssen i
Herbst auch fortreisen. Aber die übrigen im Nest komme
doch fast alle auch noch vor dem Winter um, weil sie d
Sommer über keinen Vorrath eingesammelt haben.

Wenn nur zwo Hummeln glüklich durch den Wint
kommen, und im Frühling von ihrem Schlaf erwachen
Denn weil sie nichts zu fressen haben, so schlaffen sie d
ganzen Winter durch — so sind sie im Stande, dafür
sorgen, daß in etlich Wochen wieder genug junge Humme
da sind.

Den Namen Hummel gab man diesen Thierch
weil sie im Fliegen immer Hummen oder sumsen.

Au

Auch

Die Wespen

iebe Kinder, sind solche Mäuseloch = Einwohner, wie die
Hummeln. Ihr kent doch die grossen Künstler, die Wespen?
) ja! auf unserer vierten Kupfertafel, Figur neun ist auch
ine abgebildet.

Warum nennen sie diese gefährliche Thiere Künstler,
ieber Herr . . ? Weil sie unter allen Insekten die künstlich=
ten Häusser bauen. — Noch künstlicher also als die Bie=
ien? Ja, weit künstlicher. Und wie machen sie es denn?
im Sommer suchen sie sich ein Loch aus, das Mäuse,
Hamster oder Maulwürfe gegraben haben, und machen sich
arin ein Nest, das voller Zellen ist. Oder sie graben
ich selbst ein Loch, wann sie nicht gleich eins finden.

Und dis machen sie auf folgende Weise: Sie stechen
ie Erde Stükweise aus, und tragen sie eine ziemliche
Strekke von ihrem Loche weg — und dabei ist ihr Fleis
o gros, daß sie in etlich Tagen eine halbe Elle grosse Höhle
usgraben können — denn alles mus bei diesem Bau ar=
eiten, Mann, Weib und Zwitter — Einige graben und
ragen die Erde weg; andere holen Baumaterialien zusam=
nen, und verkitten das Gewölbe des Loches mit einer kleb=
chten Materie; und noch andere legen den Grund zu ihrem
ounderbaren Hausse.

Und so machen sie in wenig Tagen ein Gebäude fer=
g, darüber man erstaunen mus. Denn wer das erstemal
n Wespennest sieht, der hält es für eine sehr künstliche,
us grau Leschpapier zusammengesezte Rose oder Artschokke.

Mir

Mir gieng es wenigstens so, Kinder, da ich das erst
Wespenneſt ſah: Ich wuſte nicht, was ich daraus mache
ſolte; und da man mir ſagte, es ſey ein Wespenneſt, un
ich die Wespen ſelbſt aus- und einfliegen ſah, ſo glaubt
ichs, und dankte Gott, daß er mir wieder eine Gelegenhei
gegeben, ihn in ſeinen Geſchöpfen zu bewundern.

Die kleinen Wespen bauen ſich alſo ein Neſt, das de
geſchikteſte Künſtler ſchwerlich nachmachen kan. Auf der vier
ten Tafel, bei Figur eins iſt ein ſolches Wespenneſt abgebil
det, aber verkleinert, denn gewöhnlich iſt es ſo gros, als ei
Kindskopf. — Sieht es nicht faſt wie eine Roſe aus? —
Und Figur zwei ſind Wespenzellen, die mitten in dieſen Ne
ſtern drin ſizen, und davon einige offen, die meiſten aber zu
geſchloſſen ſind, damit den darin liegenden Eiern, Larve
und Püpchen nichts Leids geſchehen kan. Denn ſo bald ſ
Wespen geworden, brechen ſie den Dekkel auf, und geh
draus raus.

Wie machen denn die Wespen dieſe künſtliche Dinge
Die Arbeitswespen arbeiten auch, wie die Arbeitsbienen, fü
alle ihre Brüder und Schweſtern, tragen mürbes Holz un
Honig zu, und verſorgen ihr ganzes Haus mit Brod. —
Das Holz holen ſie bei ohnbemahlten Fenſtern, Gartenſpalt
ren, Dachrinnen und Balken, wovon ſie eine Menge klei
Splitter abſchneiden, die ſie erſt mit ihren Füſſen und Fre
zangen zu einem Mehl zerreiſſen; und hernach mit einem kle
richten Saft vermiſchen, und zu einem Brei machen.

Dieſen Brei nun kleben ſie an ihren Palaſt an, un
ſtreichen ihn ſolang auseinander, bis ein dünnes Blätch
daraus wird. — Und ſo machen es die Wespen immer for

bis ihr Palast, der aus elf Stokwerken besteht, samt den Zellen fertig ist.

In die Zellen legt die Königin, nach und nach zehn bis zwölf tausend Eier, die in drei oder vier Tagen lebendig; nach zwölf bis vierzehn Tagen Puppen; und endlich nach acht bis zehn Tagen Wespen werden.

Die Männchen und Weibchen bleiben im Nest; die Arbeitswespen aber fliegen hinaus, und sammeln und tragen alle Tage soviel Speisse zu, daß sich alle sat fressen können.

Und damit jene bequem und bald finden, was sie und ihre Kameraden gerne fressen, so legen sie ihre Nester gewöhnlich nahe zu Bienenstökken, ja selbst in leere Bienkörbe; in hohle Bäume; in Weingärten; bei Küchen, Fleischbänken und Speissekammern an, wo sie Honig, Wachs, Fleisch und Obst, und also fast immer einen gedekten Tisch finden.

Fleisch, Spek, Leber, Kirschen und alles, was süs schmekt, fressen sie sehr gern, und tragen oft zwischen ihren süssen halb so grosse Stükke, als sie sind, durch die Luft in ihr Nest, und überliefern sie der Königin, die sie zertheilt, und vor jede Zelle geht, und jedem Würmchen seine Portion in den Mund stekt.

Die Wespen sind fast noch gefährlicher im Stechen, als die Bienen. Wenn man Eine schlägt, so kommen sie plözlich alle zu ihren zwei Löchern heraus, und fliegen einem ins Gesicht — Denn die Wespen legen zu ihrem Nest zwei Löcher an, eins zum einfliegen, und eins zum ausfliegen; und vor jedem Loch steht wenigstens eine Wache.

Lei-

Leidens denn die Bienen, daß ihnen die Wespen und
Hummeln ihren Honig wegstehlen? Nein, Kinder! Es ist ih=
nen nicht lieb. Sie halten deswegen auch fleissig Wache.
Allein was hilfts? Diese Diebe kommen doch hinein, und er=
würgen oft alle Schildwachen. Wehren sie sich denn nicht?
O ja! Es wird von ihnen auch manche Hummel, und man=
che Wespe erdrosselt.

Aber dis thun nur die gesellige Wespen, die bei ein=
ander in einem Loch oder Nest wohnen, und davon

Die Hornissen

die gröste Sorte sind. — Auf der achten Tafel, Figur drei=
zehn ist eine Hornis abgebildet. — Kinder! Die Hornis,
und so auch die Scorpion, stechen entsezlich, und sind der
Italienern, Asiatern und wo sie sonst sich aufhalten, oft eine
grosse Plage. — Im Lande Kanaan sind sie, vorzüglich zu
der Zeiten der Kinder Israel, als sehr schlimme Thiere be=
kant gewesen. — Es steht vieles von ihnen in der Bibel.

Die übrigen Wespen=Arten hingegen leben nicht in Ge=
selschaft, sondern einzeln und zerstreut; bauen weder Neste
noch Zellen; und fressen Fliegen und Mükken. — Einige von
ihnen legen ihre Eier in Holz; andere in Raupen oder Rau=
penpuppen; und noch andere auf allerhand Blätter. — Die
grüne Raupe zum Beispiel, die die Rosensträuche oft so seh=
zerfrist, daß von den Blättern nichts mehr, als die Rippe
übrig bleiben, sind solche Wespen=Larven.

Und eben darum, weil einige von diesen ohngeselligen
Wespen ihre Eier dahin, und die andern dorthin legen, h

me

man sie in Schlupfwespen; Galinsekte; Raupentödter ꝛc. ein=
getheilt.

Die Schlupfwespen

schlupffen und schwärmen auf allerhand Blättern herum, und
legen ihre Eier darauf.

Die Galinsekte

thun eben das, und verursachen auf Bäumen, Stauden und
Pflanzen allerhand Beulen, Knoten und Warzenähnliche Er=
höhungen, die oft fast gerade so aussehen, wie die Früchte;
aber nichts weniger, als wahre Früchte sind.

Und diese Gewächse nent man Gallen; und die In=
sekten, die sie durch ihre Stiche und Eier verursacht haben,
Galinsekte. — Auf der siebenten Tafel, Figur zwei und
zwanzig ist eine Eichenblatwespe abgebildet, die in die jun=
zen Triebe, Stengel, Rippen und Blätter der Eichen Löcher
bohrt, und ihre Eier darein stekt.

Um diese Eier her entsteht eine rundlichte Erhöhung,
die nach und nach hart, und endlich so gros wird, als Fi=
gur drei und zwanzig ist. — Wenn aber die Larve darin
stirbt, so bleibt der Galapfel ohnreif, fält ab, und sieht aus,
wie Figur vier und zwanzig. — Auf dem Eichbaum könt
ihr an dem Blat unter der Schnepffe, bei Figur vier, einen
Galapfel sizen sehen. — Oben, Seite sieben und vierzig,
ist auch was von den Galäpfeln erzählt worden.

Und

Und von diesen Galäpfeln, reiffen und ohnreiffen, kan man schwarze Tinte machen, wenn man sie zerstöst, und mit Vitriol und Gummi vermischt. *)

Die Raupentöder

legen ihre Eier in Raupen und Raupen = Puppen, die an Gartenwänden und auf Bäumen kriechen und hängen. Wenn man daher meint, die Raupen werden sich nun bald verpuppen, oder aus den Puppen bald Schmetterlinge hervor kommen; siehe, so kriechen ein bis zwei hundert Würmchen in ihnen herum, die sich nach etlichen Tagen verpuppen, und dann zu Wespen werden.

Eine andere Sorte von Wespen bohrt ein Loch in die Erde, beißt einer Raupe, das Genik entzwei — doch so, daß sie noch etliche Tage lebt — stekt sie in das Loch, legt Eier auf sie, dekt sie nebst dem Loch, mit Gras und Reisern zu, und hält etliche Tage genaue Aufsicht darüber, ob kein Feind ihre Arbeit zerstöhren wolle, oder, sie schon zerstört habe.

Nun, Kinder, fehlen uns nur noch die zweiflüglichten und ohngeflügelten Insekten; so sind wir mit den gesamten

In=

*) Dank eher als Spot erwarte ich, wenn ich hier ein Rezept zu einer guten Tinte kommunizire. — Rezept zu Einem Quartier Tinte: Zwei Loth englischen Vitriol — vier und ein halb Loth Galäpfel — drei Loth arabischen Gummi — ein viertel Quartier Weinessig — drei viertel Quartier Regen= Schne= oder Flußwasser. — Das Regenwasser wird gekocht, und auf die mit Weinessig vermischte Species, so heiß gegossen, als es der Krug vertragen kan. — Nun rührt man die ganze Masse etliche Minuten um; und so ist die Tinte, die sehr schwarz ist, und niemals schimlicht wird, fertig.

Inſekten fertig. — Und dann kommen wir zu den Fiſchen; hernach zu den Amphibien; darauf zu den Vögeln und vier=füſſigen Thieren; und endlich auch zum Mineral= oder Stein=reich.

Zu den zweiflüglichten Inſekten gehören die Fliegen, die Schnaken, Mükken, Bremſen ꝛc. — Dieſe Thierchen kent ihr doch alle ſchon? Sie halten ſich ja bei Menſchen und Vieh auf, und beleidigen beide mit ihren Stechen, und noch auf verſchiedene andere Art gar ſehr.

Wo kan man zum Beiſpiel, des Sommers was hin ſezen, das die Fliegen nicht beſchmeiſſen? — Ja ſie ſind ſogar ſo unverſchämt, und ſezen ſich den Leuten auf die Hände, auf Füſſe und Geſicht, und ſtechen oft ſo gewaltig und entſezlich drauf los, daß mancher zehn bis zwanzig Beulen im Geſicht hat, und es ausſieht, als wenn es mit Haſelnüſſen behangen wäre.

Das thun aber nur die Fliegen und einige Mükken. — Denn es gibt eine groſſe Anzahl von allerhand Sorten von Fliegen, Mükken, Schnaken und Bremſen, davon ſich die meiſten auf dem Felde, bei Teichen, und bei ſumpfichten und unreinen Orten aufhalten, worin ſie als Larven gewohnt haben. — Auch

Die Stubenfliegen

legen ihre Eier an allerhand feuchte und unreine Orte, auf Aaſe, Käs und Fleiſch, und auf verſchiedene andere Dinge. Dis thun vorzüglich die ſogenanten Schmeisfliegen, davon auf unſerer vierten Tafel, bei Figur elf eine abgebildet iſt.

Aus den Eiern also, lieber Herr . . die die Fliegen auf Kleider, Bücher, Fenster und Wände legen, werden keine junge Fliegen? O nein, mein Kind! Wenn das wäre, so würden sie uns, und vorzüglich diejenigen Leute, die nahe bei Mistgruben, und in untern Stuben wohnen, in etlich Wochen beinahe auffressen. — In den Mund würden sie uns wenigstens Scharenweis hinein fliegen; und wir müsten fürchten, mit jedem Bissen Brod etliche zu verschlingen. — Sie haben recht, lieber Herr . . wir haben solche Stuben gesehen — es war was entsezliches, wie viel Fliegen darin waren, und wie sehr sie die Leute quälten.

Die Fliegen und Mükken kommen also alle zu den Fenstern und Thüren herein, und bleiben in den Häussern, so lange sie was zu fressen finden. — Einige fliegen herein; und andere hinaus.

Die Mükken, Fliegen und Bremsen sehen sich sehr ähnlich; die Schnaken aber sehen ganz anders aus. Sie haben viel längere Füsse, als die Fliegen, und einen weit geschmeidigern Leib.

Der Trieb, der die übrigen Insekten für ihre Nachkommen sorgen heist, lehrt auch die Fliege ꝛc. ihre Eier nur dahin zu legen, wo ihre Jungen, die man Maden nent, gleich was zu fressen finden.

Diese Maden fressen und werden grösser; aber die Fliege, die hernach daraus wird, wächst nicht mehr. Die kleine Fliege bleibt klein; und die grosse Fliege wächst auch nicht mehr. — Es gibt so kleine Fliegen, daß man sie nur durchs Vergrösserungsglas sehen kann; aber auch fast so grosse, wie die Hummeln.

Von

Von den ohngeflügelten Insekten wollen wir uns die Flöhe, die Läuse, Milben, Weberknechte, Spinnen, Scorpionen, Asseln, Kellerwürmer, Vielfus und Krebse merken.

Die Flöhe

sind sehr beschwerliche Thierchen, die man oft, man mag sich dafür in Obacht nehmen, wie man wil, nicht los werden kan. Denn diese Schelmen können sehr weit springen, und quartiren sich gewöhnlich wider unsern Willen, bei uns ein, und spazieren auf unserm ganzen Leib herum. Vom kleinen Zehen bis zum Kopf kommen sie, und sind uns mit ihrem Küzeln sehr beschwerlich.

Was suchen sie denn bei uns? Wärme und Blut. Blut ist ihre Nahrung. Sobald sie aber saugen, stechen sie; und dann erhascht und tödet man sie.

Man mus aber auf der Flohjagd sehr flenk seyn, wenn man einen fangen wil. Denn die Flöhe haben Springfüsse, und zwei gute Augen, die aus ohnzählichen kleinen Augen zusammengesezt sind; sie springen also leicht davon.

Wo halten sich die Flöhe auf? Im Sand, alten Lumpen, Betstroh und andern warmen Dingen. — Sie legen Eier, und vermehren sich sehr schnel. Alle vier Wochen gibts im Sommer junge Flöhe.

Menschen, Hunde und Kazen, und viel andere Thiere werden von Flöhen geplagt. — Kälte können sie nicht ertragen. Es sterben im Herbst die meisten; und in kalten Gegenden, wie zum Beispiel auf der Insel Jsland; und in Grönland gibts gar keine Flöhe.

Und

Und wer ihrer auch in warmen Gegenden los ſeyn
wil, der halte nur ſeine Kleider, ſeine Kammer und Stuben,
und überhaupt ſein ganzes Haus rein, ſo werden dieſe fata=
len Blutſauger bald verſchwinden.

Manche Leute werden oft von Flöhen, und Wanzen
ſo zerbiſſen und zerfreſſen, daß ſie ausſehen, als wenn ſie
gegeiſſelt oder durch Spizruthen gejagt worden wären.

Und gerade ſo mus man es auch mit den häslichen

Läuſen

machen. — Reinlichkeit thut alles bei dergleichen Ungeziefer.
Wo ſich aber die Läuſe, und vorzüglich die Filz= oder Klei=
derläuſe, einmal eingeniſtelt haben, da hält es ſehr ſchwer,
ſie auszurotten.

Läuſe gibts in allen Gegenden, und auf allen Thieren
in der Welt. — Auch ſogar die Waſſerthiere werden von
Läuſen geplagt.

Die Läuſe vermehren ſich ſehr ſchnel: Ein Weibchen
kan in Einem Tag Grosmuter werden; und in vier Wochen
zwei bis drei tauſſend junge Läuſe hervor bringen.

Die Läuſe ſind wohl das beſchwerlichſte Inſekt für
die Menſchen. Sie niſteln am liebſten auf den Köpfen, und
beiſſen und zerfreſſen manche arme Kinder oft ſo ſehr, daß
ſie Tag und Nacht keine Ruhe haben, immer bittere Klagen
führen, alle Freude und Munterkeit verlieren, krank werden
und

und endlich gar sterben. — Man hat wirklich Beyspiele, daß Leute von den Läusen gefressen worden sind. *)

Diese garstigen Thiere, fressen sich in die Haut ein, und machen sich Gänge darin, so wie es die Mäuse in der Erde machen. — Wehe den Aeltern, die ihre Kinder so sehr vernachlässigen, daß sie wegen des Ungeziefers ihre Gesundheit einbüssen, oder gar ihr Leben verlieren.

Den Flöhen und Läusen gibt man also keinen Pardon. Wo man sie findet, werden sie gefangen und sogleich tod gemacht.

Die Milben

sind so kleine Thierchen, daß sie mit blosen Augen, und wenn ihrer auch gleich etliche beisammen sizen, nicht gesehen werden können. Und doch haben sie auch sechs Füsse, wie die andern Insekten, und wenn man sie unter einem Vergrösserungs = Glas betrachtet, so sieht man ihre Glieder, und den Umlauf ihres Geblüts. — Die bekanteste Milbe ist die Käsemilbe.

Weberknecht.

heist man dasjenige Insekt, das fast einer Spinne ähnlich sieht, ausserordentlich lange Füsse, und seine Augen au einer

Klei=

*) Nicht so gefressen, daß sie von den Läusen, mit Haut und Fleisch aufgezehrt worden wären, wie die Kaze eine Maus mit Haut und Haar aufzehrt; sondern nur so ausgemerkelt, zerstochen und zerfressen, daß ihnen endlich in ihrer Ohnmacht der Othem ausblieb, und sie also wirklich starben.

kleinen Stange auf dem Rükken sizen hat, und sich an heim=
lichen Oertern gern aufzuhalten pflegt.

Die Spinnen

sind lang keine so häsliche Thiere, als die Läuse; ja sie
sind nicht einmal schädlich, vielweniger giftig. Man kan sie
ohne Gefahr verbeissen und verschlingen.

Was, lieber Herr .. ? Spinnen verbeissen und ver=
schlingen? O ich bitte Sie, reden sie doch nichts mehr dvon!
Es wird mir sonst übel. — Kinder, jung gewohnt, alt ge=
than! Wer sich von euch izt nicht angewöhnt, alles ansehen,
und von allem sprechen hören zu können, und gleich Uiblichkei=
ten empfinden, oder gar sterben wil, wenn er eine Spinne
oder eine Maus hat lauffen sehen, der wird in Zukunft oft
ausgelacht werden, und manches Vergnügen entbehren müssen.

Den lach ich allemal aus, der deswegen keine Kirsche,
Zwetsche, Birn oder Apfel essen wil, weil eine Spinne
darauf herumgelauffen ist.

Und ihre Eier legen die Spinnen nicht so herum, wie
die Fliegen. Sie wikkeln sie in ein seidenes Gewebe ein,
und tragen sie an den Füssen so lange herum, oder kleben sie
irgendwo an, bis die junge Spinnen lebendig werden.

Es gibt sechserlei Arten von Spinnen: Erstlich Haus=
spinnen, die ihr Gewebe an den Fenstern und Wänden auf=
hängen — Zweitens Gartenspinnen, die ihr kleines rundes
Nez in der freien Luft machen, und sich den Tag über da=
rin aufhalten — Drittens Kellerspinnen, die in alter
Mauer

Mauerlöchern wohnen — Viertens Laufferspinnen, die auf den Feldern, und in Gärten wohnen, und deren Gewebe im Herbst in der Luft herum fliegen, und fliegender Herbst genant werden — Fünftens Erdspinnen — Und sechstens Wasserspinnen.

Jede Spinne hat acht Augen; und acht ziemlich lange, an der Brust sizende Füsse. — Ihre Nahrung sind Fliegen und Mükken, und andere kleine Insekten, die sie so listig zu fangen, und mit ihren Füssen und Gewebe, so sehr zu ver= wikkeln wissen; daß ihnen nicht leicht eins entfliehen kan.

Und wenn sie nichts zu fressen haben, so kan man sie so zahm machen, daß sie ihre Speisse da weghohlen, wo man sie ihnen hingelegt hat.

Nuzen schaffen uns die Spinnen freilich nicht. — Man kan von ihrem Gewebe, das sie allenthalben hinhän= gen, keine Strümpfe strikken. Doch könte man vielleicht, wenn man sich Mühe geben wolte, von den Fäden, worein sie ihre Eier wikkeln, etwas weben oder strikken lassen. *)

Aber eine Probe von der Weisheit Gottes sind sie. Es ist wirklich der Mühe wehrt, einer Spinne bei einem Flie= genraub, oder bei Verfertigung ihres Hausses zuzusehen. — Erst klebt sie ihren Faden irgendwo an; dann stürzt sie sich plözlich daran herunter; klebt ihn noch einmal an; und fährt end=

---

*) Allerdings hat man in Frankreich von den Fäden, womit die Spinnen ihre Eier überziehen, seidene Strümpffe gemacht. Die Sache ist nur deswe= gen nicht ökonomisch, weil sie viel beschwerlicher zu unterhalten sind, als die Seidenwürmer — denn man mus ihnen Fliegen anschaffen — und sodenn fressen sie einander selbst auf.

endlich links und rechts, und so lang im Kreis herum, bis ihr Haus fertig ist.

Und denn hat sie noch eine Höhle, oder sonst einen Schlupfwinkel, worein sie flieht, wenn sie einen Feind merkt; und worin sie auf ihren Raub laurt, auch denselben hernach darin aufzehrt oder aussaugt.

Die Spinnen werden drei bis sieben Jahre alt, und wachsen alle Jahre etwas zu, bis sie so gros, als ihre Aeltern sind. — Siehe Tafel acht, Figur eins.

Die gröste Sorte von Spinnen wird

Vogelspinne

genant. Sie hält sich nur in Amerika auf, und ist im Stande, kleine Vögel zu fangen, mit ihrem Faden zu umwinden, und mit ihrem Stachel zu tödten. Den Vogel Kolibri tödtet sie wirklich, und saugt ihn hernach aus. — Dieser Vogel ist aber selbst nicht viel grösser, als sie, und gewöhnlich nur so gros, als eine Walnus.

Die merkwürdigste Spinne ist die berüchtigte

Tarantel,

die sich in Italien ꝛc. an Weinstökken, am Weizen und andern Feld= und Gartengewächsen aufhält, und wie man sagt, die Leute so gefährlich stechen sol, daß sie davon närrisch, und wohl gar rasend werden, und ihre Krankheit, mit sonst nichts, als mit Musik und mit Springen und Tanzen vertreiben können.

Kin=

Kinder, alles dis ift falsch, und erdichtet. Nur arme
nfältige Leute, bestelte Lügner, boshafte Betler und Faul=
nzer stellen sich krank und unflug, um Geld zu bekommen,
nd nicht mehr arbeiten zu dürffen.

Noch izt werden in Italien einfältige und ängstliche
eute, nach ihrer Meinung alle Jahr von Taranteln gebis=
n; sie tanzen daher alle Jahr. Und bei manchen geht das
anzen in ihrem ganzen Leben nicht aus. *)

Es gibt rothe, schwarze, weisse, grüne, gelbe und
raue; und schwarz, braun und weisgeflekte Spinnen. — Et
ist hätt' ich vergessen, euch zu sagen, daß es auch Was=
rspinnen gibt, die dunkelroth aussehen, und so gros, als
ne Betwanze sind; sich immer im Wasser, und zwar in Sümpf=
n, Pfüzen und Teichen aufhalten, und Wasserflöhe und
lerhand kleine Wasserinsektchen fressen. — Auf unsrer achten
upffertafel, Figur vierzehn ist eine Wasserspinne abgebildet.

Die Scorpion

ben acht Augen, drei auf jeder Seite der Brust, und
ei auf dem Rükken; acht lange Füsse; und zwo noch län=
re Scheren am Kopf, die den Krebsscheren ähnlich sehen,
d ihnen zu Fangung und Haltung ihres Raubes, der in
iegen und allerhand Würmern besteht, dienen.

Die

*) Im Hamburgischen Magazin 13 Band 1 Stük, steht ein Brief über den
   Bis der Tarantel, nebst der Musik zum Taranteltanz. Alles aber
   was über den Bis der Tarantel geschrieben worden ist, steht in Herrn
   Doktor und Oberconsistorialrath Büschings eignen Gedanken und gesam=
   melten Nachrichten von der Tarantel.

N

---

endlich links und rechts, und so lang im Kreis herum, bis
ihr Haus fertig ist.

Und denn hat sie noch eine Höhle, oder sonst einen Schlupfwinkel, worein sie flieht, wenn sie einen Feind
merkt; und worin sie auf ihren Raub laurt, auch denselben
hernach darin aufzehrt oder aussaugt.

Die Spinnen werden drei bis sieben Jahre alt, und
wachsen alle Jahre etwas zu, bis sie so gros, als ihre Aeltern sind. — Siehe Tafel acht, Figur eins.

Die gröste Sorte von Spinnen wird

Vogelspinne

genant. Sie hält sich nur in Amerika auf, und ist im
Stande, kleine Vögel zu fangen, mit ihrem Faden zu umwinden, und mit ihrem Stachel zu tödten. Den Vogel Kolibri tödtet sie wirklich, und saugt ihn hernach aus. —
Dieser Vogel ist aber selbst nicht viel grösser, als sie, und
gewöhnlich nur so gros, als eine Walnus.

Die merkwürdigste Spinne ist die berüchtigte

Tarantel,

die sich in Italien rc. an Weinstökken, am Weizen und
andern Feld= und Gartengewächsen aufhält, und wie man
sagt, die Leute so gefährlich stechen sol, daß sie davon
närrisch, und wohl gar rasend werden, und ihre Krankheit, mit sonst nichts, als mit Musik und mit Springen
und Tanzen vertreiben können.

Kin=

Kinder, alles bis ift falfch, und erdichtet. Nur arme
einfältige Leute, beftelte Lügner, boshafte Betler und Faul=
lenzer ftellen fich frank und unflug, um Geld zu bekommen,
und nicht mehr arbeiten zu dürffen.

Noch izt werden in Italien einfältige und ängftliche
Leute, nach ihrer Meinung alle Jahr von Taranteln gebif=
fen; fie tanzen daher alle Jahr. Und bei manchen geht das
Tanzen in ihrem ganzen Leben nicht aus. *)

Es gibt rothe, fchwarze, weiffe, grüne, gelbe und
graue; und fchwarz, braun und weisgefleckte Spinnen. — Ei
faft hätt' ich vergeffen, euch zu fagen, daß es auch Waf=
ferfpinnen gibt, die dunkelroth ausfehen, und fo gros, als
eine Betwanze find; fich immer im Waffer, und zwar in Sümpf=
fen, Pfüzen und Teichen aufhalten, und Wafferflöhe und
allerhand kleine Wafferinfektchen freffen. — Auf unfrer achten
Kupffertafel, Figur vierzehn ift eine Wafferfpinne abgebildet.

Die Scorpion

haben acht Augen, drei auf jeder Seite der Bruft, und
zwei auf dem Rükken; acht lange Füffe; und zwo noch län -
gere Scheren am Kopf, die den Krebsfcheren ähnlich fehen,
und ihnen zu Fangung und Haltung ihres Raubes, der in
Fliegen und allerhand Würmern befteht, dienen.

Die

*) Im Hamburgifchen Magazin 13 Band 1 Stük, fteht ein Brief über den
Bis der Tarantel, nebft der Mufik zum Taranteltanz. Alles aber
was über den Bis der Tarantel gefchrieben worden ift, fteht in Herrn
Doktor und Oberconfiftorialrath Büfchings eignen Gedanken und gefam=
melten Nachrichten von der Tarantel.

N

Die meisten Scorpion haben einen langen Schwanz
und an deſſen Ende einen gefährlichen Stachel, womit ſi
tödliche Wunden ſtechen können. — In Egipten und Kanaa
waren ſie, zu den Zeiten der Kinder Israel, oft eine groſſ
Landplage. — Doch gibts auch Scorpion, die weder Schwan
noch Stachel haben.

Es gibt kleine und groſſe Scorpion — ſo kleine, wi
die Betwanzen, und ſo groſſe, wie ein groſſer Hirſchkäfe
Der unſrige auf der achten Tafel, bei Figur drei, iſt eine
von den gröſſern, die ſich in Italien aufhalten.

Es gibt faſt in der ganzen Welt Scorpion. — Si
wohnen gern bei faulem Holz, und bei allerhand unreine
Orten, vorzüglich gern aber bei Aborten. — Es gibt rothe
weiſſe, braune und rothlicht ſchwarze Scorpion.

Die Aſſeln

oder Vielfus ſind lange dünne Thierchen, die ſich unte
der Erde aufhalten, Würmer und zarte Würzchen freſſe
und unter allen Inſekten die mehrſten Füſſe, nämlich hunder
und vier und achtzig Füſſe haben. — Auf unſerer achte
Tafel, bei Figur zehn iſt ein Indianiſcher Vielfus, de
zwanzig Gelenke hat; und bei Figur elf ein halbrunder, be
uns wohlbekanter Vielfus abgebildet.

Der Kellerwurm,

ſiehe Tafel acht, Figur neun hat vierzehn Füſſe, und eine
eiförmigen, ſchwarz grauen Leib, und wohnt in den Häuſſer
bei naſſen Wänden, bei faulem Holz und unter Blumentöp
fen

fen. Er bringt gewöhnlich lebendige Junge zur Welt. — Einige Kellerwürmer werden unter dem Namen Tausendfus in den Apotheken zu Arzeneien gebraucht.

Nun kommen wir endlich zu den

Krebsen,

mit deren Beschreibung wir die Geschichte der Insekten schliessen. — Die Krebse sind, nach dem Insekt, das man Riesenfus nent, die grösten Insekten in der Welt. Es gibt Krebse, die zwei bis sieben Pfund wägen, wie die Hummer; aber auch welche, die nur so gros, als ein kleiner Kindsfinger sind, wie die Einsiedler.

Fast alle Krebse sehen röthlicht grün aus, haben zwei sehr lange Fühlhörner, acht lange Füsse, und zwo noch längere Scheren, mit denen sie ihre Speisse erhaschen, und sich gegen ihre Feinde wehren; ferner haben sie zwei grosse Augen, die aber aus vielen kleinern Augen bestehen; wohnen in Flüssen, Seen und Teichen; fressen Fische, Schnekken und Frösche, und allerhand kleine Wasserinsekten; und werden zwei bis zwanzig Jahr alt.

Wenn sie aus dem Ei kriechen, sind sie noch sehr klein; sie werden aber täglich grösser, und wenn ihnen ihre Schale, oder ihr Panzer zu enge geworden ist, so werfen sie ihn, samt Kopf, Schwanz und Füssen, mit Haut und Haar, und alles an einem Stük weg, so das man meint, es seyen aus Einem Krebs, Zween geworden.

Die Krebse sind dumme zanksüchtige Thiere; immer reissen und verfolgen sie einander; ja sie fressen einander zu-

N 2   wei-

weilen gar auf. — Sie leben in Geselschaften bei einander in Löchern in der Erde, oder unter Steinen, und werden jährlich zu vielen tausenden gefangen und gespeist.

Daß man die Krebse essen kan, wisset ihr doch schon? Nicht wahr, sie sehen schön roth aus, wenn sie gesotten sind? In den Monaten Mai, Juni, Juli und August schmekken sie am besten.

Noch eins, Kinder! die Krebse lauffen sehr langsam und immer hinter sich; haben zwei grosse Augen, die aber aus vielen kleinern Augen bestehen; neben den zwo grossen Fühlhörnern noch vier kleinere; unter den Schwanz noch acht oder zehn ganz kleine Füsse; im Leib kleine weisse Steinchen, die man gewöhnlich, aber fälschlich, Krebsaugen nent, und in den Apotheken gebraucht.

Die Krebse sind äusserst dumme Thiere, wenn man einem einen von seinen Füssen in seine Schere gibt, so hält und drükt er ihn wund, und wirft ihn endlich weg, weil er meint, sein Feind halte ihn. Und so machen sie es auch mit ihren Scheren.

Kan denn ein Krebs noch lauffen, wenn er einen oder zween Füsse verlohren; und noch seine Beute erhaschen, wenn er eine Schere eingebüst hat? O ja! Und in etlich Wochen wachsen ihm seine verlohrnen Füsse und Scheren wieder. Daher komt es auch, daß ein Krebs oft eine grosse und eine kleine Schere hat.

Wer weis die Fabel vom alten und jungen Krebs? Ich — O ich auch — Nun so sag er sie her.

Junge, sprach ein alter Krebs zu seinem Sohne, der immer rükwärts kroch, wirst du denn endlich einmal vorwärts gehen? — Nun, voran antwortete der Bube, ich werde folgen.

Und da keiner, weder der alte noch der junge Krebs, vorwärts gehen konnte, so bliebs beim Alten.

Eine gewiſſe Sorte von Krebſen nent man, wegen ihrer Aehnlichkeit mit einer Taſche,

Taſchenkrebſe.

Auf unſerer fünften Tafel, bei Figur ein und dreiſſig iſt ein ſolcher Taſchenkrebs abgebildet. — Nicht wahr, dis iſt ein ſonderbar Ding? Man ſieht ja keinen Kopf — Wo iſt denn der? In der Mitte zwiſchen den Scheren, ſizen Kopf, Augen und Maul bei einander, aber unter der obern Schale, daher man ſie bei einer Abbildung nicht ſehen kan.

Etliche andere Krebſe, die einen nakten Schwanz haben, und in leeren Schnekkenhäuſſern wohnen, werden

Diogenes,

Bernhard, Schnekkenkrebſe, Eremiten oder Einſiedler zenant. — Dieſen kleinen Krebſen würden andere Krebſe ihren nakten Schwanz gewis wegbeiſſen, oder ſie gar ganz uffreſſen, wenn ſie ſo, wie andere Krebſe, herumkröchen; daher hat ſie der liebe Gott gelehrt, leere Schnekkenhäuſſer aufzuſuchen, den nakten Schwanz hineinzuſtekken, und mit dem Kopf herauszugukken; und ſo auf ihre Speiſſe zu lauren.

Ei

Ei das machen diese Thierchen gut! Sie wachsen ver=
muthlich in diesen Schnekkenhäuschen an, und schleppen sie
mit sich herum, wie ihre übrigen Kameraden? O nein, sie
wachsen nicht drin an, und können sie auch nicht wegschlep=
pen; sondern müssen immer auf einem Flek sizen bleiben.

Aber wie gehts ihnen denn, wenn sie zu gros gewor=
den, und ihre Schwänze nicht mehr Plaz in den Schekken=
häuschen haben? So ziehen sie sie heraus, kriechen weiter,
und suchen sich grössere Häusser. — Auf diesem Marsch
verunglükt mancher Bernhard, mancher Diogenes.

Auf unsrer elften Kupfertafel ist ein solches Krebschen
mit dem nakten Schwänzchen, oder ein Diogenes in seinem
Schnekkenhaus abgebildet. — Ihr wisset doch, warum man
ihn Diogenes nent? O ja, weil ein gewisser alter Grieche,
mit Namen Diogenes der Zyniker immer in einem Fas
sas und wohnte, und weiter kein Hausgeräthe bei sich hatte,
als eine Tasche, einen Stab und eine Schüssel; und nie
aus seinem Loch herausging, als wenn er Wasser schöpffen,
oder Kräuter und Wurzen suchen wolte.

Und Bernhard nent man seinen Kameraden deswegen,
weil ein gewisser Niederländischer Mönch, mit Namen Bern
hard, das Kloster= oder Zellenleben sehr liebte und empfahl

Ferner gibts auch hie und da, in Seen und Flüssen
kleine, den Krebsen ähnliche Thierchen, die man

Seegarnelen

und Flusgarnelen nent, und, wenn sie gesotten sind, ebe
so gut essen kan, wie die ordentlichen Krebse. — Seegar
nelen schmekken gut. — Auch

D

Die Krabben,

welches ebenfals eine Art Krebse sind, kan man essen.

Der Kiefenfus

ist also das gröste bekante Insekt in der Welt. Er ist oft so gros, als eine Stubenthür, und dient dem Indianern auch zur Speisse. *)

Die Fische

sind Thiere, liebe Kinder, die ein Herz mit Einer Kammer und Einem Ohrläpchen, rothes kaltes Blut, zwei Ohren oder Kiefern, durch die sie Othem holen, zwei Augen und keine Zunge haben, sämtlich im Wasser wohnen, Schlam, kleine Fische, Frösche und allerhand andere Dinge fressen, Eier legen, und zwei bis hundert Jahr alt werden. — Ja einige Leute glauben sogar, die Fische sterben nicht, wenn es ihnen nicht an Wasser mangle.

Füsse haben die Fische nicht; dagegen aber haben sie auf der Brust, auf dem Bauch, auf dem Rükken und am Schwanz knorpelichte Häute, die man Flosfedern oder Finnen nent, und durch deren Hülfe sie, ausserordentlich schnel, im Wasser hin und her, und über sich und unter sich schwimmen können.

Hätten die Fische diese Flosfedern und ihre Luftblasen nicht, so könten sie nicht schwimmen, und müsten immer auf

N 4   dem

*) Der Moluksische oder indianische Krebs, Monoculus polyphemus Linnaei.

dem Boden oder Grund der Waſſer herum kriechen, wie die
Krebſe. — Wenn man daher einem Fiſch eine von ſeinen
Floſfedern, zum Beiſpiel ſeine Sterzfloſfeder wegſchneid, ſo
fält er um, und ſchwimt auf der Seite, wie ein toder Fiſch
zu ſchwimmen pflegt.

Im Leibe haben die Fiſche Luftblaſen, die ſie aufbla=
ſen, wenn ſie in die Höhe ſteigen; und zuſammen drükken,
wenn ſie in die Tiefe fahren wollen. Diejenigen Fiſche aber,
die keine Blaſe haben, wie die Butten oder Schollen; oder
denen ihre Blaſe mit einer Steknadel durchſtochen worden,
müſſen immer auf dem Grund bleiben — denn in die Höhe
können ſie nicht kommen.

Bleiben die Fiſche denn immer, Tag und Nacht; Som=
mer und Winter im Waſſer? Ja freilich! Wo ſolten ſie ſonſt
hin? Kein Fiſch kan lang aus dem Waſſer bleiben; denn
wenn ſie auch nur etliche Minuten kein Waſſer haben, ſo
ſtehen ſie ab, oder ſo ſterben ſie. — Der Aalfiſch allein
kan, ſo lang er wil, auſſerhalb dem Waſſer leben.

Werden die Fiſche aber endlich nicht alzü nas, ſtinkend
und krank? O nein! Sie ſind faſt alle mit klebrichten Schil=
dern, die man Schuppen nent, bedekt; und die übrigen
haben eine ſehr klebrichte Haut, über die das Waſſer weg=
rolt, ſo, daß alſo ihr Fleiſch weder zu nas, noch gar ſtin=
kend werden kan.

Aber wie gehts dann den Fiſchen des Winters, wenn
das Waſſer ſehr kalt und mit Eis bedekt iſt? Erfrieren ſie
denn nicht? Nein. Unter dem Eis iſts warm; und dann
ſchwimmen ſie des Winters dicht am Grund herum. Wenn
aber das Waſſer ganz zu Eis wird — ja dann hat ihr Le=
ben

ben ein Ende. Geschieht dis aber nicht, und macht man ihnen Luftlöcher ins Eis, so kommen sie gesund, dik und fet durch den Winter.

Die meisten Fische lieben kühles Wasser. Je kälter das Wasser ist, desto mehrere und desto fettere Fische sind darin. — Je mehr man nach Norden kömt, desto mehr gibts Fische. Die Heringe zum Beispiel, und die Kabliaue oder Stokfische halten sich oben bei, und im Eismeer selbst auf.

Die Aale und etliche andere Fische, bringen lebendige Junge zur Welt. Alle übrige Fische aber legen Eier, die von der Wärme des Wassers und des Sonnenscheins lebendig gemacht werden.

Es gibt eine ungeheuere Menge von mancherlei kleinen und grossen Fischen in der Welt. Es gibt Fische, die nur so gros sind, als eine Erbsenschote; aber auch welche, die so gros, als ein Kalb und als ein Ochs; ja gar so gros, als ein Haus sind.

Der Walfisch ist der gröste Fisch, und auch das gröste Thier in der Welt. Denn dasjenige Thier, das so gros, als eine Insel seyn, alle Jahr nur einmal aus der Tiefe des Meers heraufkommen, und Kraken heissen sol, ist eine Fabel. — Nächstens wil ich euch von diesem erdichteten Meerungeheuer mehreres erzählen.

Einige Fische können fliegen, oder so lange über dem Wasser wegschleudern, als ihre Brustflosfedern nas sind. — Andere Fische haben Sägen und Schwerter am Kopf, womit

N 5   sie

sie ihre Nahrung suchen, und sich gegen ihre Feinde vertheidigen können.

Einige Fische, wie zum Beispiel die Heringe, nehmen alle Jahr eine Reise vor, verlassen ihr Vaterland, und schwärmen, viele Wochen lang, in andern Wassern herum. Die meisten andern Fische aber bleiben fast immer in den Wassern, und in der Gegend, darin sie gebohren sind. — Einige halten sich nur in salzichten Wassern oder in Meeren auf; andere dagegen lieben nur süsse Wasser, als Flüsse, Seen und Teiche.

Alle Fische kan man essen, oder sonst zu was gebrauchen. Einige ist man frisch; andere eingesalzen; und noch andere geräuchert.

Viele hundert tauffend Menschen in der Welt leben und nähren sich fast ganz allein von den Fischen.

Einige Leute fangen nur soviel Fische, als sie zu ihrer Nahrung nöthig haben, wie die Lappen und Grönländer, und andere, die sonst nichts, als rohe oder am Feuer gebratene Fische essen, weil es in ihrer armen Gegend sonst nichts gibt. Andere Leute hingegen fangen alle Jahr viele Millionen Fische, um sie verkauffen zu können.

Und dis ist vortreflich. So kriegt man für Geld und gute Wörte allenthalben Fische. Wie beschwerlich wär es nicht, wenn man eher keinen Karpfen, oder Hecht oder Aal oder Hering essen dürfte, als bis man ihn erst in irgend einem Flus oder Teich selbst gefangen, oder in der Nordsee, und halbweg nach dem Eismeer geholt hätte. Ich wette,

wette, daß manchem der Appetit nach Fischen vergehen
würde.

So aber ists gut, daß gewiſſe Leute Luſt und Geſchik-
lichkeit genug haben, und keine Lebensgefahr ſcheuen, alle
Jahr ſoviel Fiſche zu fangen, als ſie bekommen oder verkauffen können. — Und ſo kan man alſo einen ziemlich guten
Hering für etliche Pfenninge haben.

Kinder, bewundern mus man den gütigen und weiſſen
Gott, und ihm herzlich danken, daß er den Menſchen ſo
verſchiedene Neigungen anerſchaffen hat. Ein Menſch hat
Luſt zu dieſem, der andere zu jenem. Einer baut Schiffe;
der andere fährt auf denſelben in Flüſſen und wilden Meeren herum, holt Fiſche und andere Schäze der fernen Welt
zuſammen.

Dieſer macht Schuhe; jener webt Zeuge; dieſer baut
das Feld; und jener lehrt und tröſtet ſeine Brüder und
Schweſtern. Iſt das nicht erwünſcht? So bekommen und
haben wir alles, was zur Glükſeligkeit dieſes Lebens nöthig iſt.

Aber ſagen ſie uns doch, lieber Herr . . wie es zugeht, daß es noch immer Fiſche gibt, da doch alle Jahr
ſo viele tauſend Millionen gefangen werden? Wie viel Tonnen vol Fiſche, und vorzüglich Heringe werden oft nur in
einer einzigen Stadt verzehrt! — Vermehren ſich denn die
Fiſche ſo gar ſtark? Ja, Kinder, die Fiſche vermehren ſich
unter allen lebendigen Geſchöpfen am ſtärkſten. Ein Weibchen legt gewöhnlich alle Jahr zwei bis drei hundert, ja gar
etliche tauſend Eier, wie die Heringe und Kabliau oder
Stokfiſche.

Die

Die sämtlichen Fische theilt man in vier Hauffen oder Klaffen ein. — Die Fische im erften Hauffen haben keine Bauchflosfedern, wie die Aale, Zitterale, Schwerdfische ꝛc. Die im zwoten Hauffen haben die Bauchflosfedern vor den Bruftflosfedern, wie die Schelfische, Dorsche, Kabliau oder Stokfische, Quappen ꝛc. — Der dritte Hauffen hat die Bauchflosfedern unter den Bruftflosfedern, wie die Buten oder Schollen, die Makrelen, Steinbutten, Barsen, fliegende Fische ꝛc. — Der vierte Hauffen endlich hat die Bauch=flosfedern hinter den Bruftflosfedern, wie die Karpfen, Forellen, Lachse, Hechte, Heringe, Sardellen, Barben, Ka=rauschen, Weisfische ꝛc. *)

Von welchem Hauffen wolt ihr zuerft was wiffen, liebe Kinder? Ach von dem, wo die Heringe drin find. Das dacht ich wohl. — Nun wohlan!

Der Hering

wohnt im äufferften Norden, im Eismeer unter dem Eis, wohin Niemand ohne Lebensgefahr kommen kan. Die gie=rigen Menfchen müften es alfo bleiben laffen, Heringe zu fangen und zu effen, wenn es nicht der weife Gott fo veran=ftaltet hätte, daß viele Millionen von ihnen, wegen Man=gel der Nahrung, von freien Stükken ihr Vaterland verlief=fen, in fremde Gegenden, von einem Meer ins andere zö=gen, und alfo den Menfchen bis dahin entgegen kämen, wo fie mit mehr als zehn tauffend Schiffen auf fie lauren.

Und

*) Was Flosfedern für Dinge find, und wo fie an den Fischen fizen, wird man den Kindern leicht in natura zeigen können, da es faft allenthal= ben Fische genug gibt.

Und wo laurt man auf sie? Bei Norwegen, Grön=
land, Jsland, Schot= und Jrland, und in der ganzen Nord=
und Ostsee.

Jm Mai kommen sie unter dem Eis hervor, und
schwimmen so dicht und häuffig beisammen, daß sie einander
über die Oberfläche des Wassers hinaus drükken, und man
sie also schon von Ferne kommen sehen kan.

Warum schwimmen sie denn so dicht bei einander?
Plaz solten sie doch wohl im Nordmeer genug haben? O ja!
An Plaz fehlt es ihnen nicht. Aus Furcht für ihren Fein=
den und Verfolgern dringen sie sich so sehr zusammen. Denn
die Walfische, Seehunde, Stokfische und viele andere Fische
jagen, so bald sie unter dem Eis hervor kommen, hin er ih=
nen drein, und fressen ihrer viele tauffend auf. — Wie viel
Heringe mag nur der zwanzig Ochsen dikke Walfisch alle
Tage zu jeder Mahlzeit brauchen, bis er sat ist?

Diejenigen Heringe aber, die auf ihrer Reise glüklich
durchgekommen, eilen gegen den August wieder nach Hauffe
ins Eismeer.

Den Grönländern und Jsländern, den Schotten und
Jrländern, den Norwegen, Schweden, Dänen und Preussen,
schwimmen die Heringe also gleichsam vor der Thür vorbei,
und können, ohne weite Reisen, fast an ihren Ufern, so viel
fangen, als sie wollen.

Die Holländer aber schiffen ihnen alle Jahr bis zu den
Shetländischen Jnseln — wo sie noch sehr häuffig, und
recht fet sind — denn je weiter und je länger der Hering
herum schwimt, desto magerer wird er — mit zwei oder
drei

drei hundert Schiffen entgegen, und bringen, wenn sie im
Fangen glüklich gewesen, gewöhnlich zwei bis drei Millionen
Tonnen vol, eingesalzne Heringe mit nach Hauße zurük.

Höret einmal, wie die Holländer ihre Heringe fangen
und einsalzen: Im Monat Junius, in der ersten Nacht nach
dem Johannis Tag, Nachts um zwölf Uhr, werffen sie ihre
Neze aus. Sobald sie einen Fang gethan, ziehen sie die
Neze an sich, nehmen die Heringe heraus, schneiden ihnen
den Bauch auf, nehmen alle Eingeweide, bis auf die Milch
und die Rogen eraus, und waschen sie; und nun salzen sie
sie Tonnen vol ein, führen sie nach Hauße, und schiffen sie
von da aus sodann fast in alle Theile der Welt. — Die
Heringe mit der Milch nent man Milcher; und die mit den
Eiern Roger.

Man ist die Heringe gewöhnlich frisch aus dem Salz;
häuffig aber auch geräuchert. — Heringe fängt man schon
seit dem Jahr tausend ein hundert drei und sechzig; das Einsalzen derselben aber ist erst seit dem Jahr tausend vier
hundert und sechszehn Mode. Ein Holländer, mit Namen
Beukelszoon lehrte damals seine Landsleute, wie sie die
Heringe ausweiden und einsalzen müsten. Man nante daher
seit der Zeit, ihm zu Gefallen, das Einsalzen Einbökeln;
und jedes eingesalzne Fleisch Bökelfleisch; und die geräu-
cherten Heringe Böklinge.

Nur allein in Holland leben über zwanzig tausend Familien von dieser einzigen Sorte von Fischen; und sonst lebten viel mehrere davon. Denn ehedem gingen wohl fünfzehn hundert holländische Schiffe auf den Heringsfange aus.
Izt aber sind sie zufrieden, wenn sie zwei bis drei hundert

dar=

darauf ausschiffen können. — Nun stelt euch einmal vor, wie viel sich Menschen überhaupt und an allen Orten, wo es Heringe gibt, davon nähren mögen?

Fast eben so beträchtlich wie der Hering, ist

Der Stokfisch

oder Kabliau. — Dieser Fisch wohnt nahe beim Hering, oben bei Grönland und bei der Insel Neuland; aber nicht unter dem Eis, wie jener. — Er vermehrt sich fast eben so stark, wie der Hering, und wird auch in erstaunlich grosser Menge alle Jahr gefangen; und theils frisch oder eingesalzen; theils trokken, unter dem Namen Stokfisch, weit und breit verschikt. *)

Der Stokfisch ist eine Elle lang, und fast zwo Mannshände breit, und wird am häuffigsten in Nordamerika, bei der Insel Neuland, von Engländern und Franzosen gefangen. Mit Nezen fängt man sie nicht, wie die Heringe und andere kleine Fische, weil sie sie zerbeissen und durchbohren würden, sondern einem um den andern mit Angeln.

Es sezen sich zu dem Ende, vom Februar an bis zu Ende des Mai, vier oder sechs Männer auf einen Kahn, wo jeder mit einem Angel, der an einen langen Strik angebunden ist, täglich drei bis vierhundert Stük fangen kan. Man fängt sie Tag und Nacht fort, und so geschwind, daß immer nur einer um den andern darf heraufgezogen werden.

Einige

---

*) Ein einziger Stokfisch kann nach und nach über neun Millionen Eier legen. Denn Leuwenhoek fand in einem 9, 384, 000 Eier.

Einige Fischer fangen den Kabliau; andere hakken ihm den Kopf ab. Einige schneiden ihm den Bauch auf, und nehmen seine Eingeweide heraus; andere salzen ihn ein; und noch andere stellen ihn zum troknen auf. — Aus den Eingeweiden brent der Engländer Tran; und der Franzose gebraucht sie zu seinem Sardellenfang.

Uiber fünfhundert Englische Schiffe gehen jährlich auf den Stokfischfang aus, und sollen dabei jedesmal achtzehn Millionen Thaler verdienen. — Auch die Norwegen, Russen und Lappen fangen und essen das Jahr über manchen Stokfisch. Einige Norwegen heizen, aus Mangel des Holzes, mit den Stokfisch = Gräten ein.

Sonderbar und merkwürdig ist es, liebe Kinder, daß der Stokfisch seine Gedärme und Magen zum Maul heraus= strekken und ausleeren, und sich sodenn aufs neue wieder dik anfressen kan.

Die Seeleute nennen zwar jeden getrokneten Fisch Stokfisch; vorzüglich aber gibt man dem Kabliau diesen Namen, weil er fast der einzige Fisch ist, der trokken, und so hart und steif, wie ein Stok verschikt wird.

Doch nent man ihn hie und da auch Klipfisch. — Wenn man dem Stokfisch aber den Kopf abschneid, und die Einge= weide heraus nimt und einsalzt, so heist er Laberdan. — Auch

Der Schelfisch

ist eine Art Kabliau, die man trokken verkauft. Er ist nicht so gros, wie der Kabliau, wird auch nicht so häuffig gefan= gen. In der Nordsee hält er sich auf. — Schelfisch nent man

man ihn deswegen, weil man sein Fleisch, wenn er gesotten ist, Schichtenweis ablösen kan. — Oder vielleicht hat er seinen Namen vom Abmachen seiner Schuppen: denn die Schuppen abmachen oder schelffern ist einerlei.

Der Lachs

oder Salm hält sich gewöhnlich in der Nordsee, zuweilen aber auch in der Weser, in der Elbe und im Rhein auf. Er wird zwo bis drei Ellen lang, und eine viertel Elle dik; und wiegt zehn bis dreissig Pfund. Er wird frisch, gesalzen und geräuchert gegessen. — Hundert und fünfzig Jahr wird oft ein Lachs alt.

Die Sardellen

sind Finger lange Fischchen, die die Franzosen in ihren Gewässern häuffig fangen, und weit und breit verschikken. Man ißt sie vorzüglich gern in Sosen, und als einen Salat zu verschiednen Speisen.

Der Aal

ist ein sehr langer Fisch, der sich am liebsten in schlammichten Wassern aufhält, und des Nachts zuweilen aufs Land schleicht, und allerhand Gartengewächse benagt und frist. Er bringt lebendige Junge zur Welt, und wird als ein wohlschmekkender Fisch häuffig gespeist.

Er hat ein sehr zähes Leben, und rührt sich noch, wenn er schon in etliche Stükke zerschnitten ist; ja vom Rost im Feuer schnellen die Stükke oft noch weg. — Der Aal er=

O

erreicht oft die Länge von zwo bis drei Ellen, und die Dikke
von einem Mannsarm. —

In Amerika gibts eine sehr merkwürdige Art von Aal-
fisch, die man

Zitteraal

nent, die demjenigen Menschen, der sie mit bloser Hand oder
mit einem Stok berührt, einen solchen Schlag versezen, daß
er fast zu Boden fält. — Menschen und Fische scheuen sich
vor diesem Fisch — denn auch Thiere schmeissen sie so von
sich weg, wenn sie ihnen zu nahe kommen. — Man heist
diese Aale auch Elektrisierfische und Krampffische.

Der Schwerdfisch

hat am Kopf eine knorpelichte Waffe, die einem Schwerd
ähnlich sieht; eine bis zwo Ellen lang, und einer Hand breit
ist, und ihm zu seiner Sicherheit, vorzüglich aber zur Erhaschung seiner Beute dient.

Er wohnt im Nordmeer bei den Walfischen 2c., denen
er gewöhnlich, ohne daß sie es merken, so grosse Stükke
Spek aus dem Leibe wegschneid, daß sie in etlich Tagen sterben müssen. Gewöhnlich aber tödet er den Walfisch, blos
durch einen, oder durch mehrere Stiche in den Leib.

Ja wenn etliche Schwerdfische beisammen sind, so machen sie einen Haus hohen Walfisch in etlich Stunden tod,
kriechen ihm in Leib hinein, und fressen ihm seine Zunge,
die nichts als Spek ist, auf.

Es

Es gibt Schwerdfische, die zehn Ellen lang, und über
hundert Pfund schwer sind. — Auf der elften Tafel, bei
Figur fünf und zwanzig ist ein solcher Schwerdfisch abgebil=
det. — Man kan, im Fal der Noth, alle Fische essen, und
also auch den Schwerdfisch.

Der fliegende Fisch

hat ausnehmend grosse Brustflosfedern, mit deren Hülffe er
ziemlich weit über dem Wasser wegschleudern kan. — Allein
das kan er nur so lang, als seine Brustflosfedern nas sind.
Denn so bald sie trokken sind, fält er wieder ins Wasser;
er kan aber, wenn er wil, sogleich wieder fortspringen. —
Und das thut er nie freiwillig, sondern nur, wenn er von
andern Fischen, die seine Feinde sind, gejagt oder verfolgt
wird.

Auf der fünften Tafel, bei Figur zwei und dreissig
seht ihr einen fliegenden Fisch; bei Figur vier und dreissig
einen Karpfen; bei Figur sechs und dreissig einen Hecht; und
auf der elften Tafel, bei Figur vier einen Aal; und bei Fi=
gur drei einen Weisfisch — oder wenn ihr ihn für einen
Hering ansehen wolt, bin ichs zufrieden — denn der Hering
und der Weisfisch sehen sich fast ganz ähnlich, abgebildet se=
hn. Mehrere Sorten von Fischen hab ich deswegen nicht
abbilden lassen, weil man sie fast allenthalben lebendig sehen
kan.

Ist denn izt die Geschichte von den Fischen schon zu
Ende, lieber Herr..? Es fehlen ja noch die Neunaugen,
und die Walfische? — Die Walfische, liebe Kinder, wohnen
zwar immer im Wasser, und sehen den Fischen sehr viel ähn=

O 2   lich;

lich; allein weil sie durch Lungen Othemholen, und lebendige
Jungen zur Welt bringen, zählt man sie zu den säugenden
Thieren; und bei diesen Thieren solt ihr auch ihre ganze Geschichte erfahren. — Von den sogenanten Neunaugen aber,
die zu den Amphibien gehören, solt ihr izt gleich Nachricht
bekommen.

Amphibien

sind Thiere, die ein Herz mit Einer Kammer und Einem
Herzohr, und rothes kaltes Blut haben, und durch Hülfe ihrer Lunge Othem holen; theils nur im Waſſer wohnen, wie
die Neunaugen; theils sich nur auf dem Land aufhalten, wie
die Eidexen; oder gar in beiden zugleich, bald in Waſſer,
bald auf der Erde leben können, wie die Frösche; Gras,
Fliegen, Fische und Schlam freſſen; und theils Eier legen;
theils lebendige Jungen zur Welt bringen.

Fast alle Amphibien haben etwas trauriges und wie-
driges in ihrer Gestalt, und in ihrem Gesicht, und ein sehr
zähes Leben. — Ein Krokodil kan zwei Jahr; und eine
Schlange gar fünf Jahr hungern.

Einige von ihnen legen alle Jahr ihre Haut ab, wie
die Schlangen; andere leiden gar eine Verwandlung, und
bekommen erst bei reifferm Alter gewiſſe Glieder, die sie vorher nicht hatten, wie die Frösche, die erst nur wie geschwänzt
Kügelchen aussehen; und leben zwei bis dreißig und mehr
Jahre, und dienen Menschen und Vieh zur Nahrung.

Die Schildkröten, Neunaugen, Hausen, Störe und
Sägefische, auch die Schenkel der Frösche ißt man häuffig.

Schlan

Schlangen hingegen, Kröten und Eidexen läßt man den Schweinen und Störchen und andern Thieren. — Die Klapperschlange ist sogar giftig, und der Mensch oder die Kaze, die von ihr gebissen worden, muß in fünf bis sechs Minuten sterben.

Die Neunaugen, Hausen, Sägefische, Rochen und Haifische machen gleichsam den Uibergang von den Fischen zu den Amphibien; denn sie haben keine Füsse, wie ihre Kameraden, die Kröten und Eidexen; sondern Floßfedern, und schwimmen immer im Wasser herum, sehen aber etwas anders aus, als die Fische.

Die Neunaugen

zum Beispiel, sind sehr lang, und doch gewöhnlich nur einen bis zween Finger dik, und haben, wie alle übrigen Amphibien, nur zwei Augen, ob man sie gleich Neunaugen nent. Denn die sieben Oefnungen an ihrem Halse, sind keine Augen, sondern Luftlöcher zum Othemholen.

Die Neunaugen halten sich in Teutschland rc. in verschiedenen Flüssen auf, und hängen sich gern an Steinen an, um aus denselben ihre Speisse zu saugen. Man nent sie deswegen auch Steinsauger. — Die Neunaugen werden gewöhnlich von Martini bis Ostern gefangen und gebraten, auch mit Essig und Lorbeerblättern eingemacht, weit und breit verschikt. — In Niedersachsen und Liefland gibts eine Menge Neunaugen.

O 3 Der

Der Sägefisch

hat am Kopf eine fast zwo Ellen lange, und vier bis acht
Finger breite knochichte, und auf beiden Seiten ausgezakte
oder gezähnte Stange, die einer Säge ähnlich sieht. *)

Mit dieser Säge verschaft er sich seine Nahrung,
und wehrt er sich gegen seine Feinde. Er wohnt im Nordmeer, und ist sechs bis zehn Ellen lang, und über eine
Elle dik.

Seine schlimsten Feinde sind die Walfische. Er laurt
auf sie, und sie auf ihn. Wenn er einen Walfisch belauschen
kan, so sägt er ihm, fast wie die Schwerdfische, ein Stük
Spek aus dem Leib, das zwar dieses grosse Ungeheuer nicht
gleich, wohl aber nach und nach tödet.

Kommen aber etliche Sägefische über einen Walfisch
her, so zerstimmeln sie ihn so sehr, daß er in wenig Stunden sterben muß. — Und nun schlizen sie ihm den Bauch
auf, kriechen hinein, und zehren seine Zunge, die lauter
Spek ist, auf. Das Fleisch aber lassen sie den weissen Bären, die auf dergleichen Fras immer lauren.

Die Rochen

sind so grosse Thiere, daß sie erwachsene Menschen anfallen, sie mit ihren Flosfedern verwikkeln, mit sich in die
Tief

---

*) Ich besize zwo solche Sägen; eine Kleine; und eine Grosse. — Die Klei
ist 8 Zol lang, und 1 bis 2 Zol breit, und hat auf der einen Se
24, auf der andern aber 26 kleine knöcherne Zähne. — Die Gro
Säge hingegen ist 4 Schuh und 7 Zol lang, und 3 bis 7 Zol bre
hat auf jeder Seite 24 zween Zol lange Zähne, und wiegt 4 Pfunt

Tiefe schleppen, und nach und nach auffressen, oder gar auf einmal verschlingen können.

Sie sind glat, und über den ganzen Körper mit Stacheln bedekt, und wohnen in verschiedenen Meeren. — Man zieht ihnen die Haut ab, und gerbt und bearbeitet sie als die bekante Fischhaut, womit man Taschenuhr = Gehäuse rc. überziehen kan.

Die Störe

sind fünf bis acht Ellen lang, und wägen oft zwei bis drei hundert Pfund, und halten sich gewöhnlich in der Nord= und Ostsee, aber auch häuffig in der Donau, Elbe und Weichsel, und in verschiedenen Flüssen in Rußland auf.

Ihre Linsen grosse Eier werden gewaschen, und mit Salz, Pfeffer und Zipollen eingemacht, und unter dem Namen Kaviar verkauft.

Die Hausen

sind wegen ihrer Blasen merkwürdig, die mit hölzernen Hammern in kleine Stükke zerschlagen, und denn mit Wasser so lange gekocht werden, bis sie zu einem klebrichten Mus werden.

Und dis Mus nent man Fischleim oder Hausblase, womit man Holz, Glas und viele andere Dinge zusammen leimen kan. — Auch sein Schwanz, seine Haut und seine Gedärme geben gute Hausblasen.

Die Haififche

wohnen im Mittelländifchen und hie und da auch im groffen
Weltmeer, und find fo gros, wie ein Ochs, ja oft werden
fie zehn bis fünfzehn Ellen lang, und fogar fo gros, wie
ein Walfifch, fallen Menfchen an, und zerreiffen oder ver=
fchlingen fie ganz.

Er beist auch den Walfifch, und reist ihm groffe
Stükke Fleifch aus dem Leibe heraus. — Gewöhnlich legen
die Haififche Eier, zuweilen aber bringen fie auch lebendige
Jungen zur Welt.

Ob der Prophet Jonas in dem Leibe eines Hai=
fifches, oder eines Potfifches, der zu der Familie der Wal=
fifche gehört, gelegen habe, kan Niemand mit Gewisheit
fagen.

Nun kommen wir zu den faft allen Menfchen verhas=
ten und ekkelhaften

Schlangen.

Die fämtlichen Schlangen haben keine Füffe, fondern bewe=
gen fich durch ringförmige Krümmungen fehr fchnel auf der
Erde hin und her. — Auch auf Bäume fteigen fie zuwei=
len hinauf. — Im Waffer können fie fich zwar auch auf=
halten, aber nicht lange. Dagegen trift man fie häuffig
unter dem Mift, unter abgefalnem Laub, und in lokrer Erde
an, worin fie ihre Eier legen, und ihre Jungen ausbrüten.

Die Schlangen haben Ohren, und hören; haben eine
fchmale gefpaltne Zunge, und Zähne, nicht zum zerbeiffen
ihres

ihres Raubes, sondern zum Festhalten desselben; denn sie
verschlingen alles ganz. — Fliegen, zum Beispiel, Käfer,
Spinnen, Eidexen, Vögel, Mäusse, Frösche und Kröten,
Kazen und Hasen, ja gar Hirsche müssen ganz in ihren
Magen marschiren. — Auch der Kopf des Hirsches samt
dem Geweih? Nein, den Kopf lassen sie so lang zum Maul
heraus hängen, bis er abfault und wegfält, und bis geschieht
in etlich Tagen.

Die Schlangen können viel grössere Thiere verschlin=
gen, als sie sind, weil sie ihre Kinlade, und ihren Leib sehr
ausdehuen können. Aber es gibt auch Schlangen, die
Manns dik, und fünf bis zehn Ellen lang sind, wie die
Boa.

Die Schlangen werden zehn bis zwanzig Jahr alt,
ziehen alle Jahr ihre alte Haut ab, und wachsen, so lange
sie leben. — Sie haben keine Beine oder Gräte, sondern
nur Knorpeln. — Im Schlaf liegen sie zusammengerolt,
und gewöhnlich mit in die Höhe gerichtetem Kopfe.

Nur der hundertste Theil der Schlangen ist giftig;
und davon gibts in Europa nur etliche; in Teutschland aber
gar keine. — Je heisser das Land, desto giftigere und
desto grimmigere Thiere hat es. — Ihr dürft also in Zukunft
für den Schlangen nicht fliehen, oder gar für ihnen zittern
und um Hülfe ruffen, denn sie stechen und beissen nicht,
sprizen auch keinen giftigen Saft von sich.

Ja wer dreiste genug ist, kan eine Schlange fangen,
und so lange einsperren und füttern, bis er sie genug ange=
sehen, und ihren künstlichen Bau bewundert hat. Wil er sie
aber gar abschlachten, und sich braten lassen, so kan ers
O 5   thun.

thun. — Pfui, wer solte wohl das thun! O genug Leute
in der Welt. Ja ein gewisser Reisebeschreiber sagt so=
gar, daß auf der Amerikanischen Insel Jamaika, Schlan=
gen, Ratten und Eidexen öffentlich zu Markte gebracht, und
selbst von vornehmen Leuten gekauft und gegessen würden. *)

Von denjenigen Schlangen also, die einen tödlichen
Gift bei sich haben, gibts keine in Teutschland, wohl aber
in Afrika und Amerika, wie die Vipern und Klapperschlan=
gen — Auf der zehnten Tafel, Figur zwei und zwanzig ist
eine gemeine Schlange mit offnen Mund abgebildet, um ihre
gespaltne Zunge deutlich sehen zu können.

Verschiedne Schlangen pflegen ihren Raub so zu be=
zaubern, daß er ihnen gleichsam in den Rachen lauffen
mus. — Und dis thut vorzüglich die verruffene Klapper=
schlange, deren Geschichte wir izt mit einander durchgehen
wollen.

Die Klapperschlange

hält sich in Afrika und Amerika auf, ist zwo bis drei El=
len lang, und drei bis fünf Finger, oft aber auch Arm dik,
und hat am Schwanz zwanzig bis dreissig Schilder, oder
Klappern, davon eine über die andere geht, wie beim Krebs=
schwanz — mit denen sie ein Getös machen kan, das ohn=
gefähr wie eine Kinderklapper, oder wie eine trokne Blase
klingt, darin harte Erbsen sind. — Auf der zehnten Tafel,
bei Figur fünfzehn ist eine solche Klapperschlange abgebildet.

Zum

*) *Sloane* in introd. in histor. natur. Iamaic. pag. 20.

Zum Glük und zur Warnung für Menschen und Vieh, gab Gott diesem schreklichen Thiere diese Klapper. Denn sobald sie etwas zu ihr kriechen, lauffen oder fliegen sieht, so klappert sie. Da bis nun die Menschen und Thiere hören, so können sie ihr entfliehen, wenn sie ihr auch bis auf acht Schrit nahe gekommen sind, weil sie weder weit, noch geschwind kriechen kan. — Wer aber das Unglük hat, von einer Klapperschlange gebiffen zu werden, der ist in etlichen Augenblikken tod. *)

Das Schlangengift ist das gefährlichste Gift auf der Welt. Es schadet aber nur in den Wunden; im Magen thuts nichts. Man kan giftige Schlangen essen, ohne zu erkranken; und das Wasser trinken, worin Schlangen gele= gen, und worein sie ihren Gift haben fliessen laffen. Ihr Bis hingegen ist tödlich.

Die Klapperschlange hat im Maul einen beweglichen hohlen Zahn, und unter selbigem einen, mit Gift angefülten Beutel. Sobald sie nun einen Menschen, oder ein Lam beist, fliest durch diesen holen Zahn so viel Gift in die Wunde, daß sie in fünf Minuten tod zur Erde fallen.

Die Klapperschlange hat was fürchterliches in ihrem Ansehen, und weis Vögel, Mäuffe, Eichhörnchen und Kazen, die ihre liebsten Speiffen sind, auf folgende Art zu bezau= bern und zu fangen: Sie legt sich der Länge nach auf die Erde, hält den Kopf in die Höhe, sperrt den Rachen auf, klappert und sieht das arme Thierchen, das sie gern ver= schlin=

*) Polygala; und die Blutwurz, granium Sanguineum, sol gegen das Klap= perschlangengift das einzige Mittel seyn.

schlingen wolte, in einen weg ſtar an. Dis fängt nur an
ängſtlich zu thun, und zu winſeln, wil weg, und kan doch
nicht, ſpringt oder hüpft von einem Aſt, von einer Stelle
zur andern, kömt zugleich der Schlange immer näher, und
endlich lauft es gar in ihren Rachen hinein. — Wenn aber
die Schlange das Thierchen nicht mehr anſieht, ſo iſts gerettet, und kan fliehen.

Auch

Die Viper

verſteht dieſes herzaubern gut. Denn wenn eine Maus auch
noch ſo luſtig iſt, und ſich nichts um eine Viper zu bekümmern ſcheint, ſo verliert ſie doch alle Luſt zu freſſen und zu
pfeiffen, wenn ſie eine erblikt; ſie lauft einige Zeit ängſtlich
herum, und rint ihr endlich plözlich in den Rachen.

Diejenige Schlange, die man

Die Rieſenſchlange

oder Boa nent, und die einen Hirſch verſchlingen, und den
ſtärkſten Löwen, Ochſen oder Tieger erdrükken kan, iſt die
gröſte Schlange auf der Welt, aber nicht giftig. Sie iſt
acht bis fünfzehn Ellen lang, und oft dikker als ein Mann.

Die Brillenſchlange

Hingegen, die auch ſehr groß, und oft neun Ellen lang,
und eine viertel Elle dik iſt, iſt ſehr giftig. — Sie hält
ſich blos in Oſtindien auf, und heiſt deswegen Brillen-
ſchlange, weil ſie auf dem Rükken eine Zeichnung, wie eine
Brille hat.

Es

Es gibt auch gehörnte Schlangen, die zwo kleine Er-
höhungen über dem Kopf haben; aber keine zweiköpfichte
oder geflügelte; denn das, was man gewöhnlich

Fliegende Drachen

nent, sind keine Schlangen, sondern eine Art Eidexen, die
sich mit ihren häutigen Fliegeln, durch weite Sprünge,
schnel über der Erde weg bewegen können, und fliegende
Eidexen genant werden.

Die Eidexen und Krokodile, die Kröten und Frösche
haben vier Füsse, fressen Fliegen, Schnekken und Fische und
allerhand Gewürm, und können sich im Wasser und auf
dem Land aufhalten.

Die Eidexe

hat einen langen Schwanz, wie das Krokodil, dem es
auch sehr ähnlich sieht, kan sehr geschwind lauffen, ist
höchstens eine halbe Elle lang, und hält sich an feuchten,
dunkeln Orten, wo viele Schnekken sind, auf.

Sie ist weder giftig noch schädlich; sondern sehr nüzlich, weil sie die schädlichen Schnekken wegfrist. Man solte
sie in den Gärten mit Vorsaz dulden, und unterhalten, weil
sie den Schnekken das ist, was die Kaze den Mäussen.

Merkwürdig ist noch dis von den Eidexen, das ihnen
ihr Schwanz wieder wächst, wenn er ihnen auch gleich,
halb oder ganz, abgeschnitten worden ist. Auf der elften
Tafel, Figur sieben ist eine Eidexe abgebildet.

Das

Das fürchterliche

Krokodil

hält sich im heissen Asia und Afrika in Flüssen und Meeren auf, und ist schon von alten Zeiten her, vorzüglich beim Nil in Egipten, als ein sehr gefährliches Thier bekant gewesen.

Es sieht entsezlich wild und grausam aus, ist fünf bis zehn Ellen lang, und am Vorderleib über eine Elle dik, am Hinterleib aber oder am Schwanz, der länger als der ganze übrige Leib ist, ist es viel schmäler — siehe Tafel elf, Figur neun und zwanzig.

Es legt alle Jahr, in den Sand am Nil, gegen hundert Eier, die ohngefähr so gros, wie Gänseeier sind, und von der Sonnenhize ausgebrütet werden.

Sein Fras sind Fische, Gras und Schlangen, und wenn es Menschen erwischen kan, auch Menschen.

Die Menschen erwürgt es auf folgende Weisse: Es legt sich ganze Stunden und Tage lang, in den Schilf oder auf den Schlam, ohne alle Bewegung, so daß man es für Holzstämme, Balken oder dikke Aeste ansehen könte, und laurt auf die Menschen, die am Ufer schlaffen oder baden.

Sobald es einen Menschen sieht, schleicht es langsam näher, und wenn es so nahe bei ihm ist, daß es ihn mit einem Sprung erreichen kan, so springt es plözlich auf ihn los, und erdrosselt und frist ihn. — Ist es ihm aber noch zu weit entfernt, so sucht es ihn mit seinen Schwanz niederzuschlagen.

Man

aagen del.   J. G. Sturm sc. Nberg.

Man hat Beispiele, daß dieses abscheuliche Thier einen Menschen aus einem Kahne geriffen, und ihn in Beisenn der andern Leute gefressen, ohne daß man ihm hat helffen können. — Den stärksten Ochsen kan es mit seinem Schwanz niederschlagen und tödten.

Es würden also diese schreklichen Thiere, da sie zehn bis fünfzig Jahr alt werden, und alle Jahr gegen hundert Eier legen, bald so viel werden, daß sie in kurzer Zeit alle Menschen in Egipten erwürgen könten, wenn alle diese Eier auskämen, und ihnen nicht manches davon von den Egiptern weggenommen, und von einem gewissen vierfüssigen Thier, das Ichneumon heist, ausgesaugt würde.

Auch fressen sich die Krokodile unter einander selbst auf. — Daß dieser Ichneumon dem Krokodil, wenn es mit ofnem Maul schläft, durch den Rachen in den Bauch krieche, ihm Leber und Lunge wegfresse, sich sodenn ein Loch durch seinen Leib fresse, und davon fliehe, ist eine Fabel. — Unten kömt von diesem Ichneumon noch mehr vor.

Kent ihr die Thiere, liebe Kinder, die immer Quak quak quak — Bufo bufo bufo — Unk unk unk rufen? O ja! Wer solte

Die Frösche

und Kröten nicht kennen, die sich fast in allen Bächen, Sümpfen und Teichen aufhalten? — Einige Frösche schreien aber auch Quark quark Gek gek gek? Richtig. Dis sind die grünen Wasserfrösche, die in den Teichen wohnen, und über den Leib einen gelben Strich haben. — Die Qua-

ker

ker aber ſehen braun aus, und leben in Sümpfen und Bä=
chen. — Die Laubfröſche hingegen halten ſich auf Stau=
den und Bäumen auf.

Fröſche auf Bäumen? Was machen ſie da? Freſſen
ſie denn Laub? O nein. Sie freſſen Fliegen und andere
kleine Inſekten, wie alle Fröſche und Kröten, die ſowohl
auf den Teichen tanzen, als auf den Bäumen und Gras
in Menge herum ſchwärmen. Werden ſie etwa auch auf
den Bäumen gebohren? Nein. Das Waſſer iſt ihr Vaterland.
Sobald ſie aber etwas erwachſen ſind, und ihre vier Füſſe ha=
ben, verlaſſen ſie das Waſſer, und ſuchen ihre Nahrung
auf dem Land und auf den Bäumen. — Immer alſo iſt kein
Froſch und keine Kröte auf dem troknen, zu gewiſſen Zeiten
aber, und vorzüglich wenn ſie einen Feind in der Nähe
ſehen, eilen ſie wieder ins Waſſer.

Fröſche und Kröten entſtehen aus Eiern, deren die
Fröſche jährlich über tauſſend, die Kröten aber gegen acht=
hundert zu legen pflegen. Aus dieſen Eiern kommen erbſen=
groſſe, ſchwarzbraun rund geſchwänzte Thierchen, die ſehr
geſchwind im Waſſer hin und her fahren, und Schlam freſ=
ſen, der an den Waſſerpflanzen hängt.

Aber izt haben ſie noch keine Füſſe, ſondern ſie bekom=
men ſie erſt nach ſechs oder acht Wochen. — Zuerſt wach=
ſen ihnen die zween Hinterfüſſe; und dann die zween Vorder=
füſſe. Und wenn ſie alle vier Füſſe haben, ſo verliehren
ſie almählich ihren Schwanz, und gehen nun aufs Trokne
ins Gras, und freſſen Fliegen.

Faſt bei allen Spaziergängen ſieht man kleine und
groſſe Fröſche und Kröten herumlauffen und herumſpringen.
Das

Das erste Jahr werden sie kaum so gros, als eine kleine Kastanie. Das dritte Jahr aber sind sie völlig reif, und gröstentheils so gros, wie ihre Aeltern und leben denn noch acht bis zwölf Jahre fort. — Izt erst legen sie Eier und quaken, denn beides konten sie vorher nicht.

Im Herbst, und wenn es anfangt kühle zu werden, ziehen Frösche und Kröten ins Wasser, machen Löcher in Schlam, und legen sich paar und paar, oder vier bis acht in ein Loch zusammen, und bleiben darin bis ins Frühjahr, ohne Nahrung zu sich zu nehmen, liegen, und können steinhart gefrieren, ohne zu sterben.

Sobald es aber im Frühling warm zu werden anfängt, das Eis in den Teichen und Sümpfen schmelzt, und sich Regenpfüzen sammeln, erwachen sie gleichsam von ihrem Schlaf, und zeigen ihre Gegenwart durch ihr Quaken, — Unk — und Bufogeschrei. — Einige Kröten halten sich auch den Winter über unter Steinen und in uralten Gemäuren auf.

Den Tag über bleibt der Frosch gern im Wasser und quakt; am Abend aber geht er, nebst der Kröte, aufs Land. Doch geht er auch bei Tag, und vorzüglich nach einem warmen Regen heraus. Daher kan man nach einem Regen, hie und da eine Menge Frösche und Kröten beisammen sehen.

Es ist also sehr lächerlich, wenn man glaubt, daß es zuweilen Kröten und Frösche regne; und noch lächerlicher, wenn man meint, die Frösche und Kröten wachsen aus dem Schlamme.

P   Die

Die Frösche sind nicht giftig und nicht schädlich. Sie sind vielmehr sehr nüzlich, weil sie Fliegen und Schnekken fressen, und Menschen und Thieren zur Nahrung dienen. Die Menschen speissen gewöhnlich nur die hintern Schenkel der Frösche; die Raben aber, die Staren, Störche und Schlangen fressen sie ganz mit Haut und Haar auf. — Und von den Eiern der Frösche, oder vom Froschlaich macht man ein nüzliches Pflaster, das man Froschlaichpflaster nent.

Der Frosch hat ein sehr zähes Leben. Er kan zehn bis zwanzig Tage ohne Nahrung leben. Ja man kan ihm alle vier Füsse abschneiden, und die Eingeweide aus dem Leibe reissen, er lebt doch noch etliche Stunden, und oft noch etliche Tage.

Der Laubfrosch ist sehr unruhig im Wasser und quakt, wann es regnen wil. Man spert ihn daher zuweilen in ein Glas mit Wasser ein, füttert ihn mit Fliegen, und sezt das Glas auf die Stube, um an seiner Bewegung die Veränderung der Luft wahrnehmen zu können. Denn es heist von den Laubfröschen im Sprüchwort: Wenn die Laubfrösch knarren, so magst du wohl auf Regen harren. — Die Laubfrösche sind sehr dum; man kan sie leicht fangen. Die andern Frösche hingegen, die ein sehr scharfes Gesicht und Gehör haben, springen beim geringsten Geräusch ins Wasser.

Die Kröten

sehen weit häslicher aus, als die Frösche. Sie sind schwarz braun, und haben über den ganzen Leib gelbe und grüne Warzen und Flekken. — Es gibt Landkröten und Wasserkröten.

Di

Die Landkröten halten sich gern in alten Gebäuden, in düstern und feuchten Orten auf, und fressen Fliegen und allerhand Gewürm, Salad und Kohlblätter, und schreien Bufo bufo.

Die Wasserkröten sehen grün aus, und haben viele weisse, graue und röthlichte Flekken, halten sich in Gärten und Feldern auf, und fressen Insekten und Schnekken. — Wenn viele Wasserkröten zusammen schreien oder krunzen, so tönt es wie ein Hundegeheul.

Die stinkende Landkröte hält sich den Tag über in alten Mauern auf; des Nachts aber geht sie auf die Mükken- und Schnekkenjagd aus. — Sie hat einen Saft bei sich, den sie in der Angst wegsprizt, der zwar nicht giftig ist, aber doch entsezlich, und so sehr stinkt, daß man den Gestank in etlich Wochen kaum vertreiben kan.

Die Feuerkröte ist die kleinste Kröte, und wird wegen ihres rothen Bauches so genant. — Ihr Geschrei ist Unk unk.

Die Amerikanische Kröte Pipa, die eine Spanne lang, und von graugelber Farbe ist, hat ihre Jungen so lange auf dem Rükken sizen, bis sie die Grösse erreicht haben, selbst ohne Gefahr fortzukommen.

Gewöhnlich werden die Kröten zwölf bis fünfzehn Jahr alt. Es gibt aber einige, die zuweilen über fünfzig Jahr alt werden. — Oft häuffen sich die Frösche und Kröten so sehr in einem Lande an, daß sie alle Feld- und Gartenfrüchte zerfressen, und wie die Mäuffe zur Landplage werden. —

P 2 Auf

Auf der elften Tafel, bei Figur fünf ist eine Kröte; und bei Figur sechs ein Frosch abgebildet.

Nun, Kinder, ist noch eine Kröte übrig, die weit grösser, als der grösste Frosch, ja grösser als eine Kaze ist — Und dis ist die nüzliche

Schildkröte,

die sich im wärmern Asia, Afrika und Amerika aufhält, und oben und unten mit knochichten Körpern, oder steinharten Schildern bedekt ist. Sie ist in diesem Schilde angewachsen, und kan nichts als Kopf, Schwanz und Füsse heraustrekken.

Es gibt Landschildkröten und Meerschildkröten. Jene sind klein, und werden selten grösser als ein Lam. Diese aber wachsen zu einer Grösse von einem Ochsen, und zu einer Schwere von zwei, drei bis achthundert Pfund. Und ihre Schale oder Schild ist oft so gros, wie eine Stubenthür. — Kein Wunder also, daß man sie ehedem zu Wannen und Baktrögen gebraucht hat.

Die Schildkröte entsteht aus einem Ei, das ohngefähr so gros, als ein Gänseei ist, und von der Sonnenhize ausgebrütet wird. — Achtzig bis neunzig Eier legt jährlich ein Weibchen ans Ufer in den Sand, und geht nun davon. Nach sechs Wochen komt es wieder, und holt seine, nun lebendig gewordne Kinder ab, und schwimt mit ihnen im Meer herum, und zeigt ihnen ihre Nahrung.

Was fressen sie denn? Pflanzen und vorzüglich Schil. Den Menschen thun sie also nichts leids? Nein, auch son-

keinem Thier. — Nüzen die Schildkröten zu was? O freiz
lich! Man kan sie essen. Ihr Fleisch ist grün und sehr fet,
und schmekt fast wie Hühnerfleisch. Die Schifleute essen es
auf ihren Meerreisen sehr gern.

Und aus ihrem Schild oder Schildpat *) macht man
allerhand schöne und künstliche Dinge, zum Beispiel Dosen,
Uhrengehäusse, Löffel rc. — Wie fängt man aber diese grosse
Thiere? Man laurt auf sie, wenn sie des Abends aus dem
Meer steigen, geht leise hinter ihnen drein, und wendet sie
mit einer Stange plözlich um. Und nun sind sie gefangen;
denn wenn eine Schildkröte auf dem Rükken liegt, so ist sie
gefangen. Kömt man ihr aber ins Gesicht, und also alzu
nahe, so staubt sie ihrem Feind Sand ins Gesicht, und zer=
schmettert ihn.

Die Schildkröten wachsen sehr langsam, und in zwölf
Jahren kaum einer Handbreit. — Sie haben ein sehr zähes
Leben. Man kan ihnen den Kopf abschneiden, und den
Bauch aufreissen, und sie leben doch noch drei bis vier Wo=
chen. Auch sollen sie länger als ein Jahr hungern können.

Wenn der schwerste Wagen über eine Schildkröte hin=
fährt, so thut es ihr und ihrer Schale nichts. — Die My=
as Riesen= oder Seeschildkröte, ist die gröste unter ihnen,
und so stark, daß sie mit zehn Männern, die sich auf sie
ingestelt haben, davon lauffen kan. Auf der elften Tafel,
Figur acht ist eine Schildkröte abgebildet.

P 3

Von

*) In Indien heist die Schildkröte Patte.

Von den Vögeln.

Wir haben bisher eine Menge kleine und grosse Schmetterlinge, Käfer und Fliegen, und viele andere Insekten mit ihren zarten Flügelchen in der Luft herumschwärmen, ja sogar einige Fische mit ihren Brustflosfedern über dem Wasser wegschleudern sehen; nun aber wollen wir auch diejenigen grössern Thiere kennen lernen, die eigentlich recht zum fliegen geschikt sind; die nämlich einen mit Federn bedekten Leib haben, und nach ihrem Belieben, bald links bald rechts, bald über sich bald unter sich fliegen können. — Wist ihr denn schon, liebe Kinder, was das für Thiere sind? O ja, Vögel!

Nun was ist denn ein Vogel? Ein Thier das rothes warmes Blut, einen befederten Leib, zween befederte Flügel, zween Füsse, und zwei Augen hat, und Eier legt.

Der grösste Vogel ist der Straus; und der kleinste der Kolibri. Dieser ist nur so gros, als eine kleine Walnus, und ein allerliebstes schönes Vögelchen; jener aber hat die Grösse oder Höhe eines Kamels, oder eines zu Pferd sizenden Mannes, und ist auch ziemlich schön.

Fast alle Vögel sind schön, oder gehören wenigstens zu den schönsten Thieren in der Welt. Es gibt weisse schwarze und graue; rothe, grüne und gelbe; und noch vielerlei herliche bunte Vögel. Wie schön sind nicht die Kanarienvögel, die Tauben, Pfauen, Stieglizen und Papagaien! Einige Vögel haben auch noch ausser ihren schönen Federn allerhand Zierrathen von Federbüschen, fleischernen Kämmen

un

und Lappen am Kopf, wie der Wälschehahn, der Pfau, die Hühner und so noch mehr andere.

Wozu dienen wohl den Vögeln ihre viele Federn? Zur Wärme und zum Fliegen. Die Federn sind den Vögeln das, was uns die Kleider, und den vierfüssigen Thieren die Haare sind. — Und mit Hülfe ihrer Federn, die alle sehr leicht sind, können sie sich in die Luft schwingen, und hin fliegen, wo sie hin wollen.

Die Federn überhaupt, vorzüglich aber die in den Flügeln und Schwanz, nebst Kopf, Hals und Füssen helfen dem Vogel zum fliegen. — Gebt einmal achtung, wie es eine Taube, oder auch nur eine Henne macht, wenn sie fliegen wil; sie werden den Hals weit herausstrekken, und die Füsse hinter sich dicht bei einander halten, damit sie leicht durch die Luft kommen können.

Ein Vogel kan aber freilich mehr und besser fliegen, als der andere. Wie leicht fliegt nicht ein Sperling hin und her? Wie sauer wird es dagegen nicht einer Gans? — Und der grosse Straus kann eigentlich gar nicht fliegen, sondern nur flenk auf der Erde wegschleudern, weil sein Körper alzu schwer, seine Flügel zu klein, und mit keinen langen Schwungfedern versehen ist. — Auch der Vogel Trap, und noch etliche andere können fast nicht fliegen.

Was sind denn das für Federn, Schwungfedern? Das sind die längsten Federn an Schwanz und Flügeln. Wenn ein Vogel diese nicht hat, oder man sie ihm abschneid, so kan er nicht fliegen, sondern nur flattern.

Stat der Vorderfüsse hat der Vogel zween Flügel, davon jeder aus elf Knochen besteht. Ein Knochen davon

ge=

gehört gleichsam zum Hinterarm, zween zum Vorderarm, und vier zur Hand, an der noch ein Daum und zween Finger sizen.

Habt ihr die Vogelfedern schon einmal genau angesehen, liebe Kinder? O ja! Genug, an den Vögeln selbst, und abgerupfte. — Sie sind sehr wunderbar gebaut? Ach wie zart und weich sind nicht die Dunen oder Pflaumfedern, die zwischen den Federn drin sizen! Denn die sämtlichen Federn stekken Reihenweis neben einander in der Haut, und haben immer einige weiche Pflaumfedern zwischen sich.

Jede Feder besteht aus dem Kiele und der Fahne. Der Kiel ist steif und unten hohl, und heist Spule, und hat am Ende ein kleines Loch, wodurch der Saft zum wachsen bringt. Und Mitten drin liegt was, das man Mark nent.

Mit den Spulen in den Flügeln der Gänse und Schwäne kann man schreiben, und ihre, und aller andern Wasservögel Federn und Dunen geben weiche Betten. *) Und nicht auch die Tauben= und Hühner = Federn? Nein. Diese taugen nicht dazu, weil sie in den Betten feucht und schwer werden, und sich zusammen klumpen. Man wirft sie deswegen gewöhnlich als was unnüzes weg. — Auch die Rabenfedern? Ich dächte, die könte der Zeichner und der Klaviermacher gebrauchen?

Die Vögel können ihre Augen, wie die vierfüssigen Thiere, mit einer Haut bedekken, und haben auch wahre Knochen, wie diese.

Ei=

---

*) Weil ihre Federn Elastizität haben, die den Haushühnern und Tauben, und überhaupt allen Landvögeln mangelt.

Einige Vögel fressen nur Saamenkörner; andere nur
Fleisch; und noch andere beides zugleich, so wie sie es bekommen können. Der liebe Gott hat ihnen deswegen verschiedene Schnäbel gegeben, damit jeder seine Nahrung finden
und erhaschen könte. Einigen Vögeln gab er spizige Schnäbel, andern stumpfe; einigen oberwärts gebogene, andern
unterwärts gebogene; einigen breite flache; andern gar löf-
felartige; einigen sehr kurze, und andern sehr lange Schnäbel.

Und alle diese verschiedene Schnäbel sind hornartig und
hart, weil sie den Vögeln gleichsam stat der Zähne und
Hände dienen müssen, um die, ihnen von ihrem Schöpffer
bestimte Speisse, am rechten Ort finden, halten und zermalmen zu können.

Die Saamenfresser weichen ihre Speisse erst eine Zeitlang in ihrem Kropf ein, und lassen sodenn von da, eine
Portion um die andere, in den Magen spazieren. Dieser
Magen ist klein, aber so dik und hart, daß sie damit die
härtesten Körner, gleichsam wie mit zween Mühlsteinen zerreissen, und selbst Glas und Steinchen, die sie mit den
Körnern verschlingen, zu Staub reiben können.

Die Vögel haben keine Urinblase, und pissen also
nicht; sondern ihr Urin und Unrath sind bei einander; das
weisse dabei ist der Urin.

Die Vögel schlaffen mehrentheils im Stehen, und stekken im Schlaf den Kopf unter die Flügel. Oft schlaffen sie
nur auf Einem Fus, und auch dis auf den kleinsten Zweigen
so sicher, daß sie der gröste Sturmwind nicht leicht herunter-

wer-

werfen kan. — Ach, und wie machen sie das? Sie klammern sich mit ihren Klauen recht fest ein.

Auch stehen die Füsse der mehrsten Vögel gerade so, daß sie ihren Körper im Gleichgewicht halten. — Bei einigen stehen die Füsse mehr nach hinten zu, wie bei den Gänsen und Enten, die deswegen auch schlecht lauffen, aber desto besser schwimmen können, weil ihre Zehen mit einer Haut verbunden sind, und sie also ihre Füsse zu Rudern gebrauchen können.

Wie viel haben denn die Vögel Zehen. Die meisten haben vier, drei nach vornen, und Einem, den man den Daumen nent, nach hinten. Und oberhalb diesem Daumen steht bei einigen noch was, das man den Sporn nent. Viele haben zween Zehen nach vorne, und zween nach hinten. — Einige haben drei Zehen wie der Kasuar, der Trap und andere. — Und der einzige Straus hat nur zween Zehen nach vorne, und gar keinen nach hinten.

An der Spize der Zehen sizen die Klauen, die bald spizig, bald stumpf, bald gezähnt sind, je nachdem die Sorte ihrer Speisse beschaffen ist, die sie suchen müssen. So mus zum Beispiel, der Reiger gezähnte Klauen haben, damit er seinem Fras, die Frösche, Kröten, Schlangen und Aale gut halten kan, und sie ihm nicht entwischen.

Gibts viele Vögel? O ja, viele hundert tauffend. Man zählt allein gegen zwei tauffend Gattungen unter ihnen. Nun denkt einmal nach, wie viel es wohl in der Welt nur allein Sperlinge geben möge, da man deren oft nur

nur in einer einzigen Stadt, oder in einem einzigen Dorf,
etliche hundert beisammen sieht?

Wo halten sich denn die vielen Vögel alle auf? Gibts
in den andern Welttheilen, in Asia, Afrika und Amerika
auch welche? O freilich, und gerade die schönsten. Die
schönen Papagaie wohnen in diesen Ländern.

Einige Vögel reisen auch wohl von einem Welttheil in
den andern, wie die mehrsten Schwalben thun, die von uns
des Winters weg, und nach Afrika ziehen, und im Früh=
ling wieder zu uns kommen. — Auch die Lerchen, Wach=
teln und Schnepffen bleiben nicht immer bei uns, sondern
ziehen gegen den Winter aus unsern kältern Gegenden in
wärmere, und kommen theils im Frühling, theils im Som=
mer wieder. — Und so machen es noch viele andere Vögel.

Und warum meint ihr wohl, daß diese Vögel dis thun?
Die Kälte und der Mangel an Speisse nöthigt sie dazu.
Denn dem Wasservogel ist sein Element, das Wasser, über=
froren: Woher sol er also seine Speisse kriegen? — Dem
Insektenfresser ist die Erde zu hart, und mit Schne und Eis
bedekt worden: Wo sol er also seine Nahrung finden? —
Alles mus also fortziehen, was nicht erfrieren und Hunger
sterben wil; oder nicht in einer Art von Ohnmacht und Er=
starrung, den Winter über in Sümpffen und hohlen Bäu=
men liegen kan, wie einige Schwalben thun.

Die sämtliche Reisevögel nent man Zugvögel. —
Einige davon reisen in grosser, andere in kleiner Geselschaft;
und noch andere ziehen allein. — Bei den grossen Gesel=
schaften fliegt gewöhnlich einer als Anführer voran, und die

an=

andern folgen ihm ordentlich und gehorsam nach. — Alle
zwo Stunden wird ein solcher Vorflieger von einem seiner
Kameraden abgelöst.

Werden sie denn auf einer so weiten Reise von Teutschland nach Afrika, oder von Afrika nach Teutschland nicht
alzu müde? Nein. Sie würden es aber freilich werden, wenn
sie in einem weg von Afrika nach Teutschland fliegen solten —
ja das könten sie gar nicht. Allein sie ruhen oft aus. Sie
haben ihre gewisse Ruhepläze, auf denen sie Rasttage halten,
und essen und schlaffen. — Und auf dieser ganzen Reise
verirren sie nicht einmal.

Die Vögel haben es in diesem Stükke sehr gut, daß
sie so leicht von einem Ort zum andern kommen, und ihre
Nahrung und Bequemlichkeit suchen und finden können. Die
vierfüssigen Thiere hingegen müssen sich fast immer an ihrem
Geburtsort aufhalten. Ausgenommen in Hängersnoth, wo
manches zum Schaden, und Unglük der Menschen oft weit
von seinem Vaterland wegrent, Menschen und zahmes Vieh
anfält und verlezt, oder gar erwürgt, wie dis schon oft
Wölffe und Hiänen gethan haben.

Wie weit kan wohl ein Vogel in einer Stunde fliegen?
So weit, daß ihm ein Pferd in zwölf Stunden kaum nachspringen kan. — Man weis gewis, daß ein Hirsch oder ein
Renthier in einem Tag vierzig Meilen weit lauffen, und
auch vor den Schlitten gespant, noch dreissig Meilen weit
springen kan. Eine Schwalbe hingegen fliegt in eben so viel
Zeit noch viel weiter, und kan in einer Stunde dreissig Stunden weit, und also ohngefähr in zehn bis zwölf Tagen von
Teutschland nach Afrika fliegen. — Und dis kan man daher
ge=

gewiß wiſſen, wenn man den Tag merkt, an dem eine Partie Schwalben bei uns weggeflogen, und ſichs ſodenn von
ſeinem Freunde in Afrika anzeigen läſt, wenn ſie bei ihm
angekommen iſt. *)

Die meiſten Vögel halten ſich nur auf dem trofnen
Land, und nie im Waſſer auf; die übrigen aber ſind mehr im
Waſſer als auf dem trofnen Lande. Dieſe nent man Waſ-
ſervögel; und jene Landvögel.

Die Landvögel ſind alſo gern im Trofnen, und leben
bald auf dem platten Land, bald auf Bäumen; bald in Wäldern, bald auf Felſen und in Felſenlöchern; und bewegen
ſich durch Fliegen, Lauffen, Hüpfen und Klettern.

Die Waſſervögel hingegen lieben das Waſſer, und
ſchwimmen und ſuchen ihre Nahrung darin. Ihre breite
Schwimfüſſe dienen ihnen zum Rudern, und ihre Federn werden nie naß, weil ſie ſie immer mit einer oelichten Feuchtigkeit einſchmieren, die ſie in zwo Drüſſen unten am Steiß
ha-

---

*) Herr Adanſon hat vor etlichen Jahren an der Kuſte von Senegal ſchon
am neunten Oktober Schwalben geſehen, die aus Europa den erſten oder
zweiten Oktober abgereiſt waren, ſiehe ſeine Voyage du Senegal. —
In Voyage de *Pietro della Valle*, Tom. I. pag. 416 ſteht, daß in
Perſien die ſogenante Brieftaube in einem Tag viel weiter fliege, als
ein Menſch in ſechs Tagen zu Fuſſe gehen könnte. — König Heinrich
dem zweiten in Frankreich entfloh einmal auf der Jagd zu Fontaineblau
ein zahmgemachter Falk, der den Tag darauf ſchon auf der Inſel Malta
wieder gefangen, und an dem Ring erkant ward, den er an ſich hängen
hatte. Und über zwei hundert Meilen ſind es doch wohl von Fontaineblau bis nach Malta? — Wieder ein anderer Falke flog einmal in
ſechszehn Stunden von Andaluſien bis nach der Inſel Teneriffa, welches
wenigſtens ein Weg von zweihundert Meilen iſt.

haben. — Und was mit Fet oder Oel beschmirt ist, das nimt kein Wasser an.

Die Vögel sehen und hören sehr gut, und übertreffen sogar die Menschen und alle vierfüssige Thiere an Richtigkeit und Feinheit des Gehörs und des Gesichts. — Ein Adler sieht hoch von der Luft herunter auf der Erde oder im Gebüsche einen Hasen liegen. — Die Krähe sieht von einem hohen Baum herunter, einen Wurm auf der Erde kriechen.

Und dis scharffe Gesicht musten die Vögel, theils zur Erhaschung ihrer Speisse, theils zu ihrem schnellen Flug haben. Hätten sie es nicht, so müsten sie, aus Furcht allenthalben anzustossen, nur hüpffen, und dann würde der Adler schwerlich so leicht einen Hasen, oder sonst ein Thier überfallen und erwürgen können.

Doch sieht der Vogel gerade vor sich nichts; aber dagegen rechts und links zugleich. — Und deswegen halten sie ihren Kopf fast immer schief.

Können die jungen Vögelchen gleich lauffen und springen, sobald sie auf die Welt kommen? Ja einige wohl; die meisten aber können kaum recht stehen, vielweniger lauffen oder springen. — Aber fliegen können sie doch gleich nach ihrer Geburt? Nein, auch das können sie noch nicht. Federn bringen sie zwar alle mit auf die Welt; aber das Fliegen lernen sie erst nach vier bis fünf Wochen von ihren Aeltern, die fast alle Tage etliche Minuten lang mit ihnen herumflattern.

Erſt fliegen ſie mit ihnen nur ein paar Schritte weit vom Neſt weg; nach und nach gehts immer weiter; und endlich wagen ſie ſich mit einander in die freie Luft. — Habt ihrs noch nicht geſehen, wie ein Sperling ſeine Kinder das Fliegen lehrt?

Nach ſechszehn, zwanzig bis vier und zwanzig Wochen, ſind alle junge Vögel völlig pflik oder ausgewachſen, und ſo gros, wie ihre Aeltern.

Und wer füttert denn die jungen Vögel, ſo lang ſie noch klein ſind, und ihr Freſſen nicht ſelbſt ſuchen können? Thun es die Menſchen? O ſchwerlich! Wie ſolten dis die Menſchen thun können, da viele Vögel ihre Neſter auf den höchſten Felſen und Bäumen, und an ſolchen Orten haben, wohin die Menſchen entweder gar nicht, oder doch nicht ohne Lebensgefahr kommen können.

Jede Aeltern ſorgen für ihre Kinder. — Und das thun auch die Vögel. Sobald ihre Jungen die Schale verlaſſen, ſorgen ſie gemeinſchaftlich für ihre Erziehung. Eins bleibt faſt immer bei ihnen zu Hauſſe im Neſt, und das andere holt Futter herbei, und ſtekts ihnen ins Maul, oder äzt ſie. Und dis thun die Alten ſo lang, bis ihre Kinder fliegen, und ihr Brod ſelbſt ſuchen können. — Habt ihr dis nicht ſchon die Schwalben und Sperlinge thun ſehen? *)

Doch

---

*) Die Männchen der meiſten Vögel bekümmern ſich nichts um ihre Jungen. Die Weibchen müſſen allein brüten, und noch dazu für ſich und ihre Jungen, bis ſie erwachſen ſind, Speiſſe anſchaffen. — Auch der Haushahn nimt ſich ſeiner Jungen nichts an.

Doch darf dis das Haushuhn oder die Henne nicht
thun, weil ihre Küchlein gleich nach ihrer Geburt hinter
ihr her lauffen, und ihr Futter selbst suchen; oder doch
wenigstens sogleich dahin springen, wohin ihnen ihre Mutter ruft oder lokt, weil sie für sie Speiße gefunden hat.

Kurz, die ältern Vögel, wenigstens die Weibchen,
ernähren ihre Jungen mit grosser Sorgfalt, und halten sehr
strenge Wache, daß ihnen nichts zu leide gethan werde. —
O wie sehr freuen sie sich nicht, wenn sie alle ihre Kinder
glüklich gros gezogen haben! — Wie gros ist dagegen nicht
ihr Seufzen und Klagen, wenn ihnen ein boshafter Mensch,
oder sonst ein Feind, eins von ihren Kindern weggenommen
hat. *)

Lassen sie sich denn so leicht welche wegnehmen, lieber
Herr . . ? O du gutes Kind! Welches Thierchen solte sich
wohl gern seine Junge rauben lassen? Was ist aber ein Schwa-
cher gegen einen Starken? Wie sol sich ein kleiner furchtsa-
mer Vogel, gegen einen grössern kühnern Raubvogel, oder
gar gegen einen listigen Menschen wehren? Sie müssen oft
noch froh seyn, wenn sie mit ihrem Leben davon kommen. —
Schreien und ängstlich um ihr Nest herum flattern, ist gewöhnlich alles, was sie in einer solchen Noth thun können.

　　　　　　　　　　　　　　　　　　　　　　　Wenn

*) Hier wird den Kindern gesagt, in welchen Fällen es erlaubt und nützlich
sey, den Vögeln ihre Eier oder ihre Jungen, oder gar das Nest samt
Alten und Jungen zu nehmen. — Der Naturforscher mus alles haben. Aber aus Bosheit oder alberner Gewohnheit den Vögeln ihre
Eier, oder noch nicht pflikken Jungen nehmen, ist unartig. — Manche
Vögel rottet man aus, weil sie schaden, wie die Aelstern. — Manche schlachtet man ab, weil man sie ißt, wie die Tauben.

Wenn aber ein alter Vogel merkt, daß ein Räuber ihn
samt seinen Jungen erhaschen und erwürgen wil, so sucht er
ihm durch allerhand List zu entgehen. Er fliegt bald links,
bald rechts; bald hoch, bald niedrig; gibt einen Gestank von
sich; riecht gar nicht; stekt seinen Kopf in Schlam; stelt sich
tod; hängt sich des Nachts an den Füssen auf, damit er
von der Nachteule für tod gehalten, und nun nicht aufge=
fressen wird. — Und wenn alle List nichts mehr helffen wil,
so wehrt er sich noch bis in den Tod mit Schnäbel, Füssen
und Flügeln.

Nicht wahr, ehe die Vögel Eier legen, kommen Weib=
chen und Männchen zusammen und paaren sich? Ja! Bleiben
sie sodenn immer paar und paar bei einander? Einige wohl,
aber nicht alle. Die mehrsten halten sich nur auf Eine Be=
gattungszeit paarweise zusammen, und verlassen einander wie=
der, wenn ihre Jungen gros gezogen, oder wenn das Weib=
chen die Eier gelegt hat.

Gleich nach der Paarung bauen sich die Vögel ein Nest,
das bald mehr, bald weniger künstlich aus Moos, Stroh,
Reisern, Haaren, Wolle, Seide, Erde und Köth, und aus
verschiednen andern Materialien zusammen gesezt wird.

Die Schwalbe macht sich über ihr Nest ein Dach.
Und das Nest der Bachstelze sieht wie eine Bouteille aus, die
vorne verstopft ist, und auf der Seite ein Loch hat.

Und diese Nester baut sich jede Art von Vögeln alle
Jahr an ihren besondern Ort, und fast immer von einerlei
Baumaterialien. — Einige sezen und flechten sie auf die
Gipfel der Bäume, auf hohe Felsen und Thürmer; andere
verstekken sie im Gras, in der Erde, in Gebüschen, in hoh=

Q　len

len Bäumen; Einige lieben und wohnen gern bei den Menschen; andere dagegen fliehen die Menschen, und oft gar selbst ihre eigne Kameraden. Und doch halten sich alle gerade an dem Ort auf, wo sie für Feinden sicher sind, und bald ihre Nahrung finden können.

Aussen bauen sie ihre Nester nur rauh weg, innen aber füttern sie sie mit Federn, Haaren, Wolle und Seide aus, damit sie und ihre künftigen Kinder weich und warm darauf liegen können.

Und wo nehmen sie denn alle diese Dinge her? Sie suchen und sammeln sie auf den Strassen, Feldern und Bäumen zusammen. Wie viel gibts nicht Weidenkäzchen-Wolle? Wie viel nicht Spinnengewebe und Seidenwürmer-Gespinste? Und wie oft verliehren nicht die Schafe an den Dornhekken etwas Wolle?

Finden sie aber unglüklicher Weisse nirgend nichts, und selbst auch keine weiche Federn, so rupffen sie sich selbst welche aus. — Ach die guten Thierchen! Thuts ihnen denn nicht weh? Nein! Was sie für sich und die ihrigen thun, thut ihnen nicht weh. — Bei der nächsten Gelegenheit solt ihr etliche Vogelnester, und allerhand kleine und grosse Vogeleier zu sehen bekommen.

Wenn das Nest fertig ist, so fängt das Weibchen an, Eier zu legen — Auch sogar das Haushuhn schart sich ein Loch in die Erde, ehe es ein Ei legt. — Ein Weibchen legt viel Eier, das andere wenig, je nachdem sie lang, oder nicht lang brüten; und lang oder nicht lang, ihre Jungen füttern müssen. — Einige legen zwei, drei bis vier Eier; andere fünf, zehn bis zwölf.

So

Sobald also ein Weibchen seine gewisse Portion Eier
legt hat — und dis geschieht im Frühling und zu Anfang
s Sommers — hört es auf zu legen, und ist nun blos
r die Erhaltung derselben besorgt. Die übrige Jahrszeit
rd alsdenn zu ihrer Erwärmung oder Bebrütung, und zur
aferziehung der Jungen angewand, und weiter an kein Eier
zen mehr gedacht.

Denn die mehrsten Vögel brüten nur einmal des Jahrs;
e Tauben und Hühner aber, und noch einige andere Vö-
l, brüten wohl zwei bis fünfmal des Jahrs, und dabei
rf man dem Huhn zehn bis fünfzehn Eier unterlegen —
bringt fast immer alle aus — denn jedes Küchlein kan
eich nach seiner Geburt lauffen, und sich sein Fressen selbst
chen. — Die Taube hingegen brütet allemal nur zwei
er aus, weil ihre Jungen nach der Geburt weder lauffen
ch selbst fressen können, und sie solche fast drei Wochen
ng äzen mus.

Wenn man ihnen aber zufälliger Weise, oder aus Bos-
t, ihre Eier zerbricht oder wegnimt, oder ihnen gar ihr
nzes Nest zerstört, so bauen sie gleich wieder ein anderes
st, und legen wieder Eier hinein. — Und das thun sie
hl drei bis viermal hinter einander, aber freilich immer
was nachlässiger, damit sie der kalte Winter nicht übereile.

Wie lange mus wohl ein Huhn auf den vielen Eiern
en, die man ihr untergelegt hat, bis die Küchlein leben-
werden? Drei Wochen. Und wie lange ein Sperling?
ne Taube? Vierzehn Tage. — Je grösser der Vogel ist,
to länger mus er brüten. So brütet, zum Beispiel, eine
ns vier Wochen, und ein Schwan fünf Wochen. Der

Q 2 Riese

Riese unter den Vögeln aber, der Strauß brütet gar nich
oder doch sehr selten, sondern legt seine Eier in den heisse
Sand, darin seine Jungen ordentlich heraus kommen, un
sogleich wissen, wo sie ihre Speise suchen und finden kö
nen. — Auch der Kukuk brütet nicht selbst. Er legt sein
Eier in anderer Vögel Nester, zum Beispiel in der Bachste
zen und Grasmükken ihre, die sodenn seine Eier samt de
ihrigen ausbrüten müssen. *)

Könt ihr mir wohl sagen, liebe Kinder, wie die Vo
geleier innen aussehen? Denn Hühner: Enten: oder Gänseei
werdet ihr doch wohl schon haben aufklopfen sehen? — Un
wie diese innen aussehen, so sehen alle Vogeleier aus. —
O ja, wir habens schon gesehen! Weis und gelb sehen si
aus. — Das Weisse nent man Eierweis und Eierklar, un
das Gelbe, Dotter. — Nicht wahr? Richtig!

Der Dotter liegt in der Mitte. Sodann kömt ba
erste dünne weisse oder das Eierweis, worin der Dotter lieg
Auf dis folgt das zweite dikke weisse, oder der Eierklar,
dem das erste weisse, nebst dem Dotter schwimt. Ferner b
merkt man oben auf dem Dotter eine runde weisse Narb
die immer oben bleibt, man mag das Ei auch drehen un
ausgiessen, wie man wil. Und damit der Dotter immer

b

*) Die Egipter und Sineser brüten Hühner: Gänse: und mehr andere Vög
Eier in warmen Baköfen aus; siehe de la Porte Reisen; Theil
Seite 165; und die Abhandlungen der Schw. Akad. der Wissenschafte
Theil 30, Seite 202. — Zu Kairo in Egipten kan man oft sieb
bis acht tausend Küchlein auf einmal auskriechen sehen. — Der
lezte Herr Reaumur hats oft probirt, und gefunden, daß man
auch in Europa, in jedem Ofen, der eine Wärme von 32 Grade
nach seinem Wärmemesser oder Thermometer; und nach dem Vahr
heitlichen von 96 Graden hat, nachmachen könne.

der Mitte schwebend bleibe, hat er auf den Seiten zwei Bänder. Nun gibts in jedem Ei noch vier Häutchen, von denen das erste den Dotter, das zweite das erste weisse, die beiden leztern aber alles zusammen einhüllen. Und endlich folgt die harte kalkartige Schale.

Und woraus mag nun wohl das junge Vögelchen werden? Aus der weissen Narbe auf dem Dotter. Und so bald es lebendig geworden, frißt es erst das Weisse, und denn auch das Gelbe auf, und nach ein und zwanzig Tagen ist es reif, pikt die Schale auf, springt davon, und sucht sich was zu fressen. *)

Kleine Dotter hat das Huhn eine Menge bei sich im Leibe, davon immer eins ums andere grösser, und mit dem doppelten weis, und endlich auch, wenns bald gelegt werden sol, mit der harten Schale umgeben wird. Gebet künftighin achtung, wenn ein Huhn geschlachtet wird, ihr werdet in seinem Leibe viele kleine Dötterchen finden, die man alle essen kan.

Haben die Vögel in allen Ländern der Welt gleich viel Federn? Nein! Je kälter das Land ist, worin sich ein Vogel aufhält, desto mehr und feinere Federn hat er. — Die besten, die weichsten Federn kommen von der Gegend des Eismeers her; denn gerade dorten herum halten sich die

Q 3 schön=

___

*) Wer seinen Kindern den täglichen Wachsthum eines Küchleins zeigen wil, der lege einer Bruthenne wenigstens 14 befruchtete Eier unter, nehme ihr alle anderthalb Tage eins weg, klopfe es behutsam auf, und sehe zu, wie viel es jeden Tag wachsen müsse, um in 21 Tagen — denn so lange nur brütet ein Huhn — reif zu seyn. — Der Unkosten ist nicht gros, die Freude der Kinder hingegen wird gewis ungemein gros dabei seyn.

schönsten Eidergänse auf. — In den wärmern Ländern
hingegen haben die mehrsten Vögel nur wenig Federn.
Und von den Vögeln in Afrika sind gar viele fast halb
nakt.

Ei warum fallen den Vögeln im Herbst, und einigen
auch wohl noch eher, fast alle ihre Federn aus? Weil sie
trokken geworden, und ihnen dafür noch vor dem Winter
wieder neue wachsen sollen. — Bei diesem Federwechseln,
das man das Mausern oder Federn nent, sind die Vögel
sehr traurig. Sie singen und pfeiffen nicht. Ja es ist für
sie so gefährlich, daß manche dabei ihr Leben verliehren. *)

Was nun von Vögeln nicht beim jährlichen Mausern
stirbt, und nicht durch Alter und andere Unglüksfälle umkömt, das wird von Menschen und andern Thieren erwürgt
und abgeschlachtet. Man darf also nie fürchten, daß irgendwo alzuviel Vögel entstehen mögen, wenn sich, ein oder
das andere Jahr, mehrere sehen lassen, als sonst. Nur Geduld. Sie werden sich schon bald nach und nach verlieren.

Und lasset auch gleich manche Vögel dreissig, achtzig,
bis hundert und mehr Jahre alt werden — Was thut das?
Sie müssen am Ende doch einmal sterben. Die Adler und
Papa-

---

*) Pips heist die Krankheit, die mit dem Federwechsel vergesellschaftet ist. Die
Vögel bekommen nämlich in dieser Zeit eine sehr rauhe harte Zunge,
die ihnen so wehe thut, daß sie dafür nichts fressen können, und
also, wenn sie in etlich Tagen nicht heil wird, Hunger sterben müssen.
Auch eine Eiterblase bekommen sie unten am Steis, die ihnen, so wie
der Pips, den Tod zuziehen kan, wenn sie sich nicht zu rechter Zeit
öfnet. Den Kanarienvögeln ꝛc. sticht man diese Blase auf, oder legt
ihnen etwas Safran in ihr Trinkwasser.

Papagaien können über hundert Jahr alt werden. — Aber gerade von denjenigen Vögeln, die so sehr alt werden können, gibts am wenigsten. Wie wenig legt nicht ein Adler Eier? Eins, höchstens zwei bis drei Eier, legt er.

Eine Art Vögel also blos deswegen in einem Lande sehr vermindern, oder gar völlig ausrotten wollen, weil sie sich zu stark vermehrt haben sol, ist höchst schädlich und unverständig. Die Nordamerikaner haben es vor etlichen Jahren zu ihrem Unglük erfahren, daß man keine Gattung von Vögeln ganz ausrotten solle. Sie rotteten in einigen Gegenden alle Krähen aus — und siehe! Nach etlich Jahren nahm ein gewisses Insekt, das fast alle Gewächse zerfraß, so sehr überhand, daß sie die guten Krähen, die sonst die schädliche Insekt auffrasen, gern wieder hergewünscht hätten.

Auch die Sperlinge, so schädlich sie sonst seyn mögen, gänzlich in einen Lande auszurotten, ist nicht rathsam, weil sie eine Menge Raupen und Käfer, und viel anderes Ungeziefer wegfressen.

Kurz, ich gläube noch immer, daß die gesamten lebendigen Thiere den Menschen mehr nüzen als schaden. Es kömt nur darauf an, daß sie fleissig und unverdrossen nach ihren Gärten, Aekkern und übrigen Gütern sehen. — Etwas sol und mus freilich jeder Hausvater den armen Thieren lassen, er mag wollen oder nicht. Denn Speisse mus noch jedes Thierchen haben, wenn es lebendig bleiben und nicht sterben sol.

Der Geizhals mag sich also immer ärgern, wenn ihm die Sperlinge etliche Erbsen oder Bohnen in seinem Garten weggehakt, und einige Kirschen, oder sonst was, darin aufgefres-

Q 4 sen

sen haben. Wir wollen es nicht thun, weil wir wissen, daß
sie nie alles wegfressen und verheeren; und doch, sonst noch
nüzliche und lustige Thierchen sind. — Kan man die Sperlin=
ge essen? O ja! Sie fressen ja fast lauter gute Saamenkörn=
chen, und gutes Obst. Aber so gut schmekken sie freilich
nicht, wie die Lerchen und Krammetsvögel.

     Ists wirklich ihr Ernst, lieber Herr . . . daß die Vö=
gel mehr nüzen, als schaden solten? Allerdings, ists mein
Ernst! Bedenket einmal, liebe Kinder, wie viele Vögel man
nebst ihren Eiern essen kan? Wie gut schmekken nicht unsere
Tauben, Hühner und Gänse? Und welche Küche wolte wohl
gern die Hühnereier entbehren? — Sodenn verzehren die
Vögel die toden Aeser, vermindern das Ungeziefer aller Art,
geben Federn zu weichen Betten, und Kiele zum Schreiben.
Und macht uns nicht so mancher Vogel mit seinem Gesang,
oder mit sonst was, oft ein Vergnügen?

     Alle Vögel können einen Laut von sich geben, der
freilich beim Pfau und bei der Gans, und bei vielen an=
dern sehr wiederlich klingt. Viele aber, und mehrentheils
die Männchen, die vorzüglich in der Begattungszeit ihren
Weibchen schmeicheln und ihre Liebe besingen, scheinen so
recht zur Musik gemacht zu seyn, und wissen uns Menschen,
durch ihren mannichfaltig schönen Gesang, in Städten und
Dörffern, in Wäldern und Feldern zu erfreuen. — Kinder,
denkt ihr izt nicht an den herlichen Gesang der Nachtigal!
Wen dieses Vögelchen mit seinem Gesang nicht rühren und
erfreuen kan, der verdient nicht, Ohren zu haben oder ein
Mensch zu seyn.

     Die Weibchen singen schlecht oder gar nicht, und be=
antworten den lokkenden Gesang ihrer Männchen blos mi
eini

einigen bejahenden oder verneinenden Thönen. — Auch sehen die Weibchen mehrentheils nicht so schön aus, wie die Männchen.

Viele Vögel haben ihre Namen von ihrem Geschrei, *) die übrigen aber theils von ihrer Nahrung und Bildung, theils von ihrem Vaterlande.

Wunderbar ist es, liebe Kinder, daß einige Vögel, die eine breite dikke Zunge haben, wie die Aelstern, Krähen, und Amseln, die Staaren, Raben und Papagaien, sogar die menschliche Stimme nachahmen, und sprechen lernen können. Und das kan der Affe nicht, der doch unter allen Thieren dem Menschen am ähnlichsten sieht, und zum Nachmachen sonst sehr gut aufgelegt ist.

Fast jedes Volk auf der Welt schäzt eine gewisse Art von Vögeln hoch. Einem ist die Schwalbe, dem andern der Storch heilig. **) Und zu Kairo in Egipten ist eine Art von Geiern ein sehr wichtiger und beliebter Vogel, weil er die Aase auf den Strassen wegfrist. Denn wo in dieser grossen Stadt ein Hund, Esel, Pferd und Kameel fält und stirbt, da bleibt es auch liegen, weil man darin von Rasenmeistern nichts weis.

Um nun bald mit den vielerlei Vögeln etwas genauer bekant zu werden, wollen wir sie auch, wie die Insekten

Q 5

und

---

*) Volucres pleraequae a suis vocibus appellatae, vt hae: Upupa, Cuculus, Ulula, Pavo etc. vid. *Varro* de lingua latina Lib. 4.

**) Die Alten hielten ihren Ibis für einen heiligen Vogel.

und Fische in gewisse Hauffen oder Ordnungen eintheilen. Sechs Ordnungen wollen wir machen.

In der ersten Ordnung sollen die Raubvögel, der Adler, der Falk, der Geier, der Neuntödder und die Eule stehen — in der zwoten wollen wir Azeln oder Waltvögel, nämlich den Papagai, den Raben, die Krähe, die Dohle, die Aelster, den Kolibri, den Specht, den Kukuk, und noch mehr andere kennen lernen — in der dritten mögen die Schwimvögel die Gans, der Schwan, die Ende, der Pelikan ꝛc. erscheinen — in der vierten können die Sumpfvögel der Storch, der Rohrdommel, Die Schnepffe, der Straus ꝛc. auftreten — in der fünften kan von den Hühnern die Rede seyn — und in der sechsten Ordnung endlich sol mit den Singvögeln der Schlus gemacht werden.

Raubvögel oder Habichte nent man gewöhnlich nur diejenigen Vögel, liebe Kinder, die nichts als lauter Fleisch fressen, und sogar fast lauter lebendige Vögel und vierfüssige Thiere erwürgen; ob man gleich eigentlich sagen könte, daß alle Vögel vom Raube leben, weil sie fast alle den Insekten und Gewürmen, und vielen andern kleinen Thierchen nachjagen, sie fangen und verzehren.

Die Adler, Falken und Weihen; die Geier, Würger und Eulen sind die verrufne Raubvögel, die nichts als Fleisch fressen, und jährlich manches arme Thierchen erwürgen.

Alle diese Räuber haben einen kurzen unterwärts gekrümten Schnabel, und einen sehr fleischichten Kopf, um lebendige Thiere damit fangen, und fest halten zu können.

Ihre

Ihre Füsse sind kurz und stark, und mit warzigen Zehen, und krummen sehr scharffen Krallen, besezt.

Sie leben alle, bis an die Geier, vom Raube lebendiger Thiere. Die Geier hingegen fressen lieber Aas, als frisches Fleisch. — Alles, was sie fressen, geht in ihrem Magen in Fäulnis über. Es hat deswegen ihr Fleisch einen sehr üblen Geruch, und kann nicht gegessen werden. Auch ihre Federn taugen zu nichts.

Wo halten sich diese Mörder auf? An verschiednen Orten: auf hohen Felsen, Bäumen und Thürmern, in alten Gebäuden, hohlen Bäumen und Gebüschen. — Und auf diesen meist so hohen und gefährlichen Orten, daß kein Mensch ohne Lebensgefahr dazu kommen kan, nisten und brüten sie auch. — Und doch gibts gewisse kühne Leute, die zu ihren Nestern hinauf klettern, und ihnen ihren Fras, der aus Gänsen und vielen andern Vögeln; aus Kaninchen, Hasen, jungen Lämmern und Ziegen besteht, wegnehmen, und essen oder verkauffen.

Ach was! Wie kommen denn Hasen, Lämmer und Ziegen auf Felsen und Bäume? Die Adler und Geier schleppen sie durch die Luft hin. Wisset ihr also noch nicht, daß das die grossen Adler und Geier thun können? Sie thun es wirklich, und fallen die genanten Thiere, und oft noch grössere so plözlich und heftig an, daß ihnen selten eins mehr aus ihren Klauen entwischen kan — Denn sobald sie eins erhascht haben, zerhakken sie ihm die Augen und saugen ihm das Blut aus, und schleppen es nun halb- oder ganz tod in ihr Nest, oder sonst an einen sichern Ort, und fressen sich davon vol an.

Ja

Ja sie sind so stark und kühn, daß sie Schafe, Schweine, Hirschkälber und Kuhkälber erwürgen, sich mit ihrem Blut den Durst leschen, und an ihrem Fleisch sat fressen, und denn noch ein gutes Stük Fleisch mit in ihr Nest nehmen. — Wenn sie Junge haben, bringen sie fast alle kleinere Thiere, lebendig ins Nest, damit sie an ihnen das Würgen und Zerfleischen lernen können.

Ei das sind fürchterliche Vögel! Thun sie den Menschen auch was zu Leide? Selten. Doch hat man leider Beispiele, daß sie zehn und zwölfjährige Kinder gestohlen, und mit sich in der Luft weggeführt haben.

Wie gros sind denn diese schreklichen Adler und Geier? Fast so gros, wie ein Mann; und wenn sie ihre Flügel ausbreiten, sind sie fünftehalb Ellen breit.

Die Zunge dieser Mörder, und der untere Theil ihres Schnabels, sind wie eine Rinne ausgehölt, um das Blut der armen Thiere bequem verschlukken zu können. Denn weder Adler noch Geier, noch sonst ein Raubvogel, trinkt Wasser. Alle trinken Blut, wie man glaubt. Doch lassen sich einige auch das Oel gut schmekken, wenn sie es kriegen können.

Gibts viele Raubvögel? Nein, lange nicht so viel, als es vierfüssige Raubthiere gibt. Sie vermehren sich nicht stark. Die grössern brüten jährlich nur zwei bis drei Eier; die kleinern aber brüten deren höchstens drei bis fünfe aus. — Und dabei ist bis sehr merkwürdig, daß alle ihre Weibchen schöner und grösser werden, welches doch bei allen übrigen Vögeln nicht so ist. — Ihre Nester bauen sie von Reisern und troknem Gras.

Nun,

Nun, grosser

Adler,

dich wollen wir zuerst kennen lernen. Eine grosse Ehre für mich. — Du wohnst und horstest also auf hohen Bäumen und steilen Felsen; und nährst dich vom Raube lebendiger Thiere? Ja, das thue ich, nebst allen meinen Kameraden, kleinen und grossen, schwarzen, grauen und bunten Adlern.

So? Gibts also bei deiner Zunft oder Gilde mehrere Rotten? Ja wohl! Ich bin aber der König unter allen, und heisse Goldadler, oder Steinadler, oder auch nur geradeweg, grosser Adler. — Nach mir kömt der gemeine schwarze; und denn der kleine gefleckte Adler. Sodenn gibts auch noch kleine und grosse, schwarze und bunte Meer- und Fischadler.

In welchem Lande wohnst du? Ich wohne in der Schweiz, in Spanien und Frankreich, und an mehrern Orten von Europa. Aber auch in Asia und Afrika sieht man hie und da einen von uns. — Ich ziehe alle Jahr zwei Junge gros, die ich aber, wenn es mir an Fleisch mangelt, noch ehe sie recht fliegen können, aus dem Nest jage, oder gar selbst auffresse.

Ich habe eine unüberwindliche Freude am Jagen und Rauben, und schwinge mich deswegen immer hoch in die Luft, um bequem auf einen guten Fras lauren zu können. Siehst du denn so weit? Ja freilich! Ich und meine Kameraden haben das schärfste Gesicht unter allen Vögeln. Wir sehen hoch in der Luft einen Vogel oder Hasen auf der Erde sizen.

Doch

Doch stoffe ich nur auf groffe Thiere. *) Ich mach es wie der Löwe bei den vierfüffigen Thieren, der sich nichts um kleine Mäuffe bekümmert. Raben und Krähen sehe ich mit Verachtung an, und überlaffe sie den übrigen von meiner Gilde, den kleinen Adlern, den Falken und Weihen. Wenn sie aber unverschämt sind, und mir die Ohren alzuvol schreien, so bestraffe ich sie zuweilen für ihren Frevel mit dem Tode. — Nur groffe Vögel, Hafen, Lämmer und Ziegen mus ich haben.

Beiffen und hakken dir denn diese armen Thiere, die du abschlachteft, nicht deine Füffe entzwei? Das müffen sie wohl bleiben laffen. Ich pakke sie gleich so feste an, daß ihnen das Beiffen vergeht. Und wenn mich auch gleich hie und da eins ein wenig kneift, so spüre ichs nicht viel, weil meine Füffe, bis an die Krallen, dik mit Federn bedekt sind.

Du läft dich doch auch zahm machen? Nein, das laffe ich nicht. Ich liebe Eirsamkeit und Freiheit, und haffe jede Gesellschaft. Wenn sich daher einer von meinen Kameraden, oder irgend ein andrer Vogel, in meiner Nachbarschaft befindet, so jage ich ihn sogleich fort; ja ich gebe nicht einmal zu, daß eins von meinem eignen Kindern, auch nur auf einen Besuch, zu mir in mein Gehäge komme.

Nun — und wie alt wirft du? Wenns gut geht, hundert Jahre, und noch drüber. — Je älter ich aber werde, desto stumpfer werden meine Zähne und meine Krallen, und desto weniger bin ich im Stande, einen guten Fras zu rauben. Ich mus daher in meinen schwachen alten Tagen

*) Aquila muscas non captat.

gen ſtat der Lämmer und Haſen, mit Schlangen und Eidexen vorlieb nehmen.

Der gemeine ſchwarze Adler — ſiehe Tafel neun, Figur zwei iſt merklich kleiner, als der Goldadler, und wohnt in Europa und im nördlichen Amerika. Er nährt ſich von Haſen, Vögeln, Fiſchen und Schlangen, horſtet auf hohen Bäumen, die nahe bei Flüſſen ſtehen, und zieht alle Jahr zwei bis drei Junge auf, die er ſo lange bei ſich behält, bis ſie das Fliegen und Rauben gelernt haben. Und deswegen nimt er ſie fleiſſig mit auf die Jagd.

Der kleine oder geflekte Adler frist gern Enten, und andere kleine Vögel, auch Schlangen und Mäuſſe. Er iſt etwas über eine Elle lang, und mit ausgebreiteten Flügeln, nicht völlig zwo Ellen breit, und hält ſich in Europa, Aſia und Afrika auf.

Die kleine und groſſe Meeradler und Fiſchadler haben kahle Füſſe, und weiſſe Schwänze, und überhaupt ſchwarze und weiſſe Federn, und wohnen in den Wäldern der nördlichen Länder, und nähren ſich von Vögeln und Fiſchen. Ihre Jungen jagen ſie oft auch, wie die groſſen Adler, aus dem Neſt, noch ehe ſie recht fliegen, und ſich ihren Fraß ſelbſt ſuchen können.

Ei freſſen die Raubvögel ihren Raub mit Federn, und mit Haut und Haar auf? Ja, die meiſten groſſen thun dis. Die kleinern hingegen rupfen erſt die Vögel, und freſſen auch weder Haar noch Haut von einem Haſen oder Kaninchen mit dem Fleiſch hinunter.

Bei

Bei den grossen Vögeln sammeln sich die verschlungene Federn Haare und Häute in ihrem Kropf, und werden von ihnen alle Tage in Klumpen, die man Gewölle nent, ausgespien.

Die Falken

sind viel kleiner, als die Adler, und halten sich in allen Welttheilen, und zum Theil auch hie und da in Teutschland auf.

Die schönsten und grösten Falken haben aschgraue Federn, und sind so gros, wie ein schöner Haushahn. — Die übrigen aber sehen weis, schwarz, roth, braun und bunt aus, sind merklich kleiner, und zum Theil nur so gros, als ein Star. — Auf der zehnten Tafel, bei Figur drei ist ein ziemlich grosser Falk abgebildet.

Wo horsten die Falken? Auch, wie die Adler, auf hohen Felsen und Bäumen, damit sie gut um sich her sehen, und auf ihren Fras lauren können. — Sie stossen nach Beschaffenheit ihrer Grösse, auf Hasen, Kaninchen und Mäusse; auf Hühner, Gänse, Enten, Aelstern, Krähen, Amseln, Staren und Lerchen, und noch auf mehr andere Vögel, die oft viel grösser, als sie selbst sind, und erdrosseln und verzehren sie auf die nämliche Art; wie es die Adler machen. — Erst hakken sie den Thieren die Augen aus, denn sauffen sie ihr Blut, und endlich gehen sie über ihr Fleisch her.

Vermehren sich die Falken stark? Ja, stärker als die Adler. Sie legen alle Jahr vier bis fünf Eier, und behalten ihre Jungen so lange bei sich, bis sie sich ihren Fras selbst anschaffen können.

Die

Die Falken sind diejenigen Vögel, liebe Kinder, die man jung fängt, und mit vieler Mühe so künstlich zur Jagd abrichtet, daß sie auf Befehl ihres Herrn, allerhand Vögel aus der Luft oder von Bäumen herunter holen, und sie ihnen lebendig zu bringen. — Ja selbst auf Kaninchen, Hasen, Rehe, Schweine und Wölffe müssen sie jagen, und ihnen die Augen aushakken, damit sie der Jäger nun desto leichter erhaschen kan.

Und wie lernen die Falken dis? Man knüpft sie erstlich an, hängt sie in schwebenden Ringen auf, und läst sie drei bis vier Tage hintereinander, und allemal so lange nicht schlaffen, bis sie im Kopf ganz verwirt und dum geworden sind, und ihre Wildheit so ziemlich verlohren haben. Sodenn müssen sie einige Tage hungern; und wenn sie nun heißhungrig geworden, und so eben auf eine Taube, oder auf ein Huhn, das man nahe zu ihren hingeworffen hat, losfahren wollen, nimt man es wieder weg. Doch gibt man ihnen hernach ein Stük von einer Taube, oder von einem Huhn, wenn sie recht folgsam und gehorsam sind.

Wenn sie nun fast ganz zahm sind, und die meisten von denjenigen Thieren kennen gelernt haben, auf die sie auf der Jagd stossen sollen, so knipft man sie an einen langen Bindfaden, und läst sie in der freien Luft, von Baum zu Baum, oder von Haus zu Haus fliegen, und Sperlinge oder Tauben, oder sonst einen Vogel holen.

Und diese Uibung sezt man so lange fort, bis sie alles wissen, was der Falkonier, das ist diejenige Person, die ihn abgerichtet hat, von ihnen haben wolte. — Und endlich nimt man sie frei und ohnangeknipt, mit auf die Jagd, sezt

R   sie

sie auf die Hand, zeigt ihnen diejenigen Vögel oder vierfüſſigen Thier, die man gern haben wolte; und ſiehe, die
Falken fliegen wie der Bliz fort, und holen die Vögel herbei; den Haſen aber, den Rehen und Schweinen hakken ſie
die Augen aus.

Kommen ſie aber immer wieder mit ihrem Raub zurük? Entwiſcht oder deſertirt nicht zuweilen ein Falke? O
freilich geht mancher durch, zum gröſten Verdruß und Schaden ſeines Herrn. Koſten ſie denn viel? Ja freilich! Ein einziger gut abgerichteter Falk koſtet oft achtzig bis hundert
Thaler.

Aus Tunis in Afrika, und von der Inſel Malta im
Mittelländiſchen Meer werden die ſchönſten Falken zu uns
nach Teutſchland gebracht. — Mancher Fürſt, der ein groſſer Liebhaber von der Jagd iſt, hat oft zehn bis zwanzig,
und wohl noch mehr abgerichtete Falken, bei einander. —
Das Jagen mit Falken nent man die Falken-Baize.

Die Sperber

ſehen den Falken, und den kleinen Adler ſehr ähnlich, haben
mit ihnen Wohnung und Nahrung gemein, und werden auch
zum Jagen abgerichtet, wie die Falken. — Auf der zehnten Tafel, Figur ſechszehn iſt ein Sperber abgebildet.

Die Weihen

haben die Gröſſe der Falken, ſind faſt ganz weis, wohnen
und niſten auf kleinen Bäumen und Gebüſchen, und ſtoſſen
nur auf junge Haſen, Kaninchen, Rebhühner und Wachteln.

Sie

Sie erhaschen aber ihre Beute nicht im Flug, wie ihre kühne Kameraden, sondern sizen und lauren so lange auf einem Baum, bis ein Has, oder sonst ein kleines Thierchen, vorbei springt; und denn erhaschen sie es.

Die **Weihen** sind auch diejenigen gefährlichen Diebe, die die meisten Vogelnester plündern, und darin die Eier aussaugen, und die Vögel fressen. — Eine Art Weihe nent man **Wespenfresser**, weil sie Bienen, Wespen, Raupen und viele andere Insekten frist; und noch eine andere Art heist **Fischweihe**, weil sie sich von Fischen nährt.

Was seyd denn ihr für Gäste,

Geier?

Auch so unbarmherzige Würger, wie die Adler und Falken? Ja, Fleisch müssen wir haben, es sey nun frisches oder altes. — Doch fressen einige von uns am liebsten Aas und Luder, das ihnen desto besser schmekt, je mehr es stinkt. Wenn ihnen aber das Luder fehlt, so erwürgen sie freilich auch, wie wir grossen alles, was ihnen vorkömt, und sie bezwingen können.

Nun, und was erwürgt ihr denn? Kaninchen, Hasen, Füchse, Schafe und Kälber; ja wir grosse machen sogar, wenn unser zween oder drei beisammen sind, einen Ochsen tod, und zehren ihn bis auf Knochen und Haut ganz auf. Im Nothfal können wir auch zehn bis zwanzig Tage hungern. Ehe wir aber dis thun, fressen wir lieber Schlangen, Eidexen, Frösche und Kröten, und überhaupt alles, was Fleisch ist, weg.

R 2   Wie

Wie seht ihr denn aus? Grau, braun und schekkicht. — Wir haben einen kahlen Kopf, und fast eben so kahlen Hals. — Unsere Federn unter der Kehle und unter den Flügeln sind so zart, wie Pflaumfedern. — Unser Schnabel und unsere Klauen sind kürzer, und nicht so krum, wie der Adler ihre. — An Grösse kommen wir fast alle den Falken gleich; ja unsere grösten Geier übertreffen sogar die Goldadler an Grösse.

Wir wohnen und horsten auch mehrentheils auf hohen Bäumen und Felsen, wie die Adler, aber mehr in wärmern Ländern, als in kältern — in Egipten, Arabien rc. sind wir sehr gern — und ziehen jährlich nur zwei Junge auf. Und dis ist für die Menschen ein Glük; denn wenn wir mehrere aufzögen, würden unsrer bald so viel werden, daß wir in kurzer Zeit alles nuzbare Vieh aufzehren würden. — Es gibt unter uns grosse, mitle und kleine Geier.

Wir grosse graue Geier oder Geieradler sind im Stande, ein Schaf in der Luft wegzuführen. Ja wir sind sogar so frech, wenn unsrer mehrere, oder auch nur unsrer zween beisammen sind, einen Ochsen anzufallen und tod zu machen. Einer hakt ihm die Augen aus; und der andere reißt ihm den Bauch auf, und zieht das ganze Eingeweide heraus. Und so ist der gröste Ochs verlohren. Denn was wil er nun noch für Springe machen, da er nichts mehr sieht, und ihm das Eingeweide zum Leibe heraus hängt, wir ihm auch schon sein bestes Blut abgezapft haben? — Und was macht ihr nun mit dem toden Ochsen? Erst fressen wir seine Eingeweide samt allem, was drin stekt, auf; und denn stehen wir in seinen Bauch hinein, und fressen und hakken sein Fleisch so gut ab, daß nichts als die Haut und Kno-

chen

chen übrig bleiben. — Und bei einem solchen Fras sind wir
gar nicht furchtsam, sondern so dreiste, daß man uns ganz
nahe kommen, und bei unserm Skeletiren zusehen darf.

Der Hasengeier, oder mitlere Geier, sieht schekkicht
aus, ist so gros, wie eine Gans, und stöst auf Hasen, Lämmer, Gemsen und Murmelthiere, und wird sehr häuffig in
der Schweiz angetroffen.

Der kleine Erdgeier ist weis und schwarz geflekt, und
nur so gros, als eine Aelster — siehe Tafel zehn, Figur sechszehn — Er hält sich in Egipten Heerdenweis auf, und frist
Aas und Luder, und allerlei verdorbnes Fleisch lieber, als
frisches Fleisch, und dann am liebsten, wenn es recht sehr
stinkt, und bringt daher seine meiste Zeit auf der flachen
Erde zu.

O ihr häslichen Geier! Pfui, ja wohl Eingeweide
samt dem Mist, Aas und Luder gern fressen! — Ei ei!
Nur nicht geschimpft. Ist das für euch Menschen nicht eine
Wohlthat, daß wir das Aas wegfressen, das die Luft stin-
kend, und euch krank machen würde? — Ach wie würde es
wohl den einfältigen Egiptern gehen, die keine Rasenknechte
haben, welche das verrekte Vieh irgendwo eingraben, oder
an abgesonderte Pläze bringen? Wo also in Egipten ein
Kameel, Ochs oder Esel fält und stirbt, da bleibt er liegen,
und wenn es auch gleich mitten auf einer Gasse wäre.

In Kairo, der Hauptstadt von Egipten, ist es so.
Fräßen da die Hunde und einige von uns Geiern das Aas
nicht weg, so müsten die Einwohner vor Gestank erstikken,
und könten oft manche Straffe gar nicht mehr passiren, weil

es därin viel wärmer ist als bei uns, und also die Aase und
Leichnahme auch eher in Fäulnis übergehen.

Noch eins von Kairo: In Kairo sind alle Gassen mit
Hunden angefült, die ohngefähr so gros, wie unsere Wind=
spiele, fast ganz nakt und schwarz und weis geflekt sind, wild
herum lauffen, und nicht in den Häussern wohnen, wie bei
uns. Man gebraucht sie daselbst weder zur Wache, noch zur
Jagd, weil sie nach Mohämmeds Gesezen unrein sind, und
nicht bei ihnen in den Häussern wohnen dürffen. So bald
sie also einen auf der Strasse antreffen, so weichen sie ihm
aus, wie wir einem tollen Hund, oder einen rasenden Pferde
auszuweichen pflegen.

Sie sind ihnen aber doch heilige und wehrte Thiere,
wie die Geier, weil sie das Aas auf den Strassen wegfressen.
Sie tödten sie nicht nur nicht, sondern füttern sie sogar mit
frischem Fleisch, wenns ihnen an Aas mangelt, geben ihnen
Stroh zu einem bequemen Lager, und bauen ihnen bei rauher
Witterung besondere Hütten. Es werden deswegen auch fast
alle Tage etliche Ochsen geschlachtet, und das Fleisch Morgens
und Abends auf den Richtplaz geworfen, wo sich die Hunde
und Geier allemal ordentlich einfinden.

Und damit es in Kairo, und in verschiednen andern
Türkischen Städten, nie an Fleisch zur Hundefütterung mangelt,
ist es schon lange Mode geworden, daß selten ein reicher egi=
ptischer Einwohner stirbt, der nicht eine gewisse Portion
Geld dazu nach seinem Tode bestimt hätte.

Ohngeachtet in Kairo fast alle Jahr wenigstens tausend
Esel, Kameele und Pferde sterben, und alle diesen Hunden

und

und Geiern zu Theil werden, so sind sie doch lange nicht zu-
reichend, alle zu sättigen. Nun könt ihr urtheilen, wie viel
es solcher Hunde und Geier in und um Kairo geben möge?

Die Geier sind den Egiptiern auch schon deswegen
sehr lieb und wehrt, weil sie die Fische, Schlangen und Eidexen auffressen, die bei der jährlichen Uiberschwimmung des
Nils auf den Feldern liegen bleiben, und einen abscheulichen
Gestank verursachen.

Die Neuntöder

oder Würger sind die kleinsten Tagraubvögel. Sie sind nur
so gros, als Lerchen und Sperlinge, und zum Theil sehr
schön gefiedert. — Es gibt aschgraue, rothköpffichte und
schwarz und weis gesprengte, und sonst noch allerhand
bunte Würger — und bis in allen vier Welttheilen.

Die grauen Würger halten sich Sommer und Winter bei uns auf; die andern aber ziehen im Herbst in wärmere Gegenden, und kommen im Frühling wieder.

Die Würger horsten alle in Wäldern und auf dem
freien Felde, auf Bäumen und in Gebüschen, legen fünf bis
acht Eier, und leben von Sperlingen, Goldammern, Lerchen, Zaunkönigen, und andern kleinen Vögeln, die sie bezwingen und erwürgen können, und im Nothfal fressen sie
auch Insekten.

Es ist was merkwürdiges, liebe Kinder, daß diese kleine Vögel oft so kühn sind, mit häslichen Geschrei — sie
schreien Trui trui trui — auf Aelstern, Krähen und Dohlen
zu stossen, und sie oft heftig zu verwunden.

R 4 Aber

Aber sie werden von diesen weit grössern Vögeln mehrentheils gewaltig zersaust, und halb tod fortgejagt. Auch trägt sichs zuweilen zu, daß ein Neuntödter mit einer Lerche, die er zwar in wütender Hize mit seinen Krallen gefast, aber noch nicht völlig bezwungen hat, aus der Luft auf die Erde fält, und sich da so lang mit ihr herumbalkt, bis sie besiegt, und halb oder ganz tod ist. Denn was ein Neuntödter einmal in den Klauen hat, das mus sterben. Kan er es aber nicht bezwingen, so läst er sich lieber tod machen, ehe er es aus den Klauen fahren liesse.

Man macht die Würger zahm, und läst sie in den Stuben Fliegen und Mükken, und anderes Ungeziefer weg fangen. — Warum nent man die Würger auch Neuntödter? Weil sie die Gewohnheit haben sollen, etliche Käfer oder andere Insekten, und vielleicht zuweilen neune nach einander, damit sie ihm nicht entwischen, an Dornen zu spiessen, und denn alle auf einmal aufzufressen. — Und eben wegen dieses Spiessens nent man sie auch Dorntroter.

Sie nanten vorhin die Würger die kleinsten Tagraubvögel — gibts denn auch Vögel, die des Nachts auf den Raub ausfliegen? Ja freilich,

Die Eulen

thun es; und deswegen werden sie auch Nachteulen genant. Wenn die andern Vögel fast alle schon ruhen und schlaffen, so kommen die Eulen aus ihren Löchern und Schlupfwinkeln hervor, und jagen nach Beute, und erwürgen manchen Vogel, und manches andere Thierchen.

Und

Und des Nachts können die Eulen was sehen und fin=
den? Sehen sie denn besser als andere Vögel? Nein, besser
sehen sie nicht, aber auch nicht viel schlechter. Allein ihre
Augen sind sehr empfindlich, und können die Tagshelle nicht
ertragen. — Es geht den Eulen, wie uns Menschen, wenn
wir mit bloßen Augen in die Sonne sehen wollen — wer=
den wir dadurch nicht fast blind? — Das schwächere Licht
der Abend= und Morgendämmerung, und die Mond= und
Sternhelle Nächte geben ihnen gerade so viel Licht, als sie
nöthig haben, ihren Fras zu suchen und zu finden.

So? In finstern oder dunkeln Nächten sehen sie also
nichts? Nein, da müssen sie zu Hausse bleiben, und sich be=
gnügen, in der Abenddämmerung Eine Stunde gejagt zu ha=
ben, und in der Morgendämmerung noch Eine Stunde jagen
zu können.

Oft fangen sie in diesen zwo Stunden kaum so viel,
daß sie sat sind. Aber desto reicher und festlicher gehts bei
der Mondscheinjagd zu; da schmaussen sie nach Herzenslust
allerhand Vögel, Kaninchen, junge Hasen, Fledermäusse, Rat=
ten, Mäusse, Schlangen, Eidexen, Insekten und noch viele
andere Dinge, auch Fische, Oel, Tran, Butter und Käse
lassen sie sich gut schmekken, wenn sie solche erwischen können.

Bei Tag können die Eulen also nicht fliegen? Doch,
sie können es, aber nicht weit. Der Tag ist ihre Ruhezeit.
Sie gehen mit ihrem Willen nie aus ihren Löchern heraus,
und wenn ein Tag auch gleich sehr trüb und dunkel wäre.

Ists nicht so, dikke Eulen? Richtig! — Aber sagt
mir einmal, warum stelt ihr euch bei Tag so verzweifelt blö=

R 5   de

de und dum, und laßt euch von den kleinen Meisen, Finken
und Sperlingen nekken und zerzaussen, und sie oft gar auf
euch hinauf sizen, ohne euch zu rühren oder zu wehren?
Das thut nichts. Das Leben können sie uns doch nicht nehmen. Und nekken mögen sie uns immer ein wenig dafür,
daß wir sie vielleicht in der ersten besten Nacht erwürgen
und auffressen. — Wenn aber unsere Hauptfeinde, die Aelstern, Dohlen und Krähen hinter uns her sind, so wehren
wir uns bis auf den lezten Blutstropfen. Denn diese können uns bei Tage bezwingen; bei Nacht aber schlachten wir
sie ab.

Kurz, wir bleiben halt bei unsrer Mode, wie Hans
bei seiner Sode, und fliegen nur bei Nacht, nie aber bei
Tag aus, wenn wir es auch gleich könten. Denn wir sind
mit unsern dikken runden Kazenköpffen, und unsern grossen
starren, in Federn eingehüllten Augen den Tagvögeln unaus-
stehlich. Sie hassen und verfolgen uns fast alle.

Wo wohnt ihr denn? In Felsenklüften, in abgelegnen
und wüsten Thürmern, Schlössern und Kirchen, in hohlen
Bäumen, Scheuren und vielen andern Orten, wo wir weder
von Menschen noch Thieren so leicht entdekt, und in unserm
Tagschlaf beunruhigt werden können. Sehr listig.

Gibts denn eurer viel? So ziemlich. Nur in Euro-
pa — ohne die in andern Welttheilen — gibts unsrer zwei
Geschlechter, Ohren= oder Horneulen, und glatköpfichte
Eulen, und darin zusammen achterlei Sorten, nämlich drei
Sorten Horneulen, und fünf Sorten glatköpffichte Eulen.

Die sämtlichen Ohreulen, die Grosse nämlich, die
mitle und die kleine haben an beiden Seiten des Kopffes
einen,

einen, in die Höhe stehenden Harbusch, den sie wilkührlich bewegen, erheben und sinken laſſen können.

Die groſſe Ohreule, der Uhu oder Schuffut iſt ſo gros, als eine Gans, hat ſchwärzliche Federn mit rothen Flekken, und ſchwarze Augen, und wohnt nur in Wäldern. In die Städte komt ſie niemals. Sie ſchreit Uhu huhu.

Die mitlere Ohreule, der kleine Schubut, oder das groſſe Käuzlein, iſt ſo gros, als eine Aelſter, hat blaue Augen, und graue braunroth geſlekte Federn, und ſchreit Klof klud — ſiehe Tafel acht, Figur drei und zwanzig.

Die kleine Ohreule oder das Käuzchen, hat die Gröſſe einer Taube, und graue rothgeſlekte Federn, und ſchreit Hoho hoho! — Dis iſt die einzige Eule in Europa, die vor dem Winter in wärmere Gegenden fliegt; die übrigen aber bleiben faſt alle den Winter über da, wo ſie den Sommer durch geweſen ſind.

Das Geſchlecht der glatköpffichten Eulen hat fünf Sorten: die groſſe Baumeule; die graue Eule; die Kirchen= oder Schleier Eule; die Steineule oder der groſſe Kauz; und das Käuzchen, oder der Todenvogel.

Die groſſe Baumeule, hat ſchwarze weis und roth geſlekte Federn, iſt ſo gros, wie eine Gans, hält ſich des Sommers in hohlen Bäumen; des Winters aber in Scheunen im Heu oder Stroh auf, und ſchreit Hu hu hu.

Die graue Eule iſt faſt ſo gros, wie eine Gans, und lebt blos in Wäldern, und ſchreit Grei gri. — Dieſe Art von Eulen ſol in fernen Ländern, und vorzüglich in Siñen oft kleine Kinder anfallen und zerfleiſchen.

Die

Die Kirch= oder Schleiereule ist so gros, wie ein Huhn, hat oben gelbbraune grau und weis, unten aber schwarz und weis geflekte Federn, wohnt in Städten und Dörffern auf Kirchen und Thürmern, und schreit im Flug Sche schei scheu schiu; im Sizen aber kreuscht sie Kre krei. — Sie baut kein Nest, sondern legt ihre Eier auf die blosse Steine oder Erde oder Balken. — Bei grosser Kälte verstekken sie sich ins Heu oder Stroh, oft vier bis sechs zusammen in einem Loch — siehe Tafel acht, Figur neunzehn.

Die Steineule oder der grosse Kauz, ist so gros, wie eine Krähe, hält sich in Steinbrüchen und verfalnen Kirchen und Schlössern auf, hat gelb, weis und rothgeflekte Federn, und schreit Gu goia.

Das Käuzchen oder der Todenvogel ist so gros, wie eine Amsel, hat braun und weis geflekte Federn, schreit im Flug Huhu huhu; im Sizen aber Heme edme, und wohnt in Kirchen und grossen alten Gebäuden.

Die Eulen sind allen klugen Leuten wilkomne Vögel, weil sie die Feld= und Gartenmäusse fangen und fressen, die oft ganze Felder verheeren, und Getraide nebst allen übrigen Feld= und Gartenfrüchten wegfressen. Allein der alberne Bauer, und der abergläubige Städter sind ihnen sehr gram, und fürchten sich entsetzlich für ihnen.

Und warum denn? Weil sie sie für Abgesandten des Todes halten, und ängstlich glauben, daß fast allemal in der Nachbarschaft Jemand sterben müsse, wo eine Eule oder ein Käuzchen gesessen oder geschrien habe.

So:

Sobald sie also einen Kauz schreien hören, zittern sie schon an Leib und Seele; naht er sich aber ihrer Hütte, oder sezt er sich gar darauf — ja dann mus nach ihrer dummen Meinung so gleich, oder doch bald Jemand von ihnen sterben.

In der zwoten Ordnung der Vögel kommen die Azeln oder Waldvögel vor, die alle einen erhabnen, aber sehr verschieden gebildeten Schnabel, und kurze starke Füsse ha=ben, an denen bei einigen zwo Zehen nach vorn, und zwo nach hinten, bei andern hingegen drei nach vorn und Eine nach hinten sizen; die auf Bäumen und Thürmen nisten, alle Jahr vier bis acht Eier legen, allerhand Feld= und Baum=früchte, Aas, Unrath und Gewürm fressen, und zum Theil sechzig bis hundert Jahr alt werden, wie die Papagaien. — Auch sind die Azeln gewohnt, mit einander beim Brüten ab=zuwechseln, oder doch einander zu ernähren, so lang das Brüten währet.

Sind die Azeln nüzliche Vögel, lieber Herr...? Nicht sonderlich. Man kan weder ihr Fleisch, noch ihre Eier essen. Und ihre Federn taugen auch zu nichts. — Aber sie singen doch schön? Auch das nicht, liebe Kinder! Wo habt ihr einmal eine Aelster oder eine Dohle schön singen hören? Ein unausstehliches Geschrei machen sie. Ich möchte für alle Azeln in der Welt, ihres Gesanges wegen, keinen Groschen geben. — Aber doch um ihrer schönen Federn willen? Ja, dies eher; und vorzüglich um die schönen Papagaien, die zugleich auch sprechen lernen können.

Gibts in allen Ländern Azeln? Ja, aber in dem einen mehr, als in dem andern, und noch dazu oft ganz andere. So gibts, zum Beispiel, nur in Asia, Afrika und Amerika

Pa=

Papagai; und nur in Amerika Kolibri. Dagegen aber haben diese Länder keine solche Raben, Dohlen und Aelstern, wie wir Teutsche und übrigen Europäer.

Bei uns gäbs keine Papagai? — Ich hab ja selbst einen lebendigen gesehn — Wo kam denn dieser her? — Sind die Papagai etwan Zugvögel? Nein, gewisse Leute tragen sie uns, für Geld und gute Worte, bis aus Ostindien und Sina zu, und — doch höret nun die ganze Geschichte der Papagai.

Die Papagai

sind die Affen unter den Vögeln. Der Affe ist immer munter, listig und schelmisch, und stiehlt alles weg, was er sieht und erwischen kan, er mags essen können oder nicht. — Und gerade so machts auch der Papagai. Er nimt alles in seinen dikken krummen Schnabel, was glänzt, Glas, Ringe, Schnallen, Löffel und oft gar glühende Kohlen, und schlept sie weg. Man mus sich daher sehr in Acht nehmen, daß durch ihn kein Verdrus entsteht, oder gar ein Unglük geschieht.

Was frist er denn? In seiner Freiheit frist er Kokusnüsse, Eicheln und Kürbiskerne x.; wenn er aber einmal zahm geworden, ist er alles, was die Menschen essen. Er bringt seine Speisse mit den Zehen zum Mund, und steht so lang, bis er gespeist hat, auf Einem Fus — auf der zwoten Tafel sind drei Papagai abgebildet; einer bei Figur neun, und die zween andern bei Figur zwei.

Gibts viele Papagai? O ja, man zählt wenigstens dreissig Sorten, die alle an Grösse und Farbe merklich von

ein=

einander unterschieden sind. Es gibt welche, die die Grösse eines Haushahns haben, aber auch welche, die kaum so gros sind, wie eine Taube.

Und der Farbe nach gibts rothe, grüne, gelbe, graue, weisse, schwarze und blaue, und eine Menge sehr schöne bunte Papagai, die allerhand sonderbare Namen haben, und grüner Husar, Edeldame, Blaukopf, rother Parkit, Paradis Parkit, Gelbschnabel, Kakadu, Jungfer, Lori, Festvogel, Blauhals rc. heissen, und bei uns gewöhnlich sehr theuer bezahlt werden. —

In Ostindien und Sina gibts die meisten Papag Sie wohnen und nisten dort häuffig auf Kokusnusbäumen, und hängen ihr Nest an deren äusserste Aeste und Zweige, damit die Schlangen und Eidexen nicht zu ihnen herauf kriechen, und ihnen Schaden thun können.

Sie haben zwo Zehen nach vörn, und zwo nach hinten, und können durch Hülffe ihres Schnabels ziemlich schnel auf den Bäumen hin und her klettern; denn so oft sie im klettern einen Fus loslassen, hakten sie mit dem Schnabel in den Baum, damit sie nicht herunterfallen.

Die Sineser und andere Asiater fangen alle Jahr junge Papagai, füttern sie eine Zeitlang, und bringen sie dann, wenn sie eine Partie beisammen haben, zu Markte. Die dortigen Europäer kauffen sie auf, und bringen sie mit nach Europa, und verkauffen sie hier, je nachdem sie gros oder klein, jung oder alt, schön oder nicht schön sind, sehr theuer. Oft sind die Asiater auch so schelmisch, und mahlen die nicht sonderlich schönen Papagai an, damit sie mehr Geld dafür kriegen.

Was

Was kostet wohl ein schöner junger Papagai? Zehn bis zwanzig und mehr Thaler; und wenn er schon zahm ist, und etwas sprechen kan, vierzig bis achtzig Thaler. — Die, wo sprechen können, sind sehr selten, von den andern aber sieht man hie und da einzelne in Bauern; in den Menagerien oder Thiergärten vornehmer Herren aber, trift man deren oft eine grosse Menge bei einander an.

Weil der Papagai eine starke helle Stimme, eine dikke breite Zunge, und ein gutes Gedächtnis hat, kan er sehr bald deutlich und angenehm sprechen lernen. — Wie machts man denn, daß er das Sprechen lernt? Man dekt seinen Gesicht oder Bauer bis auf ein klein Stük zu, hängt für das offen gelassene Stük einen Spiegel, damit er sich darin sehen kan, und sagt ihm nun, Morgens und Abends, wenn er gegessen hat, einerlei Worte etlichemal vor — und so lernt er bald alles nachplappern, was man haben wil.

Mit Kindern, und vorzüglich mit schönen Mägdchen plaudert er sehr gern, merkt bald ihre Namen, und kent sie oft noch, wenn er sie zwei bis drei Jahre nicht gesehen hat. Bärtigen Männern aber und allem, was verdrüslich aussieht, ist er gram. Und wenn man ihn recht sehr lustig sehen wil, darf man ihm nur genug süsse Mandel zu essen, und etwas Wein zu trinken geben, und ihn in Spiegel gukken lassen. — Wenn ein Papagai aber bittere Mandel zu fressen bekömt, so mus er sterben.

Der Rabe,

die Krähe und die Dohle sind die drei bekante nüzliche Vögel, liebe Kinder, die bei uns das Aas und andern Unrath, und

Tab. V.

F.L.H. Waagen del.

J.G. Sturm sc. Nberg.

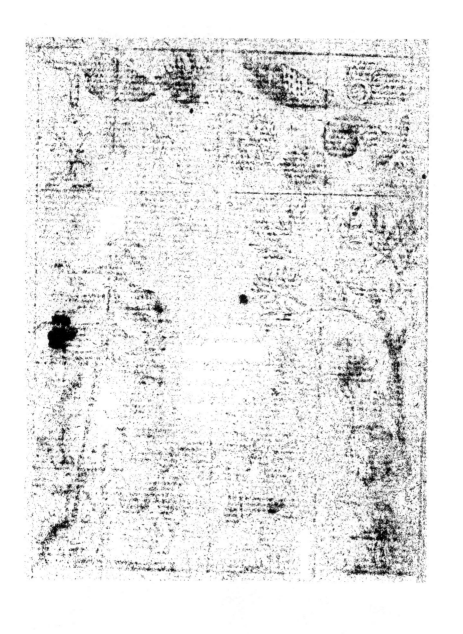

und sonst noch allerhand Ungeziefer wegfressen. — Aber auch viel Schaden thun? Nein, fast gar keinen. In unsere Gärten kommen sie selten, und auf den frisch umgepflügten und neu angeblümten Aekkern fressen sie lieber Würmer, als Saamenkörner. Und was wärs denn, wenn sie mit den Würmern dann und wann auch ein paar Weizen= oder Ger= stenkörner verschlängen, und zuweilen einen jungen Hasen oder Vogel tod machten und verzehrten?

Der Rabe ist so gros, wie ein kleines Huhn — siehe Tafel drei, Figur ein und zwanzig — sieht schön schwarz aus, nistet auf Bäumen in Wäldern, frist allerhand Unrath, Aas und Gewürm, und hält sich fast immer auf Schinder= ängern, bei Galgen, und wo sonst ein Aas liegt, auf. Er hat einen so starken Geruch, daß er das Aas schon von weitem riecht, und ihm also nachfliegen kan.

Ist man die Raben? Nein. Aber ihre Federn braucht man zu verschiednen musikalischen Instrumenten. — Auch zahm kan man die Raben machen, und sie allerhand sprechen lehren. — Sie sind sehr boshaft, und stehlen und schlep= pen auch alles weg, wie die Papagaien, was sie glänzendes erwischen können.

Ein Rab entwandte hier und da,
So viel er konte: Geld und Ringe,
Band, Ohrgehäng und hundert andre Dinge.
Als dis der klügre Haushahn sah,
So fragt er ihn: Ich bitte, sage mir,
Wozu nützt doch dis alles dir?
Das weis ich selbst nicht, sprach der Rabe,
Ich nehm es nur, damit ichs habe.

S

Die

Die Raben schreien Rab rab, oder Rap rap, und deswegen nent man sie auch in einigen Gegenden von Teutschland Raben, und in andern Rappen. — Haben etwan die schwarzen Pferde ihren Namen, Rappen von diesen Vögeln bekommen? — Es gibt auch hie und da ganz weisse, und fast ganz weisse Raben.

Die Krähe,

die immer bei uns herum fliegt, grau und schwarz aussieht und so gros ist, wie der Rabe, heist Nebelkrähe — siehe Tafel drei, Figur zwei. — Es gibt aber auch schwarze und schekkichte Krähen, die sich nur an einigen Orten von Teutschland aufhalten, und zum Theil des Winters wieder wegfliegen, wie die schekkichten oder Saatkrähen thun.

Unsere schwarzgraue Krähe horstet in Gehölzen auf Wiesen und in Gärten, bringt alle Jahr drei bis vier Junge aus, und frist alles, was sie bekommen kan, Aas, Saamenkörner, Brod, Obst, Raupen und Gewürm. Und des Winters, wenn ihr diese Speisse fast gänzlich mangelt, fliegt sie in die Dörfer und Vorstädte, und sucht sich da auf den Misthauffen, in dem Kehricht, und vor den Scheuren eine Fras auf.

Alles, was Wurm heist, sucht und frist die Krähe auf. Wenn daher ein Akker oder eine Wiese frisch aufgerissen oder umgeakkert wird, ist sie und der Rabe gleich hinter dem Gewürm her. — Es ist also sehr schädlich und thörich, wenn man diesen nüzlichen Vogel in einem Lande alzusehr vermindert, oder gar ganz ausrottet.

Die Virginianer in Nordamerika haben sie, wie ihr
wisset, vor einigen Jahren unglüklicher Weise ganz ausge=
rottet, weil sie glaubten, sie thäten schaden und nüzten zu
nichts. Allein kaum waren die Krähen tod, so nahm ein
gewisses Gewürm, das die Krähen sonst hastig wegfrassen,
so sehr überhand, daß sie die guten Krähen wieder her=
wünschten. Aber es war nun zu spät, sie musten durch Scha=
den klug werden, denn die Würmer zerfrassen ihnen fast alle
Feld= und Gartengewächse. — Die Krähe schreit Krä krä.

Die Dohle

ist uns auch sehr gut bekant — siehe Tafel drei, Figur fünf
und zwanzig. Sie ist auch schwarz, wie der Rabe, aber
merklich kleiner, und wohnt und nistet in Thürmern und al=
ten Gemäuern, frist Aas, Gewürm, Insekten, Obst und
allerhand Saamenkörner, und schreit Do do.

Die graue Dohle hingegen, die sich nur in einigen
Gegenden von Teutschland aufhält, und des Winters weg=
zieht, schreit Glas glas.

Die Dohle kan man leicht zahm machen, und etliche
Worte nachsprechen lehren; weil sie aber sehr diebisch ist, und
alles was blank ist, wegträgt, läst man sie nicht gern in den
Häussern herum lauffen.

Die Aelster

oder Azel kent ihr doch auch schon, liebe Kinder? O ja!
Sie ist so gros, wie ein Rabe — siehe Tafel drei, Figur drei
hat schwarze und weisse Federn, horstet auf hohen Birn=

bäu=

bäumen in Gärten bei Dörfern und Städten, deſt ſein Neſt oben mit Dornen zu, ſchreit Schak ſchak, und lernt ſprechen. Ob ſie aber ſo ſchädlich ſeyn ſol, wie ich einmal gehört habe, weis ich nicht.

Freilich, mein Kind, iſt die Aelſter ein ſchädlicher Vogel, ein ſehr liſtiger und gefährlicher Dieb. Sie niſtet deswegen ſo nahe zu den Städten und Dörffern, damit ſie nicht weit zu den Hühnerſtällen hat, um dorten dem Geflügel ihre Eier auszuſauffen, oder gar ihre Küchlein zu rauben.

Sie kan ſtehlen, wie ein Spizbub, und iſt oft ſo kühn, in Gegenwart der Menſchen ein Küchlein zu erwürgen. Auch Sperlinge und andere kleine Vögel holt ſie aus ihren Neſtern hervor, und friſt ſie ſamt ihren Eiern und Jungen auf. — Wo hält ſie ſich denn des Winters auf? In den Scheuren und andern Häuſſern, wo Heu und Stroh liegen.

Die Aelſtern lernen unter allen Vögeln am beſten ſprechen. Sie nennen alle Perſonen im Hauſſe mit Namen, wünſchen ihnen einen guten Morgen, eine gute Nacht, eine geſegnete Mahlzeit, bitten ſich Freſſen und Trinken aus, danken dafür, und ſchwazen nach und nach ſehr viele Reden nach, die ſie oft hören.

Ein gewiſſer Gelehrter aus Danzig, mit Namen Klein, ſah vor einigen Jahren bei einem ſeiner guten Freunde in Holland eine Aelſter, die ſprechen konte. Kaum hatte er ſie recht betrachtet, ſo nahm ſie einen Thelöffel weg, und rief, da ſie mit demſelben der Stubenthür zulief, aus: du ſolt nicht ſtehlen. — Seht Kinder, was man nicht einen kleinen unvernünftigen Vogel lehren kan?

Die

Die Heher

oder Holzschreier sind so gros, wie die Aelstern, aber weit schöner und bunter. — Es gibt in Teutschland dreierlei Heher, Nus Birken= und Tannenheher. Und an andern Orten gibts wohl noch mehrere, die wir aber in Teutschland selten zu sehen kriegen.

Der Nus= oder Eichenheher frist Nüsse und Eicheln und allerhand kleine Vögel. Er versteckt Nüsse und Eicheln auf den Winter in hohle Bäume, oder unter Gebüsche. Weil er sie aber nicht allemal wieder findt, so wachsen oft an einem Ort Nusstauden und Eichen hervor, wo mans nicht erwartet hätte. — Der Birkheher horstet auf Birken, und frist Eicheln und allerhand Waldbeere. — Der Tan= nenheher frist eben das, und nistet auf Tannen.

Die Mandelkrähe

oder der Rakker oder Räuber sieht den Hehern ähnlich, und frist Gewürm und allerhand Saamenkörner. Und weil er aus den Getraide= Garben, die in Mandeln oder Hauffen auf den Feldern aufgestelt werden, die Körner aushakt, hat man ihm den Namen, Mandelkrähe gegeben. — Man sieht die Mandelkrähen in Teutschland sehr selten.

Der Zaunkönig

der Zaunschlupfer nistet in dikken Hekken und Gebüschen, ist allerhand Insekten und Gewürm, sieht bräunlich weis us, und ist unter allen Europäischen Vögeln der kleinste; enn er ist nur so gros, als ein grosser Hirschkäfer, — siehe afel zwei, Figur vierzehn.

S 3

Es gibt viele Zaunkönige in Teutschland. — Dis ist aber erst der braune Schne- oder Winterzaunkönig — Nun gibts auch noch einen Zaunkönig, der schön bunt, und noch merklich kleiner, als der vorige ist, und Sommerzaunkönig genant wird, aber in Teutschland nur hie und da angetroffen wird.

Und endlich folgt der kleine Amerikanische Zaunkönig

Der Kolibri,

der ohnstreitig der kleinste, aber auch der schönste Vogel auf der Welt ist — siehe Tafel zwei, Figur zwölf. Er ist wegen seiner Schönheit und kleinen Gestalt, ein kleines Wunder Gottes. Er hat grüne, gelbe, rothe und blaue Federn, und ist nicht viel grösser, als ein Maienkäfer. — Samt Federn, Füssen und allem? Ja, samt allem. Und so klein er ist, so hell und durchdringend kan er doch schreien.

Dieser Riese von Vogel wird vermuthlich, auch recht grosse Eier legen — Wie gros mögen sie wohl seyn? Nicht viel grösser, als eine Erbse. Und daraus sol ein Vogel werden? Ach was gäb ich nicht, wenn ich einen alten Kolibri in seinem Nest, bei seinen Eiern und Jungen sehen könte. Fliegen sie nie nach Europa? Nein. Es ist mir Niemand bekant, der je einen lebendigen Kolibri in Europa gesehen hätte. — Wovon bauen sie ihre Nester? Von Baumwoll und andern zarten Geweben. Und wohin bauen sie sie? An Bäume zwischen ein paar Blätter kleben sie sie hin, so, daß sie herunter hängen und schweben — siehe Tafel zwei, Figur dreizehn.

Der Schnabel des Kolibri iſt nur ſo dik, als eine Nadel, und doch eine Röhre, um damit den Saft der Blumen einſaugen zu können. Denn Nektar oder Blumenſaft iſt ſeine ganze Nahrung, und damit füttert er auch ſeine Jungen. Man nent ihn deswegen auch Honigſauger. — Nüzt er auch was? Ja, man kan ihn eſſen, und die Amerikaniſchen Damen ſtekken ihn zuweilen ganz, ſo wie er iſt, mit Haut und Federn, zur Zierde auf den Kopf.

Denkt einmal, Kinder! Dieſer arme kleine Vogel iſt ſo ſchwach, daß er ſich gegen eine groſſe Spinne nicht wehren kan. Wenn er an einer Blume ſaugt, ſo komt die Spinne, und umſpint ihn, und ſaugt ihn hernach zu tode, ſo wie es die Spinnen mit den Fliegen machen. — Das heiſt mir ein Vogel, der ſich von einer Spinne fangen und umbringen läſt! Wie gros iſt denn dieſe Spinne? Eben ſo gros, wie der Kolibri, oder wohl noch etwas gröſſer. — Ja, nun glaub ich es.

Der Specht

iſt ſchon ein anderer Vetter. — Wa er eine Spinne antrift, friſt er ſie auf. — Er iſt aber freilich auch viel gröſſer und ſtärker, und zum Spinnenfreſſen nicht beſtimt. Sein liebſter Fras ſind groſſe und kleine Holzwürmer, die er in den Wäldern auf den Bäumen in Menge ſind.

Gibts vielerlei Spechte? O Ja, ihre Familie iſt ziemlich gros. Es gibt ſechs bis achterlei kleine und groſſe, ſchwarze, grüne und bunte Spechte, davon die gröſten ſo gros, wie die Aelſtern, und die kleinſten ſo gros, wie die Sperlinge ſind.

Sie wohnen und nisten alle in Wäldern und Gehölzen, und fressen fast nichts, als Larven von Holzkäfern, die zwischen der Baumrinde, und im Holz stekken, und von ihnen mit ihrem geraden langen starken Schnabel herausgehakt werden.

Und damit sie diese schädliche Nager bald erwischen können, gab ihnen der liebe Gott eine lange Wurmförmige Zunge, die vorn einen knöchernen ausgezakten Stachel hat — Auf der achten Tafel, bei Figur neunzehn ist ein Specht abgebildet, wie er an einem Baum hängt, und nach einen Wurm hakt.

Wenn ein Specht stark in einen Baum hakt, so hört man ihn sehr weit. Es klingt, als wenn ein Zimmermann Holz haute. Und deswegen nennen ihn einige Leute auch Holzhauer oder Zimmermann.

Der Blauspecht

ist kein ordentlicher Specht, weil er keine Wurmförmige, mit einer Stachel versehene Zunge, und drei Zehen nach vorn, und nur Eine nach hinten hat. Er ist ohngefähr so gros, als eine Lerche, hekt in hohlen Bäumen, und frist die, an den Bäumen auf- und ablauffende Insekten.

Der Grauspecht

oder die Baumklette, und der Mauerspecht sind auch keine ordentliche Spechte, weil sie ebenfals, wie der Blauspecht, drei Zehen nach vorn, und nur Eine nach hinten, und keine Wurmförmige Zunge, und noch zu dem einen dünnen krummen Schnabel haben. Sie nisten beide in hohlen Bäumen,

sind

sind so gros, wie die Sperlinge, und fressen Insekten: und zwar der Grauspecht diejenigen, die auf den Bäumen herum lauffen; der Mauerspecht aber frist die, die an den Mauren und Wänden lauffen und kriechen.

Der Drehhals

oder Wendehals ist so gros, als eine Lerche, hat eine braunflekkichte Farbe, und kan seinen Hals fast ringsum, von einer Seite zu der andern drehen. Uibrigens komt er fast in allem, in der Bildung seiner Zehen, Zunge und Schnabel, und in der Wohnung und Nahrung mit den Spechten überein. Doch hakt er nur aus dem faulen Holz die Würmer heraus. Auch hält er oft bei Ameisenhauffen seine Mahlzeit.

Der Eisvogel

ist so gros als eine Lerche, und ein herrlich blau und roth gefiederter Vogel. Er nistet im Sand an kleinen und grossen Flüssen, und frist kleine Fische, und kan von seinen drei vordern Zehen einen nach hinten drehen, wenn er wil, je nachdem er lauffen oder klettern wil. — Eisvogel nent man ihn deswegen, weil er in einigen Gegenden von Teutschland auch über den Winter zugegen bleibt.

Nun noch ein paar Worte vom Widehopf, Paradisvogel, Kirschvogel, Immenwolf und Kukuk — Und dann kommen wir zu den Schwimvogeln.

Der

Der Widehopf

ist zwar schön von Federn, aber sonst ein Erzstinker, und
recht sehr garstiger Vogel, der Mist und Unrath liebt. —
Er ist so gros, als eine Lerche, sieht roth und braun aus,
hat auf dem Kopf einen Federbusch, den er in der Angst erheben, und im Fliegen niederlegen kan, und nistet in hohle
Bäume. — Und weil er fast nichts als Würmer frist, die
im Menschenkot und Mist der Thiere, oder sonst an einem
unreinen Orte stekken, so stinkt er und sein Nest entsezlich.
Ja er schmirt so gar selbst sein Nest mit Menschenkot an,
damit er darin für Feinden sicher ist. Wo er aber keinen
Menschenkot find, da sucht er sich andere Schmieralien auf.

Der Paradisvogel

ist bunt und so gros, als ein Sperling, und hält sich nur
in Ostindien auf. — Dis ist derjenige Vogel, liebe Kinder,
von dem viele Leute ehedem geglaubt haben, er komme aus dem
Paradies her, habe keine Füsse, schwebe immer in der Luft,
und lebe von der Luft, und vermehre sich auch in der Luft,
indem das Weibchen seine Eier dem Männchen auf den Rükken lege, und darauf ausbrüten lasse, und fielen nicht anders, als tod auf die Erde. Lebendig komme keiner zu den
Menschen auf die Erde.

Aber endlich entdekte man den Betrug der Indianer,
daß sie diese Vögel jung fiengen, und ihnen die Füsse ab-
schnitten, und sie so den leichtgläubigen Europäern, als Wun-
dervögel sehr theuer verkauften. — Die Indier schneiden ihnen auch deswegen die Füsse ab, um die Vögel zum Kopf-
puze gebrauchen zu können.

Der

Der Kirschvogel,

oder die Golddrossel ist so gros, als eine Lerche, hat schwarze Flügel, und einen gelbgrünen Leib, frist gern Kirschen, und baut sein Nest, welches er an die Aeste der Bäume hängt, von Stroh und Hanf, und schreit Loriot loriot.

Der Immenwolf,

oder Bienenfresser ist so gros, als eine Lerche, sieht schön blau und roth aus, und frist fast nichts, als Bienen. — In Teutschland läst er sich wenig sehen, desto häuffiger aber ist er auf der Insel Kandia.

Der Kukuk

ist so gros, als eine Taube, und schwarz, grau und weis von Federn. Er hält sich auf Bäumen in Wäldern, Gehölzen und Gärten auf, frist allerhand Würmer, Fliegen und Spinnen, und schreit Kukuk kukuk — Auf der achten Tafel, Figur ein und zwanzig, ist ein Kukuk abgebildet.

Er ist es wahr, daß der Kukuk kein Nest baut, und seine Eier in andrer Vögel Nester legt? Ja, dis ist ganz gewis wahr. Er baut kein Nest, und brütet auch seine Eier nicht selbst aus. Und warum nicht? Weil er nicht die geringste Kälte ertragen kan, und höchstens drei Monat bei uns bleibt, und sodann wieder in die wärmere Gegenden zieht, wo er zu Anfang des Sommers hergekommen ist.

Aber dis ist falsch, daß er deswegen seine Eier nicht selbst ausbrüte, weil sein Magen alzugros sey, und noch dazu

am

am unrechten Ort liege, so daß er also seine Eier beim
Brüten erdrükken würde.

Wie viel legt er Eier? Viere. Und die alle in ein
einziges Bachstelzen= oder Grasmükken=Nest. Nein, er sucht
vier besondere Nester auf, und legt in jedes allemal nur Ein
Ei. Merkens denn die Grasmükken und Bachstelzen nicht,
daß fremde Eier in ihre Nester gelegt worden sind? Sie mögens
merken oder nicht, so müssen sie dem Kukuk seine Eier doch mit
den ihrigen ausbrüten. Und sie sind gewöhnlich noch froh,
wenn er ihnen nicht ihre Eier zum Theil, oder gar alle aus=
sauft, und sie nun den Kukuk allein aufziehen und füttern
müssen.

Kan denn aber die kleine Bachstelze dem grossen Kukuk
Futter gnug anschaffen? Ja freilich hält es schwer. Sie
bringt allemal nur zwei oder höchstens drei kleine Raupen,
oder andere Würmchen, und der grosse Fresser möchte gern
zehn auf einmal haben.

So hungrig aber der Kukuk immer seyn mag, so frist
er doch seine Pflegemutter oder seinen Pflegevater, aus Bos=
heit oder Undankbarkeit nicht auf, wie einige Leute glauben,
die vielleicht einmal gesehn oder gehört haben, daß ein gros
und pflük gewordener Kukuk, aus Hunger und Einfalt
seine Pflegemutter getödet, oder gar aufgefressen habe, weil
er in seinem Rachen den Kopf seiner Pflegemutter eher ge=
fühlt, als die zwei Würmchen, die sie ihm geben wolte.

Wie gehts aber der Bachstelze, wenn sie neben dem
Kukuk auch ihre eigne Kinder füttern mus? Freilich
noch ärger, als wenn der Kukuk allein ist. Denn dieser

schnapt

schnapt immer zuerst nach dem ankommenden Fras, und
bringt die kleinen Bachstelzen oder Grasmükken nach und
nach so weit aus dem Nest, daß sie auf dem Rand desselben
sizen müssen, und endlich gar aus dem Nest ganz hinaus,
und auf den Boden fallen. Ach, wie gehts diesen armen
Thierchen izt? Beßer, als vorhin. Izt werden sie von ihren
Aeltern auf der Erde geäzt, und dann erst, wenn sie was
haben, bekommen auch die unverschämten Kukuk was.

Vom Pfeffervogel oder Pfefferfresser, und vom Na-
sehorn- oder Einhornvogel, und von den übrigen weniger
bekanten ausländischen Azeln; hab ich euch nichts merkwürdiges zu erzählen.

Es folgt also nun die dritte Ordnung der Vögel, nämlich
die von den Schwimvögeln oder Wasservögeln, die ihr
zum Theil schon sehr gut kent. — Denn es gehören dazu
die Schwäne, Gänse und Enten; die Taucher, Sturmvögel,
Pelekane und Moiven, und noch viele andere Vögel.

O ja, die Gänse und Enten kennen wir so ziemlich.
Sie haben alle einen breiten mit einer zarten Haut bedekten
Schnabel, eine dikke Zunge, und im Schlund kleine Zähne.
Ihre Füsse sind kurz, und ihre Zehen mit einer Haut ver-
bunden, um beim Schwimmen damit rudern zu können. Sie
sind gern im Wasser, und fressen allerhand kleine Wasser-
thiere, Pflanzen und Saamenkörner, und legen oft manchen
Sommer zehn bis zwanzig, und wohl noch mehr Eier.

Aber Nester bauen sie nicht. Sie scharren sich blos
ein Loch in die Erde oder sonst wohin, und legen ihre Eier
drein. Und wenn sie beim Brüten so lange, bis sie was ge-

ges-

geffen haben, davon gehen, dekken sie sie mit Federn, die
sie sich ausrauffen, zu, damit sie nicht kalt werden — denn
die Männchen bekümmern sich nicht nur ums Brüten nichts,
sondern füttern auch ihre Weibchen nicht, so lange sie über
den Eiern sizen.

　Man ißt ihr Fleisch und ihre Eier. Ihre Federn geben weiche Bette, und die Gänsekiel gebraucht man zum
Schreiben, und zu vielen andern Dingen. Ists nicht so,
lieber Herr? Ja freilich! Und fast gerade so sind auch
die übrigen Schwimvögel gebildet, und zu leben gewohnt.

　Die Schwimvögel sind die einzigen Vögel, die im
Wasser herumschwimmen, und sich darin untertauchen können,
so lang sie wollen, ohne daß ihre Federn naß werden, weil
sie bei ihrem Hintern zwei Bläschen haben, darin eine ölichte
Materie ist, mit welcher sie alle ihre Federn, eine nach der
andern einschmiren können — denn alles, was fet und ölicht
ist, nimt kein Wasser an, und wird nicht so leicht naß. —
Alle übrigen Vögel aber müssen sich für dem alzuviel naß
werden in acht nehmen, weil sie gleich friert, oder gar krank
werden und sterben.

　Die Kropfgans oder der Pelekan ist der gröste Schwim-
vogel, und der Stürmvogel der kleinste. Dieser ist nur so
gros, wie eine Schwalbe; jener aber ist viel grösser, als der
Schwan. — Und der Schwan ist wieder merklich grösser,
als unsere zahme Hausgans.

Der Schwan

hat — siehe Tafel neun, Figur vier und zwanzig — schneweisse Federn, schwarze Füsse und um die Nasenlöcher einen

schwar=

schwarzen Strich, und ist in Preussen, Polen und Teutsch=
land, und fast in allen Ländern von Europa bekant, und so=
gar einheimisch geworden. Im nördlichen Amerika aber, in
Grönland, Norwegen, Schweden und Rußland mags freilich
die meisten geben. Und von hier kommen sie sodenn zu uns.

Man sieht izt in Teutschland hie und da wilde und
zahme Schwäne. Wenn man die wilden zahm machen
will, so zerbricht oder lähmt man ihnen die Flügel, füttert
sie fleissig mit Brod, und sorgt sonst noch gut für sie, und
für ihre Kinder. Und wenn sie erst einmal die Menschen recht
gewohnt sind, so läst man sie, wie die zahmen Gänse und
Enten, Tag und Nacht auf Seen, Teichen und Flüssen her=
umschwimmen.

In Kassel, Hamburg und Wien, und sonst noch in vie=
len andern Städten und Schlössern von Teutschland gibts
immer viele zahme Schwane. — Sie nisten am Ufer im
Schilf, oder auch mitten im Wasser auf Gras, Steinen und
Holz, und machen sich nichts draus, wenn auch gleich das
Holz mit ihnen herum schwimt.

Ziehen sie viele Jungen auf? Sechs bis sieben alle
Jahr. Und dafür sorgen sie fast eben so, wie die Gänse für
die ihrigen. Sie ruffen und schwimmen mit ihnen dahin,
wo sie junges Gras, Würmer und Schnekken oder sonst was
zu fressen gefunden haben. Und so lang sie noch nicht im
Stande sind, geschwind allenthalben hinzukommen, oder wenn
sie in Gefahr sind geraubt zu werden, so nehmen sie sie auf
den Rükken, und schwimmen mit ihnen davon.

Man kan doch das Schwanenfleisch essen? Ja, aber es
ist etwas zäh, und schmekt lange nicht so gut, als das
Gänse=

Gänsefleisch. Auch ihre Eier schmekken nicht sonderlich. Aber ihre Federn sind viel besser und theurer, als die Gänsefedern. Die Schwanenkiel kosten immer noch einmal so viel, als die Gänsekiel, und so ists auch mit den Dunen. — Man zieht den Schwänen auch häuffig die Haut samt den Federn ab, und macht davon allerhand Palatine und Verbremungen.

Einige Leute glauben, der Schwan könne schön singen. Allein es ist nicht andem. Er schnattert eben so häslich, wie die Gans. — In der Schweiz und in Sachsen nent man den Schwan auch **Elbsch**, **Elbisch** oder **Elbis**.

Die Gans

ist ein sehr nüzlicher Vogel für die Menschen. Man ist ihr Fleisch, ihr Fet, ihre Eier und alle ihre Eingeweide und Gedärme. Aus ihren Flügeln macht man Flederwische. Ihre Kiele gebraucht man zum Schreiben, und zu vielen andern Dingen; und aus ihren übrigen Federn macht man weiche Bette. Kurz, man kan von der Gans' alles, vom Kopf bis auf die Füße, gebrauchen — auf der neunten Tafel, bei Figur fünf und zwanzig ist eine zahme Gans abgebildet.

Gibts viele Gänse in der Welt? O gewaltig viel! Wie viel gibts nur zahme Gänse in Teutschland! Denn in manchem Dorf werden alle Jahr zwei, drei bis fünfhundert aufgezogen. — Nun stelt euch einmal vor, wie viel es in Europa überhaupt zahme Gänse geben möge?

Und wilde Gänse gibts auch genug und mancherlei in der Welt. Sie sind kleiner, als die zahme, und sehen braun, grau und schwarz aus. — Einige davon kommen im
Früh=

Frühling zu uns, und besuchen unsere Getraidefelder. Des
Winters aber ziehen sie wieder weg. Sie sind sehr scheu,
und sezen sich nicht eher auf einen Baum, oder auf die Erde,
bis sie die ganze Gegend umflogen haben, und keinen Feind
sehen. Aber der schlaue Jäger belistet und erhascht sie doch,
und schmaust sie als einen guten Braten auf.

Die Männchen der Gänse nent man Ganser oder
Gäntrich oder Gänsrich. — Die Gans ist ein sehr dum-
mes Thier. Wenn man daher einen einfältigen Menschen
schelten wil, so nent man ihn eine Gäns. Und daher kömt
auch das Sprüchwort gegen dumme Leute, die viel reisen,
und doch nichts lernen, und nicht klüger werden:

Es flog ein Gänschen über den Rhein,
Und kam ein Gänsrich wieder heim.

Die merkwürdigste wilde Gans ist ohnstreitig

Die Eidergans,

von welcher die sehr leichten und weichen grauen Pflaumfedern kommen, die man Eiderdunen nent. — Und wo
wohnt dieser Vogel? Auf der Insel Jsland, und auf den,
um Jsland her liegenden Inseln und Klippen, und frist
Schnekken, Fische und allerhand Gewürm, das er im Meer
find. Aber auch in Norwegen und Schweden gibts viele Eidergänse.

Die Eidergans baut ihr Nest von Moos, und macht
es mit einigen Federn, die sie sich ausrupft, weich und
sanft. Sie legt fünf bis acht Eier, und brütet sie nun,
ohne Hülffe des Männchens aus. Wenn sie aber aus Hun-

T   ger

ger genöthiget wird, das Nest zu verlassen, und nach einen
Fras auszufliegen, so dekt sie erst ihre Eier mit Federn zu,
und stelt das Männchen zur Schildwache darzu, damit kein
Räuber komme, und die Eier aussauffe.

Allein die Raben, Krähen und Meven sauffen ihr doch
manches Ei aus. Und wenn auch gleich diese nicht kommen,
so kommen doch ganz gewis die gierigen Isländer, und klettern mit Lebensgefahr die steilsten Felsen und Klippen hinauf, und nehmen ihr, das Männchen mag Schildwach stehen oder nicht, oder gar das Weibchen selbst im Nest sizen,
die Eier samt den Federn weg.

Die armen Thiere schreien und wehren sich gewaltig
um ihre Eier. Aber es hilft alles nichts. Der Isländer pakt
seinen Raub zusammen, und geht weiter. — Das traurige
Weibchen macht das Nest gleich wieder zu rechte, rauft sich
wieder Federn aus, und legt noch einmal Eier. Und siehe!
Der geizige Isländer komt auch dismal wieder, und holt Federn und Eier weg.

O, das ist verzweiffelt grob! Nimt er ihnen nicht auch
noch zum drittenmal ihre Eier und Federn weg? Ja, die
Federn wohl, aber die Eier nicht. Er nimt ihnen überhaupt
nicht allemal die Eier, aber die Federn gewis allemal.
Denn dis sind eben die Pflaumfedern oder Eiderdunen, die
man zu uns bringt, und sehr theuer verkauft. — Und die
Gänse selbst fängt der Isländer nicht? Nein, er darf nicht,
es ist verboten, damit die Gänse nicht weniger werden, und
das Federsammeln nicht ausgeht.

Aber wegen einer Handvol Federn sein Leben wagen
ist doch sehr tolkühn! Ja, für uns, und viele andere Leute
wä

wär es eine halsbrechende Arbeit, aber für den starken Is=
länder, der das Klettern von Jugend auf gewohnt ist, ist es
nur ein Spas. — Und denn läßt sich was ansehnliches da=
bei verdienen. Die Isländer lösen alle Jahr aus ihren Eider=
dunen drei bis vier tausend Thaler. Ach wie viel mags also
wohl bei ihnen Eidergänse geben!

Die Schweden geben sich schon nicht so viel Mühe,
Eiderdunen zu bekommen. Sie schiessen die Vögel tod, und
bringen sie mit Haut und Federn zu Markte. Allein diese
Federn taugen nicht viel, und der Braten schmeckt auch nicht
sonderlich.

Die Ente

ist viel kleiner, als die Gans — siehe Tafel neun, Figur
sechs und zwanzig — frißt alle Arten von Getraide, kleine
Fische, Gewürm, Unrath, Frösche, und Insekten, und über=
haupt alles, was ihren Kropf und Magen fült. Sie hat
weisse, schwarze, braune, blaue und grüne Federn, und kan
nicht gut lauffen, sondern nur quakkeln, weil sie die Füsse zu
nah beim Hintern hat.

Man kan von der zahmen Ente Fleisch, Eier und
Federn gebrauchen. Und das von der wilden Ente nicht
auch? O ja! Ei wie sieht denn die wilde Ente aus? Fast eben
so, wie die zahme, nur nicht weis. Sie hält sich in morastigen
Gegenden auf, und zieht alle Jahr acht bis zwölf Junge
auf.

Die bekanteste wilde Ente in Teutschland ist die Spie=
selente, die schöne braune, graue und blaue Federn hat,

und einen treflichen Braten gibt. — Einige wilde Enten haben einen löffelförmigen Schnabel — man nent sie deswegen
Löffelenten. — Das Männchen bei den Enten heist En-
trich oder auch Erpel.

Der Taucher

hat fast eben die Grösse und Farbe, wie die wilde Ente,
aber keinen breiten, sondern einen spizigen pfriemenförmigen
Schnabel, und kan auf der Erde weder stehen noch gehen,
weil er seine Füsse fast ganz beim Hintern hat, sondern
mus schwimmen oder fliegen, wenn er weiter kommen wil.
Er hält sich deswegen immer auf Flüssen, Seen und Teichen auf, und frist fast nichts, als Fische und Gewürm.

Taucher heist er deswegen, weil er sich tief unter
das Wasser tauchen, und darunter wegschwimmen, und seinen Fraß, bis vom Grund des tiefsten Sees, herauf holen
kan. — Man kan ihn zähm machen, und zum Fischfangen,
so wie den Falken zum Vogelfangen, abrichten. Denn so bald
man ihm ein Zeichen gibt, er sol einen Fisch holen, stürzt
er sich plözlich ins Wasser, und bringt seinem Herrn einen
Fisch im Schnabel zu.

Denkt einmal, liebe Kinder, der kleine, sonderbare

Sturmvogel,

der doch nur die Grösse einer Schwalbe hat, ist so kühn,
sich, wenn er sich hoch in der Luft, und dicht über dem
Meer hee müde geflogen hat, mitten ins Meer zu sezen,
und darin herzhaft mit seinen Ruderfüssen herum zu schwimmen,

men, Fiſche zu fangen, und aufzufreſſen. Erſauft er denn
nicht? Die Wellen dekken ihn ja zu? O nein! Er verſteht das
Schwimmen vortreflich, und iſt das Auf= und Abſchaukeln
gewohnt. Und wenn die Wellen zu hoch werden, fliegt er
weiter, und an einen Ort, wo das Meer ruhiger iſt.

Aber bei einem Sturm kan er doch nicht im Meere
bleiben? Nein, da wäre er verlohren. Er iſt aber auch ſo
klug, und geht nie ins Waſſer, wenn ein Sturm kömt. Und
wenn einer komme, weis er ganz genau, weil er gern hoch
in der Luft fliegt, wo die Winde zuerſt entſtehen, ehe ſie
auf die Erde herabkommen. Er fliegt deswegen plözlich in
die Tiefe, und ſucht ängſtlich einen Ort, wo er ſich hinſezen,
und ſeinem Untergang entgehen kan. Wird er ein Schif ge=
wahr, ſo fliegt er ſehr haſtig auf daſſelbe zu, und ſezt ſich
drauf, und verläſt es nicht eher, als bis der Sturm vorüber
iſt. Man ſieht oft bei einem Sturm viele Hundert auf einem
Schiffe ſizen, die aus Furcht und Angſt ſo zahm ſind, daß
ſie ſich mit den Händen fangen laſſen.

So oft ſich alſo ein ſolches Vögelchen einem Schif nä=
hert, oder ſich gar darauf ſezt, erſchrekken zwar die Schif=
fer, allein im Herzen danken ſie ihm doch, weil es ſie vor
naher Gefahr warnt. Und weil es das thut, nent man es
Sturmvogel. — Einige Leute glauben, er hieſſe deswegen
Sturmvogel, weil er auch bei dem gröſten Sturm auf den
Wellen herum lauffen könne. Aber es iſt falſch. Dicht über
dem Waſſer wegfliegen, und ſich ein wenig eintauchen kan
es aber nicht drüber weglauffen, wie über eine Brükke.

Wie ſieht denn dieſer kleine Vogel aus? Allerliebſt.
Er hat einen langen dünnen, und an der Spize ein wenig

ge=

gekrümten Schnabel, einen blauen Kopf, und einen blau und
grünen Hals, der übrige Leib aber ist glänzend schwarz und
etwas weis. Seine Flügel sind sehr lang, und reichen, wenn
sie beisammen sind, weit über den Schwanz hinaus. Er
hat also, nach Beschaffenheit seiner Grösse, die längsten Flügel unter allen Vögeln in der Welt. Uibrigens ist er ein
sehr gefräsiger Vogel, der beim Fressen eher müde, als satt
wird.

Nun

Pelekan,

Kropfgans, Eselschreier oder wie du sonst noch heissen
magst, wie gieng es wohl zu, daß man von dir lange Zeit geglaubt hat, du hakkest dir die Brust auf, und fütterest deine
Junge mit deinem eignen Blut? I das weis ich nicht. Vermutlich haben die Leute, die das von mir sagten oder glaubten,
mich nie in der Nähe gesehen, und einander nur was aufbinden
wollen; oder sie glaubten, das Wasser, die Fische und Gewürme, die ich meinen Jungen aus meinem Beutel oder
Sak, den ich unter meinem Schnabel hängen habe, vorspeie
seye Blut. Du hast recht, ehrliche Kropfgans, so mag diese
dumme Fabel entstanden seyn.

Nicht wahr Eselschreier, du bist so gros, wie ein
Schwan, siehst fast ganz weis aus, hast beinahe einen Ellen
langen, und zween Finger breiten Schnabel, und unter demselben einen langen tiefen Sak hängen? Richtig, das hab
ich. Und wie gros ist dieser Sak? Uiber eine Elle lang
und eine halbe Elle tief, und überhaupt so breit und gros
daß ich einen Mannskopf hinein stekken kan — auf der fünften Tafel, bei Figur fünf und dreissig bin ich abgebildet.

Bi

Bift du denn ein Menſchenfreſſer? Nein, dafür bedanke
ich mich. Ich freſſe Fiſche und Gewürme viel lieber, weil
ich ſie von Jugend auf gewohnt bin, und deren auch in meinem Vaterlande Aſia, Afrika und Amerika in Menge finde.
Und wie fängſt du Fiſche? Ich ſtekke meinen langen Schnabel ins Waſſer, ſperre ihn von einander, und fülle meinen
Sak mit Waſſer, Fiſchen und Gewürm an. Merk ich, daß
ich eine Mahlzeit Fiſche gefangen habe, ſo zieh ich ihn heraus, und ſpeiſſe nun meinen Raub nach Bequemlichkeit auf.
Hab ich Junge, ſo flieg ich mit vollem Sak zu ihnen, und
ſpeie ihnen alles vor, was drinnen iſt, Waſſer, Fiſche und
Gewürm.

Ich niſte auf den Klippen, die nahe beim Meer liegen, ziehe alle Jahr fünf bis ſechs Junge gros, und verlaſſe
mit meinem Willen nie mein Vaterland, weil ich weder hoch,
noch weit fliegen kan. — Doch geſchiehts zuweilen, daß ich,
oder eins von meinen Kindern, auf dem Meer verirren, und
von einem Sturmwind nach Europa geſchleidert, oder von
Menſchen dahin geſchlept werden.

Beiſſen dich denn die Fiſche, die du fängſt, nie in die
Zunge, oder bohren ſie dir nicht gar Löcher in deinen Sak,
und entwiſchen dir wieder? O nein, beides müſſen ſie bleiben laſſen. Denn erſtlich hab ich keine Zunge; und das
Durchbohren meines Sakkes vergeſſen ſie, weil ich ihnen
gleich, ſo bald ich ſie fange, den Leib zerbreche.

Ich fürchte mir ſogar nicht einmal vor jungen Hunden
und Kazen, denn ſo bald ſie mir nahe kommen, ſchnap ich
ſie weg, zerquetſche ihnen Kopf und Leib, laſſe ſie in meinen Sak fallen, und von da nun Stükweis zu meinen Magen marſchiren.

T 4 Armer

Armer Pelekan — haſt du denn wirklich keine Zunge? Nein. Ich brauche ja auch keine. Ich kan eſſen, trinken und klappern, und wenn ich wil, auch ziemlich ſchreien — Heiſt man mich nicht deswegen auch Eſelſchreier, weil ich gerade ſo ſchreien kan, wie ein Eſel. — Wie alt wirſt du? Wenns gut geht, fünfzig bis ſechzig Jahre. Allein der hungrige Indianer erwürgt mich gewis, ehe ich das dreiſ̄igſte Jahr erreicht habe, und friſt mein Fleiſch, das doch ſehr nach Tran ſchmekt, ſamt Eingeweiden und allem, was drin ſtekt, gierig auf.

Die Möwe

iſt ohngefähr ſo gros, als eine Ente, hat einen krummen ſpizigen Schnabel, und weiſſe, graue, ſchwarze und ſonſt allerhand gefärbte Federn, und hält ſich faſt in allen Meeren und groſſen Gewäſſern auf. Sie friſt Fiſche und Walfiſch-Spek. Und deswegen trift man im Eismeer, und vorzüglich bei Grönland und Spizbergen, die Möwe in ſehr groſſer Menge an. Sie ſezen ſich dorten auf die getödeten Walfiſche, und freſſen ſich in ihrem Spek ſat, und ſcheuen die Menſchen nicht, die ganz dicht an ihnen herum lauffen und fahren.

Da dis nun die Spekſchneider nicht zugeben wollen, weil ſie zu viel Spek wegfreſſen, und ihnen ſogar unter den Füſſen herumlauffen, ſo werden ſie hauffenweis tod geſchlagen. — Ihren Namen hat die Möwe von ihren Geſchrei, denn ſie ſchreit Möwe möwe. — Bei den Walfiſchen auf der elften Tafel, Figur vier und zwanzig iſt eine Grönländiſche Möwe abgebildet.

Die

Die wie vielſte Ordnung der Vögel kömt izt, liebe Kinder? Die vierte, die von den Sumpfvögeln, wozu der
Storch, die Rohrdommel, die Schnepfe und der Strauß gehören — Nicht wahr, lieber Herr . . ? Ja! Aber auch der
Kranich, der Reiher oder Reiger, der Kibiz, das Waſſer-
huhn, der Trap und der Kaſuar, und noch viele andere,
weniger bekante und ausländiſche Vögel gehören dazu.

Nun was ſind dann wohl die Sumpfvögel für Vögel?
Wer was von ihnen weis, der ſag es. — Sie haben lange
halbrunde Schnäbel, lange nakte Füſſe und ſehr kurze Schwänze, und leben in ſumpfichten Gegenden von Fiſchen, Schlangen und Fröſchen, und andern Thierchen, die ſich darin aufhalten. Man ißt wohl ihr Fleiſch, aber ſelten ihre Eier.
Und ihre Federn taugen, bis auf die Strausfedern, alle
nichts. Sie legen drei bis fünfzig Eier alle Jahr, werden
zehn bis funfzig Jahre alt, und halten ſich faſt in allen Gegenden der Welt auf.

Der Storch

baut ſein Neſt auf die höchſten Häuſſer und Kirchen, auf
alte Thürme und abgeköpfte Bäume unter freiem Himmel,
läſt auf ſich regnen und wehen, und fürchtet weder Bliz
noch Donner. — Ach! Und ſeine Junge fürchten ſich auch
nicht? Ich ſolts nicht denken, da ſie ihre Aeltern, oder wenigſtens ihre Muter bei ſich haben, die ſie mit ihren Flügeln bedekt, wenn es alzu heftig regnet, oder hagelt. Und
wo ein Thierchen ſeine Muter bei ſich hat, da fürchtet ſichs
für nichts. Auch werden ſie die Gewitter bald gewohnt, da
ihre Aeltern nur an denjenigen Orten von Teutſchland niſten, wo öfters Gewitter ſind.

T 5   Ich

Ich sah einmal bei einem sehr starken Gewitter, zween alte und vier junge Störche auf einem sehr hohen Kirchendach in ihrem Nest beisammen stehen — die Alten standen in der Mitte, und die Jungen um sie herum. Und da es eben recht sehr zu blizen und donnern anfieng, flog einer von den Alten — welches vermutlich das Weibchen war — weg, holte was zu fressen, und kam in etlichen Augenblikken mit einer jungen Schlange in dem Schnabel wieder zurük. Er zerhakte die Schlange in kleine Stükke, und gab jedem von seinen Kindern was davon. Alle, alt und jung klapperten vor Freuden über diesen guten Fras, mit ihren Schnäbeln zusammen.

Wie gros ist denn ein Storch? So gros ohngefähr, als eine Gans — siehe Tafel elf, Figur eins — Und wie sieht er aus? Fast ganz weis, denn nur sein Schwanz, und etwas von seinen Flügeln ist schwarz. Er hat sehr lange Füsse, und einen sehr langen Schnabel, und frist Fische, Schlangen und Frösche, und allerhand Gewürm, das er in den Sümpffen find, worin er herumwaden kan. Das heisse Afrika, und die wärmere Gegenden von Asia und Europa sind sein Vaterland. Zu uns nach Teutschland kömt er im März oder April, zieht drei oder vier Junge gros, und fliegt mit denselben im September wieder dahin, wo er hergekommen ist.

Man schäzt den Storch sehr hoch, weil er keinen Schaden thut, und in dem Hausse, worauf er wohnt, das Feuer löscht, wenn eines darin auskömt. Ja der gemeine Mann hält ihn sogar für einen heiligen Vogel, den man auf keine Weise beleidigen dürffe; und glaubt ganz gewis, er bringe Glük in dasjenige Hauß, worauf er wohne. Er baut

ihm

ihm deswegen zuweilen ein Nest auf sein Haus, und sorgt eifrig dafür, daß es in gutem Stand bleibe, damit es der Storch das nächste Jahr wieder bewohnen kan.

Denn so bald ein Storch im Frühjahr wieder in das Dorf kömt, worin er das vorige Jahr genistet hatte, so sucht er sein altes Nest wieder auf. Ist es noch da, und in gutem Stande, so puzt ers aus, und wohnt wieder drin. Ists aber nicht mehr brauchbar, oder gar nicht mehr da, so holt er im nächsten besten Gehölze Reiser und Gerten, und baut sich ein neues Nest. *)

Es gibt auch schwarze Störche, die etwas kleiner sind, als die weissen, sich nur in Europa in dikken Wäldern, nahe bei Sümpffen aufhalten, und übrigens eben das fressen, was die weisse Störche fressen. **)

Der Kranich

ist fast so gros, wie der Storch, und in Europa und Asia zu Hausse, hat aschgraue Federn, nistet auf Bäumen, und frist allerhand Saamenkörner. — Er ist ein sehr lustiger Vogel,

---

*) Siehe Conr. Gesnerum de avibus, pag. 252.

**) Einst fischte man aus der Ostsee, und etlichen andern Gewässern, todscheinende Störche heraus. Wie man sie aber in die Wärme brachte, wurden sie lebendig, und frassen gierig, was man ihnen vorwarf, siehe Kleins Historie der Vögel, und Baptistä Fulgosi Kapitel de avibus animalibusque et aliis admirandis pag. 55. Dieser sagt, daß einst in einem Sumpf in England die Fischer gefischet, und stat der Fische, einen Hauffen Störche heraus gezogen, die alle an einander gehangen, so daß sie einander die Schnäbel in den Hintern gesteckt, und da man sie erwärmt, lebendig worden wären. — Können also die Störche im Wasser überwintern, wie einige Schwalben?

Vogel, er springt, tanzt, wirft Steine und Holz in die Luft, und thut, als wenn er sie mit dem Schnabel auffangen wolte, bükt sich aber und weichet aus, wenn sie herunter kommen, daß sie ihm nicht den Kopf zerschlagen, hält mit seinen Kameraden Wettläuffe, und macht sonst noch allerhand lustige Possen. — Er find seine Nahrung auf den Getraidefeldern, und weis sonderlich die Gerste treflich auszudreschen; und zum Nachtisch sucht er sich etliche Regenwürmer, oder ein paar andere kriechende Thierchen auf. — Wenn er schläft, so steht er nur auf Einem Bein.

Der Reiher,

oder Reiger hält sich nur in Europa, nahe bei Fischteichen auf, ist aschgrau, und fast so gros, als eine Gans — siehe Tafel fünf, Figur drei und dreissig — und frist fast nichts, als Fische. Er fliegt über dem Wasser her, und stürzt plözlich auf den Fisch los, den er sieht, nimt ihn in seinen Schnabel, und frist ihn auf dem nächsten besten Baume auf. Man hast ihn, weil er ein sehr gefährlicher Deichdieb ist. — Es gibt auch weisse und schwarze Reiher. — Man ist die Reiher.

Der Rohrdommel

ist ein sehr träger Vogel. Er fliegt sehr langsam über dem Wasser und der Erde weg, frist Fische und Gewürme, und im Nothfal auch Mäusse, ist so gros als ein Storch — siehe Tafel elf, Figur acht und zwanzig — und sieht gelb und braun gestikt aus, und wohnt in Asia und Afrika im Rohr. Des Tags liegt er im Rohr verborgen, und des Nachts fliegt er auf seinen Raub aus.

Wenn

Wenn er seinen Schnabel ins Waſſer, oder in Moraſt ſtekt, kan er entſezlich ſchreien, und faſt eben ſo, wie ein Ochs brüllen. — Menſchen und Thiere ſind in Gefahr, ihre Augen zu verlieren, wenn ſie einem Röhrdommel zu nahe kommen; und wenn man ihn verfolgt, ſo iſt er im Stande, ſeinem Feinde blaue Flekken zu ſchlagen, oder wohl gar noch gefährlicher zu verwunden.

Die Schnepffe

iſt für die reichen Leute ein willkommener Vogel; denn ſie laſſen ſie braten, und eſſen ihr Fleiſch ſamt allem Drek, der in ihrem Magen und Gedärmen ſtekt, als was delikates auf. Und damit der gebratene Schnepffendrek recht herlich ſchmekke, ſtreichen ſie ihn auf weis Brod, und eſſen ihn ſo noch viel lieber, als das gebratene Fleiſch des Vogels ſelbſt. — Doch mus man eben nicht vornehm und reich ſeyn, um eine Schnepfe ſamt ihrem Drek eſſen zu dürffen. Die Jäger und viel andere Vogelſteller verzehren manche.

Glaubt ihr das, Kinder? O ja! Wir haben ſchon viele Schnepffen rupffen, braten und eſſen ſehen. Sie ſehen, röth-lich braun, und dunkel braun geſtreift aus, und ſind zum Theil faſt ſo gros, wie unſere Haushühner; zum Theil aber haben ſie kaum die Gröſſe einer Lerche, und niſten in Wäl-bern und Gehölzen, und freſſen vermutlich nichts als Saa-menkörner, und allerhand gute Waldbeere. Nein, keins von beiden. Sie freſſen nichts als Würmer, die ſie aus der Erde hakken, und im Kuhmiſt und anderm Unrath finden.

O ſo möchte ich künftighin kein Schnepffenfleiſch mehr eſſen, und noch vielweniger Schnepffendrek auf mein Brod ſtrei-

streichen! Gut, mein Kind! Das heist, so lange du keins
von beiden hast. Ich versichere dich, Kaiser und Könige halten den Schnepffenbraten, und noch weit mehr den auf weis
Brod geschmirten Schnepffendrek, für Lekkerbissen. *)

Es gibt etliche Sorten von Schnepffen: die gröste davon ist die gemeine Wald= oder Holzschnepffe — französisch Becasse — die sich in Wäldern, oder doch nahe dabei
aufhält, und die beste von allen Schnepffen ist. — Die viel
kleinre Heerschnepffe oder Himmelsziege — französisch Be-
cassine — trift man oft in grosser Anzahl auf dem freien
Felde an, und kan so hoch fliegen, daß man sie nicht mehr
sehen, wohl aber noch Mek mek schreien hören kan. Und
eben deswegen, weil sie wie eine Ziege schreien kan, nent
man sie Himmelsziege.

Der Kibiz

hat an Farbe und Lebensart viel ähnliches mit der Schnepffe. — Der gemeine Kibiz, der auch bei uns in Teutschland bekant, und so gros, wie eine Taube ist, hat dunkelbraune Federn, und am Kopf einen Federnbusch, — man
nent

---

*) Conrad Gesner sagt in seinem Vögelbuch Seite 110: der Schnäpff hat
  gar ein lieplich Fleisch, darumb wirt er für ein Schläck gehalten. —
  Und Frisch schreibt in seiner Vorstellung der Vögel von Teutschland:
  die Schnepffen sind auf den Taffeln grosser Herren so beliebt, daß man
  sie mit allem Koth in Magen und Därmen brätet, den gebratenen Koth
  auf Semmeln streicht, und als das herrlichste Lekkerbischen achtet. —
  Vielleicht, fährt er fort, solte der Kuhmist im Mai, wenn er eben so
  kostbar in Butter gebraten und zugerichtet würde, wie der Schnepffendrek, besser schmekken und grössere Bissen geben. — Und endlich schliest
  er: wir überlassen es denen, so stets was ausserordentliches zur Speise
  begehren, zur Probe.

nent ihn deswegen auch hie und da Feldpfau — und nistet in Teichen, zwischen den Binsen, und schreit, wenn er seine Eier legt, ganz erstaunend stark Kibiz Kibiz.

Und dis grosse Geschrei ist eben sein Unglük. Denn nun kommen die Jäger und andere Eier= und Vogel=Diebe herbei, und nehmen ihm seine Eier, und verkauffen sie, oder essen sie selbst als was delikates auf. Und wenn sie ihn selbst auch erwischen können, ists ihnen herzlich lieb. — Der arme Nar legt sogleich wieder neue Eier. Und nimt man sie ihm wieder, so legt er auch wohl noch zum drittenmale neue; aber nun nicht mehr.

Eine Art Kibiz nent man Hausteuffel, Streit= oder Kampfhahn, weil sie sich immer mit einander zanken und herumzaussen. Des Nachts sizen sie ruhig bei einander, und fliegen auch wohl bei Tage mit einander hauffenweis herum; so bald sie sich aber auf der Erde niedergelassen haben; oder so bald es Tag geworden ist, geht das Zupffen und Käm= pffen wieder an. — Sind das nicht närrische Vögel?

Der Trappe

ist ein schöner grosser Vogel, der nicht fliegen, sondern nur schnel lauffen oder trappen, und im Fal der Noth so ge= schwind springen, und über die Erde wegschurren kan, daß ihn oft kein Hund, geschweige denn ein Mensch, einholen kan. Er kan zwo bis drei Stunden in einem weg fortrin= nen, ohne sich irgendwo zu sezen und auszuruhen.

Preussen und Polen ist des Trappen Vaterland. Er kömt aber auch zuweilen nach Böhmen und Teutschland,

und

und nach mehreren Gegenden von Europa, und nistet in Gerstenfeldern, und frißt grüne Saat, Rüben, Getraide und allerhand Gesäme. Und weil er gern auf Aekkern wohnt, wo Regenwasser stehen bleibt, so läßt er sich auch Frösche und Gewürme wohl schmekken. — Er gibt einen guten dikken Braten, denn er wiegt gewöhnlich zehn bis vierzehn Pfund.

Der Traphahn ist so gros, als ein Puter oder Wälscherhahn, hat an Kopf und Hals aschgraue, am Unterleib weisse, und am Oberleib und den Flügeln ziegelroth und schwarzgeflekte Federn, und unter dem Kin einen Federnbart. Die Traphenne hingegen ist fast um die Hälfte kleiner, und sieht beinahe, wie eine Lerche aus. Diese budelt sich ein Loch in die Erde, und legt zwei Eier drein, die sie in dreißig Tagen mit viel Müh und Angst ausbrütet.

Und warum mit Angst? Weil sie sich vor den Jägern und ihren Hunden entsezlich fürchtet, und allemal, wenn sie sie in der Nähe spürt, ihre Eier unter einen Flügel stekken, und mit vieler Gefahr, sie zu verlieren, davon fliehen muß. Kan sie sich denn nicht auf einen niedern Baum schwingen, und daselbst retten? O ja, das kan ein Trappe wohl; allein an den Aesten festhalten kan er sich nicht, weil er nur drei Zehen nach vorn, und keinen nach hinten hat. Er stürzt also gleich herunter.

Der Trappenzwerg oder der kleinere Trappe unterscheidet sich von dem Grossen nur dadurch, daß er viel kleiner ist, etwas andere Federn hat, drei bis fünf Eier legt, und nicht in Teutschland angetroffen wird. — Die übrigen Trappenarten halten sich in Arabien und Aethiopien auf.

Ende

Endlich kömt die Reihe an dich, groſſer

Straus.

Du weiſt doch, daß du der gröſte Vogel, der Rieſe unter allen Vögeln in der Welt biſt? O ja, das weis ich wohl. Ich bin ſo gros, als der gröſte Menſch, und wäge mit Haut und Haar ſiebenzig bis achtzig Pfund. Nicht wahr, ich gebe einen ziemlichen Braten? So, kan man dich alſo eſſen? Ja freilich, und meine Eier auch. Meine Eier ſind ſo gros, daß ſich zwo bis drei Perſonen an einem einzigen ſat eſſen können — denn ſie ſind ſo gros, wie ein kleiner Kindskopf, und wägen vier bis ſechs Pfund.

Und ſolche groſſe Eier leg ich alle Jahr dreiſſig bis vierzig. *) O das iſt erſtaunlich viel! So viel Eier legt gewis ein einziger groſſer Vogel — wenn du ſie alle ausbrüteſt, ſo mus es ja entſezlich viel Strauſſen geben. Thuſt du wohl das, und brüteſt alle aus? — Doch davon nachher.

Sag mir erſt, wo du zu Hauſſe biſt? Ich wohne in den unfruchtbaren Wüſten von Afrika, Arabien und Indien, wo keine Menſchen wohnen, und ſelten welche hinkommen. — Und o wie lieb wär mirs nicht, wenn ich nie einen Menſchen ſähe. Denn ſo oft einer zu mir komt, raubt er mir meine Eier, oder meine Junge, oder bringt mich gar ſelbſt ums

*) Einige Reiſebeſchreiber ſagen, der Straus lege alle Jahr fünfzig bis ſechzig, und Aelian in ſeiner hiſtor. anim. Lib. 14. Cap. 7. meint gar, er lege über achtzig Eier. — Und dieſe Eier ſollen nach Klein, in ſeiner Samlung von Vogeleiern — und nach Schaw, in ſeiner Reiſe, fünfzehn Pfund wägen. — Beides iſt falſch.

U

ums Leben — Wie sehr mich oft die häslichen Mohren
quälen und verfolgen, ist nicht zu sagen.

Was frissest du? Kraut und Gras, Saamenkörner
Nüsse und andere Baumfrüchte, die ich erwischen kan. Selten aber werd ich an diesen Dingen sat, daher stopf ich
meinen Magen gewöhnlich noch mit Steinen, Holz, Knochen
Strikken, Leder, Eisen, Kupffer, Messing, Zin und Ble
und Glas an. Und zuweilen bin ich auch so dum, und
verschlinge glühende Kohlen, die mir aber allemal sehr übe
bekommen.

Wie alt wirst du? Sechzig bis siebenzig Jahre, wenn
mir kein Unfal begegnet. Werde ich aber gefangen, zum
Reiten gebraucht, öfter meiner Federn beraubt, und sonst
noch auf andere Art gequält, so dauert mein Leben freilich
kaum halb so lang. — Reitet man denn auf dir? Ja, zum
Spas. Auch in Karren spannen mich die Mohren zuweilen.
Denn ich bin sehr stark und flenk, und kan in einer Stunde
fünf bis sechs Stunden weit springen. Samt Karren und Rei-
ter? Ja, mit beiden. Aber wehe dem Mohren, der auf
dem Karn, oder auf meinem Rükken sizt, wenn er das
schnelle Fahren oder Reiten nicht gewohnt ist — Es vergeht ihm Sehen, Hören und Othemholen.

Nun erzähl mir, dummer Straus, wie du vom Kopf
bis auf die Zehen oder Klauen aussiehst; und wie es mit
dem Ausbrüten deiner Eier zugeht. — Ich bin, wie gesagt, grösser als der gröste Mensch, und ganz gewis so gros,
als ein Drogoner, der zu Pferde sizt, und gleiche sehr viel
dem vierfüssigen Thier, das man Kameel nent — siehe Tafel
zwei,

zwei, Figur elf — Mein Kopf hat viel ähnliches mit einem Gänsekopf. Mein Schnabel ist kurz, krum und spizig. Die Oefnung meiner Ohren liegt ganz ohnbedekt. Meine obern Augenlieder sind beweglich, und mit langen Augenwimpern versehn, wie beim Menschen. Ich kan auch, wie der Mensch, einerlei Sache mit beiden Augen zugleich ansehen.

Mein Hals ist sehr lang und dün, und nebst dem größten Theil meines Körpers mit dikken weissen Haaren bedekt. In meinen Flügeln hingegen und in meinem Schwanz habe ich mehrentheils schöne weisse, doch aber auch viele schwarze und graue Federn. — Und dis sind die bekante Federn, um deren willen mich die Mohren entsezlich ängstigen und jämmerlich zu Tode prügeln. Sie verkauffen sie an die Europäer, welche sie auf die Hüte und Köpffe stekken, Fächer, Muffen, Pferdebuschen und sonst noch allerhand Puz und Zierrathen davon machen. Meine schwarze Federn sind theurer, als meine weisse, weil ich deren weniger habe.

Meine Füsse sind kahl und sehr lang, und mit zwo Zehen oder Klauen versehen — denn ich bin der einzige Vogel, der nur zwo Zehen hat. — Fliegen kann ich nicht, weil meine Flügel zu klein, und die Last meines Körpers zu gros ist. Aber lauffen kan ich entsezlich geschwind, so geschwind, daß mich weder Menschen, noch Hunde und Pferde einholen können. Und doch gelingts den listigen Mohren, mich endlich zu fangen.

Was meine Eier anbetrift, so sind sie wirklich so gros, wie ein kleiner Kindskopf, länglicht rund, glat, weislicht und mit kleinen Pünktchen versehen. Man kan sie essen,

U 2 und

und die Schale zu allerhand Trinkgeschirren machen; den
sie ist ziemlich dik und steinhart. Die Franzosen und Hollän
der bringen sie häuffig nach Europa, und verkauffen sie a
Naturalien Liebhaber. Es kostet eins gewöhnlich einen Gul
den, und wenn es recht schön ist, wohl noch mehr.

Und wie viel brütest du von den dreissig oder vierzi
Eiern aus, die du alle Jahr legst? Kaum den vierten Thei
Denn viele stiehlt man mir; und viele leg ich blos deswegen
damit die Junge, die ich oder der heisse Sand ausbrüte
gleich was zu fressen finden, wenn sie lebendig geworden sin
und die Schale verlassen haben. Und von diesen sterbe
doch immer noch viele Hunger, oder kommen auf der Fluc
vor den bösen Mohren um.

Ich lege meine Eier geschwind hinter einander her
den heissen Sand. Aber nicht alle dreissig oder vierzig a
einen einzigen Hauffen, sondern nur allemal zehn bis zwö
zusammen in einem kleinen Kreis herum. Einige davon brü
ich selbst aus, wenn ich nicht davon verjagt werde; die ar
dern aber lasse ich den heissen Sand ausbrüten.

Du klagst über die unbarmherzigen Mohren, dumme
Strauß, daß sie dich immer ängsteten und grausam verfolg
ten — warum wehrst du dich denn nicht gegen sie? O ic
thu es ja! Ich schlage manchem Arme und Beine ab, un
schlize ihm oft, samt seinem Hund und Pferd, den Leib auf
Aber es kommen immer wieder andere Mörder, die mich end
lich, wenn sie mich zween oder drei Tage im Kreis herun
gejagt, abgemattet und ausgehungert haben, nöthigen, da
ich meinen Kopf in den Sand oder sonst wohin stekke, mi

fan

fangen und tödten, oder lebendig in die Gefangenschaft füh=
ren laſſe.*)

In der Gefangenſchaft hab ichs zwar gut — Ich hab
Freſſen genug, kan hüpffen und ſpringen, wie ich wil —
Aber ich mus es mir gefallen laſſen, daß man mir von Zeit
zu Zeit meine Federn auszieht, und mich endlich gar ab=
ſchlachtet, und aus meiner Haut allerhand Kleidungsſtükke
macht. — Einige Afrikaner fangen alle Jahr eine Menge
von uns zuſammen, und ziehen uns um der Federn willen
auf. — Nach Europa wird ſelten ein lebendiger Straus
gebracht.

Im ſüdlichen Amerika hält ſich ein ſehr groſſer Vogel
auf, der wegen ſeiner Aehnlichkeit mit dem Afrikaniſchen
Straus, der Amerikaniſche Straus oder Strausbaſtard
genant wird.

Der Kaſuar

iſt merklich kleiner, als der Straus, aber doch noch immer
ſo gros, als ein Schaf. Er ſieht ſchwarz aus, hat auf
dem Kopf eine knöcherne, mit einer braunen Haut überzo=
gene Haube, und am Hals rothe und blaue Geflechte,
wie der Puterhahn, und an den Füſſen drei Zehen. Die

U 3 In=

*) Der Straus ſpringt auf der Flucht immer im Kreis herum. Sein Feind
darf alſo nur in der Mitte bleiben, ihn immer im Geſicht behalten,
und zu keinem Fras kommen laſſen, ſo ſteht er endlich ſtille, ſtekt ſei=
nen Kopf in den Sand, und läſt ſich fangen, und mit ſich anfangen,
was man wil. — Verſtekt er ſeinen Kopf deswegen, daß man ihn
nicht ſehen ſol? Oder wil er nur ſeinen Kopf in Sicherheit bringen?
Beides zeugt, daß der Straus ein recht ſehr dummer Vogel ſey. Er
ſolte ſich wenigſtens noch wehren, ſo lang er könte.

Inseln Banda, Java und Sumatra in Ostindien sind sein Vaterland. Er frist fast alles, was der Straus frist, und legt graugrüne Eier, die zwar nicht so dik, aber länger als die Strauseneier, und mit grünen Knöthen besezt sind. Es hat sehr kleine Flügel, und gar keinen Schwanz, und kan noch viel weniger fliegen, als der Straus. — Es gibt sehr wenig Kasuar.

Auf der Insel Frankreich in Afrika, neben der grossen Insel Madagaskar gibts einen sehr übel oder sonderbar gebildeten grossen Vogel, der Dronte genant wird, und wegen seiner Dikke kaum lauffen kan.

Der Flamant, die Löffelgans, die Numidische Jungfer, der Wachtelkönig, der Regenpfeiffer, der Mornel, der Austerndieb, der Säbelschnäbler ꝛc. sind auch noch merkwürdige, aber mehrentheils ausländische und wenig bekante Sumpfvögel. — Der Säbelschnäbler hat einen überwärts gebognen Schnabel.

Die

Hühner

machen die fünfte Ordnung der Vögel aus. — Es gehören dazu der Pfau, der Wälschehahn oder Puter, der Haushahn und seine Henne, der Fasan, das Perlhuhn, der Auerhahn, der Birkhahn, das Haselhuhn, das Rebhuhn und die Wachtel.

Alle diese Vögel haben einen kurzen runden Schnabel, vier Zehen, und zum Theil auch noch Einen, oder gar Zween Sporn,

Sporn, fressen allerhand Saamenkörner, können ziemlich schnel lauffen, aber weder sonderlich hoch, noch lange hintereinander fliegen, haben einen fleischichten wohlschmekkenden Körper, und ein etwas härteres Fet, als andere Vögel.

Sie nisten ohne sonderliche Kunst auf die Erde, legen alle Jahr zehn, zwanzig bis hundert Eier, und brüten davon viele auf einmal aus. Ihre Jungen lokken sie zur Speisse. Sie werden leicht zahm, und nüzen mit ihren Eiern und Fleisch. Ihre Federn aber taugen — bis auf die schönen Spiegelfedern des Pfaun — alle nichts. Sie haben allerhand Farben, und werden zehn bis dreissig Jahr alt.

Der Pfau

ist der schönste Vogel in der Welt. Er übertrift alle Vögel, und alle übrigen lebendigen Thier, sie mögen auch so schön seyn, als sie wollen, an Schönheit. Wer schon einen drei der vierjährigen Pfauenhahn gesehen hat, wirds wissen. Was hat er nicht für einen treflich blauen Hals? Welch herrliche Farben glänzen nicht in seinem Federbusch auf dem Kopf? Wie gros ist nicht der Pracht seiner Spiegelfedern im Schwanz? Und welch entzükkender Anblik ist es nicht, wenn er diese Schwanzspiegelfedern erhebt, und damit ein Rad schlägt? Kurz, jederman, der den stolzen Pfauen sieht, mus sagen, daß er ein bewundernswürdiger Vogel sey.

So schön aber der Pfau ist, so häslich ist seine Stimme. Er schreit oft eine Stunde lang in einen weg ein ärgerliches Pavo pavo. Ei, gerade so, wie er heist? Ja, ja, ich habs leider schon oft gehört. Es klingt so wiederlich, daß man das Kopfweh davon bekommen möchte.

U 4　　　　　　　　　　Ich

Ich weis auch, wie gros er ist, und wie er sonst noch, nebst seiner Henne, ausſieht — Denn ich ſah lezthin einen in der Nähe, da er eben ſeine herliche Spiegelfedern erhob, und ein Rad damit ſchlug — Auf der neunten Tafel, Figur ſiebzehn iſt er abgebildet — Er iſt ſo gros, als ein Puter, hat einen kleinen blauen Kopf, und um die Augen einen weiſſen Strich. Sein langer dünner Hals und ſeine Bruſt ſind blau, ſein Rükken iſt weisgrau und ſchwarzgeflekt. Er kan auf die höchſte Häuſſer und Bäume fliegen, und frist Gerſte und anderes Getraide. Auch Inſekten fängt er gern. Wenn er aber Holunderblüte oder Brenneſſelblätter frist, ſo wird er tödlich krank, oder ſtirbt gar daran. — Die Pfauenhenne aber iſt merklich kleiner, und faſt ganz grau, und lange nicht ſo ſchön, wie der Hahn, und legt alle Jahr acht bis zwölf Eier, die ſie entweder ſelbſt ausbrütet, oder das nächſte beſte Haushuhn ausbrüten läſt.

Iſt das Pfauenhähnchen gleich ſo ſchön, wenn es aus dem Ei ſchlupft? Nein! Erſt im dritten Jahr bekömt es ſeine prächtigen Spiegelfedern. — Wie alt wird ein Pfau? Zwanzig bis fünf und zwanzig Jahr. Gibts viele in Europa? — Denn er iſt doch vermutlich ein Ausländer? — Nein, es gibt nicht ſonderlich viel, denn ſie ſind ſehr theuer und dabei ſehr böſe Thiere. Sie zerhakken alles, wo ſie hin kommen, fliegen den Menſchen oft auf den Leib, und hakken ihm Löcher ins Geſicht, oder gar die Augen aus, und ſpielen auf den Hühnerhöfen den Herrn, und wiſſen ſich bei allem andern Geflügel ſo in Anſehn zu ſezen, daß ſich kein anderes Huhn unterſteht, etwas zu freſſen, bis erſt der ſtolze Pfau ſeine Mahlzeit vollendet hat. Er kan ſich faſt mit keinem Vogel, als mit der Taube vertragen.

E

Es gibt auch bunte und ganz weiſſe Pfauen, die aber nur Abänderungen, und keine verſchiedene Arten ſind. Denn zuerſt waren alle ſchön, wie ſie aus Indien, ihrem Vaterlande kamen. Nach und nach aber wurden ſie bunt, und endlich gar weis, wie die in Norwegen, Schweden und Rußland. — In Indien gibts ganze Heerden von Pfauen, wie bei uns Sperlinge. — Man iſt ihr Fleiſch, und gebraucht ihre Spiegelfedern zu allerhand Zierrathen. Und ehedem machte man auch allerhand Wedel oder Fächer, und ſo gar eine Art Zeug davon. — Bei ſeiner jährlichen Mauſezeit fallen ihm viele von ſeinen ſchönen Spiegelfedern aus, dafür er aber allemal bald wieder neue bekömt.

Es iſt allerliebſt anzuſehen, wenn ein alter Pfau ſeine Kinder fliegen lehrt. Des Abends ſezt er ſich gern auf hohe Bäume, und übernachtet darauf. Weil ihm nun ſeine Kinder nicht nachfliegen können, ſo trägt er eins ums andere auf ſeinem Rükken hinauf. So bald es aber Tag geworden, fliegt der Alte fort, und die Jungen machens nach, ſo gut ſie es können. Und ſo lernen ſie nach und nach fliegen.

Den Wälſchenhahn,

Trut= oder Indiſchen= oder Kalekutiſchen Hahn, Puter, Kurre oder wie er ſonſt noch heiſſen mag, kent Jederman — und alſo auch ihr, liebe Kinder, da es faſt in allen Hühner= ſtällen welche gibt. Ihr habt gewis ſchon viele geſehn, und vielleicht gar ſelbſt welche gegeſſen? Sie rathen gut, liebe Herr . . ! Wir kennen die Puter ſchon lang — ſiehe Tafe neun, Figur ein und zwanzig — und haben auch ſchon welch gegeſſen. Sie ſchmekken ganz vortreflich, wenn ſie jung un gut gefüttert worden ſind.

U 5

Sie sind merklich grösser, als die Gänse, sehen fast ganz weis aus, und haben an Kopf und Hals eine bläulichte Haut hängen, die sie, wenn sie ernsthaft oder zornig geworden sind, schön helroth aufblasen können. Es sind überhaupt ganz sonderbare Vögel, mit denen man viel Spas haben kan. Wenn man zu ihnen ruft: ich hab mehr roth als du, so werden sie entsezlich böse, schlagen ein Rad, und schreien Puter puter puter, oder Kurre kurre kurre. Zeigt man ihnen aber was rothes, oder hat Jemand gar selbst ein rothes Kleid an, so werden sie noch erbitterter, und gehen ganz wütend mit ausgespanten Flügeln auf die Leute los, und würden ihnen gewis auf den Leib fliegen und sie verwunden, wenn sie stehen blieben.

Nicht wahr, lieber Herr, so machts der Puter? Ja, mein Kind, volkommen so. Er kan schlechterdings nichts rothes ertragen. So bald er was rothes sieht, oder sonst von Jemand böse gemacht worden, bläst er seine Haut an Kopf und Hals auf, schlägt ein Rad nach dem andern, rauscht mit seinen ausgespanten Flügeln dicht an der Erde hin, und rast mit dumpffichten Kullern ganz wütend auf das los, was ihm zuwider ist, und jagts fort, oder zerhakt es gewaltig, und läst dabei sehr oft sein Puter puter, oder Kurre kurre hören.

Die wälsche Henne ist kleiner, als der Hahn, und kan auch kein Rad schlagen, wie die Pfauhenne. Sie legt alle Jahr fünfzehn bis zwanzig Eier, die etwas grösser, als die gemeine Hühnereier, und weis und mit gelbrötlichten Flekken gezeichnet sind. — Wenn sie einen Raubvogel in der Luft schweben sieht, so ruft sie hastig ihre Kinder zusammen, und versteckt sich mit ihnen; oder sie fallen plözlich zur Erde, und

blei=

bleiben so lange wie tod liegen, bis sie von ihrer Muter Nachricht kriegen, daß der böse Räuber fort sey.

Was frist der Puter? Alles, was das andere zahme Geflügel auch frist, Gerste, Haber, Wikken und Brod, und was man ihm sonst noch vorwirft. — Nordamerika ist sein Vaterland. Man solte ihn also den Amerikanischen, und nicht den Kalekutischen Hahn nennen; denn in dem König- reich Kalekut in Ostindien gabs niemals wilde Puter, wie man ehedem glaubte. Erst nach Entdekkung der Neuen Welt oder Amerika, wurden sie in der Alten Welt bekant, und kamen zuerst nach England und Frankreich; und von hieraus brachte man sie allenthalben hin. — König Karl der neunte in Frankreich sol an seiner Hochzeit im Jahr taussend fünf hundert und siebzig den ersten Puter, der nach Frankreich gekommen, gespeist haben. — Es gibt allerhand Puter, weisse, schwarz und weisgeflekte, weis und gelbröthlichte und graue.

Sol ich euch denn auch was von dem muthwilligen

Haushahn

und seiner trägen Henne erzählen? Ach ja, thun sie es! Ich dächte aber, die kennetet ihr vor allen Vögeln und andern Thieren am besten, da sie immer vor euern Augen herum lauffen? Das kennen wir auch, allein wir wissen doch wohl weiter nichts von ihnen, als daß sie weisse, schwarze, gelbe, rothe und bunte Federn; einen in die Höhe stehenden Schwanz; und auf der Stirn einen rothen fleischernen Kam haben — daß der Hahn kreht, und bei Tag und bei Nacht sein stol- zes Ki kridi ki Ki kridi ki hören läst, und die Henne

gluchzt,

gluchzt, und wohl hundertmal Gak gak gak gaak schreit,
wenn sie ein Ei gelegt hat, oder wie die Biene in der Fabel sagt: daß sie bei einem Eie, aus vollem Halse zehnmal
schreie — daß sich der Hahn mit der Henne begattet, oder
sie trit, und diese alle Jahr sechzig bis hundert, und wo
ich nicht irre, gar hundert und funfzig Eier legt; auch wenn
mans haben wil, zehn bis funfzehn Eier ausbrütet, und
sobald sie Muter geworden, mit ihren Kindern behutsam
herum zieht, und eifrig für ihre Nahrung und Auferziehung
sorgt — Und weil sie das thut, und dabei immer Gluk
gluk gluk ruft, nent man sie auch Glukhenne.

O wie sehr ist nicht eine solche Glukhenne in Aengsten,
wenn sie mit ihren gesamten Kindern bei einem Teich vorbei zieht, und eins von ihren Stiefkindern — denn die Hühner brüten auch Enten aus — ins Wasser geht, und flenk
darin herum schwimt; und nicht wieder heraus wil, sie mag
ihm auch noch so ängstlich lokken, und mit strupffichten Ge-
fieder, das Ufer zehnmal auf und niederspringen.

Wenn ein Huhn sonst sehr gefressig, und fast nimmer-
sat ist, so leidet es gewöhnlich Hunger, wenn es Kinder
hat. Findet es Saamenkörner oder Brodsamen, so ist es
nichts davon, sondern lokt ihre Kinder herbei, die allemal
geschwind kommen, und alles hastig aufzehren. — War es
vorher schüchtern, und lief es dem kleinsten Thierchen aus
dem Weg, so ist es nun sehr beherzt, und fliegt dem grösten Hund auf den Kopf, und wehrt sich gegen ihn, wenn
er ihre Kinder beleidigen wil. Bei der geringsten Gefahr
nimt es alle unter ihre Flügel, und erwärmt und beschüzt sie.

Der

Der Hahn und seine Henne, und alle ihre Kinder fressen alle Arten von Getraide und andere Saamenkörner, auch Bröd und fast alles, was der Mensch ißt. Und wo sie Gras und andere zarte Gewächse antreffen, pikken sie gern was davon weg. — Sie scharren gern im Mist und in der Erde, und suchen Saamenkörner und Würmer, und fressen immer fort, so lang sie was finden. Von dem Futer, das man ihnen vorwirft, lassen sie gewis nichts liegen. Solten sie sich aber von den einzelnen Körnchen und Würmchen, die sie aus der Erde scharren, nähren, so müsten sie herzlich lange zubringen, ehe sie sat würden.

Der Hahn ist grösser, als das Huhn, hat auch einen grössern Kam, und einen Sporn an den Füssen — siehe Tafel neun, Figur zwanzig — Er hats gern, wenn er zehn bis fünfzehn Hennen unter seinem Kommando hat, und leidets nicht, daß ihm ein fremder Hahn in sein Gehäge komme. Wenn aber doch einer so kühn ist, und kömt, so geht er mit feurigen Augen, und emporsteigenden Federn auf ihn los, fält ihn wütend an, und kämpft so lange mit ihm, bis er wieder fortgeht, oder einer von beiden tödlich verwundet, oder gar tod gemacht worden.

Seine Hühner müssen alles thun, was er haben wil, oder er kneipt sie gewaltig, und jagt sie im Stal, oder im ganzen Hof herum. — Dagegen aber ist er auch sehr ernstlich um seine Hühner bekümmert. Denn sobald es Tag geworden, besucht er sie, und sieht zu, ob ihm keine fehle, und bleibt nun immer bei ihnen. Er läßt sie nie aus den Augen, und begleitet und vertheidigt sie allenthalben. Er sucht die verlauffenen auf, bringt sie wieder zusammen, und hält nicht eher seine Mahlzeit, bis er erst um sich her seine

Heerde

Heerde fressen sieht. Wie heftig schreit er nicht, wenn ein fremder Mensch oder ein Hund in den Hof tritt, oder wenn er den Sperber oder sonst einen Feind seiner Hühner sieht? *)

Einige Leute nennen den Hahn auch Gul, Güggel, oder Goggeler. — Und Nachtwächter heist er deswegen, weil er des Nachts in verschiedenen Stunden krähet, und die Leute vom Schlaf aufweckt, oder zur Arbeit ruft. Fallen euch hier nicht die schlauen Mädchen in Gellerts Fabel ein?

> Zween Mädchen brachten ihre Tage
> Bei einer alten Base zu.
> Die Alte hielt zu ihrer Muhmen Plage
> Sehr wenig von der Morgenruh.
> Kaum krähte noch der Hahn bei frühem Tage;
> So rief sie schon: Steht auf, ihr Mädchen, es ist spät,
> Der Hahn hat schon zweimal gekräht. **)

> Die Mädchen, die so gern noch mehr geschlaffen hätten,
> Denn überhaupt sagt man, daß es kein Mädchen giebt,
> Die nicht den Schlaf und ihr Gesichte liebt,
> Die wunden sich in ihren weichen Betten,
> Und schwuren dem verdamten Hahn
> Den Tod, und thaten ihm, da sie die Zeit ersahn,
> Den ärgsten Tod rachsüchtig an. ꝛc.

Ein

---

*) Die alten Römer nahmen aus dem Fressen der Hühner auguria her.

**) Gewöhnlich kräht der Hahn dreimal in einer Nacht, um zwölfe, um zwei, und kurz, ehe es Tag wird. — Den Tag über aber kräht er, wenn es ihm einfält — Und dis thut er zuweilen auch des Nachts, wenn er ander Wetter merkt, oder ihm seit Nachbar eins vorgekräht, oder der Nachtwächter, oder sonst ein lustiger Mensch, das Hahnengeschrei nachgemacht hat. — Und kräht erst irgendwo ein Hahn, so krähen in kurzer Zeit alle in der Nachbarschaft nach. — Excubitorque diem cantu praedixerat ales.

Ein gutes Huhn, das gnug zu freſſen hat, legt beinahe das ganze Jahr durch faſt alle Tage, oder doch wenigſtens alle ander Tag, gewis Ein Ei, und — und — ach nun weis ich nichts mehr!

Doch noch eins: Es gibt auch Hühner ohne Schwanz, oder Kluthühner. Sodenn gibts auch Hühner, denen alle ihre Federn verkehrt auf dem Leibe ſizen, und Strüppichte Hühner genant werden. — Und wie viele Hühner gibts nicht, die keine Eier legen, und Kapaunen genant werden? Sie — Geduld, mein Kind! Die Kapaunen ſind keine Hühner, ſondern Hähne, die niemals Eier legen, auch die Hühner nicht treten, ſondern blos zum abſchlachten beſtimt ſind. *)

Die Kapaunen haben eine heiſchere Stimme, und krähen wenig oder ſelten, und werden bald dik und fet, und geben einen guten Braten, oder ſonſt eine gute Mahlzeit.

Auf der neunten Tafel iſt die ganze Haushühner-Familie, ihr Stal und die Leiter, wo ſie dran hinaufſteigen, abgebildet — Figur zwanzig iſt der Hahn, und Figur zwei und zwanzig ſeine Henne und ihre Küchlein — Figur drei und zwanzig iſt ein Kluthuhn — Figur neun und zwanzig iſt eine, auf den Eiern ſizende Bruthenne — und Figur dreiſſig iſt eine Strüppichte Henne.

Die Kapaunen mauſern ſich nicht, wohl aber die Hahnen und Hühner, und bis allemal im Herbſt, oder zu Anfang des Winters. Und in dieſer Mäuſezeit legt das Huhn
keine

*) Die Kapaunen ſind bei den Vögeln das, was die Wallachen bei den Pferden, und die Schöpfe oder Hammel bei den Schafen ſind.

keine Eier, sonst aber — wenn es nämlich gut gehalten
wird — fast alle Tag, oder doch gewis alle ander Tag, Ein
Ei. Ja man hat Beispiele, daß Hühner auch zwei Eier
in einem Tag gelegt haben. Und so oft das Huhn ein Ei
gelegt hat, schreit es fast eine Viertelstunde in einem weg
ihr widerliches Gak gak gak gaak.

Zuweilen legen die Hühner auch Eier ohne Schale oder
Windeier. — Und dann und wann findet man auch Eier,
darin zween Dotter sind. — Auch fehlt es nicht an Bei-
spielen, daß die Hühner lebendige Küchlein zur Welt gebracht haben. *)

(Ei ists wahr, daß die Hühner sterben, wenn man ihnen bittere Mandel zu fressen gibt? Ja freilich! Auch Kaffebohnen und Brantwein sind ihnen tödlich.

Ists euch wohl lieb, Kinder, wenn ich euch noch erzähle, was man hie und da in der Welt, und vorzüglich in
England für Spässe, oder vielmehr für Mishandlungen mit
den Hähnen treibt? — Denkt einmal, man lehrt sie, drei
bis vier Wochen lang, mit viel Mühe und Sorgfalt mit
einander kämpffen, und macht sie entsezlich kühn und wild.
Man schneidet ihnen ihre Sporn ab, und sezt ihnen dafür
stählerne an, die ziemlich lang und sehr spizig sind, und läßt
sie so an einem bestimten Tag, in Gegenwart vieler hundert
Zuschauer auf einander losgehen.

So bald sich die zween Kampfhähne sehen, fahren sie
mit grosser Wut auf einander los, reissen und hakken sich
tre

---

*) Siehe Neues Hamburgisches Magazin Stük 84, Seite 458. Breslauisch
Saml. 1717 Novemb. p. 326; und Acta Natur. Curios. Dec. III, An.
Obs. 42. p. 60.

Tab. VI.

F.L.H. *Waagen del.*   J. G. *Sturm sc.*

reten wieder zurük — wie die Ziegenbökke, die sich mit einander stossen — greiffen aber einander immer heftiger an,
und hören nicht eher mit hakken und reissen auf, als bis
einer überwunden und tödlich verwundet, oder gar tod gemacht worden ist.

Der Sieger stelt sich sodenn, nach glüklich geendigter
Schlacht, stolz auf den Kampfplaz, und gukt freudig umher, ob
man ihn auch sehe. Der Uiberwundene hingegen läst alle seine
Federn sinken, und ist froh, wenn er sich in den nächsten besten Schlupfwinkel verstekken kan. — Die Engländer halten
alle Jahr solche Hahnengefechte, und wetten oft etliche hundert Thaler mit einander, welcher Hahn wohl siegen werde. *)

Der Fasan

ist nach dem Pfauen fast der schönste Vogel in der Welt.
Er ist so gros, als ein Haushahn, hat am Hals meist lauter graue, am Leib und Flügeln aber lauter goldgelbe Federn, und einen Ellen langen Schwanz, mit dem er aber
ein Rad schlagen kan, wie der Pfau und der Puter — siehe
Tafel neun, Figur achtzehn.

Es

---

*) Schon die Athenienser hielten ehedem, zum Andenken eines Sieges, den
ihr Feldherr Themistokles gegen die Perser gewonnen hatte, öffentliche
Hahnengefechte. — Da nämlich Themistokles merkte, daß seine Soldaten
muthlos waren, rief er ihnen, da so eben etliche Hähne vor ihren Augen
mit einander kämpften, zu: sehet Athenienser, den unüberwindlichen
Muth dieser Thiere, die doch um nichts, als um den Sieg mit einander
kämpffen. Ihr hingegen woltet muthlos seyn, da ihr doch für euren
Heerd und Familie, für die ehrwürdigen Gräber eurer verstorbenen Vä-
ter, und für eure Freiheit streitet? Siehe *Aeliani* var. hist. lib. 2. — Auch
die alten Römer hielten ehedem nach dem Zeugniß *Plinii* lib. 10. Cap.
21. in verschiedenen Stätten ihres Gebiets feierliche Hahnengefechte.

X

Es gibt aber auch weiße und bunte Fasanen. Und wo denn? In den Höffen und Gärten reicher und vornehmer Leute. In Asien aber und Afrika fliegen sie wild herum. — Ihr wahres Vaterland ist das Fürstenthum Mingrelien in Georgien am Schwarzen Meer und Flusse Phasis, das vor Zeiten Kolchis hies, wo ihn ehedem einige Griechen, die man Argonauten nante, gefangen und mit sich nach ihrem Vaterlande genommen haben. Und von Griechenland aus kamen sie nach und nach fast in alle Gegenden der Welt. *) — Seinen Namen Fasan oder Phasan hat er von dem Flusse Phasis. — Ist das nicht ein Fasan, der auf der Tafel bei Figur auf der Hofthür steht? Richtig.

Das Perlhuhn

ist etwas grösser, als unser Haushahn, hat dunkelbraune weißgeflekte Federn, und einen hängenden Schwanz, und legt röthlichte Eier, die fast so gros sind, wie unsere gemeine Hühnereier, und eben so gut schmekken. Man zieht bei uns die Perlhühner nicht gern auf, weil sie sich mit dem andern Geflügel, und vorzüglich mit den Haushähnen gar nicht vertragen können. Sie streiten immer mit einander über die Oberherschaft auf dem Hühnerhof. — Sie sind in Afrika zu Hause, und haben ihren Namen von den vielen, Linsen grossen weißen Flekchen, die in der Ferne wie Perlen aussehen.

Der

---

*) Martial läst in seinem 72. Epigram des 13. Buchs den Fasan also reden:
  Argiva primum sum transportata carina,
  Ante mihi notum nil, nisi phasis, erat.

Der Auerhahn

t zwei bis dreimal grösser, als der Haushahn, hat graue
nd braungeflekte Federn, und wie alle folgende Hühner,
auhe, beh-arte oder gefiederte Füsse, und einen rothen
Strich um die Augen, und hält sich fast in ganz Europa,
nd auch hie und da in Teutschland, in hohen waldichten
Segenden auf, legt acht bis zwölf Eier, und frist aller=
and Waldbeere und Baumknospen, auch Ameiseneier und
Getraidekörner. Man ist sein Fleisch und seine Eier. Er
iegt oft zwölf bis vierzehn Pfund.

Der Birkhahn

t um die Hälfte kleiner, als der Auerhahn, sieht ihm aber
onst fast ganz ähnlich. Er frist auch allerhand Beere und
nospen, und vorzüglich gern Birkenknospen, deswegen
an ihn auch Birkhahn nent. — Kirschen und Erbsen sind
m tödlich.

Das Haselhuhn

so gros, als eine Haushenne, frist gern die Knospen
r Haselstauden, und fast alle Arten von Waldbeere, und
alt sich vorzüglich stark in Norwegen und Schweden auf.

Das Schnehuhn

nur so gros, als eine Taube, und fast ganz weis, und
rstekt sich unter dem Schne, wenn es einen Feind in der
ähe merkt.

X 2 Das

Das Rebhuhn

ist auch nicht grösser, als eine Taube, und kan sich zu
Zeit der Noth eben so, wie das Schnehuhn eine geraum
Zeit unter dem Schne verbergen. Es frist gern Weintrau
ben und Weinreben = Knospen, und nistet in dikken Hekke
auf freiem Felde.

Die Wachtel

darf ich doch hoffentlich nicht beschreiben — Man sie
sie ja im Frühling und Sommer häuffig genug auf den Fe
dern, und zu Hausse in Bauern, und hört ihr Wach w
wach schreien. — Sie sieht graubraun aus, und legt ac
bis zehn Eier. Man ist die Wachteln nicht gern, weil
sehr gierig den, den Menschen schädlichen Nieswurzensam
fressen. — Eine Wachtel wird höchstens sechs Jahr alt —
Auf der sechsten Tafel, Figur sechs ist eine abgebildet.

Endlich folgt die sechste und lezte Ordnung der Vög
die von den Singvögeln, dazu noch eine grosse Menge v
allerhand Vögeln gehören. Weil ihr aber schon viele dav
kennet, so wollen wir doch bald mit ihnen fertig werden.

Die Singvögel haben einen kegelförmigen spizigen Schn
bel, und zarte gespaltene Füsse, womit sie mehr Hüpffe
als Lauffen können. Einige leben von Insekten, andere v
Saamenkörnern. Diese haben ein wohlschmekkendes Fleis
jene aber nicht. Sie bauen fast alle sehr künstliche Nest
legen fünf bis sechszehn Eier, helffen einander beym Br
ten, und füttern auch ihre Jungen gemeinschaftlich im Ne
indem sie ihnen die Speisse mit dem Schnabel in den Mu

ſtekken. — Die meiſten ergezen uns mit ihrem ſchönen und
herlichen Geſang; und viele kan man auch eſſen. Von ih=
ren Eiern und Federn aber macht man keinen ſonderlichen
Gebrauch.

Nun rathet einmal, Kinder, was für Vögel wohl
noch in dieſe Ordnung gehören mögen? Die Tauben, die
Lerchen, Staren, Amſeln, Nachtigallen, Bachſtelzen, Finken,
Sperlinge, Zeiſig und Kanarienvögel, Meiſen und Schwal=
ben. — Und dis wärens alle? Beſinnet euch noch ein=
mal recht! O freilich! Es gehören auch noch dazu die Kra=
metsvögel, Kreuzſchnabel, Dompfaffen, Emmerlinge, Roth=
kehlchen, Stieglizen oder Diſtelfinken, und — und — ſo
ſo, laſſets izt nur gut ſeyn! Ihr ſagt mir ſonſt noch alles
zweimal.

Taube,

mache du nun den Anfang, und erzähle uns deine gänze
Geſchichte, ſo gut du kanſt. Ganz recht. Ich wils ſo=
gleich thun. — Aber ſie meinen doch mich, Haustaube?
Denn ich habe noch viele Kameraden und Vettern, die
ganz andere Namen haben als ich. Das weis ich wohl,
daß es auch Kropftauben, Ringeltauben, Turteltau=
ben und Lachtauben gibt. Aber ich meinte dich, nüzliche
Haustaube. Rede alſo!

Meine Gröſſe wiſſen ſie. Und daß ich allerhand Far=
ben habe, iſt ihnen auch bekänt — Auf der neunten Ta=
fel, bei Figur vier und dreiſſig, bin ich auch, nebſt meinem
Weibchen abgebildet. — Und Haustaube oder Feldtaube
nent man mich deswegen, weil ich in Stätten und Dörf=

X 3   fern

fern bei den Menſchen in beſondern Ställen, die man Tau
benhäuſſer nent, oder auf den Boden und unter den Dä
chern der Häuſſer, in ſogenanten Taubenſchlägen, wohne
Gewöhnlich ſuche ich meine Speiſſe auf den Feldern, in der
Noth aber, und wenn man mirs angewöhnt hat, mus ich
mein Brod auch auf den Gaſſen ſuchen, und mit allem vor
lieb nehmen, was ich da finde: denn ſelten füttert man
mich. Es iſt alſo beſſer und klüger, wenn man mir das
Feldfliegen angewöhnt, weil ich da ſat, und faſt immer
Gerſten = und Weizenkörner, Erbſen, Haber und Wikken ge
nug zu freſſen finde, und alſo dik und fet werde, und
auch meine Jungen, die doch meiſtens zum Abſchlachten be
ſtimt ſind, gut füttern kan.

Ich ziehe faſt alle Monat zwei Junge auf, und ſorge
dafür, daß ich und meine Tauben — denn wir Tauben le
ben immer, und bis uns ein Unfal oder der Tod trent,
paarweis beiſammen — in einem Jahr über tauſſend Kinder
und Kindskinder kriegen. Was ſagſt du? Ja, ja, es iſt ſo.
Unſer zwei können in einem Jahr faſt zwei tauſſend, und
in vier Jahren über achtzehn tauſſend Nachkommen ziehen.
Wir vermehren uns unter allen Vögeln am ſtärkſten. Kein
Wunder alſo, daß die Menſchen immer jährlich ſo viele tauſ
ſend von uns erwürgen, und eſſen. Unſer Fleiſch mus ge
ſund ſeyn, und recht ſehr gut ſchmekken, weil wir faſt nichts,
als gute Saamenkörner und Brod, und ganz und gar nichts
unreines freſſen.

Wie alt wirſt du? Höchſtens acht Jahr. Wenn ich
aber immer meine Freiheit hätte, und hinfliegen könte, wo
ich hin wolte, ſo würde ich viel älter, und wohl zwölf bis
achtzehn Jahr alt werden können — Denn alle eingeſperten

Thiere

Thiere werden nicht alt, wenn sie auch gleich immer gnug zu fressen haben.

Einige von meinen Kameraden haben Federnbüsche auf dem Kopfe; und andere können ihren Schwanz in die Höhe heben, wie die Pfauen, und heissen deswegen Pfauentauben. Wir lieben alle die Reinlichkeit, und puzen und legen immer mit dem Schnabel unsere Federn zurechte. — Soviel von mir.

Nun wil ich ihnen auch von meinen Vettern das merk= würdigste sagen. — Die Kropftaube hat einen gewaltig grossen Kropf. — Die Ringeltaube hat einen weissen Ring um den Hals, ist grösser als ich, und heist auch, weil sie sich in den Gehölzen und Wäldern aufhält, Holz= oder Wald= taube. — Die Turteltaube ist die kleinste wilde Taube und in Ostindien zu Hausse, sieht fleischfarb aus, hat ei= nen schwarzen Ring um den Hals und schreit Turtur tur= tur oder Kurkur kurkur.

Die Lachtaube

ist auch in Ostindien zu Hausse, und an Geschrei und Farbe fast ganz der Turteltaube ähnlich. — Man zieht sie in den Stuben auf, liebt sie als ein stilles gutes Thierchen gar sehr, und thut ihr nicht das geringste zu Leide. Man ißt sie auch nicht, sondern verschenkt sie. Die meisten sterben aber immer ehe sie acht Jahr alt geworden, weil sie immer in den Stuben bleiben müssen, und nie in die frische Luft kommen. Sie schreit auch Turtur turtur oder Kurkur kurkur wie die Turteltaube. — Und warum nent man sie denn Lachtaube? Weil sie zuweilen einen fröhlichen und lachen= den Gesang hören läst, der fast eben so, wie das Geläch=

X 4   ter

ter eines Kindes klingt. — So nun bin ich fertig. Gut
du solst auch bedankt seyn.

Weist du wohl nichts von der berühmten

Brieftaube,

die Briefe von einem Ort zum andern trägt? Doch ja!
Nun so rede: Sie ist so gros, als ich, hat bläulichte Federn, hält sich in Asia und Afrika, und auch hie und da in
Europa auf, und läst sich so zahm machen, daß man ihr ein
zusammengeroltes Briefchen unter einen Flügel hängt, und
sie damit in einem Tag viel weiter fliegt, als ein Mensch
in sechs Tagen kaum zu Fusse gehen könte. *) Und sie bringt
das Briefchen allemal richtig an.

Die Türken in der Sirischen Stadt Aleppo, und in
der Egiptischen Stadt Alexandria gebrauchen wirklich izt
noch — und ehedem thaten sie es noch häuffiger — als einen Briefträger oder Postillon, und schikken durch sie einander Briefe zu. Und das geht auf folgende Weisse zu: Man
trägt sie in einem Bauer von Aleppo nach Alexandria, damit sie den Weg sieht und merkt, rolt das Briefchen zusammen, hängt es ihr an einen Flügel, und läst sie nun damit
fliegen. Und in einer Stunde bringt sie ihr Briefchen schon
zu Aleppo an, da doch ein Mensch mehr als vier Tage genug dahin zu lauffen gehabt hätte. **) Man kan jede Taube zu Wegtragung eines Briefchens gewöhnen.

Ler-

---

*) Siehe Voyage de Pietro della Valle. Tom. I. pag. 416.
**) Siehe Kleins verbesserte Historie der Vögel. Seite 123.

Lerche,

was ist deine Sache? — Kanst du wohl deine Geschichte auch so gut erzählen, wie die Taube die ihrige? O ja! Es komt wenigstens auf eine Probe an. — Ich bin fast zweimal so gros, als ein Sperling, sehe braun aus, und wohne in den wärmern Gegenden von Europa. Im Frühjahr aber, gleich nach Lichtmäs komme ich nach Teutschland, niste auf den grünen Saatfeldern, und brüte zweimal in einem Sommer, jedesmal fünf Eier, und also zusammen zehn Eier aus, und kurz vor Michaelis samle ich die Meinigen zusammen, und fliege mit ihnen, und mit meinen übrigen Kameraden, wieder dahin, wo ich hergekommen bin. Leider aber kommen aus mancher Gegend viel weniger von uns zurük, als weggeflogen waren. Denn man fängt oft nur in einer einzigen Gegend, etliche hundert tausend von uns, des Abends mit Nezen oder Garn weg, und erwirgt und ist uns.

Ich steige an heitern Tagen singend so hoch in die Luft, daß man mich kaum sehen, wohl aber hören kan. — Wenn man mich lebendig fängt, werde ich bald so zahm, daß ich den Menschen, wenn sie es haben wollen, auf die Hand size, zu ihnen auf den Tisch komme, und mit ihnen aus einer Schüssel esse, und mein schönes Liri leri Liri leri so gut auf der Stube, als auf freien Felde hören lasse. — Man nent mich gewöhnlich Feldlerche oder Himmelslerche, weil ich mich auf den Feldern aufhalte, und hoch in die Wolken hinauf fliege.

Nun gibts aber auch noch andere Lerchen, die man Wiesenlerchen, Wald = und Haubenlerchen, ꝛc. nent. — Die Wiesenlerche hält sich auf Wiesen auf, und singt wenig und

X 5   schlecht,

schlecht. — Die Waldlerche wohnt in Wäldern, und singt
etwas besser als die Wiesenlerche. — Die Haubenlerche
hingegen singt unter allen Lerchen am schönsten, und hält sich
auf Fahrwegen auf, und frist gern Insekten und Würmer.
Ich hingegen fresse nichts als gute Saamenkörner. Deswegen stellen mir auch die Menschen sehr heftig nach, weil mein
Fleisch am besten unter allem Lerchenfleisch schmekt — Auf
der sechsten Tafel, Figur sieben bin ich abgebildet.

Du hasts gut gemacht, Lerche — Wenn es

Der Star

oder die Sprehe auch so macht, so bin ich zufrieden. O das
kan ich wohl! — Ich lustiger schwarz und weisgeflekter Star,
bin grösser, als die Lerche, halte mich in Europa und Afrika auf den Viehweiden auf, und fresse Fliegen und Mükken,
Heuschrekken, Käfer und Würmer, und dann und wann besuche ich auch die Weinberge. — Ich niste in holen Eichen
und Büchen, und ziehe alle Jahr vier oder fünf Junge gros.

Und weil ich den Menschen mehr nuze als schade, und
mein Fleisch auch nicht sonderlich schmekt, so stellen sie mir
nicht nach dem Leben, sondern lassen mich leben, so lange
ich kan — und das kan ich wenigstens acht Jahr. Und
wenn sie mich ja fangen, so geschiehts blos deswegen, daß
ich von ihnen allerhand Liedchen lernen, und sie ihnen sodenn
wieder vorpfeiffen sol. Denn ich mache alles nach, was ich
sehe und höre; ja ich kan sogar sprechen lernen. — Einige
Leute fangen mich auch blos deswegen, daß ich bei ihnen in
der Stube herumlauffen, und Fliegen und Mükken und anderes Ungeziefer wegfangen und auffressen sol.

Einer

Einer von meinen Kameraden heiſt Waſſeramſel, weil er ſich gern am Waſſer aufhält, und ſogar ſelbſt im Waſſer herum ſchwimt. — Nun weis ich nichts mehr. Es iſt genug Star, du haſt deine Sache recht gut gemacht — Auf der dritten Tafel, Figur ſieben iſt ein Star abgebildet.

Getrauſt du dich wohl deine Geſchichte auch ſelbſt zu erzählen,

Droſſel?

Oder ſol ich dir helffen? Nein, nicht helffen. Ich wils allein verſuchen. — Es gibt unſer viel und mancherlei. Wir ſehen meiſt alle braun und weis und rothgefleckt aus, freſſen allerhand Waldbeere und Würmer, und ziehen von einem Land ins andere. Einige von meinen Kameraden kommen im Frühling nach Teutſchland, hekken vier bis fünf Junge aus, und ziehen im Herbſt wieder fort. Andere hingegen — und dis thun die meiſten Droſſeln — kommen erſt im Herbſt, und hekken keine Junge mehr aus, weil ſie gewöhnlich nur etliche Wochen lang da bleiben. — Und auf dieſem Strich fangen uns die Jäger und Vogelſteller mit ihren härnen Schlingen oder Donen, zu vielen tauſenden weg. Wir arme Schelmen erwürgen uns in dieſen gefährlichen Schlingen ſelbſt, wenn wir alzuſehr nach den ſchönen Miſtelbeeren lüſtern ſind.

Sie wiſſen doch, daß man uns Droſſeln allerhand Namen gibt? — Es gibt unter uns Miſteldroſſeln oder Schnarren; Wachholderdroſſeln oder Krametsvögel; Zipdroſſeln; Weindroſſeln; Ringeldroſſeln; Bruchdroſſeln; Weisdroſſeln und Schwarzdroſſeln oder Amſeln. ꝛc.

Die

Die Misteldrossel oder Schnarrer ist die gröste Drossel, kömt im Herbst nach Teutschland, wenn die Mistelbeeren, die sie sehr gern frist, reif sind. Sie singt so ziemlich.

Die Zipdrossel singt gar nicht, sondern schreit immer nur Zip zip zig.

Die Weindrossel hat ihren Namen von den Weinbeeren, die sie in den Weinbergen stiehlt. Und weil sie etwas röthlichte Flügel hat, nent man sie auch Rothdrossel. Sie singt unter allen Drosseln am schönsten, und fast so schön, wie eine Nachtigal.

Die Ringeldrossel hat an der Brust einen weissen Strich oder Flek.

Die Bruchdrossel hält sich im Schilf, oder doch nahe beim Wasser im Brüchen auf.

Die Weisdrossel hat eine ganz weisse Brust, hält sich den Sommer über in Teutschland auf, und heckt vier bis fünf Junge aus, und zieht im Herbst, wenn die andern Drosseln kommen, fort.

Der Krametsvogel

oder die Wachholderdrossel komt im Herbst nach Teutschland, und frist fast nichts, als Wachholder= und Mistelbeere. Und weil man an einigen Orten die Wachholderbeere auch Krametsbeere nent, so hat man ihr auch den Namen Krametsvogel gegeben. — Auch darf ich nicht vergessen, daß die Jäger und Vogelfänger gewohnt sind, fast alle Drosseln Krametsvögel zu nennen. Und wenn sie ausgehen, uns ihr

ihre Schlingen zu lokken, so sagen sie, sie wollen auf den
Donenstrich gehen.

Die Amsel

oder Schwarzdrossel hat fast ganz schwarze Federn, und
lernt, wenn sie zahm geworden ist, allerhand Liedchen pfeiffen, die sie, so lange sie lebt, nicht wieder vergist. Sie
frist auch gern Wachholderbeere, brütet nicht in Teutschland,
und wird höchstens acht Jahr alt — Auf der siebenten Tafel, Figur neun ist eine Amsel abgebildet.

Zuweilen streicht auch der schöne Vogel mit uns, den
man Seidenschwanz nent. Er ist so gros, als eine Wachtel, hat röthlichte Federn, und auf dem Kopf einen Federbusch, und schwarz und gelben Schwanz. Er frist auch
Waldbeere, wie die Drosseln, und wird auch in den bösen
Schlingen gefangen, worin wir gefangen werden. — Macht
ichs gut? O ja, sehr gut!

Wie stehts denn mit euch, dickschnablichte Kernbeisser. — Wolt ihr eure Geschichte auch selbst hersagen? Ja
freilich! Es kömt nur darauf an, wer von uns den Anfang
machen sol, ich Kreuzschnabel, oder der Dompfaf, oder der
Kirschfink, oder der Grünfink?

Du, Kreuzschnabel

kanst im Namen aller deiner Kameraden reden. Das freut
mich — Ich bin fast so gros, als eine Lerche, sehe röthlich
grau, und mein Weibchen gelblicht grau aus, habe einen
kreuzweis gekrümten Schnabel — siehe Tafel fünf, Figur
siebzehn — wohne und hekke in Tannenwäldern, und fresse
gern Tannensaamen. Und damit ich die Schuppen der Tan-
zapffen

zapffen gut in die Höhe heben, und die Saamenkörner bequem herausholen kan, hat mir mein Schöpffer diesen krummen Schnabel gegeben.

Ich baue mein Nest auf dikke Tannen von Moos und Tannenreisern, und klebe es mit Harz so fest zusammen, daß es mir weder Regen noch Wind herunter werffen können. Weil ich auf den Bäumen und in den Bauern immer auf und abklettere, mich am meinem Schnabel hänge, und sonst noch allerhand Spässe mache, so nent man mich auch den Teutschen- oder Tannenpapagai. — Ich kan auch ziemlich schön singen lernen.

Mein Kamerad aber, der schöne dumme

Dompfaf,

Blutfink, Gümpel oder Gol kans noch weit besser, als ich, ja er singt unter allen Kernbeissern am besten. — Er hat einen schwarzen Kopf, eine rothe Brust, und einen schwarzgrauen Rükken. Wenn er aber einige Jahre lang eingespert gewesen ist, wird seine rothe Brust, weis, wie seines Weibchens ihre immer ist — siehe Tafel fünf, Figur sechszehn.

Der Kirschfink

oder Kernbeisser sieht röthlicht grau aus, und hat seinen Namen von den Kirschkernen, die er ausserordentlich gern frist. Er hakt die grösten Kirschsteine auf, frist die Kerne, und läst das Fleisch liegen. — Der Kirschvogel hingegen thut gerade das Gegentheil, er frist das Fleisch, und läst die Kerne liegen. — Und wenns keine Kirschen mehr gibt, so frist er Buchnüsse und allerhand anderes Gesäm.

Der

Der Grünfink

oder Schnefink sieht grünlicht aus, und frißt auch allerhand
Beere und Gesäm.

Nun wollen wir die Vögel im Reden ablösen, und mit=
einander die Geschichte der Ammer, Finken, Bachstelzen und
Meisen durchgehen. — Die Schwalben hingegen sollen uns
wieder ihre Geschichte selbst erzählen, und zugleich die Ge=
schichte der Vögel schliessen.

Die Ammer

oder Aemmerlinge sind kleine artige Vögel, und uns allen
wohl bekant. Sie sind so gros, wie die Sperlinge, sehen
gräu und gelb aus, wohnen in Gebüschen und Hekken, und
fressen Hirsen, Haber und andere kleine Saamenkörner, und
kommen des Winters vor unsere Thüren und Ställe, und
suchen sich da ihre Speisse auf, weil sie sie auf den, mit
Schne bedekten Feldern, nicht mehr finden können.

Ach ja, das thut der schöne gelbe Ammer, den wir
Kinder Goldammer oder Embriz nennen! Wir haben schon
oft welche gefangen, und in die warme Stube gebracht,
und gnug zu fressen und sauffen gegeben. Allein sie starben
immer gleich nach etlich Tagen wieder. — Sie konten ganz
gewis die Wärme nicht ertragen?

Gibts sonst keine Ammer mehr, als die Goldammer?
Doch ja! Es gibt auch Ortolane oder Gartenammer,
die sich gern in den Gärten aufhalten — Grauammer —
Rohrammer oder Rohrsperling, die im Rohr oder Schilf
nisten

nisten — und Schneammer oder Schnevögel, die die nörd
lichen Gegenden lieben, und nur in recht strengen Wintern
nach Teutschland kommen.

Die Finken

sind fast alle so gros, wie die Ammer, haben meist graue
aber auch gelbe, rothe, grüne und schwarze Federn, nisten
auf Bäumen und in Gebüschen, fressen allerhand kleines Ge
säm, und schreien gewöhnlich immer Bink bink bink, ode
Fink fink fink, und können zum Theil auch recht sehr schö
singen. Wie schön singt nicht der Distelfing, und der Ka
narienvogel!

Ist denn der Kanarienvogel ein Fink? Ja, mein Kind
Man zählt den Kanarienvogel, den Sperling, den Zeisi
und den Hänfling zu den Finken, weil sie mit ihnen an Bil
dung und Nahrung viel ähnliches haben. — Und unter de
Finken selbst gibts Buchfinken, Bergfinken, Grünfinken, Blut
finken, Goldfinken und Distelfinken rc.

Der Buchfink hat seinen Namen von den Buchen
auf denen er nistet. Er baut unter allen Singvögeln da
künstlichste Nest aus Moos, Gras und allerhand Haaren, un
entwischt seinen Feinden, den Raubvögeln auf eine listige Ar
dadurch, daß er seinen Kopf in Moos oder Drek, oder un
ter den Leib steft, und den Schwanz in die Höhe hebt, s
daß also sein Feind ihn nicht kent, oder doch stat des gan
zen Vogels höchstens nur dessen Schwanz bekömt.

Der Graufink sieht ganz braungrau — der Grünfink
Grünling oder Grünschwanz hat fast lauter grüne Feder

D

der Blutfink hat eine rothe, und der Goldfink eine gelbe
Bruſt.

Der Diſtelfink

der Stiegliz friſt gern Diſtelſaamen, und hält ſich auch
nur da auf, wo viele Diſteln wachſen. Er heckt in Gebüſchen, und hat gelbe, rothe, weiſſe, ſchwarze und braune
Federn, und ſingt unter allen Finken am beſten — ſiehe Tafel fünf, Figur funfzehn. — Man ſpert ihn in Bauer, und
läſt ihn ſein Brod mit Singen verdienen. Oft muß er ſich
auch gefallen laſſen, ſein Getränk zu ſchöpffen, und ſeine
Speiſſe in einem kleinen Karren auf einer Brükke herauf-
uziehen. Es iſt allerliebſt anzuſehen, wenn er ſein Waſſer
ſchöpft, und ſeine Speiſſe anfährt.

Der Zeiſig

der das Zeiſichen iſt ein kleines gelb grünes Vögelchen, das
ziemlich ſchön ſingt, und von uns in Keſſichten ernähret wird.
Er verſteht das Karrenziehen und das Waſſerſchöpfen ganz
vortreflich, und weit beſſer, als der Diſtelfink. Mit den Zehen zieht er ſein eſſen und trinken an ſich. Und wenn er
ſich ſat gegeſſen und ſat getrunken hat, läſt er ſein Trink-
und Freſ-Gefäs plözlich los. — Seinen Namen hat der
Zeiſig von ſeinem Geſchrei — denn er ſchreit immer Zeiſing
Ziſing zeiſing.

Der Hänfling

iſt gern Hanſſaamen, und ſieht theils braungelb, theils
zaunroth aus. Er ſingt ziemlich artig, und wird von vielen Leuten in Bauern ernährt.

Y   Der

Der Kanarienvogel

ist ein gelber Sperling, der auf den Kanarien Inseln
Hauffe ist, und von da, seines herlichen Gesanges wege[n]
ehedem zu uns gebracht worden ist. Und izt gibts allentha[l]
ben in Europa, und auch in Teutschland viele tausend Ka[na]
rienvögel. Ob sie izt aber gleich bei uns gleichsam zu Hau[s]
sind, so fliegen sie doch nicht in unsern Feldern und Wäldei[n]
so frei herum, daß man sie fangen kan. Nein, das thu[n]
sie nur in ihrem Vaterland, wo sie in den Lorbeerwälder[n]
und auf den Zukkerfeldern taussendweis beisammen sizen, u[nd]
Zukkersaamen oder den rohen Zukker selbst fressen — sie[he]
Tafel zwei, Figur fünf — Sondern wer bei uns einen Ka[-]
narienvogel haben wil, der muß sich einen kauffen oder sche[n]
ken lassen — denn sie müssen alle auf der Stube ausgehek[t]
und mit vielen Kosten gros gezogen werden. — Es gi[bt]
Zitronengelbe, weislichte, graue und bunte Kanarienvöge[l]
und einige haben auch einen kleinen Federnbusch, eine Haub[e]
Holle oder Krone auf dem Kopf.

Der Sperling

oder Spaz ist derjenige unverschämte Dieb, der Somm[er]
und Winter bei uns wohnt, und in den Gärten und Häu[-]
sern alles zerhakt oder gar auffrist, was er erwischen ka[n]
Er baut sein Nest unter das Dach, oder sonst in ein Loc[h]
zieht alle Jahr vier oder fünf Junge auf, und schreit un[d]
den ganzen Tag sein einfältiges Sperk sperk sperk vo[r]
Und weil er immer bei den Menschen in ihren Häussern od[er]
Scheuern wohnt, nent man ihn Häussperling oder Spa[z]

Der

Denjenigen Sperling hingegen, der ſich immer auf
dem freien Felde aufhält, und in hohlen Bäumen niſtet, und
faſt nie in die Stätte und Dörffer kömt, nent man Baum=
ſperling. — Sie ſehen ſich beide faſt ganz ähnlich. —
Die Sperlinge nüzen viel, weil ſie Käfer, Raupen und an=
deres Ungeziefer weg freſſen. Sie ſchaden aber auch viel,
weil ſie in den Gärten faſt alles zerhakken, und manche
Frucht ganz aufzehren. — Man kan die Sperlinge eſſen.
Sie ſchmekken gut — auf der dritten Tafel, Figur zehn
iſt ein Sperling abgebildet.

Die Bachſtelzen

haben auch eine groſſe Kameradſchaft, wie die Finken, denn
es gehören zu ihnen die Nachtigaln, die Grasmükken, Weis=
kehlchen, Braun= Schwarz= Blau= und Rothkehlchen ꝛc. — Sie
freſſen Fliegen und Mükken und allerhand Würmer, und
werden nicht gegeſſen, auch nicht in Bauern auferzogen,
weil ſie alle, bis an die holde Nachtigal, beinahe gar nicht
ſingen können.

Die Bachſtelzen haben einen ſehr langen Schwanz,
und können ziemlich geſchwind lauffen. Sie niſten unter den
Dächern, und ſonſt noch in allerhand Löchern. — Es gibt
weiſſe und gelbe Bachſtelzen. Die weiſſe oder ſchekkichte iſt
bei uns die bekanteſte, weil ſie ſich faſt bei allen Waſſergra=
ben und Teichen ſehen läſt — ſiehe Tafel elf, Figur zwölf.

Die Nachtigal

iſt kein ſchöner Vogel, wie ihr ſchon aus der Erfahrung,
oder wenigſtens aus der artigen Gellertſchen Fabel: Ein Zei=

fig wars und eine Nachtigal, die einst zu gleicher Zeit vor
Damons Fenster hiengen 2c. wisset. — Sie ist etwas grösser
als ein Sperling, und von brauner Farbe — siehe Tafel
fünf, Figur vierzehn — frist Ameisen und Ameisenpuppen,
Spinnen, Fliegen und Würmer, und baut ihr Nest von Laub,
Stroh und Moos, in Gehölze und Gärten unter dicke Gebüsche, dicht auf die Erde, wohin weder Raubvögel, noch
boshafte Menschenhände kommen können — doch sind man
ihr Nest zuweilen auch unter Gartenerdbeeren, und andern
dicht bei einander stehenden Pflanzen und Blättern — und
heft alle Jahr vier oder fünf Junge aus. Und diese Hekkezeit über besingt das Männchen seine Gattin mit lieblich kla-
genden Tönen, füttert sie treulich und pünktlich im Nest,
warnt sie für Gefahr, und thut ihr überhaupt alles zu gefallen, was es kan, um ihr das beschwerliche Brüten erträg-
lich zu machen — denn denkt einmal, Kinder, vierzehn Tage lang sizt das gute Nachtigallen Weibchen fast in einem
weg, Tag und Nacht in ihrem dunkeln Nest auf ihren Eiern.

Den Tag über singt die holde Nachtigal wenig, oder
gar nicht, weil sie Menschen und Thiere fürchtet, und kein
Geräusch ertragen kan — denn je stiller es ist, desto flenker
und ernstlicher singt sie. Sie sucht vielmehr den Tag über
Speisse für ihre Gattin auf, und bewacht ihr Haus, und
ihre künftigen Kinder. Des Abends aber, wenn alles stille
ist, und sich die andern Vögel heisch geschrien, und zur
Nachtruhe in ihre Nester gesezt haben, erhebt sie ihre reizen-
de Stimme, und trillert und schlägt die ganze Nacht durch
bis an den späten Morgen, und erfreut jedes frohe em-
pfindsame Herz, das ihr zuhört. Ja es scheint sogar, als
wenn die übrigen Thiere, aus Achtung für sie, schwiegen
und ihr zuhörten, wenn sie ihr trefliches Lied anstimmt.

Es

Es ist zu bewundern, wie ein solch kleines Vögelchen, so hel und so lange singen kan? Mit welch grosser musikalischen Richtigkeit wechselt sie nicht ihre Töne! Izt zieht sie den Ton mit einem langen, fast aussenbleibenden Odem herauf. Izt schleicht sie sich in einer abwechselnden Kadenz davon. Izt unterbricht sie sich selbst durch einen jähen Ausbruch; dann geht sie durch einen unerwarteten Gang in einen neuen Ton über, scheint izt denselben zu wiederholen, und täuscht auf einmal wieder unsere Erwartung. Bisweilen scheint sie in sich selbst zu murmeln, vol, tief, scharf, geschwind, schleppend, zitternd; bald an der Spize, bald in der Mitte, bald in der äussersten Tiefe der Tonleiter. Kurz, in ihrer kleinen Kehle scheint alle Melodie beisammen zu seyn, die der Mensch vergebens auf so mancherlei musikalischen Instrumenten hervorzubringen sich bemühet hat. *)

O welch ein Glük ists für einen Menschen, ein solches Vögelchen in der freien Luft singen, drei bis vier Wochen lang, alle Abend und Morgen singen hören zu können! Es singt zwar nur kurze Zeit, aber es singt auch desto besser, desto herlicher.

Wo sizen sie denn, wenn sie singen — Man sieht sie ja nicht? Sie sizen nahe bei ihrem Nest in dikken Gebüschen. Sie fürchten sich doch nicht für den Menschen? O ja, diß sind eben ihre gefährlichsten Feinde. Es gibt immer noch unempfindliche Geldgierige Leute, die auf sie lauren, und sie end=

*) Die meisten von meinen kleinen Lesern und Leserinnen werden doch wohl schon so viel Musik gelernt haben, daß sie diese trefliche Schilderung der Nachtigal, die Plinius in seiner histor. natur. Lib. X. Cap. 29. von ihr gemacht hat, verstehen können?

endlich durch allerhand List und Lokſpeiſſen fangen, und an
reiche Leute verkauffen. O das ſolte man nicht leiden! Wer
die liebe ſüſſe Nachtigal nicht in einem Gehölze oder Garten
mag ſingen hören, der ſolte auch keine in einem Bauer auf
ſeiner Stube haben dürffen. Hätte ich einen Garten oder ein
Gehölze, wo ſie drin wohnten und ſängen, ich lies mir keinen wegfangen. Alle lies ich leben. Ich würde ihnen Mehl-
würmer, Ameiſenpüpchen, Fliegen und Mükken, und alles
was ſie gern freſſen, genug anſchaffen, und in Scherben umher ſezen. Und dafür ſolten und würden ſie mir braf ſingen.
Wäre das nicht allerliebſt, in ſeinem Garten ein Nachtigallen-
Konzert anhören zu können?

Die Grasmükke

oder Baumnachtigal iſt kleiner, als ein Sperling, hat grau-
gelbe, und ſonſt noch allerhand geflekte Federn, niſtet auch
auf der Erde unter Gebüſchen, und ſingt ſo ziemlich, und
kan ſogar einige Töne der Nachtigal nachſeufzen. — Dis iſt
derjenige Vogel, in deſſen Neſt der groſſe Kukuk ſeine Eier
legt.

Das Rothkehlchen

hat eine rothe Kehle, braunen Rükken und rothen Schwanz,
und ſingt, wie ſeine übrigen Kameraden, die ihre Namen
auch von ihren Kehlen haben, wenig und ſchlecht. Sie niſten in Häuſſern und hohlen Bäumen, und werden zum Theil
auch Rothſchwänze, Röthlinge oder gar Rötelen genant.
Man iſt ſie nicht, weil ſie allerhand Ungeziefer freſſen — auf
der dritten Tafel, bei Figur zwanzig iſt ein Rothkehlchen abgebil

gebildet. — Das Blaukehlchen ist ein recht sehr schönes Vögelchen.

Die Meisen

sind so gros, wie die Sperlinge, nisten in Wäldern auf und in Bäumen, und fressen allerhand fliegendes und kriechendes Ungeziefer, und sogar auch Aas. Ihr Gesang taugt nichts, und von ihrem Fleisch macht man auch keinen Gebrauch. Sie sind aber doch sehr nüzliche Vögelchen, denen man nichts Leids thun, sondern in die Baumgärten herein lokken solte, weil sie die schädlichen Raupeneier weit besser wegmachen und aufsehren, als sie der beste Gärtner wegbringen kan.

Es gibt etliche Sorten von Meisen, Kohlmeisen, Blaumeisen, Hauben-Schwanz- und Beutelmeisen.

Die Kohlmeisen haben ihren Namen von ihren kohlschwarzen Federn. Und weil sie auch gelbe und weisse Federn haben, so nent man sie auch Spiegelmeisen. Sie sind sehr räuberisch, und fressen allerhand Aas, und machen sogar ihre eignen Kameraden, die schwach und kränklich sind, tod, und fressen ihnen das Hirn aus dem Kopffe weg. — Sie nisten in hohlen Bäumen.

Die Blaumeisen haben viele blaue Federn. — Die Haubenmeisen haben auf dem Kopf eine Haube oder Federnbusch, und nisten auch in hohlen Bäumen. — Die Schwanzmeisen haben längere Schwänze, als ihre Kameraden, und nisten deswegen nicht in hohlen Bäumen, weil es ihnen darin zu eng wäre, sondern auf den höchsten Tannen- oder Fichtenbäumen.

Y 4 Die

Die Beutelmeisen hängen ihr Nest, das einem Beutel ähnlich sieht, und aus Pappelwolle besteht, und zw
Oefnungen hat, an die obersten Zweige der Fichten und Tan
nen. — In Polen, Ungern und Italien gibts viele Beutel
meisen; Blau= und Kohlmeisen aber gibts allenthalben, un
auch in Teutschland genug. — Man läst sie in den Stuber
herumlauffen, und füttert sie mit Nußkernen. Auch Fliege
und Mükken fangen sie weg.

Wolt ihr nun, gute friedliche

Schwalben,

die Geschichte der Vögel mit der eurigen schliessen, so tret
eine um die andere auf, und erzähle, was sie von sich merk
würdiges weis? — Erst aber möcht ich wissen, wie viele
eurer Sorten gibt; und was ihr alle zusammen miteinander
gemein habt? — Gut, das wil ich ihnen gleich sagen: Es
gibt vier Sorten von Schwalben, Hausschwalben, Rauch
schwalben, Mauerschwalben und Uferschwalben; und den
noch eine ganz kleine Art von Schwalben, deren Nester mar
essen kan — denn die sogenante Nachtschwalbe, Hexe oder
Ziegenmelker ist keine ordentliche Schwalbe, sondern uns nu
an Schnabel, Schwanz und Fras ähnlich.

Wir sehen alle meist weis und schwarz aus, habe
kleine kurze Füsse, lange Flügel, nisten in den Häussern, un
an den Häussern, und in Leimengruben, und an den hohe
sandichten oder löcherichten Ufern der Flüsse und Meere, brü
ten alle Jahr wenigstens fünf Eier aus, fressen allerhan
fliegende Insekten als Bienen, Wespen, Käfer rc. und zie
hen gröstentheils im Herbst in wärmere Gegenden; doch ver
stek

stekken sich auch viele von uns in Morästen, hohlen Bäumen
und Felsenrizen.

Ich Hausschwalbe sehe oben schwarz, an der Kehle
schmuzigweis, und am Bauch schneeweis aus, und baue
mein Nest auſſen an die Häuſſer von Leim oder Koth — siehe
Tafel neun, Figur ein und dreiſſig — brüte zweimal des
Jahrs jedesmal vier oder fünf Eier aus, fliege gern in der
Höhe, und schade Niemand. Denn das wird man mir doch
nicht übel nehmen, daß ich zuweilen ein paar Bienen fange,
und meinen Koth zum Nest hinaus werfe? Das erste mus
ich thun, um mein Leben zu erhalten, und zum zweiten nö=
thigt mich der enge Raum meines Nestes. Ich und meine
Kinder wenden uns also nur um, und leeren uns über das
Nest weg aus. Und dadurch machen wir freilich manche Stelle
des Hauſſes sehr unrein, und verdienten daher, daß man uns
wegjagte, oder gar tödete. Allein die mitleidigen Menschen
haben mit uns Nachsicht, quälen uns nicht, und laſſen uns
friedlich beisammen leben, und halten uns wohl gar noch
dazu für heilige Vögel.

Mit den Sperlingen hab ich zuweilen meinen Spas,
oder vielmehr meine Noth, wenn sie sich in mein Nest sezen,
Eier drein legen, und drin wohnen und brüten wollen. Ich
fliege anfangs ängstlich umher, schreie gewaltig, und gukke
oft ins Nest hinein, um sie in Güte heraus zu kriegen.
Gehen sie aber nicht heraus, so schmiere ich endlich das Loch
zu, und nun müſſen sie drin Hunger sterben. — Weil ich
mein Nest auſſen an die Häuſſer baue, so nent man mich
auch die äuſſere Hausschwalbe.

Ich

Ich Rauchschwalbe oder innere Hausschwalbe habe eine rothe Kehle, und einen röthlicht weissen Unterleib, und baue mein Nest nicht aussen an die Häusser, sondern in die Häusser hinein an die Schornsteine, und an allerhand Balken und Stellen, wo man mich dulbet, von Leim, Koth und Stroh. Ich seze mich gern unter ein Fenster und auf ein Dach, und singe da mein Liebchen. Kurz, es ist mir und meinen Kindern, deren ich auf zweimal acht bis zehn aufziehe, den Sommer über bei den Menschen sehr wohl. Im Herbst aber ziehe ich fort, und komme im Mai wieder — und bis akkurat zu meinem alten Haus-Herrn, und in mein altes Nest wieder.

Ich Mauerschwalbe oder schwarzbraune Steinschwalbe niste auch in den Stätten, aber nur in den Löchern der Häusser, Kirchen und Thürmer, die die Mäurer aus Vorsaz offen gelassen haben. — Ich bin die gröste Schwalbe, kan fast gar nicht auf der Erde lauffen, und heisse an vielen Orten in Teutschland Steuer, und ziehe alle Jahr nur vier oder fünf Junge auf.

Ich Uferschwalbe niste in Leimengruben, Wassergraben, hohen sandichten Ufern, und komme selten in die Stätte zu den Menschen. Ich hekke auch nur einmal des Jahrs, und verberge mich den Herbst und Winter über in meinem Nest, in Felsenrizen und hohlen Bäumen, und bleibe daselbst bis im Frühling in einer Art von Betäubung liegen.

A propos! Du bist also eine von denjenigen Schwalben, die im Herbst nicht in wärmere Länder ziehen, um daselbst so lange zu bleiben, als bei uns der Winter dauret; sondern du bleibst bei uns, und verstekst dich in allerhand Löchern?

hern? — Aber sag mir doch, wie das in aller Welt zu=
geht? Erfrierst und verhungerst du denn nicht? Nein, so
wenig als der Frosch, der im Winter zu Eis frieren, und
doch im Frühling wieder lebendig werden kan. Und Hunger
sterbe ich auch nicht — denn wer immer schläft, braucht nichts
zu essen.

Im Mai werde ich wieder lebendig, verlasse mein
Loch, und jage wieder eben so hastig, wie das vorige Jahr,
in der Luft den Bienen und andern Insekten nach. — Und
so machens auch meine Vettern die Mauerschwalben. — Die
Stat= und Rauchschwalben aber versinken sich gar im Herbst,
Füsse und Köpffe ineinander gestekt, klumpenweis in Süm=
pfe, und ersauffen und sterben so wenig als ich, und kom=
men im Frühling ebenfals wieder lebendig daraus hervor.

O was sagst du? Ja ja, sie thun es! Aber freilich
nicht alle. Einige von ihnen ziehen in wärmere Gegenden
der Welt, und kommen im Frühjahr wieder. — Begegnet
euch denn nie was Leides? O leider genug! Wir werden oft
in unserm Winter = Schlaf gestöhrt, und von Ratten und
Mäussen, von Krebsen und Fischen, und hie und da auch
von Menschen aufgefressen; und wie viele sterben von uns
nicht jährlich vor Alter und Schwachheit? — Allein wenn
dis nicht wäre — würden unsrer endlich nicht zu viel wer=
den? Würden uns nicht zulezt Nahrung und Wohnung
mangeln?

Daß die Schwalben bei uns des Winters nicht herum=
fliegen, ist bekant — oder habt ihr schon welche herumflie=
gen sehen? — Daß sie sich aber in ihren Nestern und an=
dern Löchern verstekken, und einige sich gar in Flüsse und Teiche
ver=

verſinken, iſt eine Sache, die ich euch bis izt noch nicht aus
meiner eignen Erfahrung bezeugen kan — aber bald. Allein
es iſt doch ganz gewis wahr, weil es ſchon viele wakre Männer geſehen, und ſelbſt welche aus Seen und Teichen heraus-
gefiſcht, und aus ihren Neſtern und andern Löchern heraus-
gelangt haben, die ſie in kurzer Zeit in der Wärme haben
wieder aufleben und herumfliegen ſehen. *)

Die Sineſiſche Schwalbe, deren Neſt man eſſen
kan, iſt bunt und kaum ſo gros, als ein Sperling. Sie
hält ſich nur an den Küſten von Sina auf, und baut ihr
Neſt von allerhand kleinem Gewürm, das ſich im Meer aufhält, und wie Auſtern ſchmekken ſol. — Dieſe Neſter, die
halb ſo gros, als ein Hühnerei ſind, und weis ausſehen,
werden nach Europa gebracht, und von reichen Leuten als
eine groſſe Delikateſſe gegeſſen. **)

Die Nachtſchwalbe,

Hexe oder Ziegenmelker iſt ſo gros, als ein Rabe, ſchreit
auch faſt wie ein Rabe, hat braune geſlekte Federn, wie die
Eulen, wohnt und niſtet in Scheuern, Ställen und andern
Orter, wohin ſelten Jemand kömt, friſt Nachtſchmetterlinge,
Fliegen, Käfer, Grillen und Spinnen, und fliegt nur in
der

*) Siehe *Ariſtotelis* hiſtor. anim. lib. 8. Cap. 21. — *Plinii* hiſtor. natur.
Lib. 10. Cap. 24 und 40. — Algem. Reiſen, Band 17, Seite 309. —
Olai Magni hiſtor. nat. rerum ſeptentr. pag. 732. — Derhams Phy-
ſikoth. Buch 7. Kap. 3. Not. 4. — Pontoppidams Nat. Hiſt. von
Norwegen Th. 2. Seite 187. — Kleins verbeſſerte Vögelhiſtorie Seite
214. ꝛc.

**) Siehe *Plinii* hiſtor. natur. Lib. X. Cap. 40. — *Rumphii* herbarium
Amboinenſe Tom. VI. pag. 183. Tab. 75.

der Morgen = und Abenddemmerung um die Bäume, Häuser und Ställe herum, wo sich diese Insekten in Menge aufhalten.

Warum nent man sie denn Hexe? Weil die dumme Einfalt ehedem glaubte, sie thue Menschen und Vieh allerhand Tort an. — Und warum gab man ihr den Namen Ziegenmelker? Weil sich ein berühmter alter Naturhistoriker, mit Namen Aristoteles ehedem aufbinden ließ, sie schlichen sich des Nachts in die Ziegenställe, und saugten den Ziegen die Milch aus. *) Und diesem Aristoteles sagte es nachher ein anderer grosser Naturhistoriker, mit Namen Plinius, nach. **) Und so kam die Fabel immer weiter. Izt aber glaubts kein kluger Mensch mehr.

Von den Säugthieren.

Die Vögel, wie ihr wisset, legen Eier, da kriechen die Jungen heraus, und werden anfangs von den Alten oder von Menschen gefüttert, so, daß ihnen das Futter in die Schnäbel gesteckt wird.

Aber Kazen und Hunde, Kühe und Schafe bringen gleich kleine Käzchen, Hündchen, Kälber und Lämmer zur Welt: Diese saugen denn an den Alten, und daher heist man diese Gattung von Thieren Säugthiere. — Die meisten davon sind vierfüssig, der Mensch und der Walfisch aber gehören auch dazu.

Freuts

*) Siehe *Aristot.* histor. de animal. Lib. 9. Cap. 39.
**) Siehe *Plinii* histor. natur. Lib. X. Cap. 40.

Freuts euch wohl, liebe Kinder, daß nun die Geschicht
dieser Säugthiere kömt? O freilich, ganz ausserordentlich
Wir haben schon lang drauf gelaurt. Wir hätten schon längs
gern die Geschichte unsers Pudels, und unsrer Kaze wisser
mögen. So? Und warum habt ihr mir das nicht schon ehe
gesagt? J das wolten wir nicht thun, weil uns die Geschicht
der Vögel auch sehr lieb war, und wir gewis wusten, da
Sie es bald von selbst thun würden. — Seyn Sie also nu
so gütig, lieber Herr . . . . und sagen Sie uns izt desto meh
lustiges und merkwürdiges von ihnen, und zugleich auch nac
und nach von den gesamten vierfüsigen Thieren.

Die Geschichte unsers Pudels, und unsrer Kaze solter
wir Ihnen zwar selbst erzählen können, weil sie beide mi
uns aufgewachsen sind; allein weil wir weiter nichts von ih
nen wissen, als daß unser Pudel ein guter treuer Hund ist
uns nicht beißt, gern mit uns spielt, uns im Schlitten zieht
mit uns spazieren geht, und unser Haus Tag und Nach
sorgfältig bewacht: daß unsere Kaze uns von Mäussen be
freit, sonst aber ein böses, falsches und verstohlnes Thie
ist, uns zuweilen krazt und beißt, wenn wir sie auch gleich
nicht am Bart reissen, oder in den Schwanz kneipen, s
wollen wir Ihnen alles überlassen, und nicht eher reden, al
bis Sie es uns erlauben, oder uns fragen.

Und das wird gewis oft geschehen, liebe Kinder! Denn
solchen bescheidnen geschikten Kindern, wie ihr seyd, sag ic
alles, was euch nüzlich und angenehm ist, und erlaube, jo
bitte euch sogar, mir alles zu erzählen, was ihr im Umgang
mit euren Kameraden, und andern gescheuten Leuten gehör
und gelernt habt.

Unt

Und so wette ich, daß ihr mir noch manches von eurem Pudel, und von eurer Kaze, von Ratten und Mäußen, von Schafen und Kühen, von Pferden und Eseln, von Elefanten und Affen, von Löwen, Wölffen und Bären werdet erzählen können? Nicht wahr? — Wohlan, so wollen wir also im Erzählen einander ablösen!

Wer macht wohl den Anfang, ich oder ihr? — Ich also? Gut. — Und womit sol ich zuerst kommen, mit der Pudel = oder mit der Kazengeschichte? — Oder wollen wir zuerst den Menschen, oder die Fledermaus, oder den Walfisch, oder sonst ein anderes vierfüßiges Thier kennen lernen? Wie? Was sagen Sie? Die Menschen sollen vierfüßige Thiere seyn? Wir haben ja keine Schwänze, und gehen nicht auf allen vieren? — Und die Fledermaus kan fliegen, und sol doch kein Vogel seyn? — Und der Walfisch sieht einem Fische fast ganz ähnlich, und hält sich auch immer im Waffer auf, und sol doch kein Fisch seyn?

Richtig, mein Kind! So gewiß die Ziege Mekkern, und die Kaze Mauen kan, so gewiß gehören die Menschen, die Walfische und die Fledermäuße zu den säugenden Thieren, wie ich zu Anfang gesagt habe; denn sie haben auch, wie alle übrigen vierfüßigen Thiere, ein mit zwo Kammern und zwei Ohren versehenes Herz, rothes warmes Blut, und bringen lebendige Junge zur Welt, und laffen sie an ihren Zizen oder Brüsten einige Zeit lang saugen. Und weil sie das thun, nent man sie auch Säugthiere, wie die Kaze und die Ziege — Vier Füße hat nun freilich der Mensch nicht, und der Walfisch hat gar keine Füße.

Wir haben aber doch keinen behaarten Körper, und wie gesagt, auch keine Schwänze, und gehen auch nicht auf

allen

allen Vieren? Gut! Wißt ihr aber denn gewis, obs nicht irgendwo in der Welt behaarte und geschwänzte Menschen gebe,
die auch auf allen vieren gehen? O solte denn das wohl? Je
nun, weil ihrs also nicht gewis wisset, so glaubt mirs vors
erste so lang auf mein Wort, daß der Mensch eben so gut
zu den Thieren gehöre, als die Kaz und die Fledermaus,
bis ich euch davon mehreres werde erzählt haben.

Der Mensch hat doch ziemlich viel Haare. — Allein
aufs behaart seyn, und aufs Schwänze und vier Füsse haben, kömts bei diesen Thieren gar nicht an, sondern aufs
lebendige Jungen zur Welt bringen, und aufs Säugen.

Die mehrsten Säugthiere haben zwar einen mit Haaren bedekten Körper, allein es gibt auch welche, die gar keine
Haare haben, wie die Walfische. — Einige haben auch nur
sehr wenig Haare, wie die Elefanten, Nashorn und Tapir.
Und andere haben gar statt der Haare Borsten, wie die
Schweine; oder Stacheln wie die Igel und Stachelschweine;
oder Schuppen wie die Manis; oder Panzer wie die Arma-
dille.

Je magerer ein Thier, und je kälter das Land ist, worin es sich aufhält, desto mehrere Haare hat es. Ist ein
Thier aber sehr fet, dik und stark; oder wohnt es in einem
warmen Lande, so hat es wenig Haare. — Jedes Haar ist
hohl, und hat seine eigne Wurzen, woran es aus der Haut
des Thiers herauswächst. Und fält dem Thier ein Haar aus,
so wächst ihm, in etlichen Tagen wieder ein anderes dafür,
so lang es noch jung, und nicht gar zu alt ist. Wenn alle
mit den Wurzen ausgefalne Haare wieder wüchsen, so gäbe
es

keine Kahlköpfe. — Die vierfüſſigen Thiere mauſern oder aaren ſich auch alle Jahr, wie die Vögel.

Einige Säugthiere haben nur zwo Zizen, entweder an r Bruſt, oder zwiſchen den Hinterfüſſen. Andere hingegen ben deren wohl ſechs bis zwölf am Bauch, paar und paar beneinander. — Und warum hat ein Thier mehrere Brüſte s das andere? Weil es mehrere Jungen zur Welt bringt, e alle gleich nach ihrer Geburt die Brüſte aufſuchen, und ſtig drauf los ſaugen — denn es iſt gewöhnlich in allen gute rme Milch.

Die Kuh bringt alle Jahr nur Ein Kalb zur Welt; s Schwein hingegen kan in gleicher Zeit acht bis zwölf; b der Hamſter gar zwölf bis achtzehn Junge werffen. *) chtig, richtig! Ich ſah lezthin neun Sukkelchen hinter ih= r Muter drein ſpringen; und da ſie ein wenig ſtille ſtand, hren ſie alle an die Zizen, und nahmen die Wärzchen ins aul, und ſaugten und riſſen ganz entſezlich daran.

Ich habe auch ſchon Lämmer und Kälber und Ziegen gen ſehen. — O ich auch — Und ich auch! Gut, Kinder. d wie lange meint ihr wohl, daß die Alten ihre Jungen ſau= n laſſen? Vierzehn Tage oder drei Wochen? Ja, einige
wohl!

---

*) Hier kan man den Kindern ſagen, daß das Jungen bei den Säugthieren verſchiedene Nahmen habe. — So heiſt es beim Schwein werffen oder ferkeln; bei der Kaz Jungen; bei der Kuh Kalben; beim Schaf Lam= men; beim Menſchen Gebähren. — Bei den mehrſten Thieren bleiben die Augen nach der Geburt noch etliche Tage, fünf bis neun Tage ver= ſchloſſen; die Kinder der Menſchen hingegen, können ihre Augen öfnen und ſehen, ſo bald ſie zur Welt kommen.

wohl! Viele lassen sie aber auch vier bis sechs Wochen, od
wenigstens so lange saugen, bis sie gros und stark genug sin
sich entweder ihr Futer selbst zu suchen, oder wenigstens a
les das auch zu fressen, was ihre Mütern fressen.

Was fressen denn die verschiednen Säugthiere? Alle
hand, eins dis, das andere jenes. Die mehrsten fress
nichts als Kräuter, und Feld = und Gartenfrüchte. Viele hi
gegen fressen nichts als Fleisch. Und einige wenige lass
sich beides zugleich schmekken, so wie sie es bekommen könne

Und daß jedes Thier seine Nahrung in seinem Vate
lande, und gerade an dem Ort, wo es gebohren oder jun
geworden ist, finden kan, dafür hat der liebe Gott gütig
gesorgt. — Keins sol hungern, wil er. Alle sollen si
täglich sat essen, sie wohnen auch, wo sie wollen, und wen
auch gleich das heisseste oder das kälteste Land in der We
wäre.

Die Pflanzenfresser finden allenthalben, ohne viel Mü
und Nachdenken, ihre Nahrung. Sie wissen gewis, wo f
sie Gras wächst, und wo diejenigen Bäume stehen, die f
sie Eicheln und Bücheln tragen. Die Fleischfresser habe
zwar etwas schlimmer als die Pflanzenfresser, weil sie e
mit List, und oft sehr lang auf einen Raub lauren müsse
ehe sie ihn erhaschen und erwürgen, und einen guten Fr
thun können. Wie lang mus nicht oft auch die schlaues
Kaze auf eine Maus lauren? Wie lange mus nicht oft b
listigste Wolf einem Lam nachstellen?

Allein sie sterben doch nicht Hunger, und wenn sie au
gleich zween oder drei Tage nichts gefressen haben. Ja e
ni

nige Thiere können sogar zehn bis zwanzig Tage, fasten, wie
die wilde Kaze und der Formosanische Teufel, und es thut
ihnen nichts. Sehr mager werden sie zwar und sehr hung=
rig, aber weiter geschieht ihnen nichts Leides.

Wer aber nicht lange fasten kan, und doch des Win=
ters manchen Tag, ja manche Woche gar nichts zu fressen
hat, der mus entweder sterben, oder sich durch einen langen
Schlaf retten. — Und dis verstehen die Murmelthiere, die
Igel, Bären, Dachse, Hamster, Fledermäusse und Sieben=
schlaffer ganz vortreflich. — Denn da im Winter Felder und
Wälder kahl und steinhart gefroren, oder gar mit Schne und
Eis bedekt sind, und ihnen also ihre gewöhnliche Nahrung
gänzlich mangelt, so würd es ihnen sehr schwer, ja gar un=
möglich werden, für ihre Erhaltung zu sorgen; sie legen sich
also schon im Herbst in ihre Löcher — die sie mit Heu, Stroh
und Moos bedekt haben, damit sie weich liegen — und schlaf=
en nun sechs bis zwölf, und oft wohl noch mehrere Wochen
in einem fort, bis der Schne zerschmolzen, und die Erde
warm und wieder lokker geworden, und mit Kräutern be=
zt worden ist.

Kaum sind sie erwacht, so geht aufs Fressen los. —
Der Hamster und noch etliche andere legen sich im Sommer
Magazine in ihren Nestern an, damit sie gleich, wenn sie
erwachen, was zu fressen haben. — Von dem Winterschlaf
dieser Thiere erzähl ich euch in Zukunft noch sehr viel.

Einige Thiere gehen bei Tag, andere bei Nacht ihrer
Nahrung und ihren Geschäften nach. Und das thun sie ent=
weder einzeln, oder in Geselschaft. Der Wolf geht fast im=
mer allein auf seinen Raub aus. Der Elefant hingegen,

Z 2   der

der Affe und der Biber gehen trupweis miteinander, benach
richtigen einander von allem, was in ihrer Gegend vorgeht,
leisten sich Hülffe, und vertheidigen sich gemeinschaftlich gege
ihre Feinde.

Und damit jedes Thierchen seine Nahrung leicht ze
beissen, und klein malmen kan, sezte ihnen der liebe Go
harte knocherne Zähne ins Maul. Diese Zähne sehen wun
derbar aus, und stekken in der obern und untern Kinlade ze
streut, und werden in Schneidezähne, Spizzähne und Ba
kenzähne oder Müller eingetheilt. — Den Fleischfressern ga
er scharffe zakkichte Zähne; den Pflanzenfressern hingegen me
lauter platte; denjenigen aber, die alles fressen, was ihne
vorkömt, gab er platte und spizige untereinander.

Der Mensch ist so ein alles esser. — Habt ihr no
nie im Spiegel eure Zähne genau angesehen und gezählt
Nein. Ei wie viel haben wir Zähne? Acht und zwanzig b
zwei und dreissig. Und wie viel haben unsere Kompagnon
die übrigen Säugthiere? Mehr und weniger als wir. E
nige haben nur zwanzig, andere hingegen vierzig. Me
aber als vierzig, und weniger als zwanzig wird wohl kei
haben.

Der Formosänische Teufel hingegen, und der Ameise
bär haben gar keine Zähne, weil sie nur Ameisen und solch
Dinge fressen, die sich mit der Zunge leicht zerdrükken la
sen. — Etliche Walfische haben auch keine Zähne, weil s
ihren Fraß, der aus Heringen und kleinen Gewürmen b
steht, ganz verschlingen. Die übrigen Walfische aber, un
überhaupt die mehrsten Säugthiere beissen und malmen ihr
Fras erst klein, ehe sie ihn in Magen marschieren lassen, b

m

nit er bald verdaut, und sie wieder einen neuen verzehren
können. Denn viel fressen, und oft fressen ist der mehrsten
Thiere gröste Volkommenheit. — Doch frist sich keins zu
tode; das heist, es frist keins so viel, daß es erstikt, oder
ihm der Leib zerplazt.

Noch eins Kinder! Es gibt unter den Säugthieren,
welche, die man Wiederkauende Thiere nent, weil sie die
Gewohnheit haben, ihr verschlungnes Futter Bissen weis vom
Magen wieder ins Maul zu stossen, und noch besser zu zermalmen, und sodenn zum zweitenmal wieder in den Magen
zu schieben. Von diesem Magen gehts bei einigen in den
zweiten, und von diesem in den dritten Magen, bis es endlich so klein geworden ist, daß es nun in den vierten Magen
aufgenommen werden kan.

In den vierten Magen? Gibts etwa gar Thiere, die
vier Mägen haben? — Doch ja, nun fält mirs bei — Sind
das nicht die Kühe und Ochsen, die immer das Maul quer
über einander schieben und kauen, wenn sie auch gleich nichts
zu fressen vor sich haben? Richtig, diese sind es. Aber auch
die Kameele, Hirsche und Renthiere haben vier Mägen und
kauen wieder. — Und dann gibts auch welche, die Wiederkauen, und doch nur einen einzigen Magen haben, wie die
Hasen, Ziegen und Schafe. — Auch der Mensch kan das
Wiederkauen, oder das wilkührliche Erbrechen lernen, wenn
er wil. Es läst aber nicht appetitlich, und kan leicht eine
gefährliche und häsliche Krankheit werden. — Wie es der
Ochs bei seinem Wiederkauen mache, und wie seine vier Mägen heissen, solt ihr bei der Geschichte des Ochsen alles erfahren.

Nun

Nun wie viel haben denn wohl die vierfüßigen Thiere
Füße? Viere. Und das alle? Ja, alle, bis an die Menschen, Affen und Walfische. — Die Menschen haben nu[r]
zween Füße, auf denen sie gehen; aber auch zwo Hände
mit denen sie arbeiten können. — Die Affen aber haben vie[r]
Hände, mit denen sie sehr schnel lauffen, und so gar au[f]
Bäume klettern können. — Die Walfische hingegen habe[n]
weder Füße noch Hände, und müssen sich mit ihren Flosse[n]
dern von einer Stelle zur andern bewegen.

Und wie sehen die Füße der Thiere aus? Sehr verschieden. Einige haben an der Spize derselben harte unge-
spaltne Hufe, wie die Pferde und die Esel. Andere habe[n]
gespaltne, mit hörnartigen Schaalen, wie mit Schuhen, ein-
gewikkelte Klauen, wie die Schafe und die Ochsen. Und noc[h]
andere haben Zehen, die bei den meisten frei sind, wie be[i]
den Hunden und Kazen; bei den übrigen aber mit einer Hau[t]
zusammen hängen, wie bei den Bibern und Fischottern.

Die mehrsten Thiere gehen nur auf den Spizen ihre[r]
Füße; die Menschen aber, die Hasen und die Bären, und
noch etliche andere gehen auf dem ganzen Vorderfus. — Di[e]
Eichhörnchen können sehr weit springen, und die Fledermäuse
können sogar fliegen, weil sie zwischen ihren Vorderfüssen ein[e]
dünne florähnliche Haut haben.

Alle Säugthiere haben fünf Sinne, sie können sehen,
hören, riechen, schmekken und fühlen. Auch der Maulwur[f]
hat Augen, und kan sehen. Sie können alle — bis an di[e]
Ameisenbäre, Formosanische Teufelchen und Maulwürffe, welche stum sind — einen Laut von sich geben, und eine Stimme
hören lassen, aber nie sprechen lernen, man mag sich mit ihnen

en auch so viel Mühe geben, als man wil. Nicht einmal
er listige Affe, der doch sonst fast alles nachmacht, kan spre-
hen lernen. —

Einige Thiere haben auf dem Kopf hohle einfache Hör-
er, wie die Ochsen und Ziegen. Andere haben ästige Hör-
er oder Geweihe, wie die Hirsche und Renthiere. — Alle
aben Schwänze, nur die Menschen, die Faulthiere und
inige Affen nicht.

Die Nase sieht auch nicht bei einem Thier aus, wie
eim andern. Sie ist zwar bei den mehrsten ohnbehaart;
brigens aber bei einigen mehr oder weniger plat; bei andern
berwärts oder unterwärts gebogen; bei einigen länger oder
ürzer als die Lippen; bei andern aber ist sie gar in einen
üssel ausgedehnt, der beim Schwein ziemlich, beim Ele-
anten aber ausserordentlich lang ist.

Säugthier, liebe Kinder, gibts in der ganzen Welt. —
Es sey ein Land auch noch so heis, oder noch so kalt, so
at es doch seine gewissen Einwohner, es seyen nun Men-
hen oder Thiere. — Im heissesten Asia und Afrika gibts
chwarze Menschen und Affen und Elefanten und Löwen. Und
ohnen nicht mitten im Eismeer die Seehunde und die See-
ären; und nahe bei ihnen die schmuzigen Grönländer, und
e verrufene Eskimo? — Die meisten Thiere halten sich
ber doch in den temperirten Gegenden auf, wo es nicht zu
alt, und nicht zu warm ist.

Nicht wahr, lieber Herr . . . die mehrsten Thiere le-
en und wohnen auf dem Lande? Ja, kleiner Mann, nicht
ür die mehrsten, sondern alle, bis an die Walfische. Denn
iese sind die einzigen Thiere, die immer im Wasser bleiben

müs-

müssen, weil sie keine Füsse, und keine Arme haben, und sie
auch weder durch ihre Flossfedern, noch durch ihre Schwän-
aufs Land bewegen können. — Die Biber hingegen, b
Seehunde und die Seebären können sich aufhalten, wo s
wollen, im Wasser oder auf dem Lande, weil sie Schwimfüsse haben. — Die Maulwürfe aber lieben die Dunkelhei
und wohnen immer unter der Erde. Auch des Sommers
Ja, auch des Sommers.

Wie alt werden die verschiednen Säugthiere? Einig
nur vier bis sechs Jahre, wie die Mäusse; andere fünfzi
bis hundert, wie die Elefanten; die Walfische aber könt
vermutlich zweihundert Jahr alt werden, wenn man sie s
lange leben liesse. Allein man macht sie izt viel jünger tob
Denn es gibt nun kein Thier mehr in der Welt — es se
auch noch so gros, und noch so grimmig, als es wolle, e
beisse, schlage oder stosse — das der Mensch nicht mit Li
oder Gewalt, lebendig oder tod zu fangen und zu bändige
wüste.

Nüzen sie uns denn aber auch alle was? Ja, fast all
Einige essen wir; andere spannen wir für unsere Wagen
und noch andere geben uns allerhand nüzliche und nöthig
Kleidungsstükke. Die Kaz fängt Mäusse, und der Hund b
wacht das Haus. Und wie viele Thierchen werden nicht z
unsrer Belustigung abgerichtet? Daß aber auch manches Thie
vielen Schaden anrichtet, manchmal Menschen und ander
Thiere erwürgt, und sonst noch alles wegfrist und verwü
stet, was es find, ist wahr. Allein man kan sich doch ge
wöhnlich vor ihnen in Acht nehmen, und sie durch List un
Gewalt vertreiben. Gotlob, daß wir nicht in den Länder
wohnen, wo sich Löwen, Tieger und Hiänen aufhalten.

E

Es mus doch entsezlich viel Schafe, Ochsen und Kälber geben, da man deren oft nur in einer einzigen kleinen Stat alle acht Tage über hundert zusammen abschlachtet? Das gibt es auch. Es ist kein Dorf ohne Schafe, Kühe und Ochsen; und in manchem gibts auch noch dazu viele Schweine und Ziegen.

Wie viel es aber überhaupt Säugthiere in der Welt geben mag, kan gewis Niemand sagen? Nein, das geht nicht an. Rathen kan man wohl, aber es nicht gewis sagen. Es mus ihrer viele Millionen geben. — Allein Sorten gibts eben nicht alzuviel unter den Säugthieren. Man zählt deren kaum vier hundert. Und unter diesen ist die Sibirische Spizmaus die kleinste, und der Elefant, oder vielmehr der Walfisch die gröste Sorte.

Wie machen wir es nun, liebe Kinder, daß wir die merkwürdigsten Thiere aus diesen Sorten geschwind und leicht, aber doch auch in einer gewissen Ordnung kennen lernen? — Denn das gefält mir nicht, daß eins von euch geschwind was von seinem Pudel; ein anderes was von seiner Kaze; und noch ein anderes was von seiner Ziege oder Kuh schwäzt; und ich sodenn allemal hintendrein meine Meinung darüber sagen, und noch vom nächsten besten Thier auch was erzählen sol. — Dann und wann mag dis sehr lustig seyn, und gar wohl angehen; aber immer nicht.

Wenn wir also in Zukunft mit dem Pudel reden, so sollen die übrigen Hunde alle auch ihre Geschichte hersagen. — Reden wir mit der zahmen Kaze, so sollen auch die wilden, und alle ihr ähnlichen Thiere abgehört werden.

Z 5
Es

Es wird daher sehr gut, wenn wir die gesamten Säugthiere auch in gewisse Ordnungen eintheilen, wie wir bei den
Insekten und Vögeln gethan haben, und allemal diejenigen
zusammen stellen, die einander an Bildung, oder an Fras,
oder an Grösse ähnlich sind.

Und so dächt ich, bekämen wir etwa zwölf Ordnungen, in deren ersten die Flédermäusse; in der zwoten die
ordentliche Mäusse, die Ratten, Eichhörnchen und Häsen, und
alle andere Nagethiere; und in der dritten die Bären,
Hunde und Kazen, nebst allen übrigen reissenden Thieren stehen könten. — Von den Thieren mit einem einzigen ohnge-
spaltnen Huf, wie von Pferden, Eseln und Zebra reden wir
in der vierten Ordnung; von denen mit gespaltnen Klauen,
wie von den Ochsen, Schafen und Kaméelen in der fünften,
und von denen, die stat der Haare Stacheln, Schuppen oder
Panzer haben, wie die Igel, Armandil und Formosanische
Teufelchen, in der sechsten Ordnung. — In der siebenten
Ordnung wollen wir die fast ganz haarlose Ungeheuer, die
Elefanten, Tapir und Nilpferde; in der achten die mit
Schwimfüssen versehene Fischottern, Biber und Seehunde;
und in der neunten Ordnung die Walfische kennen lernen. —
Die zehnte Ordnung sol die träge langkrallichte Ameisenbäre
und Faulthiere; die elfte die Affen und ihres gleichen; und
die zwölfte Ordnung endlich die Menschen enthalten. *)

In

---

*) 1) Chiroptera. — 2) Glires. — 3) Ferae. — 4) Solidungula. — 5) Bi-
sulca. — 6) Sclerodermata. — 7) Belluae. — 8) Palmata. — 9) Ce-
tacea. — 10) Bradypoda. — 11) Pitheci. — 12) Inermis. — Sic
Cl. Professor *Blumenbach.*

In der ersten Ordnung lernen wir also die fliegende Mäuſſe
oder

Die Fledermäuſſe

kennen. — Der liebe Gott ſchuf ein Thier, halb Vogel und
halb Maus, es flog, und hies Fledermaus. — Die Fledermaus kan alſo fliegen, und hat doch weder Federn noch Flügel, ſondern ordentliche Haare, wie die Mäuſſe, und zwiſchen den Füſſen eine zarte Florähnliche Haut. Ob ſie aber
damit eben ſo gut fliegen kan, wie der Vogel mit ſeinen
Flügeln, iſt eine andere Frage? Geſchwind kan ſie zwar
wohl fliegen, aber nicht gar hoch, und gewöhnlich nur ſo,
als wenn ſie das Fliegen erſt lernen wolte.

Und lauffen können die Fledermäuſſe gar nicht, weil
die Zehen oder Finger an ihren Vorderfüſſen mehr langen
Stangen, als Fingern ähnlich ſind; ſondern nur durch Hülfe
ihrer Vorderdaumen oder Haken, hurtig auf dem Bauch auf
der Erde wegſchurren.

Habt ihr ſchon Fledermäuſſe geſehen? O ja, ſchon viele!
Und wann denn? Des Morgens oder des Abends? Im Sommer oder im Winter? Bei heitern Sommerabenden und beim
Mondſchein. Bei Tag hab ich noch keine fliegen ſehen, und
auch des Winters noch keine. — Sie ſind nicht gros, und
wie ich glaube, nicht viel gröſſer, als eine Hausmaus. Mit
ausgeſpanten Flügeln aber mögen ſie wohl eine halbe Elle
breit ſeyn. — Richtig, ſo gros ſind unſere gemeine aſch-
graue Spekfreſſer nur; in andern Ländern aber gibts noch
viel gröſſere Fledermäuſſe.

Und

Und alle Flebermäuſſe fliegen immer nur bei Nacht herum? Ja, mein Kind! Sie ſcheuen alle das Licht, und hängen ſich den Tag über an Bäumen an, oder liegen in allerhand Löchern, und hinter alten Laden und Bekleidungen verborgen; des Abends aber kommen ſie aus dieſen Schlupfwinkeln hervor, und jagen hinter den Fliegen, Mükken, und Schmetterlingen her, und unſere Spekdiebe, klettern ſogar in die Schornſteine und Rauchkammern, und halten dorten beim Spek eine köſtliche Mahlzeit. — Sobald es aber Tag zu werden anfängt, eilen ſie wieder nach Hauſſe.

Wo ſind ſie denn des Winters? Da ruhen und ſchlafen ſie in ihren Löchern, Vater und Sohn, Mutter und Tochter und Enkel dicht neben und unter einander klumpenweis, nachdem ſich vorher jede in ihre Flügel, wie in einen Mantel eingehüllet hat — an den Hinterfüſſen aufgehenkt in einen weg, ohne zu erwachen, und was zu freſſen, bis in den warmen Frühling fort. Iſts aber erſt Frühling, und etwas warm geworden, ſo erwachen und erhohlen ſie ſich nach und nach von ihrer Erſtarrung, und fliegen wieder ihrem Fras nach.

Gibts viele Flebermäuſſe in der Welt? O ja, und das vorzüglich viel in Aſia und Amerika; in Teutſchland aber gibts eben nicht viel, weil ſie von den Eulen allzuſehr verfolgt und aufgefreſſen werden.

Wie viel werffen ſie alle Jahr Junge? Zwei bis drei; und dieſe laſſen ſie drei bis vier Wochen an ihren zwo Brüſten ſaugen; hernach aber füttern ſie ſie ſo lang noch mit Fliegen und Spek, und mit allerhand Säften und Baumfrüchten, bis ſie ſelbſt nach ihrem Fräs ausfliegen können.

Au

Auf der achten Tafel, bei Figur zwei und zwanzig ist eine gemeine Fledermaus im Flug abgebildet — An den Hinterfüssen hat sie, wie alle andere Sorten von Fledermäussen fünf Zehen; an den Vorderfüssen aber eigentlich nur den einzigen Haken, mit dem sie sich an den Spek, oder an andere Dinge anhäkelt, um daran bequem fressen zu können. — Ihr sehet doch, daß Schwanz und Füsse mit der florähnlichen Haut verbunden sind?

Nun gibts aber auch Fledermäusse, die viel grösser, als unsere Spekdiebe sind, schwarze und schwarzbraune Haare, ganz andere Mäuler und ganz andere Ohren haben. — So sehet ihr hier bei Figur neun und zwanzig eine mit sehr langen Ohren, die man deswegen die Langohrigte Fledermaus nent. *)

Die gröste, aber auch die gefährlichste Fledermaus ist

Der Vampir

oder Blutsauger, der den Menschen des Nachts im Schlaf das Blut aussaugen sol. — Er ist so gros, als ein Eichhörnchen, hat einen Hundskopf — siehe Tafel acht, Figur fünf und zwanzig — und schwarzbraune Haare, und hält sich zum Glük für uns nicht in Teutschland, sondern gewöhnlich nur im mittäglichen Amerika, und in Ostindien auf.

In

---

*) Wer eine ausführliche Fledermausgeschichte lesen wil, der sehe des berühmten Herrn Professor Schrebers ersten Theil seiner Säugthiere nach.

In diesen beiden Weltgegenden aber gibt es deren so viele, daß sie im Flug des Abends die Luft verdunkeln, und die Gaffen in den Stätten bedekken sollen. — Und das ist gar wohl möglich, da ein groffer Vampir, mit ausgespanten Flügeln, anderthalb Ellen breit ist.

Und wovon leben denn diese verrufene Blutsauger? Doch nicht von lauter Menschenblut? O nein! Ihr gewöhnlicher Fras sind Baumfrüchte, und der Saft des Palmbaumes, den sie vorzüglich lieben, und sich darin oft so berauschen, daß sie wie tod zur Erde fallen. — Blut essen oder saugen sie aber doch unter allem am liebsten. Wenn es daher Abend geworden ist, so durchstreichen sie in der Absicht die ganze Gegend, wo sie wohnen, irgendwo einen schlaffenden Menschen zu finden. Und haben sie einen gefunden, so schleichen sie ganz leise zu ihm hin, und lekken so lang mit ihrer stachelichten Zunge an einem Arm oder Fus, bis Blut aus einer Ader läuft, und sie saugen können. Und nun saugen sie sich auch dik und vol an.

Damit aber der Mensch, der Esel oder das Pferd — denn auch diesen, und mehr andern Thieren, zapffen sie ihr Blut ab — nicht so leicht unter dem Saugen erwachen, wehen sie ihnen mit ihren Flügeln immer ein kühles Windchen zu. — Oft erwachen die Menschen schon beim Lekken, oft erst unter dem Saugen, und oft merken sie es gar nicht. Wenn sie aber erwachen, so fühlen sie ihren Blutverlust, sind mat und entkräftet, und zuweilen tod krank — wenn nämlich der Dieb alzuviel gesogen hat, und die Wunde nachher noch lange geblutet hat.

Auch

Auch so gar zu ofnen Laden und Fenstern sol dieser verhaßte Vampir hineinfliegen, und den in Kammern und Stuben schlaffenden Menschen, das Blut wegsaugen. *)

Den Tag über halten sich diese grosse Fledermäusse in hohlen Bäumen, häuffig aber auch auf den Bäumen selbst auf. Sie hängen sich nämlich an den Aesten so häuffig und dicht an den Hinterfüssen, mit herunterhängenden Köpffen zusammen, daß sie von fern wie Kokosnus = Trauben aus= sehen.

Keine Fledermaus ist giftig. Man kan sie alle ohne Gefahr essen. Die Sineser und viele Insulaner in Ostin= dien essen sie auch wirklich mit vielem Appetit. **)

Die Nagethiere kommen in unsrer zwoten Ordnung vor. Es gehören dazu lauter kleine Thiere, die viele Zehen ha= ben, und fast immer auf dem ganzen Vorderfus gehen, wie die Eichhörnchen, die Ratten und die Mäusse; die Sieben= schläffer, Murmelthiere, Vielfrase, Beutelratten, Hasen und Marder und Pharaonsmäusse und Dachse, und so weiter. — Der Vielfras ist darunter das gröste, und die Spizmaus das kleinste.

Sie fressen meist alle fast nichts als Pflanzen, und Feld = und Baumfrüchte, und dienen uns mit ihrem Pelz, und mit ihrem Fleisch. — Und das alle? Auch die Ratten und Mäusse? O ja! Im Fal der Noth kan man sie gar wohl

---

*) Siehe *Bontii* histor. indiae orient. pag: 70.
**) Siehe Algemeine Historie der Reisen, Theil 6. Seite 95 — Theil 9. Seite 404 — Theil 12. Seite 625.

wohl essen, und hat sie auch wirklich schon oft gegessen. Wie viel gibts nicht Gegenden in der Welt, wo man Ratten und Mäusse und Schlangen fast so häuffig zu Markte bringt, als bei uns Tauben, Hühner und Gänse? — Und aus den Mäusse = und Rattenfellen könte man, wenn man wolte, leicht auch Saloppen oder Müzen füttern — Ich dächte, sie solten ziemlich sanft und warm seyn.

Das Eichhörnchen

ist ein allerliebstes kleines Thierchen, das Kinder und alte Leute mit seinem possirlichen Wesen belustiget. — Es lebt und wohnt in ganz Europa, und auch fast in ganz Asia, und im nördlichen Amerika, in Wäldern und Gehölzen, und frist Haselnüsse, Eicheln, Bücheln oder Buchekkern, wildes Obst, und allerhand Baumknospen; und wenn es Mandeln, Kastanien und Wälschenüsse haben kan, läst es sie sich auch sehr wohl schmekken. Aber Pfirschen und Aprikosen sind ihm tödlich.

Wo baut es sein Nest hin? Auf Tannen oder Eichen, und zuweilen auch in hohle Bäume. Es macht es von Reisern, wölbt es oben zu, damit ihm Regen und Wind nicht schaden können, und füttert es mit Moos und Laub aus. Und weil es den Wind gar nicht ertragen kan, so läst es nur ein so kleines Loch offen, daß es knap hinein schlupfen kan. Weht aber der Wind gerade zu diesem Loch herein, so stopft es dasselbe sogleich zu, und macht auf der Seite ein anderes. Man sagt daher von ihm im Sprüchwort:

Wenn das Eichhorn im Walde spürt,
Von welchem Ort ein Wind kommen wird,

So hat es das in grosser Acht,
Ein ander Fenster es ihm macht,
Da es kan kriechen aus und ein,
Und für dem Wind mag sicher seyn.

Wie geht es ihm denn des Winters? Schläft es darin,
wie die Fledermäus? Nein, es ist Sommer und Winter wach
und munter. Damit es aber im armen Winter nicht darben
darf, sammelt es im Herbst Haselnüsse und Buchekkern zusammen, und legt sich davon in einem hohlen Baum ein
Magazin an. — Ach ja wohl! Weis es denn, wie lang der
Winter daurt, und wie viel es Nüsse einsammeln mus? So
ziemlich. Wenn sie aber alle sind, so frist es Tansamen
und Baumknospen. Und wie leicht find es nicht noch hie
und da unter dem Laub oder Schne eine Eichel, Büchel oder
Haselnus?

So! Die Eichhörnchen gehen also auch auf die Erde herunter? Ich meinte, sie blieben immer auf den Bäumen? Nein,
nein Kind, immer bleiben sie nicht oben, aber fast immer.
Denn wenn die Nüsse, Eicheln und Büchlen alle abgefallen
sind, so müssen sie ja welche holen, wenn sie nicht lauter
Baumknospen fressen, oder gar Hunger sterben wollen. —
Sobald sie sich aber sat gefressen haben, klettern sie geschwind wieder auf die Bäume, und rasen drauf herum.
Hui da gehts Baum auf, Baum ab, links, rechts, im Ring
um, ja sogar von einem Baum zum andern, wenn sie auch
gleich fünf bis sechs Ellen von einander entfernt stehen.

Was, ein solch kleines Thierchen sol in der Luft so
weit springen können? Ja das kan es. Deswegen ist es
auch sehr schwer, eins lebendig zu fangen, wenn man ihm

Aa

auch

auch gleich etliche Stunden nachspringt. Denn in ein
Minute ist es den Leuten schon aus den Augen, und w
nigstens über zwei bis dreihundert Bäume weggeschleuder
so daß man glauben solte, es wäre weggeflogen — An
der siebenten Tafel, Figur drei sind zwei Eichhörnchen ab
gebildet, eins oben auf der Eiche, und eins unten am Stan
das so eben hinauf klettern wil.

Wie fängt man diese liebe artige Thierchen denn
In Fallen oder Schlingen, wenn man sie lebendig habe
wil; wil man sie aber tod haben, so schiest man sie mi
Polzen, oder andern Mord = Instrumenten von den Bäume
herunter. — Ach, und warum thut man das? Doch nich
um ihres Fleisches willen? O ja, auch darum. Das Eich
hörnchen = Fleisch schmekt nicht übel. Gewöhnlich aber er
würgt man sie wegen ihres Pelzes, den man zu Verbre
mungen, und zu allerhand andern Kleidungsstükken gebraucht

Ihr wisset doch, wie die Eichhörnchen bei uns aus
sehen? O ja, röthlich braun. Und warum sagen Sie, be
uns? Sieht denn nicht ein Eichhörnchen aus, wie das an
dere? Nein, es gibt hie und da auch schwärzlichte und gan
schwarze, und in Norwegen, Schweden, Rußland und an
dern nördlichen Ländern, werden alle Eichhörnchen des Win
ters grau. Und diese graue Pelze sind die besten und bi
theuersten, und werden unter dem Namen Grauwerk ver
kauft. — Und aus den längsten Haaren ihrer Schwänz
macht man Mahlerpinsel.

Der Schwanz dieser niedlichen Thiere ist länger, al
ihr ganzer Leib, und gleicht fast einem Federbusch. Im Ge
hen lassen sie ihn sinken, und ziehen ihn auf der Erde hin
te

er sich her. Im Sizen aber heben sie ihn in die Höhe,
und legen ihn auf den Rükken, und bis über den Kopf
weg, damit er ihnen stat eines Sonnenschirmes Schatten
mache. *)

Und weil die Eichhörnchen auch die Kunst verstehen,
auf einem Stükchen Holz, oder auf einer Baumrinde sich
ins Wasser zu sezen, und darauf mit gutem Winde über
einen Bach oder Flus zu schiffen, so muß ihnen ihr zottich=
er Schwanz zum Seegel, und einer ihrer Füsse zum Ruder
dienen. Aber leider gehen oft die Schiffe samt den Schif=
fern verlohren, wenn nämlich ohnvermuthet ein Wind ent=
standen, und das Wasser alzu unruhig geworden ist.

In Amerika gibts Eichhörnchen, die zwei bis dreimal
grösser, als die unsrigen, und ohngefähr so gros, als die Ka=
ninchen sind. — Und in Polen und Rußland, und noch
in einigen andern nördlichern Gegenden gibts sogar welche,
die fast, wie die Fledermäusse, zwischen den Vorder= und
Hinterfüssen eine dünne Haut, und also eine Art Flügel ha=
ben, mit denen sie fünfzig bis hundert Ellen weit in die
Tiefe, aber nicht in die Höhe fliegen oder schleudern können.
Man nent diese Art Eichhörnchen, fliegende Eichhörnchen.

Die Eichhörnchen sind närrische, unruhige und schüch=
terne Thiere. Sie bleiben nicht mehr in ihrem Nest, wenn
man auch nur ein wenig an den Baum stöst, worauf sie

A a 2 woh=

---

*) Ein Thierchen, das immer auf den Eichen lebt, und dessen Ohren in der
Ferne wie Hörner aussehen, kan wohl mit Recht Eichhörnchen genant
werden. — Sein lateinischer, aus dem griechischen σκιά Schatten,
und οὐρά Schwanz, abgeleiteter Name Sciurus aber, ist vermutlich daher
entstanden, weil es sich mit dem Schwanz Schatten zu machen pflegt.

wohnen. Ja sie klettern samt allen ihren Kindern, deren si alle Jahr viere gros ziehen, zu oberst auf den Baum hinauf oder springen sogar auf den nächsten besten Baum, und noc so weit fort, daß ihnen ihre Feinde nicht nachfolgen können

Wenn sie fressen, so sezen sie sich auf die Hinterfüsse und bedienen sich ihrer Vorderfüsse stat der Hände, wie di Affen, und greiffen damit ihre Speisse an, und nagen dara herab, oder stekken sie ganz in das Maul.

Und weil sie so sehr lustige und possierliche Thierchen sind, legt man sie an Ketten, und füttert sie zum Spa und Vergnügen in Kammern oder Stuben, mit Nüssen, Obs Zwetschen= und Kürbiskernen. — Sie sind sehr reinlich, un lekken und puzen den ganzen Tag an sich, wie manches eitl Mägdchen. — Sie werden höchstens acht bis zehn Jahr alt.

Nicht wahr, liebe Kinder, ihr möchtet auch so ein ar tiges Ketten=Eichhörnchen haben? Nun ja, diese Freude ka man euch schon einmal machen. — Aber sie stinken entsez lich, und zernagen alles Holzwerk, das sie erwischen. Un denn machen sie auch mit ihren Ketten immer ein häsliches Gerassel. — Und sie frei herum lauffen lassen, ist auc nicht rathsam, weil sie sodann nicht nur Tische, Schränk und Fenster, sondern auch Kleider und alles, was sie finden benagen und beschmuzen, und am Ende gar weglauffen wür den.

Der Siebenschläffer

ist beinahe eben so ein Thierchen, wie das Eichhörnchen, fa eben so gros, und ihm auch in Wohnung und Fras fa

gan

ganz ähnlich. — Er wohnt auch in Wäldern, wie dieses, klettert auf Bäume, hüpft von einem Ast auf den andern, frist Buchekkern, Eicheln und Haselnüsse, und andere wilde Früchte, und wenn er auch kleine Vögel erhaschen kan, ists ihm sehr lieb, und sieht auf dem Rükken grau, und am Bauch weis aus. — Sein Nest macht er sich von Laub und Moos in hohle Bäume und Mauerlöcher, wirft alle Jahr vier bis fünf Junge, und wird acht bis neun Jahr alt.

Und warum heist er denn Siebenschläffer? Er wird doch wohl nicht sieben Monath in einem weg schlaffen? O ja, das kan er! Oft schläft er auch wohl noch länger; aber auch zuweilen viel kürzer, je nachdem der Winter heftig ist oder nicht, und lange oder nicht lange dauert. Denn im Herbst legt er sich schon in seinem Loch zu Bette, rolt sich zusammen und erstart; und erwacht und kömt erst im Mai aus demselben wieder hervor.

Doch mus ich euch auch sagen, daß er zuweilen mitten im Winter — wenn es nämlich etliche Tage nacheinander sehr warm gewesen ist — erwacht und aufsteht, und sich was zu fressen sucht. So bald es aber wieder kalt wird, erstart er wieder.

Wenn man ihn aber den Winter über in eine eingeheizte Stube, oder sonst an einen warmen Ort bringt, so erstart er gar nicht, sondern läuft immer herum, frist und schläft wie die Kaze, oder sonst ein anderes Hausthier auch. Sobald es ihm aber in der Stube zu kalt wird, so rolt er sich zusammen, und wird, wie in seiner Höhle, nach und nach so star, daß man ihn in die Hand nehmen, rütlen und drükken, ja sogar auf der Erde wegrollen darf, ohne daß ers fühlt und erwacht.

Aa 3 Was,

Was , durchs Fortrollen nicht erwachen? Aber doch durch Kneipen und Brennen kan man sie munter machen? Nein. Sie rühren sich zwar , und fahren etwas enger zusammen, und geben durch ein dumpffichtes Geschrei zu erkennen , daß sich ihr Herz noch bewege, und daß sie noch leben. Aber ganz erwachen die armen Siebenschläffer nicht , und wenn man sie auch gleich ganz durchsticht , und völlig tod macht. — Aber doch bei einem grossen Feuer, oder unter einem heissen Ofen kan man sie wach machen? Nicht doch. Davon würden sie ganz sterben; denn alzugrosse Hize ist ihnen tödlich. — Nach und nach mus man sie warm werden lassen, so kommen sie zu sich selbst, und lauffen wieder herum.

Das sind ja sonderbare Thiere! — Nüzen sie auch zu was? O freilich! Man kan ihr Fel gebrauchen, und ihr Fleisch gibt gute Braten, und wohlschmekkende Ragouts. Pfui, ja wohl Braten und Ragouts von Mäusse ähnlichen Thieren! — Und wer ist sie denn? Die Italiener und Krainer , und vermuthlich auch die Franzosen und Spanier. Die Krainer fangen gegen den Winter , wenn sie recht dik und fet sind, viele tauffend, und salzen sie ein , und essen sie mit so gutem Appetit, als wir unser eingebökeltes Rind= oder Schweinefleisch.

Auch die alten Römer hielten die Siebenschläffer schon für was delikates, und zogen und mästeten immer sehr viele in eignen Häussern, und sezten sie sogar als Lekkerbissen auf die vornehmsten Tafeln. *) — Gibts bei uns in Sachsen auch

*) *Varro* de re rustica Lib. 3. Cap. 15. lehrt , wie man ein Gebäude für Siebenschläffer bauen müsse, um solche für den Tisch zu füttern , zu erziehen und zu mästen.

auch welche? Ich glaube nicht. Wenigstens hab ich noch
nichts davon gehört und gesehen. Sie lieben nur warme
Länder, wie Italien, Krain, Frankreich, Spanien ꝛc.

Gibts noch mehr solche Schlafmützen, wie die Siebenschläffer sind? O ja, auch die Haselmäusse, die Murmelthiere
und die Hamster liegen gewöhnlich vier bis sieben Monath hintereinander fort erstart in ihren Löchern, und werden erst im
April oder Mai wieder wach und munter.

Die grosse Haselmaus

ist fast so gros, als eine Ratte, hat einen schwarzen Rükken, und einen weissen Bauch, und einen sehr langen haarichten Schwanz, und wohnt mehrentheils in Gärten in hohlen Bäumen und Mauerlöchern, zuweilen aber auch in den
Häussern selbst. Auch in den Wäldern hält sie sich häuffig
auf.

Sie klettert auf Bäume und Stauden, und frist und
benagt fast alles reiffe Obst, vorzüglich aber die Pfirschen
und Aprikosen, und leert oft in etlich Tagen einen ganzen
Baum ab — denn was sie nicht sogleich auf den Baum
fressen kan, nimt sie mit in ihr Loch.

Auch Birn, Wälschenüsse und Hülsenfrüchte frist sie
in den Garten weg. Im Walde aber sind Eicheln, Bücheln
und Haselnüsse ihr gewöhnlicher Fras. Und weil sie die Haselnüsse unter allen wilden Früchten am liebsten frist, und
sich in den Wäldern auch gewöhnlich auf den Haselstauden
aufhält, gab man ihr den Namen Haselmaus — siehe Tafel zehn, Figur siebzehn.

Aber

Aber Haselmäuſſe gibts doch bei uns? Leider nur zu viel. — Und warum, leider? Weil ſie zu nichts nüzen, und doch gewaltig viel ſchaden. Ihr Fleiſch taugt nichts, und ihr Fel iſt auch nicht viel wehrt.

Die kleine Haſelmaus

iſt ſo gros, als eine Hausmaus, und ein muntres niedliches Thierchen, und lange nicht ſo ſchädlich, wie die groſſe Haſelmaus. — Sie hat röthlichte Haare, und einen langen behaarten Schwanz, und wohnt in Wäldern in hohlen Bäumen, oder auch nur zwiſchen dikken Hekken und Haſelnusſtauden, und frißt Eicheln und Bucheln, und vorzüglich gern Haſelnüſſe, und heiſt deswegen auch Haſelmaus — Siehe Tafel zehn, Figur vier. — Es gibt nicht viel kleine Haſelmäuſſe. Man ißt ſie auch nicht.

Das Murmelthier

kent ihr gewis alle — nicht wahr, liebe Kinder? O ja! — Schöne Schattenſpiel an der Wand — Schöne Murmelthier — ſchön tanz, a ha ha! Nu geh raus, du ſchön Thier — du izt ſchön tanz, recht ſchön tanz mußt!

Machens die Savoijarden-Jungen nicht ſo? Schreien ſie nicht ſo auf den Meſſen und Jahrmärkten faſt Tag und Nacht alle Straſſen vol? Richtig, ſo machen es die guten armen Knaben mit ihrem Käſtchen auf dem Rükken. Um ein Stük Brod, oder um ein paar Pfenninge tanzen ſie oft ganze Viertelſtunde mit ihren Murmelthieren im Drek herum und ſingen oder ſchreien gewöhnlich noch aus vollem Halſe dazu

Nu

Nun was können die Murmelthiere denn für Künste? Sie klettern an einen Stok, und laſſen ſich dran herumſchleidern, ohne daß ſie herabfallen, und ſtehen und gehen auf den Hinterbeinen, wie die Bären, und machen ſonſt noch allerhand poſſierliche Stellungen, die ihnen ihre Herren mit dem Stok abnöthigen. — Auch an Bäumen und Wänden können ſie hinaufklettern, und ſogar Schornſteinfeger abgeben, wenn mans haben wil, und ſie es gelehrt worden ſind.

Ha ha ha! Ja wohl Murmelthiere Schornſteinfeger! Das mus verzweiffelt närriſch ausſehen? Wer lehrt ſie es denn? Die Savoijarden. Und wie machen es die guten Thierchen? Sie klettern in den Schornſteinen ſo lang auf und ab, und links und rechts, bis ſie den Rus mit ihren Haaren abgeſegt haben.

Das Murmelthier iſt ſo gros, als eine Kaze, und röthlicht von Färbe, und am Kopf, Füſſen und Klauen faſt ganz dem Bären ähnlich — ſiehe Tafel ſieben, Figur eins. Es wohnt in Italien und der Schweiz ꝛc., ohnfern den ewigen Schne= und Eisbergen, in Höhlen unter der Erde, und friſt alles, was es ſind, oder man ihm gibt, Kräuter, Wurzeln und Obſt, Fleiſch, Brod und Gemüſe; am begierigſten aber iſt es nach Butter und Milch. Ach wie ſchmazt es nicht, wenn es Milch hat!

Und weil es bei einem Milchſchmaus, oder ſonſt bei einen guten Fras, oder auch wenn man es ſtreichelt, wie eine Kaze knurt, und wie ein junger Hund murmelt, ſo gab man ihm den Namen Murmelthier. *) Sol ich euch noch mehr von ihm erzählen?

Aa 5   Es

---

*) Lateiniſch heiſt es Mus alpinus oder mus montanus; und italieniſch Marmotta.

Es sizt gern aufrecht, und bringt alles zum Maul, was es mit seinen Vorderpfoten erhascht, und frist, wie das Eichhörnchen, in aufrechter Stellung. — In die Höhe läuft es ziemlich geschwind, auf der Ebene aber sehr langsam. — Wenn es bei heitern Sommertagen aus seiner Höhle hervorkömt, so spielt es mit seinen Kameraden, klettert auf abgestuzte Bäume, und stürzt sich wieder herunter, und macht sonst noch allerhand Possen und Grimassen.

Wenn das Weibchen ihre vier Jungen, die sie alle Jahr wirft, so lange geseigt hat, bis sie stark genug sind, Kräuter und Wurzeln zu fressen, so führt sie sie aus ihrer Höhle heraus, und begleitet sie auf die Wiesen, und weist ihnen ihr Futter an. Und damit sie keins davon einbüsse, führt sie sie nicht alzuweit weg, damit sie im Fal der Noth bald wieder zu Hausse sind. — Aber die armen Savoijarden fangen ihr doch zuweilen welche weg, lehren sie tanzen und am Strick herum lauffen, klettern und Schornsteine fegen, und reisen sodenn mit ihnen in die Fremde, und lassen sie auf Messen und Jahrmärkten für Geld sehen und tanzen.

Man kan die Murmelthiere so zahm machen, daß sie in den Häussern herumlauffen, und wenn man ihnen ruft, sogleich herbei kommen. — Ein gewisser Herr Pastor in der Schweiz *) hatte einmal eins, das in seiner Stubierstube herumlief, und sogleich, wenn er Marmotte rief, zu ihm kam, sich auf seinen Schos sezte, und aus seiner Hand as, ja sogar mit ihm zu Bette ging, und bei ihm schlief. — Bis es ihn denn nicht? Nein, es beleidigte Niemand im Hausse,

*) Herr Pastor Walser — siehe seine Schweizer Geographie, und Merkwürdigkeiten der Schweizer Alpen. Seite 515. ꝛc.

Hauſſe, auſſer den Hund, den es ſchlechterdings nicht aus=
ſtehen konnte.

Erſtart es auch nicht, wie der Siebenſchläffer, wenn
man es den Winter über an einen warmen Ort bringt?
Nein, es erſtart zwar nicht, allein man ſiehts ihm doch an,
daß ihm der Winterſchlaf natürlich iſt, und es gern ſchlaffen
möchte. Es iſt faſt immer träge und ſchläfrig. — Man
läſt es nicht gern in den Häuſſern herumlauffen, weil es
Kleider und Bücher, und alles Holzwerk zernagt, und ſich
ſogar durch Wände und Thüren durchfrist.

Es iſt dem Murmelthier halt nirgend wöhler, als auf
ſeinen Alpen, und in ſeiner Freiheit, wo es ſich den Som=
mer über mit ſeinen Kindern und Kameraden, nach Belieben
ſat freſſen, luſtig machen und Heu einfahren; und ſich ſo=
denn im September oder Oktober in ſeine unterirdiſche Woh=
nung verſtekken, und erſt im April oder Mai wieder zum
Vorſchein kommen kan.

Ehe es ſich aber zu ſeiner Erſtarrung anſchikt, trinkt
es erſt, wie man ſagt, ſo viel und ſo lange bei einer Quelle,
bis das Waſſer, das es durch Erbrechen wieder von ſich
gibt, ſo klar und rein von ihm geht, als es es trank, da=
mit ſein Magen und ſeine Gedärme gleichſam ausgewaſchen
werden, und für Fäulnis geſichert ſind.

Nun aber ſpringt es haſtig nach Hauſſe, ſtopft die
Hausthür hinter ſich zu, damit nichts zu ihm hineinkommen
kan, legt ſich nieder, rolt ſich zuſammen, und erſtart nach
und nach.

Lie=

Liegen viel in einem Loch beisammen? Fünf, sieben bi elf, oft auch noch mehr. So viel? Das muß ja ein grosse Loch seyn. Das ist es auch. Und wie meint ihr, daß e aussehe? Sol ichs euch sagen?

Daß das Murmelthier auf den hohen Alpen unter de Erden wohne, wißt ihr. Es gräbt sich nämlich daselbst ein sehr künstliche unterirdische Wohnung, die fast wie ein grie chisch Y oder wie eine Gabel mit zween Zinken aussieht und eine Art von Gallerie vorstellt. — Bei einem Zinke geht es aus und ein, und beim andern legt es seinen Ab tritt an; und weiter hinten, gleichsam im Stiel der Gabel schlägt es seine Wohnung auf. Und damit es in dieser warm und bequem liegen kan, füttert oder tapezirt es sie mit Heu aus; das es den Sommer über selbst gemacht, und einge fahren hat.

Eingefahren? Auf was denn? Auf dem Bauch seiner Kameraden. Und dis machen die Murmelthiere auf folgend Weise: Erstlich beissen sie eine Menge zarte Kräuter ab, troknen sie an der Sonne, und tragen sie hernach auf einen Hauffen. Sodenn legt sich eins von ihnen auf den Rükken, strekt alle viere gen Himmel, und läßt sich mit Heu beladen. Ist der Wagen vol, so klammert es seine Füsse, die stat der Wagenrungen dienen müssen, zusammen, damit auf der Fahrt nichts verlohren gehe. Nun beissen oder nehmen es di übrigen bei seinem Schwanz, und ziehen und schleppen es nach Hausse. Und hier wird es endlich abgeladen, und in der ganzen Wohnung herumgestreut.

Und damit sie bei diesem Fuhrwerk, oder auch bei ihrem Spielen und Weiden, kein Feind, das ist kein Mensch, Hunt

 gund oder Adler unverſehens überfalle, ſtellen ſie eine Wa=
he aus, die ihnen ſogleich durch einen Pfif Nachricht gibt,
ſo bald ſie einen ſieht. — Hat nun die Schildwache ge=
pfiffen, ſo laſſen ſie alles im Stich, und fliehen nach
Hauſſe. *)

Gibts viele Murmelthiere? So ziemlich. Wie alt
werden ſie? Neun bis zehn Jahr. Und wozu nüzen ſie
auſſer dem Tanzen und Schornſteinfegen noch? Man kan
ſie eſſen. Sie haben ein gutes fettes Fleiſch, das die Sa=
voijarden ſehr gern eſſen. — Und da ſie gegen den Win=
ter auſſerordentlich feiſt, und oft zwanzig Pfund ſchwer wer=
den, man ſie auch in ihrer Erſtarrung am beſten fangen
kan, ſo ſchlachten die Savoijarden viele zuſammen, machen
davon kleine Schinken, bökeln ſie ein, und hängen ſie in
Rauch. Und das Fet dient ihnen ſtat des Oels. Und aus
den Fellen füttern ſie ihre Kleider, oder machen ſich Muffe,
Ranzen oder Schnapſäkke davon.

Der ſehr ſchädliche Getraide Dieb

Der Hamſter

oder Kornferkel iſt ſo gros, als eine Ratte, hat weiſſe
Füſſe, einen ſchwarzen Bauch, einen braunrothen Rükken,
und ein kurzes haarloſes Schwänzchen, wohnt auf Getrai=
defeldern in groſſen unterirdiſchen Höhlen, und frißt im Som=
mer und Herbſt nichts als Weizen, Rokken und Bohnen,
Ger=

---

*) Von dieſem Heumachen der Murmelthiere, und ihrem Fuhrwerk dabei re=
det ſchon *Plinius* in hiſtor. natur. Lib. 8. Cap. 37.; Und Conrad Gesner
in ſeinem Thierbuch Seite 111. — Und da viele neuere Scribenten ein
gleiches geſagt haben, muß die Erzählung wirklich wahr ſeyn.

Gerste, Haber und Erbsen, Wikken, Linsen und Flachss[o]men. Im Frühling aber, da es diese Früchte noch nicht au[f] den Feldern gibt, mus er mit allerhand Pflanzen und Kräu[ern] tern vorlieb nehmen, und sich auf die Mäusse- und Vogeljag[d] legen. Und im Winter schläft er. — Tafel sechs, Figu[r] dreizehn sind zween Hamster abgebildet; einer, wie er unte[r] dem Getraide sizt und einsammelt; der andere aber, wie e[r] eben aus seiner unterirdischen Höhle herauskömt.

In Thüringen, Böhmen und Schlesien, in Polen[,] Ungern und Rußland gibts eine Menge Hamster. Aber s[o] viel, wie es im Fürstenthum Gotha gibt, gibts wohl nir[=] gends in der Welt. Man fängt darin oft dreissig bis vier[=] zig taussend Stük in einem einzigen Jahr. Und wie viel werden nicht immer von Füchsen, Iltis, Mardern und Eu[=] len gefressen, und von Kazen und Hunden zerrissen. — So[=] denn fressen sie sich auch untereinander selbst auf.

Ach das ist entsezlich! Wieviel mus es da nicht Ham[=] ster geben! — Bleibt denn den Leuten noch was von ihre[m] Getraide auf den Aekkern übrig? Auf manchen freilich nich[t] viel. Denn ein einziger alter Hamster stielt oft drei bis fün[f] Mezen Weizen, Bohnen oder Haber zusammen, und legt da[=] von in seiner Höhle ein Magazin an.

Warum rottet man aber diese groben Diebe nicht aus? Ja ja, das kostet Künste. Wie sol man Thiere ausrotten, di[e] zwo bis drei Ellen tief in der Erde stekken, und alle Jahr zweimal sechs, acht bis vierzehn Junge werffen, und sich überhaupt so schnel vermehren, daß ein einziges Paar i[n] drei Jahren eine Familie von mehr als sieben taussend Stü[k] ziehen kan? — Und wie lange leben sie? Fünf bis sechs Jahr.

Jahr. — Ei ei, so sind die Hamster ja in mancher Ge=
zend von Teutschland eine wahre Landplage!

Aber man läßt ihnen doch das gestohlne Getraide nicht
alles? Mit Willen freilich nicht. Man gräbt fleissig dar=
nach, und nimt weg, was man find. Allein alles findet
man nicht, man mag auch graben und suchen, wie man wil.
Und so gehts auch, mit den Hamstern, viele find man gar
nicht, und viele entwischen. Die Hamsterjäger und andere
arme Leute fangen und tödten alle Jahr viele tauffend; und
doch hat man sie bisher kaum vermindern, geschweige denn
ganz ausrotten können.

Nüzen sie denn zu gar nichts? O ja, die armen Leute
find froh, wenns viele gibt. Sie nehmen ihnen ihre Ma=
zazine, essen ihr Fleisch und verkauffen ihre Bälke. Ein
guter Balk kostet drei bis vier Pfenninge. — Damit also
die Hamster nicht ganz ausgehen, und sie doch alle Jahr
was zu ernten, zu essen und zu verkauffen haben, lassen
sie viele leben und wieder springen, die sie schon gefan=
gen haben; und manche entwischen, die sie leicht fangen
könten.

Den Tag über sizt der Hamster ruhig in seiner Höhle,
des Abends aber geht er draus heraus, und sucht sich was
zu fressen. — Ganze Weizen= Rokken= und Haberähren, und
Erbsen, Bohnen und Wikken stekt er samt den Schoten in
eine Bakkentaschen, und marschirt mit nach Hausse. Hier
enthülst er die Körner, und bringt sie in seine Vorraths=
kammer; die Hülsen aber wirft er als unnüzes Zeug zum
Loch hinaus. — Und so sammelt er fort, bis seine Vor=
rathskammer vol ist.

Ist

Ist aber einmal die Ernte vorbei, und für ihn auf den Aeckern nichts mehr zu finden, so stopft er die Eingänge zu seiner Höhle zu, und bekümmert sich nun um nichts mehr, weil er bis zum Winter überflüssig zu fressen hat. Und im Winter selbst legt er sich auf seine weiche Streue nieder, und schläft ohne Essen und Trinken, ohne Zweiffel bald mehr bald weniger, je nachdem die Kälte gros oder gering ist, bis in den Frühling fort.

Kaum ist er im März oder April erwacht, so öfnet er sein Loch, und sucht Kräuter und Wurzeln auf, die ihm nebst Mäussen und Vögeln so lang zur Nahrung dienen müssen, bis das Getraide reif wird.

Aber so fest schlaffen doch die Hamster nicht, wie die Murmelthiere, die man stechen und brennen darf, ehe sie aufwachen? Nein, die Hamster erwachen gewöhnlich schon in zwo bis vier Stunden, ja oft schon, ehe man mit ihnen vom Akker nach Hausse kömt. — Es ist sehr lustig, sie in einer warmen Stube nach und nach wieder aufleben zu sehen. Wenn man sie kneipt, oder ihnen die Beine ausdehnt, so winden und krümmen sie sich auf eine sonderbare Weise, öfnen den Mund sehr weit, als ob sie gähnen wolten, und röcheln sehr häslich; und fahren so mit dem Röcheln und Gähnen fort, bis sie endlich die Augen öfnen. Nun taumeln sie wie besoffen herum, wollen aufrecht sizen, und könnens doch nicht, sondern fallen immer wieder um. Sodenn lernen sie doch aufrecht und feste stehen, und halten sich eine Zeitlang so ruhig, als wenn sie von einer schweren Arbeit ausruhen wolten, und scheinen sich zu besinnen, was wohl mit ihnen vorgegangen seyn möchte. Endlich fangen sie an,

sich

ſich zu puzen und zu ſtreichen, lauffen davon und ſuchen
was zu freſſen. *)

Er iſt ſehr wild, und beißt und zankt ſich mit allen
Thieren, die ihm begegnen. Ja er iſt ſogar ſo dreiſte —
ob er gleich nur eine Spanne lang iſt — ſich gegen Hunde
und Kazen, und andere viel gröſſere Thiere, und ſelbſt ge=
gen Menſchen zu wehren. — Ratten und Mäuſſe, die ihm
begegnen, macht er alle tod, und friſt ſie mit Haut und
Haar auf. Und wenn er auch einen von ſeinen Kameraden
antrift, und er ihm nicht ausweicht, ſo erwürgt und friſt
er ihn.

Kan er ein Thier aber nicht bezwingen, ſo wehrt er
ſich doch ritterlich, und ſo gut er kan, für ſeine Haut. —
Wenn er aber ſeine Bakkentaſchen vol Getraide hat, kan ihn
faſt jedes Kind fangen und töden, weil er alsdenn nicht
beiſſen kan. Und ſchnel lauffen oder klettern, iſt eben des
Hamſters Sache nicht.

Wie ſieht denn ſeine Wohnung aus? Ganz ſonderbar.
Hier wohnt das Männchen oder der Ramler; da das Weib=
chen oder die Beze; und dort ihre Kinder. Jedes hat ſeine
eigene Höhlen, ſeine eigne Aus= und Eingänge, ſeine eigne
Magazine. Keins gibt dem andern was aus ſeiner Vor=
rathskammer. — Der Ramler wohnt gewöhnlich drei Ellen
tief unter der Erde; die Beze noch eine halbe Elle tiefer;
die jungen Hamſter aber begnügen ſich, wenn ſie ſich vors
rſte eine Elle tief eingegraben haben.

Das

---

*) Mehreres hievon ſiehe in Herrn Dr. Sulzers treflichem Verſuch einer Na=
turgeſchichte des Hamſters.

Das Weibchen zieht ihre Jungen, die sie nakt un
blind zur Welt bringt, ganz allein gros. Was, nakt un
blind zur Welt kommen? So, wist ihr also noch nicht, da
die Nager, und noch viele andere Thiere, blind und zur
Theil auch nakt, zur Welt kommen? Habt ihr denn noc
keine neu geworffene Kazen oder Hunde gesehen? Doch ja
verzeihen Sie! Lezthin sahen wir auch ein Nest vol nakt
Ratten in einem Misthauffen. — Wie lang bleiben sie blind
Fünf bis neun Tage.

Der Leming

oder die Norwegische Bergmaus ist auch ein sehr merl
würdiges Thierchen. — Denkt einmal, Kinder, er reist zu
weilen in sehr grosser Geselschaft dreissig, sechzig und noc
mehrere Meilen weit in fremde Länder, und frist alles auf
was er unter wegs antrift. — Er ist etwas kleiner, al
der Hamster, hat roth und schwarzgeflekte Haare, fris
Gras und Moos, und wohnt nur in den Norwegischen un
Lapländischen Gebirgen.

Und weil sich diese sonderbare Ratte oder Maus zu
weilen so stark vermehrt, daß ihr und ihren Kameraden Pla
und Nahrung mangeln, so müssen sich alsdenn einige hunder
tauffend von ihnen entschliessen, ihr Vaterland zu verlassen
und ihr Brod in der Fremde zu suchen.

Ach wie staunen und erschrekken da die Norwegen un
Schweden nicht, wenn sie so unvermutet ein Heer von zwöl
bis sechszehn hundert tauffend Mäussen in ihrem Gebieth wü
ten, und ihre Felder, Wiesen und Gärten verheeren sehen
müssen! Sie können es nicht begreiffen, wo sie herkommen.

Der

Der gemeine Mann glaubt daher, sie regnen vom Himmel, und wären eine gerechte Landplage.

Schlägt man sie denn nicht tod, so bald sie kommen? Läſt man nicht Hunde und Kazen und Schweine auf sie los? Nein, nichts kan man gegen sie thun. Sie scheuen weder Menschen noch Prügel, weder Hunde noch Kazen. Sie lauffen den Menschen unter den Füſſen durch, oder hängen sich ihnen gar an die Füſſe, und beiſſen in die Prügel, und laſſen sich dran wegtragen.

Ein Glük iſt noch dis für Norwegen und Schweden, daß sie nicht lang in einer Gegend bleiben, sondern über Berg und Thal, und durch Flüſſe, Seen und Teiche immer, und so lang in gerader Linie fortziehen, als ihrer noch viele sind. Sind aber erst etliche hundert tauſſend von ihnen ersoffen, oder sonſt ums Leben gekommen, so zerſtreuen und verlieren sich die übrigen nach und nach alle. — Nach hauſſe kömt keine einzige wieder. — Treffen sie auf ihrem Zug einen Heuhauffen an, so lauffen sie nicht neben ihm weg, sondern graben sich gerade unter ihm durch. Begegnet ihnen auf dem Waſſer ein Fahrzeug, so schwimmen sie nicht drum herum, sondern klettern hinein, und springen auf der andern Seite wieder ins Waſſer. Und so klettern und springen sie auch über groſſe Holzhauffen weg. Sind die Lemings nicht recht sehr wunderbare Thiere?

Die Ratten

der Kazen sind häsliche langschwanzigte Thiere, die so roß, als junge Kazen sind, schwärzlich aussehen — doch ibts auch schwarze, graue, braune und weiſſe Ratten —

in Häuſſern, Ställen und Scheuern; in Kellern, Speiſſekam=
mern und Küchen wohnen; Fleiſch, Spek und Unſchlit, Brod,
Obſt, Butter und Käſe und Mäuſſe freſſen; alle Arten von
Kleidern und Holzgeräthen zernagen, ja im Hunger ſogar
Papier, Leder und Holz, und ſich untereinander ſelbſt
aufzehren. Und können ſie ein dikkes fettes Schwein erwi=
ſchen, ſo freſſen ſie ihm Löcher in den Leib, und niſten und
wohnen auch wohl gar eine Zeitlang darin, wie die Mäuſſe.

Die Ratten ſind entſezlich wilde Thiere. Sie raſen
Haus auf, Haus ab, im ganzen Haus herum, und oft von
einem Haus zum andern, und durchlöchern Thüren und Wän=
de, und freſſen alles weg, was ſie finden. Haben ſie einen
Getraidchauffen gefunden, ſo freſſen ſie ſich erſt dabei bil
an, und ſchieben ſich ſodenn rükwärts in denſelben hinein,
und ſchleppen ſo noch eine Menge Körner auf ihrem Rükken
in ihre Schlupfwinkel fort.

Und da ſie des Jahrs gewöhnlich zweimal fünf bis
ſechs Junge werffen, und oft weder durch Kazen, noch durch
Gift und Fallen ausgerottet werden können, ſo nehmen ſie
zuweilen in manchen Häuſſern ſo ſehr überhand, daß ſie den
Leuten unter die Füſſe lauffen, auf Bänke und Stühle klet=
tern, ja ſogar auf den Tiſchen und Heerden Fleiſch, Brod
und Gemüſe wegnehmen.

An die Ratten und ihre lange kahle Schwänze kan
ich kaum ohne Ekkel denken, geſchweige denn eine anſehen
oder gar anrühren, und ſo gehts gewis noch mehrern Per=
ſonen. Ich wette aber doch, daß es auſſerhalb Europa Leute
genug gibt, die ſie nicht nur angreiffen, ſondern ſogar eſ=
ſen können. O ja, mein Kind, die gibts genug in der
Welt

Welt. Ich selbst kan eine Ratte in die Hand nehmen, auch
wohl zerschneiden. Aber für einen Rattenbraten, oder für
ein Ragout aus Rattenfleisch, bedank ich mich eben so sehr,
als ihr. Den Wilden auf den Amerikanischen Inseln Mar=
tinique und Jamaika hingegen sind die Ratten und Mäusse
der beste Schmaus. — Giftig sind die Ratten und Mäusse
nicht. — Man kan sie im Nothfall ohne Schaden essen.

Habt ihr auch schon was vom Rattenkönig gehört,
der zehn Köpffe haben sol? Ei ja, ist was dran? Nichts,
gar nichts. Es ist eine alberne Fabel, die vermutlich auf
folgende Weise entstanden ist: Es kommen zuweilen zehn bis
zwanzig Ratten auf einem Klup zusammen und spielen, und
verwikkeln oder verflechten alsdenn ihre langen Schwänze so
dicht in einander, daß sie oft in etlichen Tagen nicht wieder
von einander loskommen können. Da dis nun vermuthlich
einst ein unwissender sah, und nicht wuste, was er aus die=
sen närrischen Thieren machen solte, so sagte er zu seinen
Kameraden: Ich hab ein fürchterliches Thier, eine entsezlich
grosse Ratte, mit einem sehr dikken Schwanz, und mit zehn
Köpffen gesehen — Es wird wohl der Rattenkönig seyn. —
Oder ist gar der sogenante Rattenkönig nur ein Klup junge
Ratten, die mit der Alten verhungert sind?

Die Wasserratte

oder Wassermaus ist etwas grösser, als die Hausratte, übri=
gens aber an Wohnung und Lebensart, mehr der Fischotter,
als der Ratte ähnlich. Denn sie lebt, wie jene, fast immer
an Wassern, und zwar an den Ufern der Flüsse, Seen, Tei=
che und Wassergraben, und nährt sich auch, wie die Fisch=
otter, fast allein von Fischen; doch frist sie auch Frösche,

Bb 3 Krebse

Krebse und Wafferinfekten ; und zuweilen auch Gras und Kräuter, die im Waffer wachfen. — Sie kan gut fchwimmen, und ziemlich lang unter dem Waffer bleiben.

Die Hausmaus,

denn es gibt auch Feld= und Waldmäuffe — ift viel kleiner, als die Ratte, und auch lange nicht fo fchädlich. Sie frift zwar auch alles weg, was fie find, Fleifch, Brod und Spek, und Butter und Käs, und beinahe alles, was der Menfch ift. Auch das Benagen und Durchlöchern verfteht fie gut — Auf der neunten Tafel, Figur fieben und zwanzig ift eine Haus= maus, und hinter ihr eine Kaze, die auf fie laurt, abgebildet.

Allein fo ein entfezlich wildes Thier, wie die Ratte, ift fie lange nicht. Sie ift fehr furchtfam, und geht nur des Nachts, oder wenigftens nicht eher aus ihrem Loch her= aus, als bis es fie hungert, und es recht ftille ift, und fie weder Kaze noch fonft einen Feind fieht. — Und dann bleibt fie nur in der Nähe, damit fie beim geringften Geräufch gleich wieder nach Hauffe fliehen kan.

Ich fehe zuweilen gern ein kleines Mäuschen Brobfamen fuchen, ängftlich damit Loch ein fpringen, wieder kommen, Männchen machen und dergleichen. — Ja vor fechs Jahren hatte ich fogar ein weiffes Mäuschen, auf meiner Stube in einem Bauer gefüttert. — Die weiffe Mäuffe find fonft fehr rar, aber damals gabs in Göttingen viele. Izt aber gibts keine mehr darin. — Wo aber freilich ihrer zu viel herum= lauffen, da hats Spaffen ein Ende, weil fie alsbann fo dreu= fte werden, wie die Ratten, und die Leute faft aus den Häuffern hinausfreffen oder treiben.

Allein

Allein durch Kazen, Gift und Mausefallen, kan man ihrer in kurzer Zeit viel weniger machen, oder sie gar ganz ausrotten, ob sie gleich alle Jahr zwei bis dreimal sechs bis zehn Junge hekken. — Schwer hälts übrigens aber doch, wenn man keine gute Mausekaz hat. Wo aber diese ihr Handwerk gut versteht, und so eine ist, wie die in folgender Fabel, so verschwinden die Mäusse, und man weis nicht wie?

Die Raze]	Du allerliebstes kleines Thier!
	Kom doch ein wenig her zu mir!
	Ich bin dir gar zu gut. Kom, daß ich dich
	nur küsse.
Die alte Maus]	Ich rathe dirs, Kind, gehe nicht!
Die Raze]	So kom doch! Siehe, diese Nüsse
	Sind alle dein, wenn ich dich einmal küsse.
Die junge Maus]	O Muter, höre doch, wie sie so freundlich
	spricht.
	Ich geh' —
Die alte Maus]	— — — — Kind, gehe nicht!
Die Raze]	Auch dieses Zukkerbrod, und andre schöne
	Sachen
	Geb ich dir, wenn du kömst.
Die junge Maus]	— — — — was sol ich machen?
	O Muter, las mich gehn!
Die alte Maus]	— — — Kind, gehe nicht!
Die junge Maus]	Was wird sie mir denn thun? Welch ehrli-
	ches Gesicht!
Die Raze]	Kom, kleines Närchen, kom!
Die junge Maus]	— — Ach Muter, hilf — ach weh!
	Sie würgt mich — ach, die garstige!

Die

Die alte Maus] Nun ists zu spät, nun dich das Unglük schon
betroffen.
Wer sich nicht rathen läst, hat Hülffe nicht
zu hoffen.

Die Waldmaus

oder grosse Feldmaus ist die gröste Maus, und beinahe
halb so gros, als die Ratte. — Sie sieht röthlicht braun
aus, hat sehr stark hervorragende Augen, kömt nie in die
Häusser, oder andere Gebäude, sondern bleibt immer im
Walde oder auf dem Felde, und frist Eicheln, Bücheln und
Haselnüsse, alle Arten von Getraide, und grüne Saat.

Die Feldmaus

oder kleine Feldmaus ist so gros, als die Hausmaus, hat
röthlicht graue Haare; einen dikken Kopf, und einen kurzen
Stuzschwanz, wohnt in Feldern, Wiesen, Wäldern und Gärten, und thut allenthalben entsezlich viel Schaden.

Es ist ein grosses Unglük, wenn sich diese Art Mäusse
irgendwo häuffig ausbreitet. Denn sie sind im Stande, in
etlich Tagen einen ganzen Akker, ja eine ganze Gegend kahl
zu fressen, und so zu verheeren, daß man weder in Gärten
noch auf Feldern was einernden kan. — Sie sind eine empfindliche Landplage, und können oft durch keine List vertilget
werden, weil sie sich sehr schnel vermehren, und noch dazu
von einer Gegend in die andere ziehen. — Grosse Nässe
und plözliche Kälte machen sie gewöhnlich zu tauffenden
tod.

Habt

Habt ihrs schon erlebt, liebe Kinder, was sie auf den Feldern und Wiesen für Schaden anrichten; und in welche Noth, Mangel, und Elend sie die armen Landleute sezen können? Ach leider haben wir es lezteres Jahr nur alzu gut gesehen. Die guten Leute standen und weinten auf ihren Aeckern, daß sie nun nichts ernden, und stat des Weizens, kaum Stroh und Spreu einsammeln können. Und was noch das betrübteste war, so frasen sie nachher auch sogar noch die neue Wintersaat auf. — Wo man gieng und stand sprangen ein paar Duzend Mäusse um einen herum.

Die Spizmaus

sieht dem Maulwurf viel ähnlich — siehe Tafel zehn, Figur drei und zwanzig — und scheint gleichsam den Uibergang von den Mäussen zu den Maulwürfen zu machen. Sie ist kleiner als die Hausmaus — und also die kleinste Maus, ja das kleinste Säugthier in der Welt — hat röthlichtbraune Haare, wohnt in Ställen, Heuböden und Misthauffen, auch in Feldern und Wäldern, und frist Getraide, Insekten und faulendes Fleisch. — Die Kaze fängt und tödet Spizmäusse, frist sie aber nicht, weil sie einen ihr widerlichen Geruch haben. — Giftig aber sind die Spizmäusse nicht.

Die Wasserspizmaus

ist etwas grösser, als die vorige, sieht schwarzgrau aus, hält sich an Quellen und Bächen auf, schwimt und taucht unter, und frist Wasserinsekten, kleine Fische und Fischeier.

Maul=

Maulwurf,

du weist doch, daß dich viele Leute für blind halten, weil
sie deine kleine Augen nicht so leicht sehen können, wie der
Kazen ihre? O ja, das weis ich. Sie irren sich aber alle,
die das glauben. Denn ich habe wirklich Augen, und sehe
damit so viel, als ich im Fal der Noth brauche. — Einige
Leute halten mich auch für taub, weil meine Ohren keinen
Rand haben, und auswendig nur durch eine kleine Oefnung
sichtbar sind. Allein ich höre gar gut. Das Gehör und der
Geruch sind meine besten Sinne. — Stum aber bin ich
wirklich. Ich kan weder pfeiffen noch schreien. Habs aber
auch nicht nöthig, denn ich und meine Kameraden verstehn
einander ohne viel Geschrei. Wir riechen und hören einander — und das ist uns genug.

Daß du aschgraue Haare, eine sehr lange Schnauze,
Pfoten wie Menschenhände mit fünf gralligen Fingern, und
ein ganz kleines Schwänzchen hast, wissen wir — Siehe Tafel drei, Figur drei und zwanzig — Auch daß du fast immer unter der Erde lebst — Nicht wahr, in schwülen Som-
mernächten gehst du zuweilen heraus? — Regenwürmer und
Insekten frist, und die Erde in die Höhe wühlst, ist uns
gar wohl bekant. — Wie es dir aber sonst noch in deiner
ewigen Dunkelheit gehe, wissen wir noch nicht. Sag es uns
also. — Gut, das wil ich:

Ich lebe und wohne immer unter der Erde in Gärten
und Wiesen, und wo sonst noch gute lokre Erde ist — Denn
je lokrer die Erde ist, desto besser kan ich darin hanthieren,
und meine Nahrung finden. Steinichten und sandichten Boden

den lieb ich nicht, weil es darin wenig Würmer gibt, und ich ihn auch nicht gut durcharbeiten kan. — Zwo bis drei Ellen tief stek ich in der Erde, und mache meine Wohnung, wo möglich, unter einen Baum oder unter eine Mauer, damit der Regen nicht so leicht zu mir durchbringen kan. — Denn Nässe, Kälte und Sonnenschein kan ich gar nicht ertragen. — Regnets aber alzu heftig, oder wird die Gegend, in der ich wohne, gar ganz mit Wasser bedekt, so bin ich verlohren, ich mags machen, wie ich wil. Zuweilen rettet sich einer von uns durchs Schwimmen, und sucht und erreicht einen höhern Wasserleeren Ort; oder er gräbt sich recht tief in die Erde, wo das Wasser noch nicht hingedrungen ist. — Und wenn wir Alte uns auch gleich bei einer Uiberschwimmung retten, so sind doch allemal gewis unsere, in den Löchern zurükgebliebnen Kinder verlohren.

Ich ziehe alle Jahr vier bis fünf Kinder gros, und lebe fünf bis sechs Jahre. — Ei was machst du des Winters? Ich erstarre nicht darin; sondern lebe und arbeite immer fort. Nur ein wenig tiefer mach ich mich des Winters in die Erde hinunter. — Und an Fras fehlt es mir nie, denn Würmer gibts Sommer und Winter in der Erde, und ich darf sie oft des Winters nicht weiter suchen, als des Sommers; denn so bald es kalt wird, kriechen sie auch, wie ich, immer tiefer in die Erde.

Wenn gräbst du denn, daß man dich fast nie sieht? Des Morgens, wenn die Sonne aufgeht, des Mittags und des Abends. Des Mittags aber werf ich selten einen Haufen in die Höhe, ja es ist mir schon sehr Angst, wenn ich nur oben unter der Erde weglauffen sol, weil man mich da leicht sieht und todschlägt.

A pro-

A propos — Wie fängt man dich denn? Ach leider,
auf verschiedene Weise! Man gräbt geschwind, ehe ich weiter
graben und entfliehen kan, rings um mein Loch her; oder
man schlägt mich auf den Kopf, wenn ich so eben wühle,
und einen Hauffen Erde in die Höhe werffe; oder man verstopft mir einen meiner Gänge; gräbt dicht daran einen tiefen glasirten Topf in die Erde, und thut etliche Regenwürmer drein — wil ich diese nun erhaschen, so fal ich in den
Topf hinein, und kan nicht wieder heraus. — Und wie viele
fängt man unserer nicht in Schlingen und Fallen?

Weist du auch, warum man dich in den Gärten nicht
leiden kan? Nein, gar nicht. Man solte mich ja gern drin
haben, da ich so manchen Regenwurm wegfresse. Gut, das
thust du wohl. Allein du frist auch manchen Wurm samt
den Wurzen weg, woran er nagt, und dann müssen die
Pflanzen verderben. — Sodenn wirfst du alzuviel Erde in die
Höhe, und bedekst und verderbst damit so manches Saamen-
korn, und so manche Pflanze. — Und überhaupt läst es
nicht gut, daß du in einem Garten den Herrn spielst, und
wühlen und alles untereinander werffen kanst, wie du wilst.
Auf den Wiesen aber bist du mehr nüzlich, als schädlich, und
wenn du auch gleich ein paar Graswurzen frist, so schadets
und merkts man doch nicht so leicht, wie in den Gärten.

Ihr habt doch schon was von einem gewissen

Aeneas

gehört, liebe Kinder, der bei Zerstöhrung seiner Vaterstadt,
seinen Vater Anchises auf den Rükken genommen, und mit
grosser Lebensgefahr gerettet hat? O ja, das geschah lange
vor

vor Christi Geburth in Klein Asien, in der berühmten Stat Troja, wie unser Virgil sagt.

Nun, und was sol denn dieser Held Aeneas in der Naturgeschichte? Er sol uns an eine gewisse Ratte erinnern, die man den Surinamischen Aeneas nent. *) Es gibt nämlich in Amerika, und vorzüglich in der Holländer Surinam eine Art Ratte, die oben aschgrau und unten weis ist, in unterirdischen Höhlen lebt, und die Gewohnheit hat, in Gefahr alle ihre Kinder auf den Rükken zu nehmen, und mit ihnen davon zu fliehen.

Sehet einmal die vierte Figur auf der neunten Tafel an! — Nicht wahr, der alte Aeneas hat seinen langen kahlen Schwanz auf den Rükken geschlagen, und seine Kinder die ihrigen drum herum gewikkelt? Ja ja! — Und so springt er sehr weit mit ihnen fort, und verliehrt keins. Ja er klettert sogar mit ihnen auf Bäume. Verdient er also wohl mit Recht Aeneas genant zu werden, weil er dis thut? Gar nicht. Die Vergleichung past sehr schlecht. Aeneas trug ja seinen Vater, und nicht seine Kinder.

Das Beutelthier,

die Beutelratte, der Philander, der Opossum oder der Sarige **) ist wohl ohnstreitig eins von den merkwürdigsten Thieren

---

*) Linnaei Didelphis dorsigera — Derjenige, der diese Ratte Aeneas genant hat, hat sehr falsch gewizelt. Askan wandelte neben dem Aeneas her non passibus aequis. Und die Ratte trägt ihre Askane, nicht ihren Anchises.

**) Des Ritters von Linné Didelphis marsupialis. — Und in Brasilien nent man es Carigueya.

ren in der Welt. — Es ist so gros, als eine Kaze, hat einen Fuchskopf und einen Schweinrüssel, schwarzgelbe Haare, einen halb Ellen langen, oben behaarten, unten aber kahlen schuppichten Rattenschwanz, und zwischen den Hinterbeinen einen Beutel, darin es seine Jungen säugt und aufzieht, und für Gefahr sichert.

Amerika ist dieses Wunderthiers Vaterland. Es frist Zukkerrohr, Vogeleier und Blut, und richtet oft unter dem Geflügel sehr grosse Verheerungen an, weil es ihm nur das Blut aussaugt, den Körper oder das Fleisch aber liegen läst.

Es klettert auf Bäume, und hängt sich mit seinem langen Schwanz an einem Ast an, und schwebt nun so lang in der Luft, bis ein Thierchen vorbei kömt, das es bezwingen, erhaschen und entbluten kan.

Das Beutelthier wirft alle Jahr vier bis sieben Junge, die nicht so gros, als eine wälsche Nus, kaum halb reif, und doch schon lebendig sind, aber weder lauffen, sehen noch sonst ein Glied rühren können. — Können sie auch nicht saugen? Doch ja, das können sie treflich. Wie solten sie sonst ihr Leben erhalten, und völlig reif werden?

So bald demnach diese kleinen Dingerchen gebohren sind, wirft sie ihre Muter mit den vorder Pfoten in ihren Beutel, worin acht, mit Milch angefülte Zizen sind. Kaum sind sie in diesem Beutel, so nimt jedes eine Saugwarze in seine Schnauze, und saugt wenigstens vierzehn Tage in einem weg — ohne daß es die Warze losläst, so, daß es scheint, als wär es dran angewachsen — und also so lange

fort,

ort, bis es völlig reif, und ohngefähr so gros, als eine Hausmaus geworden ist, und sehen und lauffen kan.

Jezt aber jagt oder wirft sie ihre Muter zum Beutel hinaus, und lehrt sie ihr Fressen selbst suchen. — Und nun dürffen sie nicht mehr in den Beutel; nicht mehr drin saugen? O ja, sie springen noch etliche Tage aus und ein, und saugen und schlaffen und retten sich für Gefahr drin — siehe Tafel neun, Figur drei.

Denn so bald das alte Beutelthier einen Feind sieht, ruft es seinen Kindern, pakt sie alle in seinen Beutel, und flieht eilends davon. Wird es aber auf der Flucht eingeholt, oder auch sonst wo unvermutet überfallen, so fält es plözlich nieder, und stelt sich tod, und läst sich stechen und brennen, Füsse und Ohren abschneiden und seine Kinder rauben, ehe es sich rührt oder schreit. — Ist aber der Feind fort, so macht es die Augen auf, sieht ängstlich um sich her, steht auf, und rettet sich so geschwind, und so gut es noch kan.

Geschwind lauffen die Beutelthiere eben nicht. Man kan sie leicht einholen, und samt ihren Jungen gefangen nehmen, und bald so zahm machen, daß sie in den Häussern herum, und hinter ihren Herrn, wie Hündchen drein lauffen, und sich gutwillig ihren Beutel öfnen, und ihre Jungen an den Zizen saugen und hängen sehen lassen. — Man kan sie essen. Sie schmekken fast wie junges Schweinefleisch.

Der Hase

ist ein sehr nüzlich Thierchen. Man ist sein Fleisch, und gebraucht seinen Balk. Sein Fleisch gibt wohlschmekkende
Bra=

Braten, und mit seinem Balk füttert man allerhand Kleider. Und wie viel tausend Hüte werden nicht jährlich in der Welt aus Hasenhaaren gemacht? Ja in Frankreich spint man die Hasenhaare so gar zu zarten Fäden, und webt davon allerhand schöne Zeuge.

Es gibt auf dem ganzen Erdboden Hasen — und in mancher Gegend so viel, daß man sie nicht zählen kan, und sie fangen und tödten und essen darf, wer da wil. Gewöhnlich aber läst sie nur der Landesherr, oder wer sonst noch ein eignes Gehäge hat, durch seine Bediente fangen und verkauffen. Man tödet oft in einem einzigen Klopfjagen vier bis fünfhundert Stük Hasen. Da werden sie aber bald abnehmen? O nein, der Hase vermehrt sich viel zu stark. Eine einzige Häsin sezt in Einem Jahr fünfzehn bis zwanzig Junge. Daher sagt man auch:

Der Hase geht im Frühling selb= ander ins Feld,
Und kömt im Herbst selb= fünfzehn wieder als Held.

Wie oft sezen sie des Jahrs Junge? Fünf bis siebenmal. Und wie viel sezen sie allemal? Drei bis vier. Sie lassen sie doch auch saugen? O ja, zwanzig Tage lang. Dann aber müssen sie sich ihr Futter selbst suchen, weil ihre Mutter nun in etlich Tagen wieder neue Junge kriegt, und sich ihr Vater nichts um sie bekümmert, ja sie so gar auffrist. O der Barbar! Leidets denn die Häsin? Sie mus wohl, weil sie es zuweilen eben so macht, und auch eins um das ander verzehrt.

Was fressen denn die Hasen? Allerhand Kräuter und Wurzeln, Getraide, junge Saat, Gras, Kohl und Laub, und

in

m Winter auch wohl Baumrinden. — Und wo halten sie
ich gewöhnlich auf? In Wäldern, Gebüschen, Gärten und
eldern. — Des Tags ruhen sie gewöhnlich in ihrem La=
er — das in einem Gebüsch, im Laub, im Gras oder mit=
en auf einem Akker ist — Des Abends aber gehts aufs
Springen und Fressen los. Und bei Mondschein kan man
e auch mit einander spielen und hüpffen, und sich einander
erumjagen sehen.

Der Hase schläft immer mit ofnen Augen, weil er
eine Augenwimpern hat, und entfernt sich mit seinem Wil=
n nie weit von seinem Lager. Weil er aber sehr ängstlich
nd einfältig ist, schwache Augen und einen stumpffen Ge=
uch, doch aber ein sehr gutes Gehör hat; so läst er sich von
em geringsten Geräusch in Angst sezen, und flieht und gal=
pirt in grosser Angst von einem Ort zum andern, wenn
uch gleich nur ein Blat vom Baum gefallen, oder der Wind
epfiffen, oder er einen Menschen gehört, oder einen Hund,
der sonst einen von seinen Feinden gewittert hat.

Die Hunde fürchtet er entsezlich, weil sie ihn fast im=
ner verfolgen und quälen. So dum und ängstlich aber der
Hase ist, so weis er doch auch den schlauesten Hund durch
llerhand Contre=Sprünge zu ermüden, und für einen Nar=
n zu halten — Zuweilen rettet er sich unter die Schafe,
gt sich dicht auf die Erde, sezt durch Bäche und Flüsse.
ween Hunde aber sind des Hasen tod, wie man im Sprüch=
ort sagt. Denn wenn zween hinter ihm her sind, so ist er
uf alle Fälle allemal verlohren, vorzüglich wenn sie ihn auf
nem Berg haben, weil er mit seinen kurzen Vorder, und
hr langen Hinterfüssen wohl gut Bergan, aber nicht Bergab
ringen kan, sondern Bergab immer über und über burzelt.

Cc   Auf

Auf der sechsten Tafel, Figur vier ist ein grosser alter Hase; Figur fünf aber sind zwei kleine junge Häschen abgebildet. — Wenn dem Hasen kein Unfal begegnet, so kan er acht Jahr alt werden. — Ein alter Hasenbraten schmekt nicht gut. Aber ein Braten von einem zweijährigen fetten Ramler ist so gut, daß er auf Fürstlichen Tafeln gespeist wird.

Das Kaninchen

ist eben so nüzlich, wie der Has. Man kan es auch essen, und seinen Balk zu allerhand Kleidungsstükken gebrauchen. Aber so viel Kaninchen gibts lange nicht in der Welt, wie es Hasen gibt. Ja in den kältern Gegenden der Welt, wo sich doch die mehrsten Hasen aufhalten, gibts gar keine Kaninchen, weil sie die Kälte nicht ertragen können. — Und wo es ehedem sehr viele gab, rottete man sie aus, weil sie alles untergruben, und sich so unmässig vermehrten — denn sie werffen gewöhnlich siebenmal des Jahrs, und fast allemal fünf bis acht Stük — daß sie oft ganze Fürstenthümer verheerten, und oft fast Menschen und Vieh aus ihren Wohnungen vertrieben.

In Spanien gabs ehedem so erstaunlich viel Kaninchen, daß man sie als eine Landplage, mit Gewalt ausrotten muste. — Von Spanien kamen sie nach Italien, und von hier nach und nach in viele andere Gegenden der Welt.

Das Kaninchen ist kleiner als der Hase, sonst aber demselben an Farbe, Bildung und Fras fast ganz ähnlich, siehe Tafel fünf, Figur sechs und zwanzig rc. — So dum, wie der Has, ist es nicht, und auch lange nicht so ängstlich;

lich; denn wenn ihm ein Fuchs, Wolf oder Hund, ein Mar=
der, Wiesel oder Iltis auf den Leib wil, so flüchtets in
sein Loch. Kömt ihm aber einer von diesen seinen Fein=
den auch dahin nach, wie der Fuchs und das Wiesel oft
thun, so ist es samt seinen Kindern verlohren, es mag auch
graben und sich wehren, wie es wil.

Es gibt wilde und zahme Kaninchen. Das wilde Ka=
ninchen sieht grau aus, und ist etwas kleiner, als das zah=
me. Unter den zahmen aber gibts graue, weisse, bunte und
schwarze. Die weissen sind die einträglichsten, weil ihr Balk
von den Kirschnern am theuersten bezahlt wird.

Manche Kaninchen Liebhaber haben oft fünfzig bis
hundert Stük in verschloßnen Ställen beieinänder. Und hie
und da sieht man auch in den Thiergärten vornehmer Her=
ren kleine Kaninchenberge, wo die zahmen Kaninchen Som=
mer und Winter, wie die Wilden in den Löchern wohnen,
drin ihre Junge sezen und grosziehen, und erst dann mit
ihnen heraus kommen, wenn sie zween Monath alt sind,
und für ihren Unterhalt und Beschüzung selbst sorgen können.

In dem merkwürdigen Thiergarten zu Cassel ist ein
solch kleiner Kaninchenberg. — Es ist allerliebst anzusehen,
wenn bald da bald dort ein schneweisses Kaninchen aus sei=
nem Loch hervorgukt, oder wirklich herausspringt, was zu
fressen sucht, oder mit seinen Kameraden spielt. — Man
kan sie auch so zahm machen, daß sie alle zusammen kom=
men, wenn ihnen ihr Wärter pfeift. — Und wenn man
ein eins lebendig haben wil, so läst man einen dazu abge=
richteten Hund, der eine Rolle an sich hängen hat, unter sie
springen, und eins holen. Sobald die Kaninchen diese Rolle

Cc 2 hören,

hören, kommen sie alle aus ihren Löchern und Schlupfwinkeln hervor, und nun erhascht er das nächste beste im Naken, und rolt mit ihm den Berg runter, und bringt es lebendig und unverlezt seinem Herrn.

Das Meerschweinchen

hat die Grösse eines Eichhörnchens, und fast die Farbe eines wilden Kaninchens. Es hat keinen Schwanz, und heist deswegen so, weil es von Brasilien aus Amerika über das Meer zu uns gebracht worden ist, und einen Schweinrüssel hat, und auch so, wie ein Schweinchen grunzt. Es frist allerhand Kräuter, Obst, Brod und Mehl, und vorzüglich gern das Petersilienkraut. Es vermehrt sich erstaunlich schnel. Man macht aber in Europa weder von seinem Fleisch, noch von seiner Haut einen Gebrauch.

Das Aguti

oder Ferkelkaninchen ist so gros, als ein Hase, und auch in Brasilien zu Hausse, wohnt aber nicht unter der Erde, wie das Meerschweinchen, sondern in hohlen Bäumen, und frist Obst, Wurzen und Blätter. Man ist es in Amerika.

Das Paka

ist auch des Meerschweinchens Landsmann. Es ist so gros, als ein Kaninchen, lebt in Löchern unter der Erde, frist allerhand Kräuter und Wurzen, und gleicht in Bildung, Grunzen und Wühlen in der Erde einem jungen Schweinchen, wird sehr fet, und in Amerika als ein recht sehr guter Bissen häuffig verspeist.

Der

Der Marder

ist ein greulicher Vogeldieb. Tauben, Hühner und Gänse, und was er sonst noch von grossem und kleinem Federvieh erwischen kan, würgt er zusammen. Auch hinter viel grössere Vögel, als er ist, hinter Auerhähne, Fasanen und Puter wagt er sich. Ja er fält sogar die schlaffenden Abler mörderlich an, und läst sich von ihnen lieber hoch in die Luft hinauf schleppen, ehe er sie losläst.

Der Marder hat die Grösse einer Kaze, gelbbraune Haare, einen schlanken Leib, kurze Füsse und einen langen haarichten Schwanz, und frist alle Arten von Federvieh, Honig, Vogeleier und Eichhörnchen, und im Nothfal nimt er auch mit Ratten und Mäussen und Maulwürffen vorlieb.

Es gibt zwo Sorten von Mardern, einen Hausmarder, und einen Baummarder. — Der Hausmarder hat eine weisse; der Baummarder eine gelbe Kehle. Sonst aber sind sie einander, bis auf die Wohnung, fast in allem ähnlich.

Der Hausmarder oder Steinmarder hält sich gewöhnlich nur in, oder doch sehr nahe bei den Wohnungen der enschen in alten Gebäuden, Heuböden und Mauerlöchern auf, klettert Wände und Dächer hinauf, und richtet in den Tauben- und Hühnerställen entsezliche Niederlagen an. Denn ist er einmal im Taubenschlag, so läst er auch keine einzige Taube lebendig. Allen beist er die Köpfe ab, und saugt hnen das Blut aus, und nimt nun von den erwürgten Eine, oder etliche mit in sein Lager. Holt auch wohl nach nd nach noch mehrere dahin ab — siehe Tafel neun, Figur drei und dreissig.

Der

Der Baummarder oder Feldmarder nähert sich keiner
bebauten oder bewohnten Gegend, sondern lebt und wohnt
nur in Eichen= Büchen= Tannen= und Fichtenwäldern auf, den
Bäumen in wilden Taubenstern oder in Eichhörnchen Höhlen.
Wenn daher die Hekkezeit herannahet, so sucht sich das Weib=
chen ein gutes Eichhörnchen Lager auf, jagt die Eichhörn=
chen braus raus, und steigt hinein, und erweiterts und rich=
tets nun für sich und ihre Kinder zu. — Auch die Eulen
jagt es zuweilen aus ihren Schlupfwinkeln hervor.

Vögel und Eichhörnchen sind des Baummarders besser
Fras. — Ei wie gehts ihm denn endlich, wenn er auf
einem Adler Himmel an geritten ist? Er krazt, saugt und
quält ihn so lange, bis er mit ihm halb oder ganz tod zur
Erde fält. Dabei aber verliehrt er oft selbst sein Leben,
und bricht Hals und Bein entzwei.

Der Marder zieht alle Jahr drei bis fünf Junge gros,
und wird acht Jahr alt, und wegen seines schönen Balges
sehr geschäzt. Auch sein Fleisch kan man essen. In Teutsch=
land gibts wenige, in Rußland aber und im Nördlichen Asien
und Amerika so erstaunlich viel, daß alle Jahr wenigstens
dreissig bis vierzig tausend Stük gefangen werden können.

Der Iltis

ist eben so ein kühner Tauben= und Hühner= Mörder, wie
der Hausmarder, und sieht ihm auch fast ganz ähnlich — siehe
Tafel neun, Figur zwei und dreissig. — Er hält sich auf,
wo er wil, in Wäldern, Stätten und Dörfern, so lang es
nämlich an jedem Ort was zu würgen gibt. Des Winters
hält er sich also, weil es dann weder Eier noch Vögel in
der

den Wäldern gibt, gewöhnlich in den Dörfern auf Heuböden oder hinter Holzhauffen auf, um nahe bei den Tauben= und Hühnerställen zu seyn. — Wegen seines häslichen Geruchs ißt man weder sein Fleisch, noch macht man einen sonderlichen Gebrauch von seinem Balk.

Zobel

heißt das merkwürdige Thierchen, liebe Kinder, von dem das kostbare, aber auch das theure Pelzwerk komt, mit dem nur Prinzen und Prinzeßinnen, und andere recht sehr reiche Leute ihre Winterkleider füttern oder besezen laßen können. Rathet einmal, was nur ein einziger Zobelbalg kostet? Fünf Thaler? Ohe, ja wohl nur fünf Thaler! Sechzig bis achtzig Thaler, und oft wohl noch mehr kostet einer, je nachdem er recht dicht ist, und schön glänzende schwarzbraune Haare hat.

Der Zobel ist eben so gros, und eben so schmächtig und kurzbeinig, wie der Märder — siehe Tafel neun, Figur acht und dreißig — wohnt nur in den dicksten Sibirischen Wäldern in hohlen Bäumen, nahe bei Bächen und Flüßen, und frist Vögel und Vögeleier, Eicheln und Bücheln, auch allerhand Beere, wildes Obst und Baumknospen, wirft alle Jahr vier bis sechs Junge, und lebt höchstens acht Jahr.

Und damit sein herlicher Pelz beim Fangen nicht durchlöchert, oder gar ganz verdorben werde, so schießt man ihn nicht mit Kugeln oder Schroten, sondern nur mit Pfeilen oder Bolzen, oder fängt ihn mit Schlingen. Denn ein Zobelbalk, der mit einem Feuergewehr durchlöchert worden ist,

kostet

kostet kaum noch fünf Thaler, wenn er sonst, und ohne Lö
cher, sechzig bis siebenzig kosten würde.

Der Zobel trinkt gern reines Wasser, daher er auc
nahe bei Bächen und Flüssen sich aufhält. Er trinkt abe
nicht mit der Schnauze, wie andere Thiere, sondern er ste
seinen langen zottichten Schwanz ins Wasser, und lekt ih
alsdenn ab. — Er kan sehr gut klettern, und erstaunlic
behend von einem Baum zum andern springen.

Die Russische Kaiserin läst die mehrsten Zobel von g
wissen Verbrechern, die Sie, zu Büssung ihrer Sünder
auf etliche Jahre, oder auch auf Zeit Lebens, nach Sibirie
verdamt, fangen, und sich die Bälge alle Jahr nach P
tersburg schiffen. — Viele davon werden verschenkt, un
viele auch den Kaufleuten überlassen. — Man kan das Zo
belfleisch essen.

Das Wiesel

sieht fast aus, wie der Marder — siehe Tafel neun, Figu
neun und dreissig — hat im Sommer rothe, und im Win
ter weisse Haare, wohnt in Wäldern in hohlen Bäume
frist Vögel und ihre Eier, Ratten, Mäusse und Schlange
Fische, Maulwürffe und Insekten, sezt jährlich drei bis fü
Junge, und erreicht ein Alter von sechs Jahren.

Doch bleibt es nicht immer im Walde. Es durchstreic
auch sehr oft Gärten, Wiesen und Felder, legt sich in G
büsche, und lauert auf Vögel, und frist manche Wachtel u
Lerche samt Eiern und Kindern, und was es sonst noch l
bendiges unterwegs antrift und bezwingen kan, auf.

Un

Und gegen den Winter zieht es in die Flekken und Dörfer, und wo sonst noch Federvieh gehalten wird, logirt sich in Scheuern, oder auf Heu= und Strohböden, und nährt sich von der Ratten= und Mäussejagd. Kan es aber ein Huhn oder eine Taube erwischen, so säumt es sich gewis nicht.

Weil es den Tag über in seinem Lager bleibt und schläft, und nur des Nachts aufs Morden und Rauben ausgeht, so erwischt man es selten. Doch kan man es gar leicht in Fallen und Schlingen fangen, oder auch mit Pfeilen und Bolzen tod schiessen, wenn man ihm auflauren wil.

Ein weisser Wieselbalg, besonders wenn er von einem schönen Norwegischen

Hermelin

ist, kostet gewöhnlich zween bis drei Thaler. — Ist also das Hermelin, von dem das schneweisse Pelzwerk kömt, womit man so vielerlei Winterkleider füttert und besezt, auch ein Wiesel? Ja, das ist es, siehe Tafel neun, Figur vierzig.

Gibts bei uns auch Hermeline? Nein. Sie halten sich nur in den kältesten Gegenden von Norwegen, Schweden und Rußland auf, und fressen Vögel und Vögeleier, und Lemings oder sogenante Norwegische Bergmäusse, siehe oben Seite 386.

Sie sollen sehr wilde und kühne Thiere seyn, und an dem Norwegischen Ufer bei stillem Wetter auf die nahen Inseln schwimmen, und alda Vögel und Vogeleier aufsuchen, und sogar schlaffende Elendthiere, Bären und Adler anfal-

Ee 5

len,

len, und so lang auf ihnen sizen bleiben und ihnen ihr Blut aussaugen, bis sie tod zur Erde fallen, oder sich irgendwo hinunterstürzen. *)

Der Vielfras

hat seinen Namen vom vielen Fressen — denn er frist den ganzen Tag, und scheint doch nie recht sat zu seyn. — Er ist so gros, als ein grosser fetter Mezger = Hund, dem er auch so ziemlich ähnlich sieht — siehe Tafel neun, Figur sieben und dreissig — hat schwarzbraune Haare, kurze Füsse, wohnt in Lapland, und in den nördlichsten Gegenden von Asia und Amerika, und frist Vögel, Aas, Hasen und Renthiere.

Wie meint ihr wohl, daß er die grossen flenken Renthiere fange? Nicht durchs Nachspringen? Nein, er kan nicht einmal schnel lauffen, geschweige denn springen. Auf den Bäumen fängt er sie. Und das macht er auf folgende Weise: Er klettert auf einen Baum, und nimt im Maul etwas Moos, das die Renthiere sehr gern fressen, mit hinauf. Sieht er nun ein Renthier in der Nähe, so läst er geschwind etwas davon herabfallen, damit es herbeikommen, und das Moos fressen sol.

Kömt das arme Renthier, so stürzt er sich plözlich auf dasselbe herunter, krazt ihm die Augen aus, und klammert sich mit seinen Klauen so fest zwischen dessen Geweih ein, daß er nicht herunterfallen kan, das gute Thier mag auch herumrasen, und ihn, als einen unverschämten Gast und Reuter abzusezen suchen, wie es wil.

Al=

*) Siehe Pondoppidans Naturgeschichte von Norwegen, Buch 2 Seite 49.

Allein da er auf seinem Rit immer saugt und frißt,
und das gequälte blinde Thier von einem Baum an den an=
dern rent, so büst es sein Leben gar bald ein. Fält es, es
sey nun halb oder ganz tod, so zerreist er es in Stükke,
und frißts nach und nach mit Haut und Haaren ganz auf,
denn was er nicht gleich beir ersten Mahlzeit fressen wil, ver=
schart er sich, bis auf eine andere Zeit, in den Schne. *)

Er ist räuberischer und unersätlicher, als der Wolf.
Aber ohngeachtet aller seiner Gefräßigkeit, ist es doch eine
Fabel, daß er sich, wenn er alzuviel gefressen habe, zwi=
schen zween, nahe beisammen stehende Bäume bringe, und
seinen dikken Wanst hinten ausleere, um nun von neuem
wieder fressen zu können. **) Unmöglich wäre es zwar eben
nicht, da es zuweilen Menschen gibt, die ein paar Hüte
vol Glas und Steine verschlingen, und noch dazu etliche
Pfund Fleisch und Brod aufzehren, und sogleich ohne Scha=
den wieder von sich geben können. Unten wil ich euch noch
manches von solchen Stein= und Glas = Fressern erzählen.

Der

---

*) Siehe Krascheninnikows Beschreibung des Landes Kamtschatka, Seite
   120.

**) Olaus Magnus, ein schwedischer Geistlicher hat diese Fabel in seiner histo-
   ria de gentibus septentrionalibus, Lib. 18. Cap. 7. zuerst bekant gemacht, und auch einen, zwischen zween Bäume geklammerten Vielfraß,
   wie er sich eben leichter macht, abgebildet. — Conrad Gesner ein
   Schweizer, ließ dis Thier euch so zwischen zween Bäumen abbilden,
   und glaubte also die Fabel auch. Er redet in seiner historia quadrupe-
   dum fast mit Olai Magni Worten also vom Vielfraß oder Gulone; in-
   vento cadavere tantum vorat, ut extendetur et inßetur tympani instar.
   Itaque angußiam aliquam inter arbores ingreditur, et per vim se ipsum
   intrudit, ac ventrem premens stringensque exonerat, vt violenter in-
   gesta violentius egerat. Sic extenuatum rursus ad cadaver properat,
   et vicißim de eo, quantum potest, devorat etc.

Der Pelz des Vielfrases ist sehr schäzbar und schön. Man macht Muffe und allerhand Verbremungen daraus.

Die Zibetkaze

ist so gros, als eine Kaze, grau und schwarzgestreift, in Ostindien und Afrika zu Hausse, frist allerhand Früchte, Eier und Vögel, und hat zwischen den Hinterbeinen einen Beutel, worin eine ölichte Materie ist, die sehr stark riecht, und zum Einbalsamiren oder Parfümiren gebraucht wird.

Man fängt daher die Zibetkaze, und spert sie ein, und nimt ihr zu gewisser Zeit ihren Saft ab, und macht Kugeln draus, die unter dem Namen Zibetkugeln in der ganzen Welt bekant sind.

Und damit der Holländer, der sehr stark mit Zibet handelt, denselben auch rein und ächt erhalten möge, zieht er immer Zibetkazen in eignen Bauern auf. Diese Bauer oder Käficht sind so eng, daß sich das Thier darin nicht umwenden, und also auch den nicht beissen kan, der ihm seinen Zibet abnimt. Al = ander oder höchstens al = drei Tag öfnet man den Bauer hinten, zieht die Kaze am Schwanz zurük, und langt den Zibet mit einem kleinen Löffelchen aus dem Beutel heraus.

Die Genetkaze

hat auch einen Beutel mit einer wohlriechenden Feuchtigkeit unter dem Schwanz, ist etwas kleiner, als die Zibetkaze, sonst aber ihr sehr ähnlich, und ebenfals in Ostindien zu Hausse.

Das

Das Stinkthier

oder der Stinker wohnt in Amerika, ist so gros und schlank,
als ein Marder, schwarz und weis gestreift, und ein recht
sehr häsliches, aber doch dabei sehr merkwürdiges Thier.
Wenn sich ihm ein Mensch nähert, so murt und schnaubt
es sehr heftig, krazt mit den Vorder Pfoten in die Erde,
kehrt ihm seinen Hintern zu, und läst seinen Unrath fallen,
dessen Gestank so abscheulich stark ist, daß Menschen und
Vieh davon fast erstikken müssen.

Es nähert sich ihm also weder Mensch noch Thier. Alles flieht, so bald es seinen Pis oder Abtrit auch nur in
der Ferne riecht. — Komt ihm ein Mensch, oder ein Hund,
oder sonst ein grosses Thier so nahe, daß es sie mit seinem
Pis erreichen kan, so pist es sie an. Und dieser Pis sol
noch weit entsezlicher stinken, als sein Abtrit, und so scharf
und beissend seyn, daß man fast blind davon wird, wenn
er in die Augen fält.

Es läuft nur des Nachts herum, stelt Vögeln nach,
frist Hühner und ihre Eier, und liegt und wohnt den Tag
über in alten hohen Bäumen.

Die Pharaonsmaus

Pharaonsratte oder Manguste, der Ichneumon oder
Mongo *) von der wir oben Seite 223 gesagt haben, daß
sie die Krokodileier fresse, ist so gros, als ein Marder, und
auch

---

*) Manguste ist dis Thierchens Indischer Name. — Ichneumon ist grie-
chisch, und bedeutet einen Nachspührer. — Und Mongo nents der
Portugiese.

auch faſt eben ſo gebildet — ſiehe Tafel elf, Figur dreiſ
ſig — hat weis und ſchwarz und gelbgeflekte Haare, wohn
im wärmern Aſia und Afrika, und vorzüglich in Oſtindien
und Aegipten, an den Ufern der Meere, Seen und Flüſſe
friſt Schlangen und Eidexen, Ratten, Mäuſſe und Vögel
und Krokodileier, wirft alle Jahr drei bis fünf Junge, und
wird ohngefähr ſechs Jahr alt.

In Aegipten macht man die Pharaonsmäuſſe oder Ich-
neumons zahm, und gebraucht ſie in den Häuſſern, wie
wir unſere Kazen, zum Mäuſſe und Ratten fangen. Es
gibt eigne Leute, die immer welche zahm machen, und auf
den Märkten zu Kauffe bringen. — Aber ihr Geſchmak an
Rauben iſt noch viel gröſſer, als unſrer Kazen ihrer, denn
ſie machen auch Jagd auf Eidexen, Schlangen und Fröſche
und auf alles, was ihnen lebendiges vorkömt, ja ſie fürchten ſich ſogar für Hunden und Kazen und jungen Krokodilen
nicht, ſie fallen ſie an, und bezwingen und freſſen ſie.

Doch ſind die Krokodileier, die ſie mit viel Liſt aufzuſuchen, und aus dem Sand zu ſcharren wiſſen, ihr beſter
Fras. — Aber dis iſt ohnſtreitig ganz falſch, daß ſie den
ſchlaffenden Krokodilen durch den Rachen in den Leib kriechen, und darin die Leber und übrigen Eingeweide auffreſſen; ſodenn aber wieder beim Rachen herausſpazieren, oder
gar ein Loch durch der Krokodile Bäuche bohren, und ſodenn haſtig davon fliehen.

Der Dachs

iſt die ärgſte Schlafmüze, unter allen Thieren. Er ſchläft
den ganzen Tag, die halbe Nacht, und noch dazu den ganzen

zen Winter; und also zusammen über drei Viertel seines Lebens, und viel länger, als das Murmelthier und der Siebenschläffer.

Er ist so gros, als ein Fuchs, oder als ein kleiner Pudelhund, hat lange dikke weis, roth und schwarze Haare, einen Fuchskopf, und eine Hundsschnauze, kleine kurze Beine, und fast gar keinen Schwanz, wohnt in den dikſten Europäischen Wäldern, zwo bis fünf Ellen tief unter der Erde, und frist Ratten und Mäuſſe, Eier, Vögel, Getraide, Wurzeln und Obſt, wirft alle Jahr drei Junge, und wird gewöhnlich neun Jahr alt.

Zwiſchen den Hinterbeinen hat er einen Fetbeutel, worin er bei seinem Winterſchlaf seine Schnauze ſtekt, und vermutlich das Fet darin aufſaugt. Denn er erſtart des Winters nicht, wie das Murmelthier, ſondern bleibt immer warm, und fliehet die Kälte.

Man kan den Dachs zahm machen, und ſtat einer Kaze im Hauſſe herum lauffen, und Mäuſſe und Ratten fangen laſſen. Allein man thut es nicht gern, weil er nebſt den Mäuſſen und Ratten, auch Hühner und Gänſe, und was er ſonſt noch lebendiges und esbares erwiſchen kan, erwürgt und aufſchmauſt.

Ein gewiſſer kurz- und krumbeinichter Hund, den man deswegen auch Dachshund nent, iſt ſein ärgſter Feind; denn er kriecht zu ihm in ſein Loch, und jagt ihn heraus, und tötet oder hält ihn wenigſtens mit ſeinen Kameraden ſo lang feſt, bis der Jäger kömt, und ihn todſchieſt. — Auch der Fuchs nöthigt ihn dadurch, daß er ihm dicht vor ſein Loch
seine

seine stinkende Losung oder Unrath, den er gar nicht riechen kan, sezt, aus seinem Loch raus, und schlägt nun seine Wohnung drin auf.

Das Dachsenfleisch kan man essen. — Sein Fel gibt, weil es so dauerhaft und fest ist, daß es keinen Regen oder Nässe durchläst, Ranzen, Jägertaschen, Fussäkke, Reisekasten. — Und aus seinen langen Haaren macht man Mahlerpinsel.

Das Erdzeiselchen oder Suslik — Der Kängeruh — der Erdhase — Das Ceilanische Füchschen — Das Coati oder Raccoon — und der Honigsauger oder Ratel, gehören auch noch zu den Nagethieren.

In der dritten Ordnung machen wir uns mit den reissenden Thieren bekant, die die Menschen anfallen, beissen und zerreissen, wie die Kazen, Löwen und Tieger, die Hunde, Wölfe und Bären, und noch viele andere Thiere.

Die Kaze

ist ein recht sehr falsches, treuloses und biebisches Thier, das weder durch Liebkosungen und gute Bissen, noch durch Schläge und Einsperren so zahm gemacht werden kan, daß sie nicht krazt und stiehlt. — Wie oft krazt und verwundet sie nicht die Leute, wenn man ihr auch gar nichts zu Leide thut? Ja verwundet sie nicht oft Kinder und alte Leute mitten im Spielen, und wenn man sie streichelt und liebkost? — Und wie gefährlich ist sie nicht den Küchen und Speissekammern? Frist sie da nicht alles weg, was sie finden, rohes und gekochtes

Fleisch,

P.L.H.Waagen del.

J.G.Sturm sc. Norimberg.

Fleiſch, Bakwerke, Buter und Milch? Erwürgt ſie nicht auch, ſo manche Taube, und viele andere nüzliche Thierchen?

Immer durchſucht ſie, bald oben bald unten das Haus, obs nicht irgendwo was zu naſchen für ſie gebe. Immer übt ſie ihre Spizbübereien auf die liſtigſte Art aus, und weis ihre Abſichten ſo geſchikt, wie der ärgſte Betrüger zu verbergen. Denn ſobald ſie einen Menſchen ſieht, geht ſie weiter, oder ſtelt ſich an, als wenn ſie auf eine Maus laure. — Und ſo laurt und paſt ſie oft lang auf eine gute Gelegenheit, einen boshaften Streich auszuführen. Hat ſie endlich was erwiſcht, ſo flüchtet ſie ſich, und läſt ſich etliche Tage, oder wenigſtens ſo lange nicht ſehen, bis man ihr ruft. Und geſchieht dis, ſo nähert ſie ſich durch allerhand Umwege, und ſieht Niemand ins Geſicht.

Darum, liebe Kinder, trauet ja keiner Kaze mehr, ſie ſchmeichle euch auch noch ſo ſehr. Sie iſt und bleibt immer ein boshafter Betrüger, die euch über kurz oder lang ſo krazt, daß es blutet, und euch ſehr wehe thut. — Niemals aber müſt ihr eine Kaze zu eurem Spielkameraden machen, oder ſie gar mit ins Bet nehmen. Ach wie gefährlich könt ſie euch nicht krazen und verwunden, wenn ihr ſie im Schlaf drükket. Könt euch da nicht ein Haar von ihr in den Hals kommen? Ja ſchon die Ausdünſtungen der Kazen ſind ſehr ſchädlich und giftig.

Man hat zwar Beiſpiele, daß hie und da eine Kaze mehr zahm iſt, als die andere, und alten Leuten und Kindern mit ihren poſſirlichen, luſtigen und ſchmeichelhaften Weſen viel Vergnügen macht, ihren Herrn und Wohlthäter gut kent, ihn begleitet, wenn er ausgeht, und auf ihn laurt,

Dd

wenn

wenn er heimkömt, aber ihn doch eben so sehr krazt, wen[n] er sie etwas unsanft anrührt, wie einem Fremden, oder ih[n] gar erdrosselt und ums Leben bringt, wie einst eine Kaz[e] gethan haben sol. Höret einmal folgende traurige Geschichte[.] Ein gewisser reformirter Prediger in England, mit Name[n] Mariette, lebte so recht in der Stille, und hatte wede[r] Frau noch Kinder, und ausser den nöthigen Dienstbothen Niemand bei sich in seinem Hausse, als eine grosse alte Kaze die er selbst aufgezogen, und schon zehn bis zwölf Jahre b[ei] sich hatte, und sie so sehr liebte, daß er ohne sie weder e[s]sen noch schlaffen konte. Immer rief und liebkoste er seine[n] Liebling. Immer muste sie bei ihm seyn, neben ihm essen und neben ihm schlaffen. Die besten Bissen sezte er ihr au[f] einem eignen Teller vor.

An Mäussefangen dachte sie also gar nicht. Un[d] wenn sie ihr Herr auch nur im geringsten beleidigte, etwa[s] as, ohne ihr auch was davon zu geben, oder sie nicht ge[-]nug streichelte, so trozte sie gleich, gieng nicht mehr zu ih[m] hin, wann er ihr rief, und lies alles Fressen stehen, wa[s] er ihr vorsezte. Endlich fras sie zwar, sah aber ihre[n] Herrn doch nicht an, und that sehr bös und beleidigt.

Und da er sie einsmals bei einem Gastmahle beinah[e] gar vergas, und ihr nur über den Rükken etwas zu werffe[n] wolte, nahm sie ihm das Leben. Und dis gieng auf fol[-]gende Weise zu: Herr Mariette hatte Gäste, für denen e[r] sich schämte, seine ausserordentliche Kazenliebhaberei merke[n] zu lassen. Er rief also dismal seiner lieben Kaze nicht zum Essen, sezte ihr auch keine Huhnskeule, oder sonst einen gu[-]ten Bissen, auf ihrem eignen Teller vor, sondern warf ih[r] nur, während der Mahlzeit, eine Huhnskeule über den Rük[-]

ke[n]

ken weg, zu, ohne was anders zu sagen, als: kom, Kaze,
da haft was!

Allein das böse falsche Thier, das die ganze Mahl=
zeit, und so manchen herlichen Bissen hatte zurichten sehen,
und nun blos mit einer Hühnerkeule vorlieb nehmen solte,
nahm dis Betragen ihrem Herrn übel, gieng während der
ganzen Mahlzeit nicht von ihrem Lager weg, achtete keine
Keule und kein Ruffen, und stelte sich, als wenn sie schlieffe.

Da aber die Mahlzeit vorbei war, und die Gäste
theils in Garten spaziren gegangen, theils sich in einem Ne=
benzimmer auf eine halbe Stunde schlaffen gelegt hatten,
und selbst der Wirth Herr Mariette in dem Speissezimmer
auf einem Stuhl eingeschlaffen war, so stand die beleidigte
mörderische Kaze auf, raste auf ihren Herrn zu, und er=
droffelte ihn, und legte sich sogleich wieder auf ihre alte
Stelle, und that wieder, als wenn sie schlieffe.

Ohnvermutet kam ein Brief an den Herrn Prediger,
den ihm sein Bruder, der auch bei ihm zu Gaste as, selbst
übergeben wolte — er rief, er rittelte, allein vergebens,
der gute liebe Bruder war tod. Er rief sogleich alle seine
Freunde zusammen, und sagte ihnen, daß sein Bruder an
einem Schlagflus gestorben sey. Ach wie erschraken, wie
weinten sie nicht alle zusammen. Niemand dachte an was
anders, als an einen Schlagflus. Allein da man genauer
nach dem guten Manne sah, siehe, so fand man an seinem
Hals die schreklichsten Spuren von Kazenklauen. Man
gukte nach der Kaze. Sie lag auf ihrem alten Flek, und
schien zu schlaffen. Es schien allen ohnbegreiflich, ja ohn=
möglich, das eine Kaze einen grossen Menschen solte erwür=
gen können.

Dd 2   Um

Um nun bald hinter den ganzen Streich zu kommen, und Niemand unschuldiger Weise wegen eines Meuchelmords im Verdacht zu haben, erfand der Bruder, des Ermordeten folgende List: Er band seinem Bruder eine Schnur an einem Fus, und stelte sich in einem Winkel des Zimmers, wo ihn die Kaze nicht sehen konte — seine Freunde musten sich auch verstekken, doch so, daß sie sahen, was er machte. Und wie alle verstekt, und es ganz stille im Zimmer war, zog er an der Schnur, und bewegte den Erdrosselten so natürlich, daß die mördersche, aber nun betrogne Kaze glaubte, ihr Herr lebe noch, und fiel also noch einmal wütend über ihn her, und würgte ihn so entsezlich heftig, daß er, wenn er auch noch gelebt hätte, izt gewis tod seyn müste. — Und was that man dieser teuflischen Kaze? Nichts, sie entwischte, und lies sich nachher nie wieder sehen. *)

Es gab ehedem, und gibts vermutlich noch, so grosse Kazenfreunde, die ihre Kazen mit den besten Bissen füttern, und besser halten, als oft manche Aeltern kaum ihre Kinder halten. Ja, einige geben ihren Kazen sogar eigne Stuben ein,

---

*) Diesen merkwürdigen Kazenmord hat der selige Herr Dr. Martini in seiner Büffonschen Uibersezung, Theil 2 in einem besondern Anhang von Seite 244 bis 247 erzählt. — Wer diesen Menschenmord durch eine Kaze glauben wil, der glaube ihn. Ich glaube ihn nicht. Ich halte ihn vielmehr für unwahrscheinlich, ja gar für ohnmöglich. Einen erwächsenen Menschen plözlich zu erwürgen, ist einer Kaze schlechterdings ohnmöglich. Mit einem schlaffenden Kinde in der Wiege möchte es noch eher angehen. Auch äussern die Kazen ihren Zorn nicht durch Erdrük ken, sondern durch Krazen und Beissen. — Und eine Heze war doch diese Kaze nicht? Denn es gibt ja in aller Welt gar keine Hezen. — Auch müssen die hinterlasnen Freunde des Ermordeten grosse Schöpse gewesen seyn, daß sie die Kaze haben entwischen lassen, und auch nicht mehr haben finden können.

ein, und laſſen ſie mit den beſten Speiſſen ſorgfältig füttern, ſezen auch wohl etwas Geld aus, davon ſie nach ihrem Tod gefüttert werden ſollen.

Dagegen aber ſind mir auch Leute bekant, die die Ka=zen gar nicht ausſtehen können, und recht ſehr böſe werden, wenn ſie lange eine um ſich ſehen müſſen. Ja es gibt manch=mal Perſonen, denen es ſchon angſt und bange wird, und die ſo gar in Ohnmacht fallen, wenn ſich eine Kaze auch nur in der Nähe befindet, und ſie dieſelbe gleich nicht ſehen. So=bald aber die Kaze weg iſt, wirds ihnen wieder wohl. Sie erdulden daher viel lieber den Unfug der Ratten und Mäuſſe, ehe ſie eine Kaze in ihr Haus nehmen.

Nun was ſeyd denn ihr, liebe Kinder, Kazenfeinde oder Kazenfreunde? Nicht wahr, keins von beiden? Man muß die Kazen nicht ſo fürchten und verabſcheuen, daß man ſie gar nicht ſehen und riechen kan. Wie gefährlich und thöricht iſt es nicht, ſogleich blaß und ohnmächtig zu wer=den, ſo bald man nur eine Kaz knurren oder mauen hört. — Aber auch das iſt thöricht und albern, wenn man eine fal=ſche böſe Kaze eben ſo liebt, und viel beſſer füttert, als den treuen Hund, der nie falſch iſt, und ſeinen Herrn allerhand nüzliche Dienſte leiſtet.

Wir müſſen alſo den Kazen nur aus Noth ein Quar=tier in unſern Häuſſern geben, damit ſie uns von den noch beſchwerlichern Gäſten, den Ratten und Mäuſſen befreien. — Auch Schlangen, Eideren und Kröten fangen und freſſen die Kazen weg.

Die Kaze iſt ein ſehr reinlich Thierchen, ſie lekt und puzt ſich immer, legt auch ihren Unrath an einen abgelegnen

Ort, und dekt ihn mit Erde, Sand oder Asche, oder mit sonst was zu, hat ein sehr zähes Leben, und wehrt sich oft gegen die grösten Hunde, wirft zwei bis viermal des Jahrs vier bis sechs Junge, und wird höchstens zwölf Jahr alt. — Man kan ihr Fleisch essen, und auch ihren Balg zu allerhand Kleidungsstükken gebrauchen.

Weil der Kater oder Relling gern seine eignen Kinder frist, so schlept das Weibchen eins um das andere im Maul an einen abgelegnen Ort, wo gewöhnlich Niemand hinkömt, und zieht sie dort gros. So bald sie aber lauffen und Mäusse fressen können, nimt sie sie mit zur Mäussejagd, und zeigt und lehrt sie gleichsam, wie sie ihren Fras erhaschen müssen. Wenn sie daher eine Maus gefangen hat, so beist sie sie ein wenig in den Naken, läst sie los, und von sich weglauffen; so bald sie aber zu weit weg wil, hascht sie sie wieder, gibt ihr noch einen Bis, knurt und maut, und wil haben, daß sich eins von ihren Kindern über dieselbe hermachen, sie erwürgen und fressen sol.

Daß die zahmen Kazen allerhand Farben haben, wißt ihr. Nicht wahr, die aschgrauen sind die schönsten? — Die wilden Kazen aber, die sich in dichten Wäldern aufhalten und in hohlen Bäumen wohnen und hekken, auch etwas grösser, als die Hauskazen sind, haben alle braunrothe Haare und gewöhnlich einen schwarzen Streif über den Rükken herab Sie fressen alles, was die zahmen auch fressen, und wenn sie einen Hasen, ein Kaninchen, einen Hamster oder ein junges Reh fangen wollen, so legen sie sich auf den Ast eines Baumes — Siehe Tafel sieben, Figur fünf — und springen sodann plözlich auf sie herunter, erdrosseln und fressen sie.

De

Der Luchs

oder **Hirschwolf** sieht fast aus, wie die wilde Kaze — Siehe Tafel sieben, Figur sechs — ist aber merklich grösser, und weit kühner, und fält sie selbst, und noch viel grössere Thiere, als er ist, an; nämlich Rehe, Hirsche und Schweine, saugt ihnen das Blut aus, und öfnet ihnen den Kopf, und frist ihr Hirn, ihr Fleisch aber läst er gewöhnlich liegen, und frist dagegen Vögel, Eichhörnchen und Hermeline.

Er wohnt nur in den dichtesten nördlichen Wäldern von Europa, Asia und Amerika, springt von den Bäumen herunter auf seine Beute, würgt und saugt so lange an ihrer Kehle oder Gurgel, bis sie tod zur Erde fallen. Doch streift ihn das Schwein zwischen dikken Gebüschen zuweilen ab; der arme Hirsch aber ist immer seine gewisse Beute.

Der Luchs hat am Leibe weißlicht graue und schwarzgeflekte, an den Spizen der Ohren aber lange schwarze Haare, sieht sehr gut — Daher sagt man auch im gemeinen Leben: Du hast Augen, wie ein Luchs — heult fast wie ein Wolf, wirft alle Jahr drei bis fünf Junge, und lebt ohngefähr zehn bis fünfzehn Jahr. — Der Luchsbalg gibt ein sehr gutes Pelzwerk.

Man nent den Luchs auch **Hirschwolf**, weil er die Hirsche anfält, und fast so geflekt ist, wie ein junger Hirsch. Aus Sibirien bringt man die besten Luchsbälge unter dem Namen Hirschwolfsbälge. Und aus Nordamerika kommen sie unter dem Namen Hirschkazenbälge.

Db 4   Der

Der Löwe

ist das stärkste, verwegenste und schreklichste Thier auf dem Erdboden. Er macht alle andere vierfüßige Thiere, bis an den Elefanten und den Tiger, das Nilpferd und das Nashorn nieder. Auch dem Stachelschwein kan er wegen seiner Stacheln nicht beikommen. Er selbst aber wird keinem einzigen Thier zur Beute, es sey auch noch so gros, als es wolle — der Tiger überwindet ihn doch zuweilen — und ist also gleichsam der König, und der Kommandant über alle Thiere. Alle fürchten und fliehen für ihm.

Auch die Menschen sind in seiner Gegenwart ihres Lebens nicht sicher. Denn wenn er alzu alt oder aufgebracht, oder sehr hungrig ist, so nimt und zerreist er, was er kriegen kan, es sey nun Affe, Mensch oder Kameel. Trist er aber Menschen und Thiere beisammen an, so nimt er nur die Thiere, und läst die Menschen gehen. Beleidigen ihn diese aber, ja dann rächt er sich nachdrüklich an ihnen, und rottet in etlich Tagen eine ganze Neger oder Mohren Familie aus.

Doch ist er auch grosmüthig und erkentlich, und vergibt gerne Beleidigungen. Man hat Beispiele, daß er die Beleidigungen kleiner Feinde verachtet, und ihnen sonst noch allerhand Unfug verziehen, auch denen das Leben geschenkt und erhalten hat, die ihm zum Fressen vorgeworffen worden sind, oder zu ihm ihre Zuflucht genommen haben. — Nachher wil ich euch ein paar Beispiele von der Grosmuth und Erkentlichkeit einiger Löwen erzählen.

Löwe bleibt aber doch immer Löwe, und wenn er auch gleich zuweilen sehr mitleidig und schonend, und lange nicht

so

so grausam ist, als der Tiger, der Wolf, der Marder und
der Iltis, die nur zum Vergnügen würgen, und auch dann
noch fort morden, wenn sie sich schon längst sat gefressen haben; und wenn er gleich nur aus Noth, um seinen Hunger
zu stillen, niemals mehr zusammen würgt und mordet, als
er auf Eine, oder höchstens auf Zwo Mahlzeiten verzehren
kan, und denn, wenn er sat ist, ruhig bleibt; wie trozig,
wie fürchterlich sieht er nicht aus? Wie entsezlich schreit und
brült er nicht? Zittert und bebt nicht alles um ihn her, wenn
er sein schrekliches Gebrül aus seinem weiten Rachen heraus
donnert? Was macht er nicht für ein abscheuliches Maul und
Gesicht, wenn er böse ist? Wedelt er da nicht mit seinem
über vier Ellen langen Schwanz ganz hastig um sich? Schittelt er da nicht seine lange Mähne an Kopf, Hals und
Brust? Faltet er da nicht die dikke Haut seines Gesichts?
Wie zieht er nicht seine grossen Augbraunen auf und nieder?
Wie drohend weist er nicht seine Zähne, mit denen er auch
die diksten Knochen zermalmen kan? Wie weit strekt er nicht
seine stachlichte Zunge heraus?

Wer darf sich ihm dann nähern? Niemand als sein
Herr oder Wärter. Dieser weis mit ihm umzugehen, und
ihm so zu schmeicheln, daß er sich unter seine Füsse legen,
und auf ihm reiten, ihm sein Maul öfnen, und seine Zunge
in die Hand nehmen, ja gar seinen Kopf in seinen Rachen
stekken und noch allerhand Spässe mit ihm treiben darf,
ohne daß er ihn beist, oder ihm sonst was zu Leide thut.

Aber gefährlich und fürchterlich ists und bleibts doch
allemal, einen Menschenkopf in dem Rachen eines lebendigen
Löwen zu sehen. Ich sah es schon etliche mal, und staunte
über des Löwen Zahmheit, und über seines Herrn Kühnheit. —

Dd 5   Ach

Ach was thut der Mensch nicht ums Geldes willen, dacht ich! — Viele Zuschauer konten den schreklichen Anblik nicht ertragen, griffen nach ihren Köpffen, ob sie sie auch noch hätten, und lieffen davon.

Ich glaube, ich würde auch davon lauffen — ich auch — ich nicht — ich — aber sagen Sie doch, geschieht denn nie ein Unglük? Sehr selten, es müsten denn die Wärter nur alzu grob oder kühn mit ihnen umgehen, und sich von ihnen lekken laffen, wie einmal ein Bedienter that, und sodenn von dem Löwen seines Herrn erdroffelt und aufgefreffen ward. Ohe, und wie gieng das zu? Der Bediente hatte sich mit dem Löwen, der in seines Herrn Kammer schlief, so sehr bekant gemacht, daß er sich von ihm liebkosen und lekken lies. Man warnte und sagte ihm, daß er es ja nicht mehr thun solte, weil der Löwe eine rauhe, und wie ein Rieb=eisen gebildete Zunge habe, mit der er ihm gewis einmal eins versezen, und die Haut von seiner Hand ablekken, oder gar abbeiffen werde — Denn wenn der Löwe Blut sieht, oder auf seiner Zunge empfindet, so mus er Blut haben, und würgt und mordet also. Der Bediente achtete nicht auf diese Warnungen. Und siehe, unvermuthet ward sein Herr einst des Nachts durch ein Geräusch vom Schlaf erwekt — er stand auf, gieng in die Kammer, und ach, wie erschrak und entsezte er sich nicht, als er den Kopf seines Bedienten zwischen den Klauen des Löwen sahe, der den Leib samt Händen und Füffen schon ganz aufgefreffen hatte. — Und was that nun der Herr? Er rief seine andern Bediente her=bei, und lies den Mörder sogleich tod schieffen.

• • • Ihr habt doch schon lebendige und abgebildete Löwen gesehen? — In unserm Buche sind auch zween abgebildet.

Se=

Sehet einmal die zehnte Tafel an, Figur acht ist ein Löwe, und Figur neun eine Löwin. Der Löwe ist merklich grösser, als die Löwin, und an Kopf, Hals und Brust mit langen Haaren bedekt; auf dem übrigen Leib aber hat er, wie die Löwin, nur kurze Haare, und sein vier Ellen langer Schwanz endiget sich in einen Haarbüschel. — Er ist in Afrika zu Hausse, hat röthlicht braune Haare, einen dikken Kazenkopf, einen Schnurbart um das Maul, und eine gespaltne Ober= lefze, frißt nichts als Fleisch, und am liebsten Kameel= und Affenfleisch, wirft jährlich höchstens vier Junge, und er= reicht ein Alter von fünf und zwanzig bis dreissig Jahren.

Die Neger und Mohren fangen ihn jung und alt. Mit Lebensgefahr schleichen sie sich zu den Wohnungen der Löwinnen, wenn sie auf den Raub ausgegangen sind, hin, nehmen ihnen ihre Kinder weg, und ziehen sie in ihren Hüt= ten bei ihrem andern Vieh gros, oder schlachten und essen sie sogleich auf. — Die alten Löwen hingegen schiessen sie todt, oder fangen sie lebendig in Falgruben, die sie mit Rohr oder andern Holzwerk leicht überdekt, und entweder ein Lam in das Loch hinein gespert, oder drüber her fest gebunden haben. Kömt nun der Löwe, so stürzt er in die Grube, und ist gefangen. Izt schämt er sich entsezlich, ist ganz stille und muthlos, läßt sich gefangen nehmen, eine Kette anlegen, einen Maulkorb aufsezen, und von einem Kinde gelassen weg= führen. Es sieht lustig aus, wenn man den stolzen Löwen so gravitätisch und langsam an der Kette einher gehen sieht.

Das Löwenfleisch ißt man also in Afrika — und wo= zu nüzen die Neger die Löwenfelle? Sie machen sich Mäntel und Betdekken, und sonst noch allerhand Dinge daraus. — Ehedem waren auch die Löwenhäute die gewöhnlichen Män=
tel

tel der Helden. Und die alten Römer spanten sogar die Lö=
wen, stat der Pferde, an ihre Wagen, und liessen sich darin
von ihnen fortziehen. Der berühmte Römer Markus Anto=
nius fuhr oft mit vier Löwen aus. Auch bei ihren Schau=
spielen tödteten die alten Römer viele Löwen.

Izt aber gibts eben nicht viele Löwen mehr. — Wel=
che die Afrikaner nicht schlachten und essen, die verkauffen
oder verschenken sie an vornehme Herren in Europa, die sie
in ihren Thiergärten aufbewahren. Und dann und wann rei=
sen auch gewisse Leute, wie ihr wisset, mit ihnen und andern
seltnen Thieren herum, und lassen sie für Geld sehen.

Zwölf bis fünfzehn Pfund Fleisch mus ein zahmer
Löwe täglich haben, wenn er beim Leben bleiben, und zufrie=
den seyn sol. — Alle Tage brüllt er von freien Stük=
ken gewöhnlich nur sechsmal; auf Befehl seines Herrn aber
brüllt oder brumt er auch wohl noch öfter. — Seinen
Schwanz läst er sich nicht gern anrühren, wer es thut, wird
von ihm, wenn er kan, damit niedergeschlagen, zerrissen und
aufgefressen. — Schlangen und Feuer kan der Löwe nicht
sehen. — Er geht gewöhnlich nur des Nachts auf seinen
Raub aus, und mus seine Beute, weil er weder gut sprin=
gen, noch auf einen Baum klettern kan, durch weite Säze
erhaschen. Wenn daher ein Schaf oder Pferd, ein Ochse
oder Affe nahe bei dem Gebüsche, worein er sich versteckt hat,
vorbei geht, oder er nur noch sechs bis acht Ellen hinter ihm
her ist, so thut er einen Saz, fält über den Affen her, um=
klammert ihn mit seinen Vordertazen, zerreist ihn mit sei=
nen Klauen, und zermalmt und frist ihn mit Haut und Haa=
ren und Knochen auf.

Die

Die Beispiele von des Löwen Grosmuth und Erkent=
lichkeit sind folgende: Einst konte man in London einen schö=
nen grossen Löwen für Geld sehen. Wer aber kein Geld hatte,
durfte nur eine Kaze oder einen Hund oder sonst ein Thier=
chen bringen, so konte er den Löwen auch sehen. Ein böser
Mensch, der weder Geld, noch Hund oder Kaze hatte, und
doch den schönen Löwen gern sehen wolte, fieng ein aller=
liebstes Pudelhündchen auf der Strasse weg, und warf es
dem Löwen vor.

Das arme kleine Thierchen zitterte und bebte bei seinen
fürchterlichen Kameraden, krümte sich, lief ängstlich hin und
her, legte sich nieder, strekte seine Zunge heraus, und hielt
sein Pfötchen in die Höhe, und bat gleichsam den Löwen um
Barmherzigkeit. Der grosmüthige Löwe nahm es sogleich in
seinen Schuz, that ihm nichts zu Leide, wendete es bald
mit dieser, bald mit jener Pfote um, und wurde in etlich
Stunden mit ihm so sehr vertraut und gut Freund, daß er
nichts ohne ihn fressen wolte.

Das kleine Pudelchen lief auf, und unter dem Löwen
herum, legte sich auf ihm schlaffen, und gieng nie mehr bis
an seinen Tod, von ihm weg, man mochte ihm lokken und
vorwerffen, was man wolte. — Wenn es ans Fressen gieng,
so wolte der kleine Nar nach Hunds Manier, alles allein
haben, hielt sein Pfötchen drüber her, knurte, belte und fuhr
seinen Wohlthäter kek ins Gesicht. Der grosmüthige Löwe,
der dis alles nicht übel nahm, fuhr allemal sogleich zurük,
und gehorchte seinem kleinen Liebling. — Wenn der Löwe
schlaffen wolte, lies es der kleine Schelm nicht zu, sondern
lief und sprang um ihn her, belte ihn an, krazte ihn auf
dem Kopf, zupfte ihn an den Ohren, und bis ihn auch

wohl

wohl ein wenig. Der Löwe war ſtil, und lies ſich alles gefallen.

Und da das Pudelchen ſtarb, ach wie brülte und raste
da der Löwe nicht in ſeinen Stal herum. Er roch an ihm,
drehte es mit ſeinen Pfoten um, und wolte es mit Gewalt
aufwekken, und wieder lebendig haben. Allein es blieb' tob.
Nun verdoppelte er ſein Gebrül, ris faſt ſeinen Keſicht entzwei, fras und trank nichts, zog ſeinen toben Liebling mit
ſeinen Pfoten an ſich, und legte ihn an ſeine Bruſt. — Und
nach fünf Tagen ſtarb der mitleidige Löwe auch, nachdem
er vorher ſeinen Kopf auf ſeines kleinen Freundes Leib gelegt
hatte.

Beiſpiele von des Löwen Erkentlichkeit gibts viele, aber
folgendes iſt eins der merkwürdigſten davon: Ein gewiſſer
armer Mann, mit Namen Androklus hatte ehedem das
Unglük, bei einem ſchlimmen vornehmen Römer ein Sklafe
zu ſeyn. Da ihn nun dieſer ganz entſezlich quälte und mis-
handelte, lief er davon, und wolte lieber in den Afrikaniſchen
Wüſteneien Hunger ſterben, als ſich bei ſeinem barbariſchen
Herren langſam zu tode martern laſſen. Kaum hatte er etliche Tage herumgeirt, und Hunger und Durſt gelitten, und
die brennendſte Hize ertragen, ſo ſeufzte er nach einem kühlen Ort, wo er ſich ſezen und abkühlen und ausruhen könte.

Er fand eine Höhle, ging hinein, und ſezte ſich.
Kaum war er drin, ſo kam ein groſſer alter Löwe zu ihm,
der nur auf drei Füſſen gieng, und den vierten verwundet, und voller Blut in die Höhe hob, und ſeinen hef-
tigen Schmerz durch ein klägliches Gebrül zu erkennen gab.

Zer-

Zerris er den armen Androklus? Nein, er gieng ganz
sanft auf ihn zu, zeigte ihm seinen kranken Fus, und bat
ihn gleichsam, daß er ihm helffen solte. Der für Angst fast
tode Androklus faste Muth, stand auf, gieng näher zu ihm
hin, und sah zu, warum denn wohl sein Fus so sehr blutete.

Ach welch grosser Splitter stekte nicht drin! Und denn
war er auch über und über geschwollen, und voller Materie.
Androklus zog den Splitter heraus, drükte die Materie aus
der Wunde, und reinigte sie so gut er konte. — Da nun
der Löwe keine Schmerzen mehr fühlte, legte er seinem
Wundarzt seinen wunden Fus in die Hand, und schlief ein.
Wie er erwachte, gab er ihm mit allerhand sonderbaren Ge=
berden zu verstehen, daß er bei ihm bleiben, und mit seinem
Logis und Tisch vorlieb nehmen möchte.

Androklus that dis doch nicht? Doch ja, er blieb drei
ganze Jahre bei ihm, und lebte sehr zufrieden, und ohne
Angst bei ihm. — Der Löwe holte Fleisch, und theilte red=
lich mit ihm, und war nicht eher ruhig, als bis er sah, daß
sein Kamerad sat war. Die besten Stükchen Fleisch brachte
er ihm allemal von der Jagd mit nach Hausse.

Da ihm aber endlich das thierische Leben nicht mehr
gefiehl, und er des Löwen und des rohen Fleisch Essens
überdrüssig war, verlies er, in des Löwen Abwesenheit, die
Höhle, und gieng getrosten Muths auf die Gegend zu, wo
er seinem Herrn entloffen war. — Denn er dachte, sein
Herr habe ihn izt vergessen, und auch sonst werde gewis
niemand mehr an ihn denken. Allein weit gefehlt. Er
ward nach drei Tagen von Römischen Soldaten gefangen ge=
nommen, mit Ketten gebunden, und so zu seinem grausamen
Herrn

Herrn nach Rom gebracht. Dieser verdamte ihn sogleich zum Tode, und wolte ihn nach etlichen Tagen lebendig den wilden besten Thieren vorwerffen lassen.

Ach geschah dis denn? Ja es geschah. Man warf ihm wirklich einen sehr grossen Löwen vor. Allein der Löwe that ihm nichts Leids, sondern stand gleichsam vor Verwunderung stille, wie er ihn sah, gieng ganz sanft und liebreich, gleich als ob er ihn kente, auf ihn zu, wedelte mit dem Schwanz, und roch und lekte an dem armen Androklus, der vor Angst beinahe schon halb tod war, und weder sah noch hörte, was mit ihm und um ihn vorgieng.

Endlich sah er den fürchterlichen Schmeichler und Lekker an, und siehe, es war derjenige Löwe, mit dem er drei Jahre in Einer Höhle gelebt hatte. Er gieng sogleich so vertraut mit ihm um, daß der Kaiser Kaligula — denn dieser Herr war damals Römischer Kaiser — und alle andern Zuschauer darüber erstaunten, und nicht begreiffen konten, wie es zugienge, daß dieser berühmte fürchterliche Löwe, der schon so manchen Menschen zerrissen hatte, dieses schonte. *)

Kaligula ließ den Androklus sogleich zu sich her bringen, und fragte ihn, ob er nicht die Ursache wüste, warum ihn dieser schrekliche Löwe verschont, und so sehr vertraut mit ihm gethan hätte?

Androklus erzählte ihm seine ganze Geschichte, erhielt Pardon, und noch dazu den Löwen zum Geschenk. — Er gieng darauf mit seinem Löwen, den er an ein Strikchen band,

*) Fällt hier nicht Jedem der Prophet Daniel in der Löwengrube ein?

and, in der Stat umher, und bekam viel Geld, und andere
Sachen geschenkt. — Vermutlich ist der gute Löwe, gleich
nach seines Androklus Entfernung, auch gefangen genommen,
und nach Rom gebracht worden. *)

Der Tiger

ist viel wilder und fürchterlicher, als der Löwe. — Der Löwe
ist doch zuweilen gütig und schonend, und mordet nicht aus
Lust, sondern nur aus Noth. Der Tiger hingegen mordet
alles zusammen, Menschen und Thiere, und das in einem
fort, es mag ihn hungern oder nicht, und schont im Hunger
selbst seines Weibchens, und seiner eignen Kinder nicht. Denn
wenn er seine Kinder erwürgt, und sein Weibchen wil sich
dagegen wehren, so zerreist er es sogleich auch.

Das heisse Asien, und vorzüglich Ostindien, ist des Ti-
gers Vaterland. Er hat gelblicht weise und schwarzgestreifte
Haare, ist etwas schlanker und länger, als der Löwe, aber
nicht so hoch — Siehe Tafel zehn, Figur zwölf — kan entsetzlich schnel lauffen, und fünf bis sechs Ellen weite Sprünge
thun, und so gar auf Bäume klettern, und darauf Affen und
Vögel aufsuchen. — Den Vögeln rupft er erst die Federn
aus, ehe er sie frist.

Seine Stärke ist so gros, daß er ein lebendiges Pferd,
oder einen lebendigen Ochsen ins Maul nehmen, und so geschwind damit fort springen kan, als hätte er nur einen Haa-
sen im Maul. Man kan ihn zwar zähmen, allein es kostet
seis

*) Siehe Gellii noctes atticas Lib. 5. Cap. 14.

Ee

seinem Wärter sehr viel Mühe und Geduld, bis er es so w
mit ihm bringt, daß er ihm seinen Rachen öfnen, und sei
blutrothe Zunge in die Hand nehmen darf. Auf sich reit
aber läst er schlechterdings nicht. — Er wirft alle Jahr d
bis vier Junge, wie der Löwe, und wird auch eben so alt. -
Die Indianer essen sein Fleisch, und gebrauchen sein übera
schönes Fel zu allerhand Dingen. In Europa gebrauc
man die Tigerfelle zu Pferdedekken. Sie sind aber se
theuer, weil es nicht mehr viele Tiger gibt.

Der Amerikanische Tiger,

oder die Amerikanische Tigerkaze, der Jaguar oder On
za *) ist nur so gros, als ein Schäferhund, sonst aber de
asiatischen in Bildung und Fras ganz ähnlich. — Pferd
Hunde und Kazen heissen, wenn sie eben solche Haare un
Flekken, wie die Tiger haben, Tigerpferde 2c.

Der Leopard,

siehe Tafel zehn, Figur dreizehn — ist in Afrika zu Hauss
kleiner aber weit schöner, als der Tiger, und fast eben s
grausam. — Die Afrikaner essen zwar sein Fleisch, und nü
zen sein Fel, allein sie suchen ihn mehr lebendig, als tod z
fangen, um ihn an die Europäer verkauffen oder vertausche
zu können. Er ist ein ganz vortreflich schönes Thier, an den
man sich fast nicht sat sehen kan. Wenigstens ging es m
so, da ich einen zum erstenmal lebendig sahe.

Da

---

*) Jaguar heist dieser Ametikanische Tiger in Brasilien; und Onza nent
   der Portugiese 2c.

Das Panterthier,

oder der Parder ist auch in Afrika zu Hausse, viel grösser, als der Leopard, aber lange nicht so schön; denn seine Flekken sind bald rund, bald ekkicht, und sonst noch verschieden geformt. Ein fürchterliches Thier ist der Parder, wenn er seinen Rachen öfnet und brült. Mir schien es, da ich den ersten sah, als krachte sein Gebrül noch entsezlicher, als des Löwen seins.

Die Parderkaze,

der Serval oder Marapúte *) ist ein böses grimmiges Thier, so gros und fast eben so gebildet, wie die wilde Kaze, und in Ostindien und Afrika zu Hausse. Sie lebt auf Bäumen, und kan erstaunlich schnel von einem Baum zum andern springen, und würgt und frist fast eben das, was die wilde Kaze und der Luchs auch würgen und fressen.

Der Hund

ist ein sehr nüzliches und nöthiges, und zugleich ohnstreitig auch das einzige Thier in der Welt, auf dessen Treue man sich zu allen Zeiten, und bei allen Gelegenheiten verlassen kan.

Er ist gern bei den Menschen, ist ihnen gehorsam und gefällig, thut alles, was sie von ihm haben wollen geschwind und ohne Muxen, nimt mit Knochen und altem Brod vorlieb,

Ee 2

heist

---

*) Serval heist diese Parderkaze bei den Portuglesen in Ostindien; und Marapúte ist ihr Malabarischer Name.

beist und beleidigt Niemand, beschüzt und bewacht das Haus Tag und Nacht, und läst sein Leben für seinen Herrn.

Und hat er auch gleich einen barbarischen Herrn, der ihm stat des Essens, immer nur Schläge gibt, und sonst noch entsezlich quält; so sucht er lieber sein Brod auf der Straßen, ehe er ihm entläuft, oder sich sonst auf eine Art an ihm rächt. Beleidigungen vergist er bald, aber an Wohlthaten denkt er sehr lange.

Hat er aber wirklich Schläge verdient, so legt er sich kriechend zu den Füssen seines Herrn, und fleht um Pardon, und um ferneres Zutrauen. Erhält er nicht Pardon, so unterwirft er sich geduldig der Züchtigung, und lekt wohl nachher noch die Hand, die ihn so eben geschlagen hat, ist freundlich, heult und winselt nicht mehr, und kömt, sobald ihm sein Herr ruft, eilig herbei, erwartet mit gespizten Ohren seine Befehle, und komt allem genau nach, was er ihn heist. Ja ein Wink ist ihm oft schon genug, den Willen seines Herrn zu errathen, und zu thun.

Hat er seinen Herrn verlohren, so winselt und heult er entsezlich, und ruhet nicht eher, als bis er ihn wieder gefunden. Man hat Beispiele, daß Hunde ihre Herren zwo bis vier Stunden, ja gar halbe Tagreisen nachgelauffen, und unter vielen hundert Menschen heraus, erkant und gefunden haben. — Ein guter Hund kent schon den Namen seines Herrn, und unterscheidet jede Stimme seiner Kinder, und übrigen Hausgenossen. Komt aber ein unbekanter, ein Fremder ins Haus, so macht er plözlich Lermen, und zeigts durch sein hastiges Gebel an.

Und wie viel wichtige Dienſte leiſtet der Hund nicht
ſonſt noch den Menſchen? Bewacht er nicht Haus und Hof?
Beſchüzt er nicht ganze Heerden von Schafen, Ziegen und
Schweinen? Hat man nicht von ihm ungemein viele Vortheile auf der Jagd? Sucht er nicht Trüffel und andere nüzliche Gewächſe auf? Und zu wie viel hundert Dingen kan er
nicht ſonſt noch abgerichtet werden? Er tanzt auf dem Seil,
ſpielt Pantomimen, macht Burzelbäume, ſteht auf den Kopf,
rührt die Trommel, holt verlohrne Sachen oft zwo bis drei
Stunden weit her, zieht Schlitten und Wagen, und läſt ſich
ſogar in Kariolen ſpannen, und wie ein Pferd angſchirren.

Welche Treue und Wachſamkeit beweiſt er nicht bei
ſeiner Heerde? Er führt ſie an, und hält ſie, während des
Zugs auf die Weide, in Ordnung. Iſt er mit ihr auf den
Weideplaz gelangt, ſo iſt er ohnaufhörlich beſchäftigt, die
zerſtreuten Stükke herbei zu treiben, und beiſammen zu halten; und immer auszuſpüren, ob kein Raubthier, oder ſonſt
ein gefährlicher Feind in der Nähe ſey. — Und das thut
er alles ohngeheiſſen. Schon ſein Bellen gilt gewöhnlich
mehr, als die Stimme des Hirten.

Hat man ihm die Nachtwache für das Haus anver-
traut, ſo pflegt ihn dis Aemtchen muthiger, und oft auch
wild und grauſam zu machen, das er ſonſt nie iſt. Er
bleibt die ganze Nacht wach, und geht beſtändig um das
Haus herum. Alle Fremde wittert oder riecht er ſchon von
ferne. Wenn ſich daher ein Fremder durch Annäherung ver-
dächtig macht, und ſein bewachtes Gebieth betreten, oder gar
darin einbrechen und ſtehlen wil, ſo fält er ihn an, und wi-
derſezt ſich ihm, ſo gut er kan, beiſt und reiſt an ihm, und
macht durch anhaltendes Bellen, durch heftiges Toben und

grimmiges Geheul alles im Hauſſe wach, und iſt eifrig dar
auf bedacht, daß ſein Herr an ſeinem Leben und an ſeiner
Gütern keinen Schaden leide.

Gegen Wölfe, Füchſe und Marder, und andere Raub
thiere iſt er eben ſo wütend, als gegen Diebe und Räuber
Er fält ſie hizig an, beißt und verwundet ſie, und jagt ihnen
das wieder ab, was ſie rauben wolten. Zufrieden nun mi
ſeinem erkämpften Sieg, legt er ſich ruhig auf die abgejagt
Beute nieder, und erwartet begierig die Ankunft ſeines Herrn

Und welch trefliche Dienſte leiſten die Hunde nicht au
ben Reiſen? Ein einziger Hund iſt da oft beſſer, als zeh
Bediente. Er läſt Niemand zum Gepäke, Niemand in bi
Zimmer, Niemand zu ſeinem Herrn, und gibt auf alles ſeh
genau acht, was ſein Herr bei ſich hat.

Wolt ihr ein Beiſpiel von einem treuen Hunde hören
Wohlan: Ein gewiſſer franzöſiſcher Kaufmann reiſte einſt z
Pferd, in Geſelſchaft ſeines Hundes aus, um irgendwo für
hundert Thaler einzukaſſiren. Er kam glüklich an dem beſtim
ten Ort an, und empfieng auch ſogleich ſein Geld, und the
es, nachdem er es ſorgfältig gezählt hatte, in einen Beute
pakte dieſen auf ſein Pferd, ſtieg mit vergnügtem Geſicht
auf, und rit wieder nach Hauſſe.

Sein Hund nahm an ſeinem Vergnügen Antheil,
ſprang um ihn herum, und ſchnapte mit ofnem Maule na
ihm zu, gleich als ob er ihm zu ſeiner guten Reiſe Glu
wünſchen wolte. Ohngefähr auf dem halben Wege muſte
abſteigen, er band daher ſein Pferd an einen Baum, und b
gab ſich hinter eine Hekke, wo er ſich eine Zeitlang verweilt

ur

und seinen Geldsak neben sich niedersezte. — Nun stieg er wieder zu Pferde, und rit ohne seinen Geldbeutel wieder fort.

Allein sein aufmerksamer Hund, der alle seine Bewegungen beobachtet hatte, und ihm auf jedem Schritte nachgefolgt war, und seine Vergessenheit und Zerstreuung merkte, lief nach dem Geldsak, und versuchte, ihn aufzuheben, oder mit den Zähnen fortzuschleppen; da er ihm aber viel zu schwer war, lief er zu seinem Herrn, und klammerte sich an seine Kleider an, um ihn zu verhindern, aufs Pferd zu steigen; er schrie, er winselte, er bis; sein Herr aber gab nicht Achtung drauf, sties ihn zurük, und rit fort.

Der gute treue Hund konte und wolte nicht zugeben, daß der Geldbeutel zurük bleiben solte, er legte sich daher vorn vor dem Pferde nieder, um es zu verhindern, weiter zu gehen, er belte in einem fort, und wurde ganz heiser, und fiel endlich das Pferd selbst an, und bis es an fünf bis sechs verschiednen Stellen.

Der Kaufmann war entsezlich bös auf seinen Hund, und furchte gar, er sey tol geworden. — Und wie sehr erschrak er nicht, da er durch ein Wasser rit, und sein Hund fast Othemlos neben ihm her sprang, immer belte und bis, und doch izt nicht trank — Himmel, rief er, mein Getreuer Hund ist tol! O Unglük — Ich mus ihn töben — Denn wenn er jemand anfiele und bisse — Das arme Thier — Ein Thier sol ich mit meiner eignen Hand töben, das mir so lieb, mir so getreu war — Ja, ja es mus seyn, denn wenn ich noch lange zaudere, könt er gar mich selbst anfallen und beissen — Muthig also!

Nun

Nun zog der ängstliche Kaufmann seine Pistole heraus, zielte, und drükte mit weggewanten Augen los — Der Hund fiel, und indem er zappelte, kroch er mit seiner tödlichen Wunde auf seinen Herrn zu, und schien ihm seine Undankbarkeit vorwerffen zu wollen. — Der Kaufmann entfernte sich plözlich, sah aber doch noch einmal um, und siehe, sein armer Hund wedelte mit dem Schwanz, da er ihn sah, gleich als wenn er ihm noch das lezte Lebewohl sagen wolte.

Sehr traurig gab er seinem Pferd den Sporn, hielt aber bald wieder stil, dachte nach, ob wohl dem armen Thier noch zu helffen seyn möchte? Allein die Furcht, er sey tol, und könte ihn beissen, überwand ihn, und er rit weiter.

Das Bild seines sterbenden Hundes schwebte ihm immer vor Augen, er ward immer betrübter, und hätte weis nicht was gegeben, wenn er noch lebte. Mehr als hundertmal verwünschte er seine unglükliche Reise. — Nein unglüklich ist sie nicht, dacht er, ich hab ja mein Geld richtig eingehoben; aber doch fatal, weil ich meinen armen Hund verlohren. Er grif nach seinem Geldsak, und ach, der war nicht da. Nun gingen ihm die Augen auf, er seufzte und sagte, gewis war bis die Ursache von dem Zorne und Geschrei meines unglüklichen Hundes. Die Stelle wuste er noch, wo er den Geldsak niedergelegt hatte. Er rit also in vollem Gallop zurük, ihn zu hohlen, und ärgerte sich erstaunlich über seine Nachlässigkeit und Grausamkeit.

Eine blutige Spur, die er auf dem Wege sah, brachte ihn vollends vor Betrübnis fast ganz ausser sich. Endlich kam er zu dem Busche — und da fand er den armen sterbenden Hund, der bis dahin gekrochen, und sich neben den

Geld-

Geldſak gelegt hatte, um wenigſtens das Eigenthum ſeines
Herrn noch ſo lange zu bewachen, als er lebe. Er wedelte
mit dem Schwanze, wie er ſeinen Herrn ſah, lekte ihm noch
einmal die Hand, und ſtarb.

Sind wohl alle Hunde ſo treu, und für ihre Herren
ſo eingenommen, wie dieſer arme unglükliche? Ja, ich glaube,
wenigſtens ſind es die meiſten. Hie und da gibts freilich
Hunde, die für Dikke und Fette kaum lauffen können, und
von ihren Herren oder Frauen nur zum Spas und Vergnü=
gen gefüttert werden. Die kleinen Schoßhündchen aber, die
Budelchen, Möpschen und Bologneſerhündchen nimt man ja
nicht zur Wache und Bedekkung mit auf die Reiſen; ſie wür=
den ſchlecht wegkommen, wenn ſie Tag und Nacht neben den
Pferden und Wagen her traben, und Diebe und Räuber, die
gewöhnlich groſſe Bullenbeiſſer bei ſich haben, wegjagen ſolten.

Ei ſagen Sie uns doch, wie vielerlei Sorten von Hun=
den es gibt? Denn daß die Hunde nicht einerlei Gröſſe, Lei=
besgeſtalt und Farbe haben, iſt uns gar wohl bekant. — Es
gibt Hirten= oder Schäferhunde, Spizer, Dachshunde, Bu=
del, Hühnerhunde, Wachtelhunde, Spürhunde, Windſpiele,
Bullenbeiſſer, Bärenbeiſſer, Doggen, Mezgerhunde, türkiſche
Hunde *) Mopſe und Bologneſerhündchen, und ſo weiter. —
Das Bologneſerhündchen iſt der kleinſte Hund, und der Bul=
lenbeiſſer der gröſte. Jenes iſt ſo klein, daß man es in die
Roktaſchen ſtekken kan; dieſer aber hat die Gröſſe eines klei=
nen Pferdes. — Auf der fünften Tafel, Figur ſieben und
wanzig iſt ein Schäferhund; und auf der ſiebenten Tafel,

Ee 5			Fi=

---

*) Diß ſind diejenigen Hunde, die in Kairo, und andern türkiſchen Städten
das Aas auf den Straßen wegfreſſen müſſen, ſiehe oben Seite 261.

Figur elf und zwölf sind zween Spür= oder Jagdhunde ab=
gebildet.

Hunde gibts in der ganzen Welt; aber wohl nirgends
so viel beieinander, als in Egipten, Grönland und Kamt=
schatka, und in der Hudsonsbai. — Die Grönländer haben
ganze Hundezuchten, und Heerden von etlich tauffenden bei=
einander, welche sie mit Moos, Muscheln und Fischen füt=
tern, um sie hernach zu fangen, und zu schlachten, und ih=
re Felle zu Betdekken zu gebrauchen.

Auch vor die Schlitten kan man sie spannen, wie die
Kamtschadalen, und Hudsonsbai=Einwohner und Grönländer
thun. Vier, sechs, acht bis zehn Hunde spannen sie gewöhn=
lich vor einen Schlitten, auf welchem fünf bis sechs See=
hunde, und auch noch ein oder zween Grönländer liegen.
Auch auf Besuche fahren sie mit ihren Hunden aus. In
Kamtschatka kostet eine Kuppel von vier guten Hunden sieb=
zehn Thaler; und mit dem ganzen Geschirre drei und zwan=
zig Thaler. *)

Die Hunde in den nördlichten Gegenden, und vorzüg=
lich die in Grönland können nicht bellen, sondern nur mu=
ren, und ein wenig heulen. **) Auch die Hunde in den sehr
heiffen Ländern der Welt, sollen nicht bellen können, wie die
Reisebeschreiber melden. Und ein gewisser Reisebeschreiber ***)
er=

---

*) Siehe Kraschenennikows Beschreibung von Kamtschatka Seite 238.

**) Siehe Hans Egede Beschreibung und Naturgeschichte von Grönland
Seite 87.

***) Herr Boßmann in seiner Reise nach Guinea Seite 282.

erzählt, daß die Schwarzen in Afrika glauben, wenn sie einen Hund sehen, der bellen kan, er könne auch reden.

In Asien und vorzüglich in Ostindien werden die Hunde ordentlich gemästet, und zu Markte gebracht; und oft kan man für einen einzigen grossen fetten Hund, zehn bis zwanzig Sklafen eintauschen. In Europa aber gebraucht man von den Hunden izt nichts mehr, als ihr Fel, und macht Schuhe, und sonst noch allerhand Dinge davon.

Die Hunde kommen blind auf die Welt, und ihre Augen öfnen sich erst nach neun Tagen. — Sie werffen gewöhnlich zweimal des Jahrs, vier, acht bis zwölf Junge, und werden, wenn ihnen nichts widriges begegnet, fünfzehn bis zwanzig Jahr alt. Man läst sie aber selten so alt wer= den, weil sie alsdenn der Wut oder dem Tolwerden sehr ausgesezt sind.

Wie oder wodurch werden denn die Hunde tol? Durch alzuwarmes Essen und Trinken; durch grosse Hize und Man= gel an Getränke; durch vermodertes Fleisch, und viele andere Dinge. — Und woran merkts man, daß ein Hund tol ist? Wenn er traurig ist, und wider seine Gewohnheit, die Ein= samkeit sucht, sich verkriecht, Fressen und Sauffen stehen läst, und mit herabhängenden Ohren und Schwanze schläfrig um= herschleicht, nicht mehr belt, sondern nur murt, und mit ei= nem heimtükischen Gram Thiere und Menschen anfält, doch seinem Herren izt noch nichts zu Leide thut, so ist seine Wuth nahe.

Fängt er aber an zu keuchen, seine Zunge aus seinem schäumenden Rachen hervorzustrekken, seinen eignen Herrn

zu

zu verkennen, und nach ihm, wie nach einem Fremden, heim=
tükkisch zu schnappen, Wasserscheu zu werden, unordentlich
zu gehen, taumelnd herumzuschleichen, ohnvermutet links
und rechts zu springen, und sich wütend auf alles zu stür=
zen, was ihm nahe kömt; sind seine Augen roth, wild
und trübe, und seine Zunge fast ganz blau geworden, so ist
er völlig tol, und lebt nur noch vier und zwanzig Stunden.

Schlägt man ihn nun nicht gleich tod, so werden alle
die Thiere und Menschen, die er beist, auch tol, und müs=
sen ohngefähr nach drei Tagen eines kläglichen Todes ster=
ben, wenn ihnen nicht bei Zeiten durch gute Medizin gehol=
fen wird. *) Man sagt im gemeinen Leben, wenn der
Hund Gras fresse, so regne es.

Der Fuchs

ist ein schlaues, ein listiges Thier. Was er nicht mit Ge=
walt und Stärke thun kan, das thut er mit List. Auch
in der Geduld übt er sich von Jugend auf, damit er sich
nicht gleich, bei einem mislungnen Streich, ins Unglük
stürze, und von Menschen oder Thieren erdrosselt werde.

Fuchs rede! Sag deine ganze Geschichte, nebst allen
deinen listigen Streichen selbst her. Doch lüge nicht mit
unter. Mährchen darfst allenfals wohl mit anbringen. Wie
                                                    gern

---

*) Ein sicheres Mittel wider den Biß eines tollen Hundes hat das Berlinische
   Collegium medicum im Jahr 1777 öffentlich bekant machen lassen. Das
   ganze Recept, nebst der Art, wie man es verfertigen sol, steht im Han=
   növerschen Magazin vom Jahr 1777 im 67 Stük. — Im 18 Stük eben
   dieses Magazins, vom Jahr 1778 aber hat ein gewisser Arzt allerhand
   gegen dieses Recept erinnert, und dagegen von andern sichern Mitteln
   gegen diß Uibel geredet.

gern hört man nicht das Mährchen, daß du mit deinem
Schwanze Krebse fangeſt? Was? Dis ſol ein Mährchen ſeyn?
Ho ho, es iſt reine Wahrheit. Ich wils Ihnen nachher
ſchon ſagen, wie ichs mache, wenn ich Krebse fange.

Ich Meiſter Fuchs bin ſo gros, als ein mittelmäſſiger
Schäferhund — ſehe auch ſonſt dieſem Hunde faſt ganz ähn=
lich — habe roth gelbe Haare — Doch gibts auch graue, weiſſe
und ſchwarze Füchſe — und einen langen zottichten Schwanz,
wohne in allen nördlichen Gegenden der Welt, in Höhlen
unter der Erde, freſſe Hühner und Tauben, Gänſe und En=
ten, und was ich ſonſt noch von Geflügel erwiſchen kan,
Haſen und Kaninchen, Eier und Käſe und Milch und
Butter.

Hab ich aber alle dieſe guten Biſſen nicht, ſo nehm
ich auch mit Ratten und Mäuſſen, Schlangen und Eidexen
und Kröten vorlieb. Ach und wie gern freſſe ich nicht Ho=
nig und Weintrauben! Den Honig raub ich den Bienen eben
ſowohl, als den Wespen und Hummeln, und achte gar nicht
drauf, wenn ſie mich auch gleich ganz jämmerlich zerſtechen.
Denn was thut man nicht, um eines guten Biſſens willen?

Fuchs, Fuchs, das iſt ein Märchen! O nein, das iſt
s nicht. Sie ſollens unten bei meiner Krebsfängerei erfah=
ren, wie ich dieſe ſchelmiſche Stecher abſchlachte.

Ich kan mir zwar, wenn ich wil, meine Wohnung an
der Gränze eines Waldes oder Gehölzes, und nahe bei den
Bauerhöfen ſelbſt graben; allein ich thu es nicht gern, weil
ich darüber zu viel Zeit verderbe, die ich doch zu Durchſtrei=
ung meiner Gegend viel beſſer anwenden kan. Ich jage
daher

daher lieber die Dachſe oder Kaninchen aus ihrem Loch heraus, und mach es ſodenn für mich und mein Weibchen
und meine Jungen zu rechte.

Mein Weibchen wirft mir alle Jahr vier bis ſechs
Junge, die ſie ein paar Wochen an ſich ſaugen läßt, und
ich nachher mit Tauben und Hühnern und Käſe, und was
ich ſonſt weiches den Bauern abzwakken kan, ſo lange
füttere, bis ſie gros und ſtark genug ſind, mit uns gemeinſchaftlich auf das Rauben auszugehen.

Ich ſchlage meine Wohnung deswegen gern nahe bei
Dörfern und Bauerhöfen auf, damit ich ſchon von ferne die
Hühner Gakken; die Hähne Krehen; die Gänſe Schnattern; und
das übrige Geflügel ſchreien hören kan. — Nur des Nachts
geh ich gewöhnlich aufs Rauben und Morden aus. Und dis
mach ich ſo: Erſt mach ich mir die nahen Dörfer, Maierhöfe
und abgelegnen Häuſſer genau bekant. Sodenn ſpür ich das
Federvieh darin aus. Hierauf merk ich mir diejenigen Höfe,
worin ich Hunde, und andere Bewegungen höre. Nun un-
terſuche ich die Mauern und Hekken, und andere bedekte
Oerter, wo ich am leichteſten durchkriechen, oder drüber weg-
ſpringen kan. Izt ſchleiche ich ganz langſam an den Ort
meiner Beſtimmung, ſeze über Zäune und Mauern, oder
krieche und grabe mich unter denſelben durch. Und endlich
breche ich in die Bauerhöfe ein, und erwürge alles, was
mir vorkömt.

Ach, wie gehts da nicht über die dummen Gänſe, und
über die armen Hühner her! Werde ich nun in meinem Be-
ruf nicht geſtöhrt, ſo würg und ſchlep ich ſo lange fort, bis
mir entweder der Anbruch des Tages, oder ein Geräuſch im
Haus

Haus eine Warnung gibt, mich davon zu machen, und für
dismal nicht wieder zu kommen, oder mich sehen zu lassen.
Und so trag ich oft in einer einzigen Nacht auf drei bis vier
Tage Fras genug zusammen — siehe Tafel neun, Figur
neunzehn.

Eben so mach ichs auch auf den Vogelheerden und
Donstrichen. Hat sich da ein Kramtsvogel, eine Schnepffe
oder sonst ein Vogel in einer Schlinge oder Leimruthe gefangen, so komme ich den Vogelstellern zuvor, und nehme
sie weg. — Auf dem freien Felde aber überfalle ich die Hasen in ihrem Lager, und jag ihnen auch zuweilen ein wenig nach. — Die Kaninchen such ich in ihren unterirdischen
Wohnungen auf; und die Rebhühner und Wachteln spür ich
auch mit leichter Mühe auf, und fresse Müter nebst Eiern
und Kindern weg.

Und das geht dir alles so ungestraft hin? O nein,
man verfolgt und quält mich entsezlich. Hunde und Jäger
und Bauern sind fast immer hinter mir her, und jagen und
verfolgen mich oft ganze Tage lang in einem fort. Man legt
mir Schlingen und Fallen, und schiest und prügelt mich zu
Tode. So lange ich zwar noch Kräfte und Othem habe zu
springen, lasse ich mich nicht so leicht gefangen nehmen.
Uiberfält man mich in meinem Bau, so grabe ich geschwind
einen andern Ausgang, und fliehe mit Weib und Kind davon, und betrüge den Jäger, der nun vergebens auf meinen
Pelz lauret.

Ist auch gleich meine ganze Höhle mit Fallen umgeben, und mir zur Flucht fast gar keine Hofnung mehr übrig,
so leide ich doch lieber den grausamsten Hunger, ehe ich mich

in

in den erſten vierzehn Tagen zum gefangenen ergebe, und verſuche alles mögliche noch zu entkommen. Hilft aber alles nichts, je nun, ſo iſts endlich einerlei, ob ich in meiner Höhle verhungere, oder in der Falle eines gewaltſamen Todes ſterbe. Ich klaffe und ſeufze erſt nicht, wenn man mich lebendig ergreift, und zu tode prügelt.

Ich lebe ohngefähr zwanzig Jahre, und laſſe mich nicht leicht zähmen. — Schlägt man mich des Winters tod, ſo gibt mein Balg trefliche Pelzkleider, und auch mein Schwanz thut dann allerhand Dienſte. Man ſtekt ihn in die Muffe, und hängt ihn um den Hals. Ermordet man mich aber des Sommers, ſo kan nur der Hutmacher meine Haare gebrauchen. — In vielen Gegenden iſt man auch mein Fleiſch.

Du haſt ganz recht ſchlauer Fuchs, dein Sommer-Balg iſt weit ſchlechter, als dein Winter = Balg. — Weiſt du auch wohl, was der Winter = Balg eines deiner ſchön-ſten ſchwarzen Kameräden in Norwegen, Lapland oder Sibirien koſtet? Nein. Wie viel denn? Dreiſſig bis vierzig, und einige Leute *) ſagen gar, ſechs hundert bis tauſſend Thaler. Ei das wär viel!

Sol ich nun meine Krebsfängerei erzählen, und Ihnen ſagen, wie ich auf einmal zwei bis dreihundert Wespen oder Bienen tod mache, und mich von allen meinen Flöhen reinige, ohne Schnauze noch Füſſe dazu nöthig zu haben? Fuchs ſey kein Nar! Wie ſol denn das zugehen? Du wirſt es doch
wohl

---

*) Herr Profeſſor Müller in Moſkau, in ſeiner Ruſſiſchen Geſchichte, im 3 Band, Seite 532 ꝛc.

wohl nicht mit dem Schwanz thun wollen? Doch, es könte seyn. Hören Sie einmal: Wenn mich die Flöhe alzusehr plagen, und ich sie gern alle auf einmal los seyn wil, so nehme ich ein Büschelchen Moos oder Heu, oder sonst so was in die Schnauze, geh sodenn rückwärts, doch sehr langsam, und almählig immer tiefer ins Wasser, damit meine Flöhe Zeit behalten, nach und nach an den Hals, und vom Hals auf den Kopf, und vom Kopf in die Schnauze, und von dieser endlich in das Büschelchen Moos oder Heu zu fliehen. Sind sie nun alle im Moos drin, so tauche ich plözlich ganz unter, und lasse es fallen, und siehe, so bin ich auf einmal aller dieser häslichen Peiniger los.

Während dieser Entflöhung nun geschiehts zuweilen, daß sich Krebse an meinen wollichten Schwanz so feste anklammern, daß ich sie dran hinschleppen kan, wohin ich wil. Ist das nicht lustig? — Oft krebse ich aber auch im Ernst, und stekke meinen Schwanz blos deswegen ins Wasser, damit ich die einfältigen Krebse — Die alles, was ihnen nahe kömt, mit ihren Scheren anfassen, und nicht wieder los lassen, es koste sie auch gleich ihre Scheren, oder gar ihr Leben — dran anhängen. Hängt nun eine Parthie dran, so geh ich aus dem Wasser raus, und fresse einen um den andern auf. — Und das sol man dir so auf dein Wort glauben? Ja sicher. Sie dürffen ja nur die Leute fragen, die mir schon oft zugesehn haben, wie die Jäger, Fischer und andere. *)

Ffis

*) *Olaus Magnus* sah es, wie er in seiner histor. animal. Lib. 18. Cap. 40 sagt: vidi et ego in Scopulis Norvegiae vulpem, inter rupes immissa cauda

Bis ich aber ein Wespen= oder Bienenneſt erobern
und mich im Honig ſat freſſen kan, mus ich erſt alle Weſ=
pen und Bienen die drin ſind, tod machen — Und das mac
ich ſo: Ich ſtekke meinen Schwanz in das Neſt hinein, ode
leg ihn wenigſtens ſo lang vors Loch, bis er voller Wespe
oder Bienen ſizt. Nun geh ich geſchwind fort, und ſchla
ihn ſamt den Wespen gegen einen Baum oder Stein, un
freſſe alle, die tod zur Erde fallen auf. Dis mach ich nu
zwei, drei bis viermal ſo, bis das Neſt von Einwohner
völlig leer iſt, und ich ohne Gefahr den Honig ſamt de
Zellen aufſchmauſſen kan.

Zuweilen leg ich mich auch auf die Erde, ſtrekke all
viere von mir, halt den Othem zurük, und ſtelle mich tod
Wenn mich nun ein Raubvogel für ein Aas hält, und kömt
und mich anhakken wil, ſo erhaſch und erwürg ich ihn. —
Verfolgt mich ein Hund alzulang, ſo piſſe ich auf meine
Schwanz, und ſchleudre ihm den Pis in die Augen, daß
nicht mehr gut ſehen kan, und nun zurük bleiben mus.

Der Fuchs mus alſo mit Liſt und Geduld ſeinen Rau
zu erhaſchen ſuchen, weil er klein und ſchwach iſt; der fürc
terliche

Wolf

hingegen kan ſeinen Fras mit Liſt oder mit Gewalt anpakke
weil er gröſſer und ſtärker iſt, und ſich auch vor groſſen Thi
re

---

sauda in aquas, plures educere cancros, ac demum devorare. Die
leichtgläubige Mann erzählt in dieſem vierzigſten, und vorzüglich i
neun und dreiſſigſten Kapitel, alle hier genante, und noch mehr a
dere liſtige Streiche des Fuchſes.

ren, und selbst vor Menschen nicht fürchtet, ja sogar in seinem Heißhunger die Menschen anfält, und Kinder, und Weiber und Männer zerreist und frist.

Wie gros ist er denn? So gros, wie ein Mezgerhund, dem er auch sonst fast ganz gleicht — Siehe Tafel acht, Figur sechs und zwanzig. — Er wohnt fast in der ganzen Welt, hat röthliche Haare — doch gibt es auch völlig weisse, und ganz schwarze Wölfe — wirft alle Jahr vier bis sieben Junge, und lebt zwanzig bis fünf und zwanzig Jahr.

Weil er ganz ohnersätlich nach Fleisch ist, und Menschen und Vieh erwürgt, und selbst die Leuchen ausschart, so hat man ihm mit Recht in Europa einen beständigen Krieg angekündigt, und sogar einen Preis auf seinen Kopf gesezt, damit er nach und nach ganz ausgerottet, oder doch genöthiget werde, seine Wohnung in den wenig oder gar nicht bewohnten Gegenden von Asia, Afrika und Amerika zu nehmen. In Grosbritannien, Irland und Teutschland gibts schon lange keinen Wolf mehr; die Norweger aber werden noch sehr von ihm geängstiget.

Den Tag über hält er sich gewöhnlich in den Wäldern zwischen dikken Gebüschen auf, des Nachts aber kömt er zum Vorschein, und fält Schafe und Ziegen und Schweine an, und schont selbst, wie gesagt, die Menschen nicht, nimmt Kinder weg, erwürgt Weiber, und zerfleischt Männer. Hat er aber Schafe und Ziegen und Rehbökke genug, ja dann thut er den Menschen nichts zu Leide, sondern flühet sogar vor ihnen.

Wenn er auf Beute ausgeht, so richtet er sich ganz genau nach der Witterung oder nach dem Geruch, den ihm

der Wind von denjenigen Thieren, die er aufsucht, entgegen
führt. Blindlings läuft er nie im Walde, oder im Felde,
oder um die Wohnungen der Menschen, oder um die Schaf=
ställe herum. Sein Geruch ist so fein, daß er weis, ob ein
Schaf fern, oder nahe sey; ob es fliehe, oder irgendwo ru=
hig size. Und nach dieser Einsicht bestimt er seinen Gang,
und schleicht entweder, um es zu erhaschen, oder es einzuho=
len. — Unterwegs mögen ihm Hamster, Mäusse oder Frösche
begegnen, er verachtet sie, läst sie lauffen, und eilt seinem
grössern und bessern Bissen, dem Schaf, der Ziege, oder
dem Rehbok zu.

Kan er über ein Thier allein nicht Herr werden, so
mus ihm sein Weibchen helfen. Der Wolf jagt hier, und
die Wolfin dort, und so fält endlich der keuchende Rehbok in
ihre Klauen. — Haben sie es aber mit einem Ochsen oder
Bullenbeisser, oder mit einem andern grossen Thier zu thun,
so rufen sie noch mehr Wölfe zusammen, und gehen gemein=
schaftlich auf den Feind los. Ist er besiegt, so geht jeder
wieder seines Wegs.

Kan der Wolf einer Ziege nicht beikommen, so legt er
sich bei einem Gebüsch ins Gras, und wartet, bis sie kömt.
Ist sie da, und wil Laub oder Blätter abfressen; so erhascht
und erwürgt er sie. — Auch Kälber und junge Pferde fält
er auf diese Weise an. Ist die Ziege, oder das Schaf aber
eingespert, so schart er sich ein Loch in den Stal, und holt
sie heraus.

Wil er aber eine ganze Schaf=Heerde anfallen, so
macht ers so: Er stelt seine Wolfin vor den Hund, damit
sie ihn von der Heerde ablokke, und sich von ihm verstelter

Weise

Weise verfolgen lasse. Ist der Hund von seiner Heerde weg, so raubt der Wolf geschwind ein Schaf, nimt es in seinen Rachen, und läuft damit so hastig davon, daß ihn der Schäfer nicht einholen kan, wenn er auch gleich beherzt genug wäre und wolte.

Wo also der Wolf wohnt, da ists nicht gut Schäfer seyn. Man gräbt ihm zwar Gruben, schiest und hezt Hunde nach ihm, allein häuffig vergebens. Und der gute Hirt mus oft mit Betrübnis ansehen, wie er ihm fast vor seinen Augen ein Lam geraubt hat. Mit Feuer kan man ihn von sich und der Heerde abhalten. Es tragen deswegen die Reisende und auch die Schäfer in denjenigen Ländern, worin es Wölfe gibt, immer Stahl und Stein bei sich, um sogleich, wenn sie einen Wolf erblikken oder heulen hören, Feuer schlagen zu können. Kömt er aber doch auf sie los, so müssen sie froh seyn, wenn er stat ihrer ein Schaf anfält, oder einen Rehbok erwürgt.

Denkt einmal, in Afrika geht der Wolf gar mit dem Löwen auf den Raub aus. Ein gewisser Reisebeschreiber *) sagt, daß er oft Wölfe neben den brüllenden Löwen habe heulen hören. Und daß sie auch miteinander gemeinschaftlich stehlen, hab er mit Todes=Angst leider selbst erfahren. Denn da er einst in einer Negerhütte über Nacht gewesen, sey ein Wolf und ein Löwe, da er sich eben habe niederlegen wollen, ganz hastig auf die Hütte zugerast. Kaum waren die fürchterlichen Gäste da, so bäumten sie sich in die Höhe, sprangen mit dem Vorderleib auf das hölzerne Dach, wo Fische zum troknen lagen, und langten jeder einen herunter. Wie sie

Ff 3   die

---

*) Herr Adanson in seiner Senegalischen Reise, Brandenburg 1773, Seite 174.

die hatten, giengen sie in der Stille und ganz friedlich wieder fort. — Waren das nicht zween bescheidne Diebe? Die Angst dieses Reisenden dauerte also nur etliche Augenblikke, denn selbige Nacht kamen sie nicht wieder.

Die Wolfsbälke geben Pferdedekken, Wildschuren, Muffe und allerhand andere wärmende Kleider. Ihr Fleisch schmekt schlecht, und wird doch hie und da in der Welt gegessen. Ihre Zähne werden an lange hölzerne Stiele gestekt, und von Goldschmiden, Kupferstechern, Vergoldern und Buchbindern zum Glätten gebraucht. Auch in Silber fast man die Wolfszähne häuffig ein, und hängt sie kleinen Kindern um den Hals, oder gibt sie ihnen in die Hand, damit sie, wenn sie Zahnen, ihr Zahnfleisch daran reiben, und also die Zähne desto leichter durchbrechen können.

Der Jakal

oder Goldwolf *) ist so gros, als ein Fuchs, hat gelbroth Haare, wohnt in Afrika und der Levante, frist kleine Thiere und wenn ers haben kan, auch kleine Kinder, und sonst noch allerhand Dinge, und sol dasjenige Thier seyn, mi dem der Simson die Philister gezüchtigt hat. Denn die Ja kals lauffen Trupweis herum, und da war es also dem Simson leicht, in kurzer Zeit drei hundert Stük zu fangen Schwanz an Schwanz zu knipffen, und sie so mit darzwi schen gestekten und angezündeten Strohbündeln, auf di Kornfelder der Philister lauffen zu lassen, und ihnen in we

nt

*) Aureus Canis seu Lupus Linnaei. — Und Jakal wird er in der Levant genänt.

nig Stunden, ihr Korn nebst Weinreben, Oel und Man=
delbäumen anzuzünden und zu verbrennen.

Die Hiäne

Ist eins der fürchterlichsten Thiere in der Welt. Sie ist viel
wütender als der Wolf, fürchtet sich vor dem Tiger und
Leopard nicht, und wehrt sich sogar gegen den Löwen, und
geht, sowohl bei Tag, als bei Nacht auf den Raub aus.

Und was frist sie? Junge Baumwurzen, Menschen
und Thiere; Schaf= und Menschenfleisch aber sind ihre besten
Lekkerbissen. Hat sie sich einmal damit dik und sat gefressen,
so gnade Gott derjenigen Gegend, worin sie sich aufhält,
denn in kurzer Zeit wird sie grosse Schafheerden, und eine
Menge Menschen zusammen würgen, und des Mordens nicht
eher ein Ende machen, als bis sie darin nichts lebendiges
mehr sieht oder hört. Auch Leichnahme frist sie sehr gerne.
Sie sucht deswegen Todenbehältnisse und Gräber auf, und
schart und gräbt die Erde mit ihren Füssen auf, und zieht
den Schlachtfeldern nach, wo die erschlagenen Menschen, ent=
weder gar nicht begraben, oder doch nur mit wenig Erde
bedekt worden sind.

Afrika und das wärmere Asia ist der Hiäne Vaterland.
Sie ist merklich höher, als der Wolf, aber nicht so lang,
hat braungelbe Haare, lange kahle Ohren, ein stumpfes Maul,
hält sich in Felsen = Löchern, und in Gruben unter der Erden
auf, und lebt zwanzig bis dreissig Jahre. — Siehe Tafel
zehn, Figur zehn.

Sie

Das Thierreich; Von den Säugthieren.

Sie geht fast immer mit niederhängendem Kopf, und muß sich, wenn sie seitwärts oder hinter sich sehen wil, mit dem ganzen Leibe wenden, wie das Schwein und das Krokodil, weil sie einen sehr steiffen Hals hat. — Hungern und springen kan sie ganz erstaunlich lang. Und eben deswegen ist es auch sehr schwer und gefährlich sie zu verfolgen. Man hat Beispiele, daß oft ein paar hundert Bauren mit Prügeln Steinen und vielen Hunden auf eine einzige Hiäne losgegangen, und sie doch nicht haben bekommen können. Selbst bewafnete Jäger und Soldaten ziehen manchmal vergebens gegen sie zu Felde.

Das Hiänenfleisch schmekt schlecht, und der Balg taugt auch nicht viel. — Zähmen kan man keine Hiäne, wenn man sie auch gleich jung aufzieht, und schlägt und liebkost und fasten läst. — Es werden selten lebendige Hiänen nach Teutschland gebracht. *)

Bären

gibts zweierlei, Landbären und Wasserbären. — Die Landbären leben und wohnen immer auf dem Lande; die Wasser oder weisse Bären hingegen halten sich mehr im Wasser und auf dem Eis, als auf dem Lande auf. Es sind zwei ganz verschiedene Thiere, sowohl in der Bildung, als auch in der Lebensart. — Auf der achten Tafel sind zween schwarze; und auf der elften ist ein weisser Bär abgebildet.

Der

*) Im leztern Jahr war eine fast ganz ausgewachsene hier in Göttingen und vermuthlich vor und nachher auch in mehrern Orten von Teutschland zu sehen gewesen. Ich hielt sie gleich beim ersten Anblik für die verrufne Hiäne — denn ihre Stellung, ihr Blik und ihr ganzer Bau verrieth ein heimtükkisches Wesen, und eine schrekliche Mordbegierde.

Der **Landbär** ist ein träges brummichtes Thier, hat schwarz zottichte oder rothlicht braune Haare, breite Fußsohlen, oder Tazen, einen kurzen Schwanz, steigt gern auf Bäume, frißt Honig und Milch, Getraide und Obst, und allerhand kleine Thiere, und fält auch, wenn er geschlagen oder sonst böse gemacht worden ist, Menschen an, und zerreißt oder verwundet sie tödlich, wird zwanzig bis fünf und zwanzig Jahr alt, und bringt alle Jahr drei bis fünf Junge zur Welt.

Preussen, Polen und Rußland, und alle nördliche Länder von Europa, Asia und Amerika sind sein Vaterland. Und ehedem gabs auch im gelobten Lande, in Afrika, und selbst in unserm Teutschland welche. — Im gelobten Lande zerrissen ja einst ein paar Bären zwei und vierzig muthwillige Knaben, die des Propheten Elisä wegen seines kahlen Kopfes spotteten. — Die alten Römer liessen zu ihren Schauspielen Bären aus Libien in Afrika kommen. — Und haben nicht die alten Teutschen ganze Tage lang auf den Bärenhäuten geschlaffen und gefaullenzt? Daher nent man auch, vermutlich seit dieser Zeit, einen trägen faulen Menschen, einen **Bärenhäuter.**

Des Winters schläft er, aus Mangel der Nahrung, sechs bis vierzehn Wochen in einem fort, je nachdem es da, wo er wohnt, kält oder warm, und der Winter lang, oder kurz ist. Aber so star, wie das Murmelthier, wird er nicht. Sein Lager hat er meist immer auf dikken, zwanzig bis dreissig Ellen hohen Bäumen, doch zuweilen auch unter Baumwurzen und Gebüschen. Und damit er weich und trokken liege, macht er sich ein Bet von Laub und Moos, und

dekt

dekt es oben, um gegen den Regen gesichert zu seyn, mit Reisern, Moos und Kräutern zu.

Auf die Bäume kan er ziemlich geschwind klettern, und auch ganz gut darauf herum lauffen. Und wenn er die Früchte nicht gleich alle erwischen kan, so sezt er sich auf einen Ast, als wenn er darauf reiten wolte, hält sich mit einer Vordertaze fest, und zieht mit der andern die Zweige samt der Frucht an sich, und pflikt sie mit dem Maul ab. — Wie kömt er aber von den Bäumen wieder herunter? Er umarmt den Baum, und steigt so ganz langsam hinter sich herab; oder er rolt sich zusammen, und stürzt sich herunter.

Die Stimme der Bären ist ein dumpfichtes Gebrum, und ein grobes Gemurmel. — Wenn sie noch jung sind, lassen sie sich zum Tanzen und Trommelschlagen, und zu vielen andern possierlichen Dingen abrichten. Ich wette, wer die zween Bären auf unserer achten Tafel ansieht, denkt an Gellerts Tanzbäre.

> Ein Bär, der lange Zeit sein Brodt ertanzen müssen,
> Entran, und wählte sich den ersten Aufenthalt.
> Die Bären grüsten ihn mit brüderlichen Küssen,
> Und brumten freudig durch den Wald.
> Und wo ein Bär den andern sah:
> So hies es: Pez ist wieder da!
> Der Bär erzählte drauf; was er in fremden Landen
> Für Abentheuer ausgestanden,
> Was er gesehn, gehört, gethan!
> Und fieng, da er vom Tanzen redte,
> Als gieng er noch an seiner Kette,
> Auf polnisch schön zu tanzen an.

Die

Die Brüder, die ihn tanzen sahn,
Bewunderten die Wendung seiner Glieder,
Und gleich versuchten es die Brüder.
Allein an stat, wie er, zu gehn,
So konten sie kaum aufrecht stehn,
Und mancher fiel die Länge lang danieder.
Um desto mehr ließ sich der Tänzer sehn.
Doch seine Kunst verdroß den ganzen Haufen.
Fort, schrien alle, fort mit dir!
Du Nar wilst klüger seyn, als wir?
Man zwang den Pez, davon zu laufen.

Die Polaken fangen die Bären mit Honig, den sie mit Brandwein vermischt haben. Denn wenn dis ein Bär etliche Minuten im Leibe hat, so wird er taumelnd, und kan ohne Lebensgefahr gefängen, und angebunden werden. — Es gibt Bären, die so gros sind, als ein kleiner Ochse. — Und hie und da sind man auch ganz weisse Landbären.

Das Bärenfleisch schmekt gut, und wird fast allenthalben, vorzüglich aber seine Tazen und Schinken, mit Appetit gegessen. — Die schwarzen Bären-Pelze geben Pferdedekken und Muffe, und allerhand andere warme Kleidungsstükke.

Der Wasser- oder weisse Bär ist viel grösser, als der Landbär, und oft so gros, als ein Ochse. Er hat lange weisse Haare, und sieht einem Schäfer-Hunde sehr viel ähnlich — siehe Tafel elf, Figur zwei und zwanzig. — Sein Aufenthalt ist Grönland, Spizbergen und das benachbarte Eismeer, und sein Fras besteht in Vögeln und Fischen, toden Seehunden und Walfischaas. — Er ist listiger und geschwinder, ber, als der Landbär, springt ins Meer, schwimt und taucht unter, und wehrt sich gegen die Menschen, und versezt ihnen oft tödliche Wunden.

Die weissen Bären halten streng zusammen. Wenn einer in Gefahr ist, so kömt ihm gleich der andere zu Hülffe. Der Alte eilt dem Jungen, und der Junge dem Alten zu Hülffe, und beide lassen sich ehe mit einander todschlagen, ehe sie fliehen. — Die Walfischjäger machen sich Pelzrökke aus ihrem Balg, und der Grönländer ißt auch sein Fleisch.

Von den Thieren mit einem einzigen ohngespaltnem Hufe, als Pferden, Eseln und Zebra reden wir nun in der vierten Ordnung.

Das Pferd

gleich gesattelt! Flenk flenk, ich reite aus! — Oder sol ich lieber ausfahren, liebe Kinder, und euch mitnehmen? — Gut, so fahren wir also aus. Vier rasche Schimmel, dächte ich, solten unser sieben doch wohl wegziehen können? Ihr fürchtet euch doch für den Schimmeln nicht? Sol ich lieber Rappen oder Füchse oder Braune anspannen lassen? O nein! Pferd ist Pferd, es sey schwarz oder weis, braun oder roth, wenn es nur zahm und gut abgerichtet ist, nicht bei jeder Kleinigkeit stuzig und scheu wird, oder gar mit Sak und Pak auszieht. Und das thun doch wohl unsere hiesigen Pferde nicht? Nein unsere hiesigen Pferde sind meist alle from und gut abgerichtet, und lassen sich mit Gebiß, Sporn und Leitseilen regieren und leiten, wohin man wil. Böse wilde Pferde aber, die beissen, hinten und vornen hinausschlagen, sich in die Höhe heben oder bäumen, sich nicht sätteln und angschiren, und

kein

kein Gebis ins Maul legen laſſen; oder faule, die man faſt
tod ſchlagen mus, ehe ſie von der Stelle gehen, nehmen
wir nicht.

Ihr wiſſet doch, was Gebis iſt? O ja, eine eiſerne
Stange, die den Pferden ins Maul gelegt, und an Riemen
oder Strikken, die man Halfter nent, angeknipft wird. Auch
der Zaum wird an die Stange geknipft. — Gebis und Sporn
ſind bloſe Zwangsmittel; das erſte, um die Pferde zu ab=
gemeſnen; die leztern, um ſie zu hurtigern Bewegungen zu
nöthigen. Ihr Maul iſt ſehr empfindlich. Daher die kleinſte
Bewegung, der kleinſte Druk des Gebiſes hinlänglich iſt, ſie
nach unſerm Willen zu lenken.

Wozu die Pferde alſo nüzen, und wie ſie ausſehen,
wiſſen wir. — Nicht wahr, es ſind ſchöne, nüzliche und
geduldige Thiere? Sie laſſen auf ſich reiten, ſich in Karren
und Wagen, in Kutſchen und für den Pflug ſpannen, tra=
gen und ziehen ihre Herren über Berg und Thal weg, und
durch Feuer und Waſſer durch, haben ſchöne Halshaare oder
Mähnen, ſchöne lange Schweife oder Schwänze, am Ende
der Füſſe hornartige Hufe, die man ihnen mit Eiſen be=
ſchlägt, damit ſie deſto beſſer auf den Steinen lauffen kön=
nen, freſſen Haber und Heu, Gras und Brod, volen oder
werffen alle Jahr Ein Junges, und werden fünf und zwän=
zig bis dreiſſig Jahre alt.

Pferde gibts viele in der Welt, und bis vorzüglich in
Europa. Wie viele tauſſend Pferde gibts nur in Teutſch=
land? Arabien aber und die Barbarei hat die beſten Pferde
in der Welt. Ein Marokkaniſches oder Arabiſches Pferd ko=
ſtet

stet oft tauffend und mehr Thaler. *) Auch die Englischen
Pferde sind schön und dauerhaft, und wegen ihres schnellen
Lauffens und Wetrennens recht sehr berühmt. — Denn den
Weg, den wir in einer halben Stunde gehen, legt das Eng-
lische Renpferd in einer Minute zurük. Nach den Englischen
Pferden sind die Spanischen und die Napolitanischen die besten.

     Zahme Pferde gibts fast in der ganzen Welt, wilde
aber nur hie und da in Asia und Amerika. Die zahmen
sind meist alle schön und gros und wohl gebaut, und zu
allerhand Dingen nützlich; die wilden hingegen sind klein und
häslich und sehr schwer zu bändigen. Doch sind sie nicht
grausam, und den Menschen gefährlich, sondern stehen vielmehr stille, so bald sie einen Menschen erblikken; und eilen
plözlich zurük, wenn ihr Anführer flüht. In Sina gibts
viele wilde Pferde, und auf der Insel Sankt Dominique in
Amerika, kan man oft fünf hundert Stük mit einander herum schweifen sehen. Sommer und Winter, Tag und Nacht
leben und wohnen sie, ohne von Menschen gefüttert und gepflegt zu werden, in Feldern und Wäldern. Wer also eins
von ihnen haben wil, der muß sich eins fangen, und es zahm
machen

                           Die

---

*) Die Reinigkeit der Pferdegeschichte ist bei den Marokkanern und Arabern
ein so wichtiger Artikel, daß eine Stute vom ersten Rang nicht ohne
die Gegenwart glaubwürdiger Zeugen belegt werden darf. Diese müssen
hernach in Gegenwart eines Sekretärs, ein unterschriebnes und besie-
geltes Zeugnis ausstellen, worin der Name des Hengstes und der Stute,
und beiderseits Ahnenregister aufgezeichnet wird. So bald nun das edle
Füllen zur Welt kömt, werden von neuem Zeugen herbei geruffen, und
ein anderes Zeugnis ausgefertiget, worin eine genaue Beschreibung des
neugebornen Füllens, und eine richtige Anzeige des Tages seiner Geburt
enthalten ist. Diese Briefe bezeugen den hohen Werth solcher Pferde,
und müssen den Käuffern allemal übergeben werden.

Die Pferde können Schrit vor Schrit lauffen; oder troten, oder galopiren. Einige gehen auch den Pas, welches das Mittel zwischen Lauffen und Troten ist. — Das Geschrei der Pferde nent man Wiehern. — Die Männchen heissen Hengste, und die Weibchen Stuten. Und denn gibts auch noch Pferde, die man Walachen nent. *)

Auch Brod fressen also die Pferde? Ei das ist ja recht gut! So können sie doch gleich mit ihren Herren schmaussen, und manchmal gar Butterbrode von ihnen kriegen. Bei Leibe nicht! Fette Sachen darf man den Pferden nicht geben. Wenn das Wasser fet ist, so trinken sie es nicht; und werden ihnen ihre Zähne mit Butter oder sonst einem Fet beschmirt, so fressen sie nichts mehr, und hungern sich zu tode. — Die Pferde schlaffen höchstens drei bis vier Stunden alle Tage, und das gewöhnlich im Stehen.

Man kan das Pferdefleisch essen. Es schmekt ziemlich gut. Die Kalmükken essen fast nichts als Pferdefleisch, trinken ihre Milch, und machen Butter und Käse und Brandwein daraus. Weil bei uns aber ein dikker fetter Ochse weniger kostet, als ein dikkes fettes Pferd, und noch dazu auch weit besser schmekt, so schlachten wir lieber einen Ochsen, und reiten und fahren mit dem Pferd.

Die langen Pferdehaare kan man zu vielen Sachen gebrauchen: Man macht Hals= und Armbänder, Siebe, Rin=

ge,

---

*) Vermutlich deswegen, weil die Walachen die ersten Europäer waren, die die Hengste zu verschneiden pflegten. — Hammel, Kapaun, Walach, Ochse, Kastrat — Und wie viele andere Thiere, Männchen und Weibchen, werden nicht verschnitten, um sie zu Zeugung ihres gleichen unfähig, zur Mästung aber fähiger zu machen?

ge, Knöpffe, Neze und Bogen zum Geigen daraus. Mit
den kürzern aber stopft man Sättel, Matrazen, Polster und
Stühle aus. Auch kan sie der Hutmacher zu Filzen, und
der Parrükkenmacher zu Parrükken gebrauchen. — Die
Pferdehäute werden von Satlern und Riemern zu allerhand
Geschir= und Riemenwerk gebraucht. Und die Indianer ma=
chen sich Schläuche, Kannen und Flaschen daraus. Auch
Chagrin gibt sie. — Die Pferdehufe geben Kämme.

Der Esel,

Waldesel, Mülleresel, oder wie er sonst noch heist, ist lang
kein so schönes so muntres Thier, als das Pferd. Er ist viel
kleiner und träger, hat einen dikken häslichen Kopf, lange
Ohren, gelbrothe Haare — doch gibt es auch graue und
schwarze Esel — über den Rükken einen schwarzen Streif,
einen kurzen fast nakten Schwanz, und eine dikke fast un=
empfindliche Haut. Wie sehr kan man einen Esel nicht peit=
schen und prügeln, ehe ers fühlt und flenker geht?

Brauchbar aber ist der Esel doch; man kan ihn zum
Lasttragen und zum Ziehen, und im Nothfall auch zum Rei=
ten gebrauchen. In Italien und Spanien und in der Türkei,
und wo es sonst noch viele, aber auch etwas schönere Esel,
als bei uns gibt, reitet man häuffig auf Eseln. Sie gehen
sichrer und bequemer, als die Pferde, werden selten scheu,
stolpern fast nie, legen sich im Waffer, Drek oder Morast
nicht nieder, sondern weichen allem Drek vielmehr sorgfältig
aus, weil sie die Reinlichkeit gar sehr lieben; und können,
wenn man flenk auf sie losprügelt, traben und galopiren.

Weil

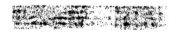

Weil fie aber doch viel langſamer, als die Pferde gehn,
ſehr klein ſind, und im Ernſt gar zu häslich ausſehen, und
es auch nun einmal für allemal nicht Mode bei uns iſt, auf
Eſeln herum zu reiten, ſo gebraucht man ſie nur zum Laſttragen. — Die Müller und andere Leute auf dem Lande; und
vorzüglich die Leute in bergichten Gegenden, halten deswegen
immer ſtat der Pferde Eſel, weil ſie über die ſteilſten Berge
und gefährlichſten Stege, wo man weder mit Karren noch
Wagen hinkommen kan, ſchwer belaſtet, ohne zu ſtürzen weglauffen, und dabei doch ſehr wolfeil zu unterhalten ſind,
denn ſie freſſen Neſſeln und Diſteln, und ſonſt noch allerhand
Unkraut, das Pferde, Ochſen und Schafe nicht mögen und
verachten, mit groſſem Appetit.

Getraide und Mehl, Obſt und Waſſer und was man
ſonſt nöthig hat, läſt man die Eſel über Berg und Thal zuſammen ſchleppen. Ein einziger Mann, und oft auch nur
ein Knabe von zehn Jahren kan mit ſechs ſchwer belaſteten
Eſeln über Berg und Thal ziehen, ohne daß ihm einer davon ſpringt, oder ſonſt einen Spektakel macht. Er treibt ſie
mit einem Knittel in der Hand, vor ſich her, prügelt auf
ſie los, und quält ſie oft für eine Handvol Neſſeln oder
Diſteln einen ganzen Tag; und die armen Thiere bleiben
dabei doch immer gehorſam und gedulbig.

Eſel gibts nicht ſo viele in der Welt, als Pferde; und
n kalten Gegenden gibts gar keine, weil ſie die Kälte nicht
rtragen können. — In Italien und Spanien, und in der
türkei gibts wohl die mehrſten Eſel. Und in Aſia, Afrika
nd Amerika ſind man auch wilde Eſel.

Der

Der Esel schläft täglich höchstens drei Stunden, bring
alle Jahr Ein Junges zur Welt, und wird zwanzig bis fün
und zwanzig Jahre alt, und schreut **hinham hinham.**

Aber alle Esel sind doch nicht klein und häslich?
Es gibt ja welche, die so gros sind, wie die Pferde, un
auch fast eben so aussehen? Richtig, mein Kind, di
Maulesel oder Maulthiere sind fast durch nichts, als durc
ihre lange Ohren von den Pferden unterschieden. Sie habe
fast eben die Farbe und Grösse, werden beschlagen, gesattel
und angeschirt, und zum Fahren und Reiten gebraucht.

Allein Esel bleibt halt Esel, er heiße nun Waldese
oder Maulesel. Und wenn der Maulesel auch gleich grösse
und besser ist, als der Waldesel, so ist er doch lange nich
so schön, so flenk und so munter, als das Pferd. — Sol
che Maulesel oder Maulthiere gibts noch weniger, als Wald
oder Mülleresel. *)

Ist man das Eselsfleisch? Ja, aber bei uns nicht
Es schmekt schlecht. Die Eselsmilch hingegen ist gut, un
wird bei uns häuffig getrunken. Sie dient vielen kränkliche
Leuten, und vorzüglich den Schwindsüchtigen. — Die Esels
haut gibt Siebe, und Trommeln und Pergament un
Schagrin.

De

---

*) Herr von Linné nent den Esel, der von einer Stute und einem Esel
equa et asino erzeugt worden ist, Asinum Mulum. — Hinnum hingeger
nent er den Esel, der eine Eselin Asinam zur Muter, und einen Heng
equum zum Vater gehabt hat. — Die von einem Waldesel und vo
einer Stute erzeugten Maulesel sind die stärksten.

Der Zebra

ist das schönste vierfüssige Thier in der Welt, denn er ist über den ganzen Leib, ganz vortreflich und sehr regelmässig, schwarzbraun, weis und strohfarbe gestreift. Uibrigens aber ist er fast eben so gros, und fast eben so gebildet, wie der Maulesel. Er hat einen dikken plumpen Kopf, lange Ohren und einen kurzen Schwanz, ist sehr wild und unbändig, und läuft entsezlich geschwind, und hält sich nur im heissesten Afrika auf, wohin fast keine Menschen kommen. Daher ist es auch kein Wunder, daß man selten einen lebendigen Zebra in Europa zu sehen bekömt.

In der fünften Ordnung erzählen wir einander die Geschichten der Ochsen, Schafe und Ziegen, der Kamele, Hirsche und Schweine, und aller andern Thiere, die gespaltene Klauen haben.

Ochsen,

Kühe und Kälber kent Jedermann, weil man sie fast alle Tage sieht, oder doch wenigstens sehen kan, wenn man wil, und von den Stätten, darin es keine Kühe gibt, in die benachbarten Dörfer geht. — Nicht wahr, Kinder, ihr kennet die Kühe sehr gut? O ja, auch die Ochsen und die Kälber! Wir haben sie ja schon oft in den Ställen beisammen stehen, die Kühe melken, und die Kälber saugen sehen. Frischgemolkne Milch ist warm und schneweis, und schmekt weit besser als diejenige Milch, die wir manchmal zu Kauf bekommen; denn wenn die Milch gelblicht oder bläulicht aussieht, so taugt sie nicht viel, oder gar nichts.

Habt

Habt ihr auch schon Buttern gesehen? O ja, wie man
Butter macht, wissen wir sehr gut. Sollen wirs Ihnen erzählen? Izt nicht, liebe Kinder, nachher aber könt ihrs thun,
wenn die Geschichte vom Ochsen und seiner Kuh zu End
ist. — Und dann sag ich euch auch gleich, wie man di
Käse macht.

Ach Käse! Sie meinen doch nicht die kleinen runde
Baurenkäse, deren man vier bis sechs für einen Groschen
kauft? Denn diese haben wir schon machen sehen. Warum nicht? Wer vom Käsmachen spricht, der mus von
kleinen und grossen, von theuren und wolfeilen, und wi
und wovon jede Sorte gemacht werde, was sagen. Und da
wil ich thun, so gut ichs kan — Habt also nur noch ei
wenig Geduld.

Ochsen, Küh und Kälber gibts in allen Theilen der Welt
Freilich aber gibts in einem Theil mehr, als in dem andern
je nachdem es darin wärmer oder kälter, oder mehr oder weniger angebaut und bewohnt ist. Grosse Hize können sie nich
ertragen. Sie lieben temperirte Luft, wie Europa hat. Welch
ungeheure Menge Ochsen und Kühe es daher in Europa gebe, könt ihr kaum glauben. Denkt einmal, nur allein di
Polen können alle Jahr funfzig bis sechzig taussend, und di
Ungern gar über hundert taussend Stük fette Ochsen austrei-
ben. Und wie viel taussend Stük verkauffen nicht jährlich
die Dänen, Schleswiger und Holsteiner, und andere teutsch
Landwirthe? Und lebt nicht fast die ganze Schweiz von ihre
Rindviehzucht?

Ihr wisset doch schon, daß man die ganze Ochsenfa-
milie Rindvieh, und ihr Fleisch Rindfleisch nent? —
Schlach

Schlachtet man ein Kalb in den erſten acht Wochen nach ſeiner Geburt, ſo nent man ſein Fleiſch nicht Rindfleiſch, ſondern Kalbfleiſch.

Faſt alles Rindvieh hat rothbraune Haare — Denn ganz ſchwarze und ganz weiſſe, oder ſchwarz, weis und rothgeflekte Kühe und Ochſen gibts wenige — am Kopfe zwei glatte runde Hörner, die vorwärts gebogen, und ſo krum, wie eine Sichel, oder wie ein halber Mond, und innen hohl ſind; und einen kurzen, unten büſchelichten Schwanz, wie der Eſel, um das Ungeziefer damit wegſcheuchen zu können; es friſt Gras, Heu und Stroh, und was es ſonſt noch esbares aus dem Pflanzenreich erwiſchen kan; und nüzt uns im Leben, und wenns geſchlachtet iſt, ungemein viel, ja es iſt ſogar, nebſt dem Schaf, das nüzlichſte Vieh für die Menſchen.

Denn der Ochſe zieht Wagen und Pflug, und ſcheint ſo recht für den Pflug, und überhaupt zum Zug beſtimt zu ſeyn. Laſttragen hingegen kan er nicht. Sein Miſt und ſo auch der Kuhmiſt, geben einen der beſten Dünger ab. — Und die Kuh verſieht uns mit Milch und Butter, mit Käſen und Kälbern, und läſt ſich im Nothfal auch vor den Pflug ſpannen, wie mancher arme Landmann thun mus, der mit ſeinen zwo Kühen und etlichen Ziegen Weib und Kind ernähren ſol.

Vor alten Zeiten war das Rindvieh nebſt den Schafen der ganze Reichthum der Menſchen. Abraham lebte von ſeinen Heerden, und Jacob auch. Und wurden beide nicht für reich, und für Fürſten ihres Volks gehalten? — Aber auch noch izt hält man dasjenige Land vorzüglich für reich und glüklich, das anſehnliche Viehzucht treibt. Wie vieles

Geld

Geld bleibt dadurch nicht im Lande, und komt nicht noch dadurch in ein Land? Wie viele tauffend Menschen genüssen darin nichts, als Milch und Butter und Käse, und leben, so zu sagen, fast ganz allein von ihrem Rindvieh?

Ein Land, das Viehzucht treibt, kan nicht leicht arm werden und Hunger leiden, ausser in dem Fal, wenn das Vieh krank wird und stirbt, und die leidige Rindvieh= oder Hornviehseuche, unter ihnen wütet. Aber ein jedes anderes Land mus sich für dem arm werden fürchten, wenn es auch gleich Bergwerke und Akkerbau, und sonst noch allerhand Güter hat.

Hat der Ochse sechs oder zehn, oder auch noch mehrere Jahre sein Brod an Pflug und Wagen verdient, so mästet und schlachtet man ihn nun. Viele tauffend, ja die meisten Ochsen aber werden gar nicht an den Pflug oder Wagen gespant, und auch sonst zu keiner Arbeit gebraucht, sondern sogleich fet gemacht, so bald sie ausgewachsen sind. Die Kuh hingegen wird gewöhnlich zehn bis zwanzig Jahre gemolken, und dann erst noch gemästet und vor den Kopf geschlagen.

Das Kuhfleisch ist lange nicht so fet und so schmakhaft, als das Ochsenfleisch. Nicht wahr, man ist dis in Wasser abgesotten, in Gemüsen gekocht, und gebraten? Und vieles salzt oder bökelt man auch ein. Auch räuchert man vieles. Man ist seine Eingeweide *) und hie und da

auch

---

*) In England zieht man von dem Mastdarm der Ochsen das äusserste Häutchen ab, und verfertigt aus demselben die Formen, in welchen von den Goldschlägern Gold und Silber und Kupffer zu dünnen Blätchen geschlagen werden, um damit vergolden und versilbern zu können.

auch sein Blut. Sein hartes Fet Unschlit oder Talk gibt Seife und Lichter. Seine Haut gibt Leder zu Schuh = und Stiefelsohlen, zu Kutschenriemen, und Wasser = oder Feureimern, und izt macht man in England auch Tobakstosen daraus. Und die Russen verfertigen aus ihren Ochsenhäuten eine Art rothes wohlriechendes Leder, das sie Juften nennen.

Das Kuhleder ist dünner und schwächer, als das Ochsenleder, und wird von den Schuhmachern zu Oberleder bei Schuhen und Stiefeln der Akker = und Landleute, und von den Satlern zu Riemen und vielen andern Arbeiten gebraucht. Auch die Eingeweide der Kuh ißt man, und ihr Talk gibt auch Seife und Lichter. — Das Kalbleder gibt schön dünnes Oberleder zu unsern Schuhen und Stiefeln. Gibt das Kalbleder nicht auch dauerhafte Beinkleider, Pergament und Trommeln? Und wie viel tausend Ranzen und Schnapsäkke werden nicht von den Kalbfellen, daran die Haare noch sizen, gemacht? Auch werden die Reisekästen oder Kuffer damit überzogen.

Mit den Kuh = und Ochsenhaaren stopft man Sättel und Stühle aus. Aus ihren Hörnern macht man Knöpffe und Kämme, Tabaksröhren und Dosen, Laternen und Rosenkränze, und hundert andere Dinge. Und unsere Vorfahren haben ohnstreitig daraus die ersten Trinkgeschirre, und vermutlich auch die ersten Instrumente zum Blasen gemacht.

Der Ochs und die Kuh brüllen, und das Geschrei des Kalbes tönt fast, wie das Geblök eines Schafes. — Der männliche Ochse oder der Reitochse — den man nur zur Begattung der Kühe gebraucht, weil er alzu wild ist, und sich weder vor den Wagen noch vor den Pflug spannen

Gg 4   läßt läst — heist Stier oder Bulle; die übrigen Ochsen aber, die sich mit den Kühen nicht begatten, sondern nur zum Ziehen und zum Schlachten aufgezogen werden, nent man schlechtweg Ochsen; und das Weibchen heist Kuh, und ihr Junges Kalb. *)

Gleich gros sind die Ochsen und Kühe in allen Ländern nicht. Je wärmer ein Land ist, desto kleiner sind sie. In Ungern, Polen und England sind sie am grösten. Aber auch in der Schweiz, in Dännemark, Schleswig, Holstein und Ostfriesland gibts herliches Rindvieh. — Und an einigen Orten in der Welt gibts auch noch wilde Ochsen, die zum Theil ganz anders aussehen, als die unsern, und auch ganz andere Namen haben. Es gibt nämlich Büffelochsen, Aurochsen und Bukkelochsen.

Die Büffelochsen haben zwar Indien zu ihrem Vaterland, sind aber schon seit zwölf hundert Jahren in Italien, Ungern, Krain und Tirol einheimisch gemacht, und zum Zug abgerichtet worden. Man legt ihnen einen Ring in die Nase, und zähmet sie dadurch zur Arbeit. Sie sind nicht grösser, als unsere Ochsen, aber viel wilder, und haben meist alle schwarze Haare.

Die Aurochsen sind grösser und haariger, als unsere Ochsen, und halten sich in Oesterreich, Ungern, Polen und Rußland auf.

Die Bukkelochsen oder Bisong sind im nördlichen Amerika zu Hausse. Sie sind die grösten unter allen andern Ochsen,

*) Der volkomne Ochse heist im lateinischen Taurus; der verschnittne Bos; die Kuh Vacca; und das Kalb Vitulus.

Ochſen, und auch die wildeſten. Sie haben an Hals und Bruſt ſehr lange braunrothe Haare, und auf dem Rükken einen Bukkel oder Hökker von Haaren. Sie ſind entſezlich grimmig, und müſſen mit Ketten angebunden, und in eigne Bauer eingeſpert werden, wenn ſie nach Europa gebracht, und für Geld geſehen werden ſollen. — Auf der neunten Tafel, Figur fünf, iſt ein ſolcher Biſon abgebildet. *)

Der Ochſe friſt ſo lange hurtig hinter einander fort, als er was hat, und noch ein leeres Pläzchen in ſeinem erſten Magen iſt. Iſt dieſer aber einmal vol, ſo legt er ſich gleich zum Wiederkäuen nieder. Und nun muß ſein ganzer Fras ſo lange von einem Magen in den andern märſchieren, bis er klein genug geworden iſt, und die Verdauung ein Ende hat. Denn ſo lange er friſt, ſtehen ſeine Gerb= und Mahl= gänge gleichſam ſtille.

Daß der Ochs und ſeine Kuh und ſein Kalb, aber auch der Hirſch und das Renthier und das Kamel, und noch mehrere Thiere vier Magen haben, hab ich euch ſchon ein= mal geſagt. Aber wie ſie heiſſen, wiſſet ihr noch nicht — Nicht wahr? Nun, ſie heiſſen Panzen oder Wanſt, Haube oder Müze, Buch oder Faltenmagen oder Pſalter, und Ru= the oder Lab.

Und wozu braucht denn der Ochſe vier Magen? Im erſten Magen oder im Panzen wird das verſchlungene

Gg 5

Heu

---

*) Aurochs oder Urochs kömt von dem älten teutſchen Worte Ur her, wel= ches Wald, Wieſe oder tragbaren Grund änzeiget. — Biſon oder Bi= ſont kömt von dem Worte Wiſant her, welches einen Waldochſen be= deutet.

Heu oder Gras eine Zeitlang eingeweicht, und sodenn, vermuthlich durch Hülffe des zweiten Magens oder der Müze, Bissenweis wieder in das Maul hinaufgedrükt, und so lang gekaut, bis es so klein, wie ein Mus oder ein gehakter Spinat geworden ist, und durch eine sehr kleine Oefnung, die fast wie ein Sieb aussieht, in den dritten Magen oder den Psalter aufgenommen werden kan. Hier bleibt bis Mus so lange liegen, bis es so verändert ist, daß es in den vierten Magen oder die Ruthe, wo das ganze Geschäft der Verdauung und der Absonderung geendiget wird, übergehen kan.

Wollen wir nun Buttern und Käsen, oder Butter und Käse machen? — Holla, wie macht man die Butter? — In einigen Gegenden von Teutschland sagt man der Butter, und nicht die Butter. — Man giest die frisch gemolkne Milch in breite runde Näpffe, und stelt sie in den Milchkeller, oder in die Milchstube, oder an einen andern kühlen reinen Ort, wo sie drei bis vier Tage ruhig stehen bleiben. Izt nimt man die obere dikke fette Haut, die man Schmand, Flot oder Raum nent, ab, wirft ihn in einen Kübel oder in ein Rührfas, oder auch nur in eine grosse tiefe Schüssel, und rührt ihn, den Schmand nämlich, mit einer Keule, Löffel oder Stekken, so lange hin und her, auf und ab und durch einander, bis alle Milch davon gelauffen, und die Butter fertig ist. — Die Milch, die während dem Buttern, von dem Schmand wegläuft, heist Buttermilch. Eine frische Buttermilch ist gesund, und schmekt auch ganz gut.

Nun wascht oder rührt man die Butter noch so lang in frischem Wasser durch einander, bis kein Tropffen Milch mehr drin ist, und das Wasser ganz helle bleibt. Aber izt

kan

kan man sie aufs Brod schmieren und roh essen, oder ver=
kochen und verbakken, oder auch zu Schmalz aussieden.
Denn wenn man die Butter ans Feuer sezt, und so lang
sieden läst, bis aller Schaum, der in die Höhe steigt, weg=
genommen worden, so erhält man eine Art Fet, das man
Schmalz nent. Dis Schmalz gebraucht man an den meisten
Orten von Teutschland häuffiger, als die süsse und eingesalz=
ne Butter. — Man salzt auch nicht allenthalben, und
nirgends so häuffig, wie in Niedersachsen, die Butter ein. *)

Kosten die Baurenkäse viel Mühe, bis sie fertig sind?
O erstaunlich viel! Nun wie macht man sie denn? Die saure
Milch oder Plumpermilch, von der der Schmand abgenom=
men worden ist, wird zum Feuer gestelt, daß sie gerint, so=
denn in einen Sak oder Beutel gegossen und gepreßt, damit
das Wasser davon läuft, und der käsichte Theil allein bleibt.
Dieser wird nun zerrieben und getroknet, und so lang ge=
brant und auf einander liegen gelassen, bis er faul geworden
ist. Izt knetet man Salz und Kümmel darunter, und macht
solche kleine runde Käschen daraus, deren man vier bis sechse
für einen Groschen kauft. Man macht aber auch grössere
Käse, davon Ein Stük oder zwei Stükke einen Groschen ko=
sten daraus. Und weil Kümmel drin ist, nent man sie hie
und da auch Krautkäse.

Nun, wie meint ihr wohl, daß man die grossen
Schweizer, Emder, Ostender und Edammerkäse, und über=
haupt

---

*) Gewöhnlich nimt man zu Einem Pfund Butter zwei Loth Salz. — Und
wem seine Butter nicht gelb genug ist, der kan sie mit Ringelblätter=
Saft gelb färben. Dieser Saft ist gesund, und riecht auch an der But=
ter nicht.

haupt alle Arten von süssen Käsen mache? — Denkt, fast
eben so, wie die sauren Baurenkäse. Aber nicht von saurer,
sondern nur allein von lauter süsser Milch. Und dabei geht
es so zu: Sobald die Milch gemolken ist, wird sie in einen
Kessel gegossen, unter dem ein Feuer brent. Ist sie ein wenig warm geworden, so wirft man einen Löffel vol sauren
Saft drein, den man **Lup** oder Lap nent *) und läst sie
nachher so lang kochen, bis sie zusammen fährt oder gerint,
und dikke wird.

Nun schöpft man die geronnene Milch mit einem tiefen durchlöcherten Löffel in die Formen, und läst sie so lange darin stehen, bis das Wasser davon gelauffen, und sie so
hart und fest geworden sind, daß man sie ganz draus
herausnehmen kan. Ist dis geschehen, so legt man den
noch ziemlich lokkern Käs auf ein Bret, umgibt ihn mit
einem hölzernen Ring, oder auch mit einem Ring von Baumrinden, bedekt ihn mit einem reinen Stük Leinwand, und
beschwert ihn mit Steinen, damit er oben und unten eben,
und von allen noch übrigen wässerichten Theilchen befreiet
werde.

Hier wird auf strenger Glut geschiedner Zieger dikke,
Und dort gerint die Milch, und wird ein stehend Oel:
Hier

---

*) Dieser Lup wird von Kalbsmägen, Salz und Wasser gemacht. Man
    nimt nämlich Einen, oder zween Kalbsmägen, zerschneidet und ver-
    mischt sie mit Wasser, und einer Handvol Salz, und läst sie so vier-
    zehn Tage stehen. — Ein einziger Löffel vol von diesem Saft kan hun-
    dert Maas oder Quartier süsse Milch scheiden oder gerinnen machen. —
    Hievon, und so auch von den verschiednen Milch-Arbeiten, und vielen
    Milch-Produkten, gibt Scheuchzers Naturgeschichte des Schweizerlandes,
    im I Band, von Seite 58 bis 63 gründliche Nachricht.

Hier preſt ein ſtark Gewicht den ſchweren Saz der Molke,
Dort trent ein gährend Saur das Waſſer und das Fet:
Hier kocht der zweite Raub der Milch dem armen Volke,
Dort bild't den neuen Käs ein rund geſchnitten Bret.

Und damit der Käs auch dauerhaft und ſchmakhaft
werde, beſpringt man ihn zuweilen mit Salz. — Friſch
ſchmekt kein Käs ſonderlich — Je älter je beſſer. — Es
gibt Käſeliebhaber, die den alten faul gewordnen Käs, ſamt
den Würmern, die drin ſizen, aufs Brod ſtreichen, und als
Lekkerbiſſen eſſen.

Es iſt nicht ein Käs ſo gut und fet, wie der andere.
Es gibt fette und magere Käſe. Die fetten Käſe werden
gemacht, ſo wie es hie ſteht, von guter friſcher Milch; die
magern hingegen von derjenigen Milch, die zwar noch ſüs,
aber doch ſchon ein oder zweimal abgenommen worden iſt. —
Und ſo, wie man die Kuhkäſe macht, ſo macht man auch
Schaf- und Ziegenkäſe. Nach Bokkäſen aber mus Niemand
fragen wollen, ohne ausgelacht zu werden, denn der Ziegenbok gibt eben ſo wenig Milch, als der Schafbok und der
Ochs.

Es gibt groſſe und kleine, kugelrunde, auf zwo Seiten flache, und vierekkichte ſüſſe Käſe. Auch den Saft von
einigen Kräutern miſcht man zuweilen unter die Milch, und
nent die davon gemachte Käſe, Kräuterkäſe.

Das gute fromme, aber dabei äuſſerſt dumme

Schaf

iſt ein ſehr bekantes nüzliches Thier, das ſich allenthalben,
wo Menſchen wohnen, aufhält, und als ein zahmes Hausthier

thier von Pflanzen und Kräutern lebt, alle Jahr gewöhn=
lich Ein Lam, doch zuweilen auch zwei Lämmer zur Welt
bringt, und zwölf bis fünfzehn Jahr alt wird. — Daß
ein Schaf in einem Jahr zweimal lamme, ist was seltenes,
doch sol es zuweilen in Frankreich ꝛc. geschehen.

Wilde Schafe gibts nirgends in der Welt, weil sie zu
ängstlich und zu dum, zu schwach und zu gebrechlich sind,
und sich in nichts finden können. Sie lauffen bei dem klein=
sten Geräusch auf einen Hauffen zusammen, und springen
schon davon, wenn auch nur ein Kind seinen Arm in die
Höhe hebt, oder ein kleines Steinchen unter sie wirft.

Kurz, sie wissen kein einziges Mittel sich zu retten,
und der nahen Gefahr zu entgehen. Kömt der Wolf, und
sie sind allein, ohne Hund und ohne Hirten, so sind sie ver=
lohren, und er kan ohne Gefahr, eins ums andere erwürgen
und fortschleppen. Wehren sie sich denn gar nicht? Nein,
sie stampffen zwar etwas mit den Füssen, allein daran kehrt
sich dieser arge Würger nicht. Er läst sie zappeln und stam=
pfen, und geht doch mit ihnen fort. Warum springen
sie denn nicht davon? Das thun sie zwar, aber nur von
einer Efke in die andere, und immer alle bei einander.
Würden sie aber auch gleich einzeln, eins dahin, das an=
dere dorthin flühen, so würde sie ihr Erzfeind doch einholen
und erhaschen, weil er viel flenker springen kan, als sie,
und nicht leicht müde wird — sie hingegen werden gleich
müde, und verlieren den Othem. — Ja er holt sie sogar
oft aus den Ställen und Horden heraus, und scheut weder
Schäfer noch Hunde.

Lei=

Leitet, füttert und bewacht man sie nicht sehr sorgfältig; schüzt man sie nicht für Hize und Kälte, für Regen und Schne, so werden sie krank, und sterben an der Seuche, und an vielen andern Zufällen Heerdenweis dahin.

Hize und Kälte, Regen und Schne können sie schlechterdings nicht ertragen, und sind doch so dum, und stehen oft Stunden lang auf einem Flek in Regen und Schne hin, und gukken in den Boden, und gehen nicht ehe weiter, als bis sie von Menschen oder Hunden fortgejagt werden.

Sind sie denn neben ihrer Dumheit auch ungehorsam? Nein, ungehorsam sind sie nicht. Sie lassen sich von ihrem Schäfer leiten, wohin er wil. Er mag vor ihnen hergehen, oder hinter ihnen drein kommen, so folgen sie seiner Stimme, und gehen ihm nach, oder vor ihm her, ohne sich zu verweilen, ohne sich im Getraide, in Weinbergen, in Waldungen oder Saatfeldern zu verlauffen. Verläuft sich aber ja eins und das andere von ihnen, so ist gleich der Schäferhund hinter ihnen her, und jagt sie wieder zusammen. Denn dieser ist volkommen darauf abgerichtet, seine Heerde auf die Weide, und von der Weide zu führen, sie zusammen und aus einander zu jagen, und sie bei Tag und bei Nacht zu bewachen und zu vertheidigen.

Ohne Hülffe und Beistand der Menschen können also die armen Schafe nicht fortkommen. Der Mensch mus sich ihrer erbarmen und annehmen, sie auf die Weide und zum Trinken führen, und zuweilen auch Salz lekken lassen; sie bei nasser oder kalter Witterung in einen bedekten warmen Stal, bei grosser Hize hingegen an einem schattichten Ort bringen; sie nicht übertreiben, weil sie bald müde werden, leicht fallen, und

die

die Beine zerbrechen. Bedenkt einmal, welch dürre Stekken-
ähnliche Füsse sie nicht haben!

Und wie solten diejenige Asiatischen und Afrikanischen
Schafe, die zwanzig bis sechzig Pfund schwere Schwänze
haben, und doch nicht viel grösser, als unsere Schafe, sind,
auch keine stärkere Füsse haben, schnel lauffen oder gar springen können? Sie können gewöhnlich kaum ihren Schwanz,
der oben dün und unten dik, und ein Klumpen Fet ist,
fortschleppen, geschweige denn springen. Man macht daher
für sie kleine leichte Karren mit zwei Rädern, spant sie da-
vor, legt ihren Schwanz drauf, und läst sie so weiden, und
ihren Schwanz mit sich herum ziehen. Mus das nicht sehr
närrisch ausehen? O verzweiffelt närrisch! Ja wohl die
Schwänze auf kleinen Karren mit sich herumziehen! Das
Schwanzfuhrwerk möcht ich einmal sehen!

Haben die Afrikaner ꝛc. viel solche dikschwänzige
Schafe? O nein, sehr wenig! Sie haben auch andere dün-
schwänzichte Schafe nicht viel, weil ihnen das Hüten wegen
der grossen Hize, und wegen der wilden Thiere beschwerlich und gefährlich ist. Ich glaube, daß es in ganz Afrika nicht so viel Schafe gibt, als in England oder in
Spanien. Diese haben neun, und jene gar zehn Millionen
Schafe bei einander.

Die Spanischen Schafe haben die beste feinste Wolle,
unter allen Schafen in der Welt. Sie sieht röthlicht weis
aus, wird aber im Verarbeiten schneweis. Die feinsten
Tücher, Zeuge und Hüte macht man davon. Das Pfund von
der feinsten spanischen Schafwolle kostet bei uns einen Thaler. Aber auch die Englische Schafwolle ist sehr fein. Sie

ist

ist zwar nicht so fein, wie die Spanische, aber viel länger.
Die Englischen Schafe sind auch merklich grösser, als die
Spanischen. In Spanien kommen die Schafe Sommer und
Winter in keinen Stal, sie sind Tag und Nacht auf freiem
Felde, und auf einer beständigen Reise. Auch in England,
und in vielen andern Gegenden, wo es gar keine, oder doch
sehr gelinde Winter gibt, weiden und bleiben die Schafe im-
mer auf freiem Felde.

Die Afrikanische und viele Asiatische Schafe haben
stat der Wolle feine zarte Haare, die man ihnen alle Jahr
abschneid, und zu allerhand Kleidungsstükken gebraucht. —
Die Alten haben ehedem ihren Schafen diese Haare nicht
weggeschnitten, sondern ausgerupft. Ach das mag den armen Thieren entsezlich wehe gethan haben! Mich schaudert
schon, wenn ich nur daran denke, daß mancher ungeschikter
Scherer die frommen Schafe in den Leib schneid, und Haut und
Haar und Wolle mit einander wegnimt. Und dabei sind sie
so gedulbig, daß sie nicht einmal schreien oder blöken, geschweige denn sich durch Stampffen mit den Füssen, los
machen wolten. Aber beim Ausrupffen können die guten
Thierchen ohnmöglich ruhig und gedulbig aushalten.

Nicht wahr, bei uns ist alle Jahr einmal, und wo
ich nicht irre, im Monat Mai Schafschur? Ja, doch zuweilen auch früher auch später, je nachdem die Witterung warm
oder kalt ist; denn die Schafe müssen erst alle gewaschen werden, damit der Drek von ihnen komme, und die Wolle hübsch
rein werde. Friert's nachher die guten Dingerchen nicht,
wenn sie ihren Pelz verlohren, und so fast ganz nakend geworden sind? Ja etwas, aber es dauert nicht lange; sie werden's bald gewohnt, und denn ist's ja im Mai und Junius

H h   ohne

ohne dis gewöhnlich warm genug, und oft schon so warm,
daß ihnen ihre Wolle zur Last wird, und man sie ihnen also
schon aus Mitleiden, und nicht blos aus Eigennuz wegscheren
mus. Und schnitte man sie ihnen nicht weg, so würden sie
sie nach und nach ganz wegripsen. Wie oft sieht man nicht
halb, und fast ganz nakte Schafe?

Wisset ihr schon, liebe Kinder, daß es auch gehörnte
Schafe gibt? O ja, unser Nachbar Hans hat selbst einen
Schafbok, der zwei Hörner hat; und auf unsrer fünften Kupf=
fertafel, bei Figur drei und zwanzig, ist auch einer mit zwei
Hörnern abgebildet. Mehr aber als zwei Hörner werden
doch die Schafbökke nicht haben? — Und die Schafmütter,
nebst denjenigen Schafen, die man Hammel oder Schöpse
nent, haben gar keine Hörner? *) Ja bei uns nicht, oder
doch wenigstens selten. In Asia und Afrika rc. aber hat fast
alles Hörner, Schaf, Bok und Hammel. Und denn haben
sie auch zum Theil drei, vier, sechs bis acht Hörner. Et ja
wohl, so viel Hörner haben sie dorten! Nun so solten sie
sich ja auch gut gegen ihre Feinde, die Wölfe wehren kön=
nen? Ach wie solten sie das wohl, die guten friedlichen
Thiere, die weder List noch Ränke kennen.

Der Mensch sol und mus also die lieben fromme
Schafe schüzen und bewachen, sie leben und wohnen, wo sie
wollen, wenn er Nuzen von ihnen haben wil. Und sie
nüzten doch wirklich sehr viel, dächte ich? Geben sie nicht
alle Jahre ein Lam? Nicht alle Jahre ihre Wolle? Kan
man

---

*) Der Schafbok oder Widder heist im lateinischen aries; der verschnitne Bok,
  Hammel oder Schöps veryex; das Muterschaf ovis; und das Lam
  agnus.

man sie nicht auch, wenn man wil, alle Tage melken, wie
die Ziegen? Die Schafmilch ist sehr dik und fet, und gibt
gute Butter und Käse. Besser ists freilich, wenn man den
Schafen ihre Milch gar nicht nimt; sie geben alsdenn bessere
Wolle, und lammen auch öfter. Die Lämmer werden auch
hübscher und grösser, wenn sie lang saugen können. Düngt
nicht der Schafmist oder Pferch, und ihr Harn ganz vor=
treflich die Felder? Und eben deswegen schlägt man Horden
um einen Plaz, und spert sie Heerdenweis, die Nächte durch,
und oft auch am Tage, drin ein, damit es durchaus recht
gut gedüngt, und auf etliche Jahre fruchtbar gemacht wer=
de. Der Schäfer bleibt auch des Nachts mit seinem Hunde
bei ihnen, und schläft in einer bedekten Karre mit zwei Rä=
dern, die die Schäferkarre genant wird — Ihr werdet sie
schon gesehen haben.

Wie viele tausend Menschen leben, nähren und be=
schäftigen sich nicht mit Verarbeitung der Schafwolle? Sind
nicht unsere Tücher, Zeuge und Hüte, und fast alle unsere
Kleidungsstükke davon gemacht? Je feiner die Wolle ist, desto
feiner und besser wird das, das man davon macht. Welch
merklicher Unterschied ist nicht zwischen unsern Filzhüten?
Sie sind zwar alle von Schafwolle — denn Hasenhaare
kommen wenig, und Kastor oder Viberhaare gar keine dazu,
wenn sie auch gleich Kastorhüte genant werden, denn die
Kastorhaare sind sehr theuer; es müsten also die feinen Hüte
noch viel theurer seyn, als sie sind — aber wie fein und
theuer sind nicht diese? Und wie grob und wohlfeil sind
nicht jene?

Nicht wahr, die Hüte werden erst vom Hutmacher
schwarz gefärbt? Oder macht man sie nur aus lauter schwar=

zer

zer Wolle? Nein, gefärbt müssen alle Hüte werden, die man schwarz haben wil, wenn auch gleich lauter schwarze Wolle dabei ist. Eben deswegen aber, weil man das, was aus weisser Wolle gemacht ist, färben kan, wie man wil, so ist die weisse Wolle auch viel mehr werth, als die schwarze.

Viele Thiere schlachten wir ohne Mitleid ab, weil sie uns alsdenn erst nüzen; das gute Schaf aber nüzt uns fast lebendig mehr, als wenns geschlachtet ist. Wir essen sein Fleisch, und seine Eingeweide; und aus seinem Blut macht man hie und da auch Würste. Seine dünne Därme geben Saiten für Geigen und Zittern, für Harfen und Klaviere. Man kehrt die Därme um, und wäscht sie, und dreht sie alsdenn zusammen. Zween Därme müssen wenigstens zusammen gedreht werden, wenn man eine Saite haben wil. Ein Darm allein gibt keine Saite. Es gibt aber auch welche, wo zehn, zwanzig bis hundert zusammen gedreht werden, wie bei den dikken Basgeigensaiten. *)

Ihr Fel gibt gutes Leder zu Beinkleidern, zu Beuteln und Taschen, auch Korduanleder und Pergament macht man daraus. — Aus ihren Klauen und Knochen siedet man Leim; und ihr hartes Fet, das man Talk nent, gibt gute Lichter. Es ist ein Unterschied zwischen Fet und Talk —

und

---

*) Zu den klaren Mandolinsaiten, nimt man 2 Därme — zu den feinsten Violinsaiten 3 — und zu den stärksten 7 — zu den grösten Basgeigensaiten aber gewöhnlich 120 Därme. — Lams-Schaf-Ziegen-und Kälberdärme geben Saiten; aber die von den Lamsdärmen geben die besten. — In Frankreich macht man viele gute Saiten; in Rom macht man bessere; in Neapel aber macht man die besten, siehe Volkmanns historische kritische Nachrichten von Italien, Band 3, Seite 186. ꝛc.

und dieser besteht darin, das das Fet allemal weich bleibt, wenn es kalt wird; der Talk aber, so bald er kalt wird, gerinnet. — Das hart gewordene Rindviehfet heist Unschlit, und das harte Schweinefet Schmer.

Kanst du wohl, boshafte muthwillige

Ziege,

deine und deines Volkes Geschichte erzählen? O ja, das könte ich wohl, wenn ich wolte. — Aber ich wil nicht. Und warum denn nicht? Weil sie mich boshaft und muthwillig schelten, und ich es doch nicht bin.

Lustig und flenk bin ich, und keine so ängstliche Schlafmüze, wie das Schaf, auch lange nicht so schwächlich und empfindlich. Ich kan Nässe und Kälte ertragen, und fürchte mir auch für Gewittern nicht. Ich springe gern links und rechts, jage meine Kameraden von einem Ort zum andern, und mache sonst noch allerhand Späße; aber boshaft und —

Aergere dich doch nicht, schöne weisse Ziege — nicht wahr, es gibt auch schwarze, graue und bunte Ziegen? — Ich verspreche dir bei deinem langen Knebelbart, daß ich dich künftig nicht mehr boshaft, sondern nur — nur —

Doch Ziege, du bist allerdings boshaft und muthwillig! Nekst und stöst du nicht alle Hausthiere, und selbst deinen Hirten und Herrn? — Zerfrist und zernagst du nicht alle Zäune, Gebüsche und Bäume? Rast du nicht auf der Weide und zu Hausse wie wütend herum? — Springst du nicht über Zäune und Hekken, um geschwind ein Maul vol Laub oder Kohlblätter, oder sonst was zu stehlen? — Gehorchst

horchst du denn einmal deinem Herrn? Kurz und gut —
Treibst du nicht al diesen, und noch vielen andern Unfug, du
verzweifelte Mekkerin, du Erzstinkerin?

Ei ei, wie viel übles Zeug sagen sie nicht von mir! —
Aber, a propos! Warum sagen sie denn nicht auch, wie oft
man mich vexirt; für die lange Weile peitscht, und bei mei=
nem Bart zupft; und bei einer Hand vol Laub halbe Tage
lang hungern läst? — Oder sol ich mich denn nicht für mei=
ne Haut wehren?

Nun, las es fürs erste gut seyn. — Nicht wahr,
du hälst dich gern bei den Menschen und im Troknen, und
auf Bergen und Anhöhen auf? Frist gern Laub und Gras
und Moos und wilde Kastanien; lekst gern Salz; bringst
alle Jahr Eins oder zwei, auch bisweilen drei oder vier Zik=
kelchen zur Welt; und lebst zehn bis zwölf Jahr? Richtig,
so ists.

Doch, so alt, als sie sagen, läst man mich nicht werden,
weil alsdenn mein Fleisch nicht mehr gut schmekt. Junges
Ziegenfleisch sieht eben so aus, und schmekt auch fast eben so,
wie Hammelfleisch. Und wenn es auch gleich ein wenig mek=
kelt, und nach meinem Fel riecht, so thuts nichts, der gemei=
ne Mann ists doch gern. Ja in Norwegen und Schweden,
und wo es sonst noch unser viel gibt, ist fast Jedermann
Ziegenfleisch. — Auch meine Eingeweide ist man. Ists
nicht wahr? O ja, volkommen! Rede nur fort, Plauderta=
sche! Du weist doch noch mehr von dir? Wil sehen:

Mein Talk gibt gute Lichter, und mein Fel Korduan=
und Saffianleder, Pergament, gutes Leder zu Beinkleidern
und

und zu Handschuhen, und zu vielen andern Dingen. Wird nicht auch das sogenante Hühnerleder, aus dem so niedlich dünne weisse, auch blau, grün, violet und roth gefärbte Handschuhe für Damen und Herren verfertigt werden, aus meinem Fel gemacht. *) Mein Fel ist viel besser, und weit mehr werth, als des Schafs seins.

Und meine Milch? — O wie beliebt, wie gut ist diese nicht? Reiche und arme Leute trinken und essen sie gern, und viele, vorzüglich alte und kränkliche Personen, ziehen sie der Kuh = und der Schafmilch vor. — Auch Käse kan man von meiner Milch machen.

Meine kurzen Haare geben Hüte, und meine langen Parrükken; ja wenn man wolte, könte man sie auch spinnen und zwirnen, und zu Zeugen verweben, wie die Haare der Angorischen Ziege in klein Asien.

Nun das heist geprahlt — Ja wohl, deine groben Haare mit den feinen silberweissen Haaren der Angorischen Ziegen vergleichen! Weist du denn nicht, daß diese Ziegen schneweisse, feine zarte und eine halbe Elle lange Haare ha= ben, aus denen man allerhand trefliche Zeuge weben kan? Doch, das weis ich. — Ich habe auch wirklich selbst sagen wollen, daß sie viel feinere und längere Haare haben, als ich und alle meine Kameraden in der ganzen übrigen Welt. Man spint und zwirnt sie, und webt allerhand trefliche Zeuge daraus, von denen die Kämelotte die bekantesten sind. Uibri=

Hh 4 gens

---

*) Man weicht die Ziegenfelle in Kalk ein, zieht die obere Haut herunter, und nent sie, wenn sie roth oder grün oder blau gefärbt worden sind, Hühnerleder. Viele werden auch ganz weis gelassen. — Die Dänen gerben und verarbeiten jährlich viele tausend solche Ziegenfelle.

gens sehen diese Angorischen Ziegen uns Teutschen Ziegen so
ziemlich ähnlich. Sie haben auch zwei Hörner — doch gibts
auch Ziegen, die keine Hörner haben — fressen auch Gras,
Blätter und Kräuter, und mekkern auch, wie wir. — Doch
darin sind sie von uns unterschieden, daß man ihnen alle
Jahr ihre Haare abschneidet, uns aber nicht.

Noch eins: Sie wissen doch schon, daß man in Arabien die Ziegen Kämel nent? — Und daher kömt es auch,
daß man sie zuweilen Kämel = Ziegen; ihre Haare Kämel-
Haare; das daraus gesponnene und gezwirnte Garn Kämelgarn; und die davon gewebte Zeuge Kämelotte nent. —
Man mus daher nicht Kameelhaare; nicht Kameelgarn; nicht
Kamelotte sagen, wie doch immer fast Jederman sagt — sondern Kämelhaar, Kämelgarn und Kämelot. Ich glaube, dieser Irthum kömt daher, weil dem grossen bukkelichten Kameel
alle Jahr eine Menge Haare ausfallen, und man solche sammelt und spint und zwirnt, und ebenfals auch zu allerhand
Kleidungsstükken verwebt. Das ordentliche Kämelhaar ist aber
feiner und besser und theurer, und kömt selten oder gar nicht
zu uns; denn unsere Kämelotte, die die Zeugweber; und unsere Knöpffe, Bänder und Garn, die die Knopfmacher unter
dem Namen Kameelgarn rc. verkauffen, werden aus lauter
Schafwolle gemacht — Seide nehmen sie zuweilen dazu, und
denn nennen sie es, halbseidnes Kameelgarn.

Ei fast hätt' ich vergessen, daß man mich an vielen
Orten fast nie Ziege, sondern Gais; und meinen Bok Gais-
bok nent. — Nun bin ich fertig! So? Nun solst auch bedankt seyn! — Adieu also, schelmischer Herr Bok, sol ich
dich bei Nachbar Hans en. fehlen, daß er dich zu seinem
Gärtner bestelt?

Der

Der Steinbok

ist noch kühner und verwegener, als der Ziegenbok, und kan,
wenn er einmal erwachsen ist, nicht mehr zahm gemacht werden. — Er ist grösser und stärker, als der Ziegenbok, und
sieht theils einer Ziege, theils einem Hirsch ähnlich, hat
gelblicht graue Haare, zwei sehr lange rükwärts gekrümte
Hörner, harte spizige Klauen, hält sich auf den höchsten
Schne= und Eisbergen von der Schweiz, von Savoien und
Tirol auf, wohin kein Mensch, ohne die gröste Lebensgefahr
kommen kan, frist Kräuter und Wurzen, und lebt fünfzehn
bis zwanzig Jahre.

Es mus da kalt und bergicht seyn, wo der Steinbok
wohnen und leben sol. Denn in der Wärme wird er blind,
und auf der Ebene kan er nicht gut lauffen.

Er rint und klettert die höchsten steilsten Berge auf
und ab; bahnt sich einen Weg durch den tiefsten Schne —
worunter er auch Kräuter und Wurzen hervorzuscharren weis —
sezt über Abgründe weg, und springt — so wie auch die
Gems thut — von Fels auf Fels, oft zehn bis zwanzig
Ellen weit herunter, wenn er von Hunden und Jägern verfolgt wird, oder seiner Nahrung nachgeht — ohne daß er
einen Fus zerbricht, oder sich sonst beschädigt — doch bricht
auch mancher dabei Hals und Bein, wenn sie den Fels ver-
fehlen, oder der Kopf ausgleitet — denn sie stürzen sich
auf die Köpffe, die erstaunlich hart sind, hinunter. — Wie
lange und heftig stossen sich nicht oft zween Ziegenböcke an
die Köpffe, und es blutet doch nicht?

Es gibt sehr wenig Steinbökke. Vor einem Jahr wurde einer als eine grosse Seltenheit in Teutschland herumgeführt, und für Geld sehen gelassen.

Gemsen

gibts dagegen schon mehrere. Man sieht oft zehn, zwanzig bis sechzig bei einander. — Die Gemsen sind kleiner, blöder und schwächer, als die Steinbökke, gehen nicht so hoch auf die Berge hinauf, wie die Steinbökke, die bis auf die obersten Spizen hinauf klettern; sondern bleiben in der Mitte, und bewohnen nur das zweite Stokwerk, wo kahle Felsen und nahe Wälder und Gebüsche sind, in denen sie des Winters Schuz und Nahrung finden. Sonst aber haben sie einerlei Gewohnheiten und einerlei Vaterland. Sie bewohnen auch die Gebirge von Tirol, Savoien und der Schweiz; fressen auch Kräuter und Wurzen, wie die Steinbökke, aber auch Laub und Knospen der Gesträuche.

Die Gems, Steingais oder Himmelsnachbarin, wie sie der Dichter nent, ist ein niedlich schlankes Thier, sehr munter und flenk, sezt über gespaltne Felsen und Abgründe weg, stürzt sich von einem Felsen auf den andern, da ihr weder Hund noch Jäger nachfolgen kan, hat kurze graue und dunkelbraune Haare; zwei kleine, oben wie ein Haken gekrümte schwarze Hörner an der Stirn, fast gerade zwischen den Augen; wird eben so alt, wie der Steinbok; und bringt auch nur alle Jahr Eins, selten zwei Junge zur Welt.

Selten ist eine Gems allein. Sie hat meist immer etliche Kameraden und Kamerädinnen bei sich. Und damit sie auf ihrer Waide nicht so leicht, oder gar ohnvermutet vor

Ja

jägern, Geiern oder Adlern überfallen, erschoffen oder erwürgt werden mögen, so stelt sich eine von ihnen auf einem
hohen Posten zur Wache aus, die ihnen sogleich, wenn sie
einen Feind sieht, hört oder riecht, durch ein Gemekker oder
Pepfeif Nachricht davon gibt. Kaum hören jene dis, so
jehts, hast du nicht gesehn — plözlich über Berg und Abgründe weg. — Aber manche bricht dabei auch den Hals.

Kan denn ein Adler, oder ein Geier einer Gemse was
Leids thun? Sie ist ja grösser und stärker — Wehrt sie sich
denn nicht? Ja, mein Kind, beim Rauben und Wärgen kömts
nicht immer auf Grösse und Stärke an — Ei habt ihr denn
nicht schon oben, Seite zwei hundert ein und fünfzig, vier
und fünfzig, und neun und fünfzig erfahren, wie gros und
stark diese zween Raubvögel sind? — Die jungen Gemsen
rgreiffen sie lebendig, und führen sie in ihren Klauen durch
die Luft weg; die alten Gemsen hingegen jagen sie so lang
auf und ab; hin und her, bis sie über einen Felsen hinun-
er stürzen, und ihnen nun halb oder ganz tod, zur Beute
werden.

Sol ich euch auch sagen, wie die Gemsen von dem
äger gefangen werden? — Es geht sehr gefährlich dabei
zu: Ganz leicht und schlecht angezogen, mit einem Ränzlein
auf dem Rükken, darin etwas dürres Fleisch, Käs und Brod
und ein paar Schuheissen sind, die er anzieht, wenn er
über die steilen Felsen und über harten Schne und Eis klettern wil — steigt er Bergan, klopft an die Felsen und Gebüsche, damit die Gemsen aus ihren Löchern und Schlupfwinkeln heraus gehen, und laurt nun auf sie.

Ge

Gewöhnlich sind auch zween bis drei Jäger beisammen: einer klopft hier, der andere dort, und der dritte lauert und schiest. Oft aber müssen sie zween bis drei Tage mit Lebensgefahr herum klettern, ehe sie eine Gemse geschossen oder lebendig gefangen haben. Mancher fält oft gleich beim ersten Klettern Arm und Bein entzwei, so, daß er halb tot nach Hausse getragen werden mus. Ein Anderer stürzt gar in solch ungeheure Tiefe über die Felsen hinunter, daß man ihn gar nicht mehr finden kan. Oft zerschneiden sie Rok und Hemte zu Bändern, knipffen sie zusammen, und ziehen die unglüklichen aus den Felsenspalten und Abgründen herauf.

Ach, und was für einen entsezlich und schaudervoller Sprung mus nicht derjenige Jäger wagen, der sich so hoch verstiegen, daß er nicht mehr vor sich, und nicht mehr hinter sich kan, und entweder Hunger sterben, oder auf einen kaum einer Hand breiten Stein hinunter springen mus. — Denkt, Kinder, er wirft seine Flinte, und was er sonst noch schweres bei sich hat, weg, zieht seine Schuh aus, schneit sich mit einem Messer die Fersen oder Ballen seiner Füsse so tief auf, daß sie stark bluten — und nun springt er auf das, weit unter ihm hervorragende, kaum eine Hand breit Felsenstük, in Hofnung, daß das Blut an seinen Füssen ihm stat eines Leimes diene, und ihn für dem Gleiten sichere. Daß aber schon mancher doch hinunter gestürzt, oder den Stein gar verfehlt, und also jämmerlich sein Leben einge- büst habe, lehrt die leidige Erfahrung. — Alles an der Gemse kan man gebrauchen, Fleisch, Eingeweide, Talk und Fel und Hörner.

De

Der Bezoarbok

ebt in Egipten, Persien und Sirien ꝛc. Heerdenweis, und
st wegen der Steine bekant, die in seinem Magen gefun=
den, und Bezoarsteine genant werden. Sie sehen dunkel=
braun, zuweilen auch schwarz aus, sind so gros, als Hasel=
nuskerne, sehr mürbe, und sezen sich schichtenweis, so wie die
Zwibeln wachsen, aus einer Feuchtigkeit um ein Saamen=
korn, oder um ein Stükchen von einem Dorn, nach und
nach an. Ehedem waren diese Bezoarsteine sehr theuer; und
einer, der die Grösse einer Haselnus hatte, wurde zuweilen,
wie die Reisebeschreiber sagen, für hundert Thaler bezahlt. *)
Man gebrauchte sie in den Apotheken zu allerhand Arzneien,
und vorzüglich zu einem Gegengift.

Die Gazelle

st ein gar schönes, flenkes Thierchen, das dem Reh an
Grösse, Farbe und Bildung gleicht, und in Afrika, Asia und
Ostindien zu Hausse ist, gern in Rudeln oder Geselschaft
ebt, Kräuter frist, alle Jahr ein Junges zur Welt bringt,
und zwanzig bis dreissig Jahr alt wird.

Doch völlig gleicht die Gazelle dem Reh nicht, denn
ie hat keine Hörner mit Enden, sondern nur einfache hohle,
wie der Ziegenbok; auch sind ihre Haare nicht grob, sondern
fein, wie Seide; und also viel zärter, als des Rehs
eine.

Den Leuten in diesen Gegenden sind die Gazellen das,
was uns die Rehe sind; denn Rehe gibts bei ihnen nicht,
so

*) Siehe Taverniers Reisen, Theil 4, Seite 78 ꝛc.

so wie bei uns keine Gazellen. Sie fangen sie jung, ma
chen sie zahm, und ziehen sie unter andern Hausthiere
gros. Die grossen erwachsnen aber fangen sie auf der Jagt
mit allerhand List und Gewalt, lassen auch wohl zahme ab
gerichtete Falken und Leoparden auf sie los. Jene hakke
ihnen die Augen aus; diese aber zerreissen sie, oder halte
sie wenigstens so lange fest, bis der Jäger näher kömt, un
sie tödet.

Der Hirsch

ist ein stilles friedliches Thier, das Niemand was zu Leid
thut; sondern neugierig dahin läuft, wo es Menschen un
Vieh, oder sonst was Neues sieht, und denn, wenn es die
selben eine Zeitlang angegukt hat, wieder in sein Gebüsc
zurük springt. — Haben die Menschen aber Gewehr un
Hunde bei sich — ja denn flieht er plözlich zurük, und ret
tet und wehrt sich, so gut er kan, wenn er von denselbe
verfolgt und geängstet wird, und verwundet oft mit seiner
Geweih Menschen, Pferde und Hunde.

Wie sehr werden die Hirsche nicht auf den sogenante
Parforcejagden gequält und zerfleischt? Es ist nöthig un
nüzlich, alle Jähr eine gewisse Anzahl Hirsche zu jagen un
zu schiessen, damit ihrer nicht zu viel werden, und es un
auch nicht an Wildpret mangle; sie aber zur Lust und fü
die Langeweile ängstigen und auf die entsezlichste Art vo
den Hunden zerfleischen, und so lange herum jagen lä
sen, bis sie halb oder ganz tod niederstürzen, ist gar nic
fein.

Habt ihr schon einen lebendigen Hirsch gesehen? Nei
Nun wie gros meint ihr wohl, daß er sey? So gros, al
ein

eine Kuh. Ja, faſt ſo gros. Er iſt etwas höher und ſchlan-
ker, aber nicht ſo lang und dik. — Er wohnt in den Wäldern, hat braunrothe Haare — weiſſe Hirſche gibts nicht
viel — auf dem Kopf ein aſtiges Gehörn, das man Geweih nent, ein faſt ohnmerkliches Schwänzchen, friſt Gras,
Moos und Baumrinden; Eicheln, Bücheln und wildes Obſt,
ſezt gewöhnlich alle Jahr Ein, ſelten zwei Kälber, und wird
dreiſſig bis fünf und dreiſſig Jahre alt.

Auf unſrer ſiebten Tafel, bei Figur dreizehn iſt ein
Hirſch abgebildet — Sehet ihn einmal an, Kinder — Wie
viel hat er Ende oder Spize an ſeinem Geweih? Zehn.
Nun ſo iſts ein acht oder zehnjähriger Hirſch — Denn je
älter ein Hirſch iſt, deſto mehr Enden bekömt ſein Geweih,
doch gibts auch Ausnahmen — Vom zweiten Jahr an bis
ins achte wird das neue Geweih alle Jahr ſtärker, höher
und viel endiger. Bei uns bekommen ſie ſelten mehr als
zwei und zwanzig Ende; doch gibts auch welche hie und da
von ſechzig bis vier und ſechzig Enden.

Warum ſagen Sie das Neue Geweih? Weil ſie alle
Jahr ein Neues bekommen. Denn das Alte fält ihnen alle
Jahr im März oder April ab — und wenn es nicht von
ſelbſt abfält, ſo ſchlagen ſie eine Stange um die andere ab —
und in zwölf bis ſechszehn Wochen wächſt ihnen wieder ein
gröſſeres und ſtärkeres dafür.

Dis neue Geweih iſt Anfangs ſehr weich, und mit
einer haarichten Haut oder einem Baſt bedekt, und thut dem
Hirſch erſtaunlich weh, wenn er ſich daran ſtöſt. Wenn es
aber ganz reif und hart geworden iſt, ſo thuts ihm nicht
mehr weh, wenn er ſich dran ſtöſt, ja er ſtöſt ſich izt ſo lang

mit

mit Vorsaz dran, bis aller Bast davon geripst oder abge-
streift ist.

Ei bringen die jungen Hirsche ihr Geweih gleich mit
auf die Welt? O Nein, so wenig, als der junge Ochs. Er
bekömt sie erst im zweiten Jahr; und dann erst nur zwo spizige Stangen ohne Ende. Nachher aber bekömt er alle Jahr
mehr Ende. Und daher kömt es auch, daß man an der Zahl
der Enden bei einem Hirsch so ziemlich wissen kan, wie alt
er ist. — Die Hirschkühe, Hindinnen oder Thiere aber bekommen gar keine Geweihe. — Das Hirschkalb sieht fast im
ganzen ersten Jahr seines Lebens roth und weis geflekt aus.
Nach und nach wirds ganz roth; und ists dis, so nent man
es Schmalthier.

Wenn mich Jemand frägt, was der Hirsch nüze? So
antworte ich ihm: Er vergnügt viele tausend Herren — und
nicht auch manche Dame? — auf der Jagd. Man ißt sein
Fleisch. Man macht aus seiner Haut Kollets, Beinkleider,
Handschuhe, Degengehänge ꝛc. Sein Geweih dient in den
Häussern als Zierrath, und stat der Haken, um was dran
aufhängen zu können. Und macht man nicht auch Messer-
und Gabel-Schalen davon? Präparirts der Apotheker nicht
zu allerhand Dingen, und verkaufts unter dem Namen, Prä-
parirt Hirschhorn? — Und die lebendigen Hirsche kan man,
wenn man wil, an die Kutschen spanen, und mit ihnen ausfahren, wie ehedem manche Fürsten gethan haben. Obs aber
auch gut auf einem Hirsch reiten sey, mögen jene armen
Wildschüzen oder Wilddiebe sagen, die das Unglük gehabt
haben, auf sie hinauf geschmiedet zu werden.

Noch eins: Das Fleisch des Hirsches und des Damhirsches und des Rehes und des Hasen und des wilden Schwei-
nes

nes nent man **Wildpret** — Und unter diesen vorzüglich das Hirschfleisch **Rothwildpret**; und das Fleisch des wilden Schweines **Schwarzwildpret** — Denn der Hirsch hat rothe Haare, das wilde Schwein aber schwarze Borsten. *)

Der Damhirsch

ist kleiner, als der Hirsch, und auch ganz anders gehörnt. Sein Geweih ist viel dünner und breiter, und die Zahl und Richtung der Ende ganz sonderbar. — Er lebt Heerdenweis in den Wäldern von Europa und Nordamerika; doch nur in denjenigen Gegenden häuffig, wo es wenig oder gar keine Hirsche gibt, weil er sie nicht leiden kan. — Uibrigens hat er mit dem Hirsch Fras und Wohnung gemein.

Die Damgais sezt alle Jahr Ein Kalb, zuweilen auch zwei, selten drei, und lebt ohngefähr zwanzig Jahr. — In England gibts eine Menge Damhirsche; in Teutschland aber gibts nicht viel. Man läßt sie bei uns gern in den Thiergärten herum lauffen.

Die Haut des Damhirsches ist viel besser und feiner, als des Hirschs seine. Auch sein Unschlit ist besser. Und mit seinen, und so auch mit des Hirsches Haaren, stopft man Bänke und Stühle, und allerhand Küssen aus.

Das

---

*) Zum Geschlecht der Hirsche zählt man 1) den edlen Hirsch Cervus Elaphus — 2) Den Damhirsch Dama — 3) Das Reh Capreolus — 4) Das Renthier Tarandus oder Reno — 5) Den Kamelparder oder die Giraffe Camelopardalis — 6) Das Elendthier Alces.

Das Reh

ist auch kleiner, als der Hirsch, und von grau falber Farbe
sonst aber ihm an Bildung, Fras und Wohnung fast ganz
ähnlich. Es hat Europa und Asia zu seinem Vaterland,
wohnt in Wäldern, frist Eicheln, Bücheln und Gras rc
sezt alle Jahr zwei Kälber oder Küzchen, und wird achtzehn
bis zwanzig Jahre alt.

Der Rehbok — so wie auch der Damhirsch, das Renthier und das Elendthier — wirft auch alle Jahr sein Gehörn ab, aber später, als der Hirsch, und gewöhnlich erst
im Herbst. — Fleisch, Unschlit, Haut und Haare kan man
von dem Reh gebrauchen. Die Rehhaare sind noch besser,
als die Hirschhaare, weil sie sich nicht so leicht zusammen
ballen. Die Satler fodern immer mehr für einen Stuhl
oder für ein Küssen, das mit Rehhaaren, als für eins, das
mit Hirsch- oder Ochsenhaaren ausgestopft ist. *)

Das Renthier

hält sich in den nördlichsten waldichten Gegenden von Europa, Asia und Amerika, nämlich in Lapland, Grönland, Ka-

rus

---

*) Die Bremse oestrus, die das Renthier so entsezlich plagt und sticht, sticht
ganz gewis auch, wie ich glaube, den Hirsch und das Reh — ja sie sticht
diese nicht nur, sondern legt so gar auch ihre Eier in die aufgestochne
Haut hinein, aus denen in etlich Tagen Würmer werden, die die armen
Thiere erstaunlich beissen, und Engerlinge genant werden. Die geplag-
ten Rehe ripsen sich daher an den Bäumen, und zerdrükken sie. Viele
hakken ihnen auch die Raben und Dohlen heraus. Diese häslichen
Bremsenlarven verursachen also die Löcher und Narben in den Reh-
und Hirschhäuten, die man im gemeinen Leben Engerlinge nent.

nada, und allen den Ländern auf, darin es sehr kalt ist,
und der Winter fast drei Vierteljahr dauret — Denn je
kälter ein Land ist, desto lieber ists dem Renthier — Wär=
me kan es gar nicht vertragen, es stirbt gleich nach etlich
Tagen, wenn es in ein warmes Land gebracht wird — es
frist Moos, Baumknospen und Blätter, bringt alle Jahr
Ein Junges zur Welt, und lebt ohngefähr zwanzig bis fünf
und zwanzig Jahr.

Es gibt wilde und zahme Renthiere. In Lapland
gibts mehr zahme, als wilde; in den andern nördlichern
Gegenden aber gibts mehr wilde, als zahme. — Die zah=
men werden bei Tage auf die Weide geführt und gehütet,
des Nachts aber in verschlosne Gehäge eingespert, damit sie
für den Wölfen und Vielfrasen sicher sind. Denn wenn der
Wolf auch gleich viel kleiner ist, als das Renthier, so weis
er es doch mit List und Geschwindigkeit zu verwunden und
zu erwürgen.

Und wie der Vielfras ein Renthier fange und ermorde,
ist oben Seite vier hundert und zehn erzählt worden.

Nicht wahr, er kan nicht gut springen, und also kein
Renthier verfolgen und einholen? Er klettert daher auf einen
Baum, legt sich auf einen Ast nieder, und laurt so im ver=
borgnen, bis ein Renthier bei ihm vorbei kömt. Sobald eins
kömt, und es gerade unter ihm ist, springt er auf desselben
Rükken, klammert sich mit allen vieren fest, beißt ihm ein
Loch in den Hals, und saugt Blut, und reitet immer auf
ihm fort, es mag auch noch so lange lauffen, und sich gegen
die Bäume reiben, wie es wil, bis es halb oder ganz tod
niederstürzt.

Das Renthier ist des Lappen einziges Hausthier, und zugleich sein ganzer Reichthum. Wenn daher ein Lappe kein Renthier hat, so ist er ein armer Mann, ein wahrer Bettler. Allein es gibt wenige, die nicht wenigstens zwei Stük hätten; die meisten aber haben deren wohl zehn bis zwölf; und die Reichen haben sechs bis acht hundert, oder gar zwei bis drei tausend Stük beisammen stehen.

Der Lappe hat weder Garten= noch Akkerland, weder Schaf noch Kuh noch Pferd. Alles müssen ihm daher seine Renthiere leisten und geben. Sie müssen ihm Dienste thun, ihn nähren und kleiden. Er nuzt sie also, so gut er kan — Er nuzt sie fast so, wie wir unsere Kühe nuzen — Er bekömt von ihnen Milch, die ist oder trinkt er frisch, oder macht Käse davon. Das Fleisch ist seine beste und gewöhnlichste Speisse. Das Fet ist er stat der Butter. Von den Fellen macht er sich sein Bet und seine Kleider, und bedekt auch seine Hütte damit. Aus den Gedärmen und Sehnen macht er Strikke und Zwirn; und von den Knochen verfertigt er sich Löffel und Nehnaadeln, und allerhand sonderbare Bilderchen. Die Schale seines Fusses gibt sein Trinkgeschir, und seine Blase dient ihm stat der Brandweinflasche. Und damit nichts von seinem guten Renthier verlohren gehe, trinkt er auch sein Blut.

Des Sommers bepakt er sie; und des Winters spant er sie vor seinen Schlitten, und reist mit ihnen in einem Tage zwanzig bis dreissig Meilen weit herum — Denn sie können erstaunlich schnel, und einen ganzen Tag fortspringen, ohne einmal stille zu stehen, auszuschnauffen oder was zu fressen. — Und so wissen sich also die genügsamen Lappen

pen alle Nothwendigkeiten des Lebens, nebst vielen Bequem-
lichkeiten, von ihren Renthieren zu verschaffen.

Das Elendthier

ist des Renthiers Nachbar und Kamerad, frist auch eben
das, und sieht auch fast eben so aus. Aber grösser ist es —
Es ist so gros, als ein Pferd, hat lange steiffe gelblicht
graue Haare, kleine zwo Hände breite Hörner mit wenig
Enden, und kan auch zahm gemacht, und zum Schlittenzie-
hen abgerichtet werden. Denn es kan auch, wie das Renthier, in einem Tag vierzig bis fünfzig Meilen in einem
forttraben, ohne was zu fressen, oder auch nur einmal stille
zu stehen.

Man kan alles vom Elendthier gebrauchen, Milch,
Fleisch und Haut. — Die Haut ist sehr dik, und wenn sie
gegerbt ist, so hart und fest, daß man mit einer Flintenkugel kein Loch in sie schiessen kan. — Und ohngeachtet es
eine so dikke Haut hat, und so gros und stark ist, wie ein
Pferd, und mit seinen Vorderfüssen auf einen Schlag einen
Menschen, einen Hund oder einen Wolf tödten kan, so weis
es doch der Vielfras eben so anzufallen und zu erdrosseln,
wie das Renthier. *)

Die

---

*) Es sol dis Thier zuweilen plözlich niederstürzen, und die fallende Sucht
oder das Unglük krigen. — Und das sol die Ursache seyn, warum
man es Elend nent. — Gewis falsch — Aus Furcht für seinem
Feind und Verfolger fält es wahrscheinlich nieder — so wie auch die
Beutelratte.

Die Giraffe

oder der Kameloparder ist ein grosses sonderbares Thier. Sie wohnt im innern Afrika in Aetiopien, und sonst nirgends in der Welt, hat röthlich weisse braungeflekte Haare, zwei kleine Hörnchen an der Stirn, einen langen Hals, und noch längere Vorderfüsse, bringt alle Jahr Ein Junges zur Welt, und wird, wie man glaubt, dreissig Jahre alt.

Denkt einmal, Kinder, die Giraffe hat vorne lange, und hinten kurze Füsse. Die Vordern sind fünf Ellen, die Hintern aber kaum vier Ellen hoch, und daher gehts auf ihrem Rükken ziemlich Bergab, und sie scheint auf den Hinterfüssen zu sizen oder zu knien.

Sie ist nach dem Elefanten das höchste Thier auf Erden; denn wenn sie gerade steht, ist sie acht Ellen hoch. — Ihr Gang ist langsam und schaukelnd, und mus, wenn sie sauffen oder Gras fressen wil. — denn gewöhnlich nährt sie sich von Baumlaub — niederknien. — Sie ist from und äusserst furchtsam und ängstlich, und gar nicht schädlich, und wird selten lebendig nach Europa gebracht.

Giraffe ist ihr arabischer Name; und Kameloparder heist sie deswegen, weil sie dem Kameel an der Bildung, dem Leoparden aber an den Flekken gleicht.

Kameele

nent man die zwei Thiere, liebe Kinder, die auf der zehnten Tafel, Figur achtzehn und neunzehn abgebildet sind. — Eins davon hat, wie ihr sehet, zween Hökker, und heist Trampelpelthier; das andere aber hat nur Einen Hökker, und heist Dromedar. *) Beide leben und wohnen in Asia und Afrika, haben graue, zuweilen auch braune und weisse Haare, fressen Nesseln und Disteln und allerhand dörnichtes Buschwerk, bringen alle zwei Jahr Ein Junges zur Welt, und leben vierzig bis funfzig Jahr.

Habt ihr schon ein lebendiges Kameel gesehen? O ja, schon zwei, ein graues und ein weisses. Sie sind erstaunlich gros, viel grösser, als ein Ochse, und recht sehr seltsame Thiere. Ihr Hals und ihre Beine sind ungemein lang, ihr Kopf ist klein und ohngehörnt, ihr Schwanz ist kurz, und ihre Klauen nicht ganz, wie bei den Ochsen, sondern nur vorne ein wenig gespalten. Sie sind zahm und friedlich und gehorsam, und thun alles, was ihre Herren haben wollen. Sie dürffen unter ihnen rum lauffen, sich auf ihren Rükken, und auf ihren krummen Hals sezen — so wie hier der Mohr auf einem sizt — und wenn sie zu ihnen sagen: leget euch nieder! So biegen sie gleich ihre Knie, und legen sich nieder, und bleiben so lange liegen, bis sie ruffen: allo, flenk, steht auf! — Wil aber Eins nicht gleich gehorchen, und nicht niederknien, so zeigt man ihm eine Peitsche, oder ziehts am Hals nieder.

Man kan die Kameele zum Reiten und Fahren, und zum Lasttragen gebrauchen. In Persien und Arabien, in der

Ji 4　　　　Tür-

---

*) Kameel heist lateinisch Camelus, und davon der Dromedar Dromedarius oder Geschwindläuffer; und das Trampelthier Bactrianus, weil es in Bactriana, einer Provinz Asiens, die heutiges Tages Turkestan heist, das Land der Usbeker, unter sich begreift, zu Hausse ist. — Der Dromedar hat Arabien zu seinem Vaterland, findet sich aber schon seit undenklicher Zeit in Nordafrika, und fast in ganz Morgenland in Menge. Hie und da gibts auch wilde Kameele.

Türkei, in Egipten und der Barbarei bringt man alle Kauf=
mannsgüter auf ihnen fort. Und die vornehmen Asiater und
Afrikaner gebrauchen sie gewöhnlich als Postpferde, wenn sie
verreisen wollen. Auch in den Kriegen reiten sie auf Ka=
meelen.

Ei ist es wahr, daß ein Kameel sieben, zwölf bis
fünfzehn hundert Pfund schwere Säkke oder Kisten tragen,
und vier bis sechs Tage Hunger und Durst leiden kan?
Ja, dis ist alles wahr. Ein Kameel kan wirklich, je nach=
dem es alt oder jung, stark oder entkräftet ist, sieben bis
fünfzehn Zentner in einem Tag zwölf bis fünfzehn Meilen
weit tragen, ohne auszuruhen, und ohne was zu fressen und
zu sauffen. Ja sie können so gar, wenns Noth thut, sechs
bis acht Tage fast in einem weg, Tag und Nacht forttra=
ben, ohne daß sie sich einmal sat fressen könten. Und ans
Sauffen ist da, wo es weder Brunnen noch Flüsse noch Teiche
gibt, gar nicht zu gedenken.

Man mus also die Kameele, ehe man mit ihnen auf
eine Reise geht — eine Karavane unternimt — zu Hausse
erst recht füttern, und dik ansauffen lassen, damit sie so lang
dursten können, bis man an Ort und Stelle gekommen ist.
Und weil die Kameele eine grosse Menge Wasser auf einmal
sauffen, und in ihrem zweiten Magen — denn sie haben
auch, wie die Ochsen und andere widerkauende Thiere, vier
Magen — rein aufbewahren, so schlachten die Araber und
andere Leute, die des Handels wegen eine Karavane mitma=
chen, oft mitten auf dem Weg, wenn sie Mangel an Was=
ser haben, etliche Stük, schöpffen es aus den Mägen heraus,
und trinken es.

Wenn

Wenn ein Kameel beladen werden sol, so legt es sich auf seine Knie nieder, und rührt sich so lang fast gar nicht, bis es seine volle Ladung hat, und man es aufstehen heist. Hat man es aber überladen, so seufzt und schreit es, bleibt liegen, und steht nicht auf, man mag es schlagen, und ihm aufhelfen wollen oder nicht.

Das Niederknien lernen sie von Jugend auf — Denn sobald ein Kameel gebohren ist, beugt man ihm die Füsse unter den Bauch, und legt es drauf nieder, und wirft eine Dekke oder sonst ein starkes Band über seinen Rükken her, und befestiget es so stark auf beiden Seiten, daß es nicht aufstehen kan. Man belastet es auch gleich ein wenig, damit es das Tragen nach und nach gewohnt werde. — Thun ihnen denn ihre Füsse von dem vielen Niederknien nicht weh? Nein, sie haben ja dikke harte Schwülen an den Knien. Die Kameele legen sich nie auf die Seite, wie die Ochsen und andere Säugthiere, sondern ruhen und schlaffen immer auf den Knien.

Und damit auch auf der Reise alles gut und glüklich von statten gehe, so läst man die Kameele alle Abend halt machen, löset die Strikke auf, und läst die Ballen oder Kisten auf beiden Seiten neben ihnen hinsinken, und nimt ihnen also ihre Bürde ab, so, daß sie nun ausruhen, frei herumgehen, und sich was zu fressen suchen können.

Ists Zeit zur Abreise, so ruft man ihnen — und siehe, es kommen alle sogleich herbei, stellen sich zwischen ihre Last, und lassen sich geduldig wieder alles auflegen, was sie vorhin getragen hatten — und gewöhnlich sizt noch einem und dem andern sein Herr, oder ein reisender Kaufmann auf

Ji 5   den

den Hals — und traben frei und ohngehalftert, ohne zu entlauffen, oder zurük zu bleiben, oder sonst einen Spektakel zu machen, drauf los — solten ihrer auch gleich zwei bis drei hundert Stük beisammen seyn — wenn nur der Voranreiter braf pfeift, singt oder bläst, weil sie die Musik lieben, und gern nach dem Takt traben. Je besser also bei einem Karavanenzug gepfiffen oder gesungen wird, desto muntrer und flenker traben die Kameele drauf los.

Im Frühling fallen den Kameelen fast alle Haare aus, so daß sie beinahe ganz kahl werden. Man webt aus den längern davon allerhand Zeuge; und die kürzern geben Hüte. Nach Europa kommen selten lange Kameelhaare, wohl aber kurze. Und diese kan man nur zu Hüten und Strümpffen gebrauchen, nicht aber dasjenige Garn draus spinnen, das man gewöhnlich Kameelgarn zu nennen pflegt. Unsere Knopfmacher machen ihr Garn und ihre Knöpfe ⁊c. aus Schafwolle; und unsere Zeugmacher ihre Zeuge ebenfals aus Schafwolle. Daß es aber langhaarichte Ziegen gebe, die man Kamel nent, und aus ihren Haaren die bekanten Kämelotte mache, ist oben bei der Ziege erinnert worden.

Der Clama

oder Guanako ist auf den Gebirgen von Peru in Südamerika zu Hausse, und sieht dem Kameel und der Ziege viel ähnlich — daher nent man es auch Kameelziege. — Es ist viel kleiner, als das Kameel, und merklich grösser, als die Ziege, hat lange Füsse, und einen langen unten gebognen Hals, wie das Kameel, aber keinen Hökker auf dem Rükken, eine gespaltene Oberlippe, und ganz gespaltne

Klauen,

Klauen, und an jedem Fus hinten eine Spornklaue, die ihm zum Klettern dient, und ihn für dem Gleiten sichert, und dikke wollichte weis, grau und rothgeflekte Haare.

Man macht ihn zahm, und gebraucht ihn zum Lasttragen. Er trägt aber gewöhnlich nur anderthalb Zentner, und geht dabei sehr langsam, und in Einem Tag höchstens fünf Meilen weit. Und wenn man ihn überladen oder übertrieben hat, so legt er sich oft mitten auf dem Weg plözlich nieder, und steht nicht eher wieder auf, als bis es ihm gefält, und er ausgeruhet, oder man ihm seine Last abgelöst hat, man mag ihn prügeln, wie man wil. Des Nachts aber läuft und reist es gar nicht.

Der Clama kan auch, wie das Kameel lange hungern und dursten. — Man ist sein Fleisch, und nüzt sein Fel. — Gegen seine Feinde wehrt er sich mit einem Speichel, den er aus seiner gespaltnen Oberlippe, fünf Ellen weit fortsprizen kan. Es riecht dieser Speichel übel, und beist und brent auch gar sehr.

Der Pakos

Vigogne oder Vikunna ist des Clama Kamerad, aber kleiner und ein wenig anders gebaut. Er komt in Hals und Füssen dem Kameel, in der übrigen Bildung aber dem Schaf gleich, und wird deswegen auch von einigen Schafkameel genant.

Man schäzt ihn wegen seiner treflichen blasrothen Wolle, die fast so theuer, als die Seide ist, und unter dem Namen Vikunnawolle von den Spaniern verkauft wird, sehr hoch.

Auch

Auch sein Fleisch schmekt sehr gut. Zum Lasttragen aber wird er nicht viel gebraucht, weil er schwach ist, und leicht müde wird, und sich auch gern, wie der Clama, mitten auf dem Wege niederlegt, und sich lieber tod prügeln läßt, ehe er wieder aufsteht.

Das Bisamthier

oder Moschus hält sich in den bergichten und waldichten Gegenden von der Tatarei und Sina auf, und hat an Grösse, Bildung und Fras viel ähnliches mit dem Reh. Hörner aber hat es nicht. — Das Männchen ist wegen des braunen dikken Saftes bekant, der sich in einem Beutel unten am Bauch hinter dem Nabel sammelt, und ihm viel Beschwerlichkeit verursacht. Daher ripst es sich an Bäumen und Steinen, und drükt denselben hinaus. Er riecht erstaunend stark. Wer ihn aufsuchen und einsammeln wil, muß sich die Nase verbinden, und den Mund zu halten, wenn er nicht erstikken wil. — Man gebraucht den Moschus zum Salben und Schmiren, und zu allerhand Arzeneien.

Das Zwerghirschchen

ist kaum so gros, als eine Kaze, und das kleinste Thierchen in der Welt, das gespaltne Klauen hat. Es lebt in Ostindien, und wird wegen seiner Kleine, und wegen seiner niedlichen Bildung sehr geschäzt. Es gibt aber nicht viel. Und nach Europa komt selten eins lebendig, weil sie sehr schwach und empfindlich sind. — Zwerghirschchen nent man es deswegen, weil es röthlichtbraune Haare, lange dünne Füschen, und ein kurzes Schwänzchen hat. — Man ißt sein Fleisch.

Auch

uch werden seine Füschen in Silber gefast, und zu Tabaks=
opffern gebraucht.

Schwein

ıg deine Geschichte her! — O wie kan ich das. Und war=
m denn nicht? Du solst und must sie hersagen, du wüste
arstige Sau! Kanst du dich immer im Koth und Mist her=
mwälzen, und Aekker, Wiesen und Gärten durchwühlen,
nd sonst noch allerhand Unfug treiben, so kanst du auch das
hun. — Rede also, oder du kriegst Schläge.

So, sie wollen mich also zwingen? Nun, das ist lu=
ig! Wissen sie denn aber auch, daß die Peitsche durch meine
robe Borsten, harte Haut und dikken Spek nicht durchgeht,
und ich sie also nicht sonderlich viel fühle und fürchte? Oder
wollen sie mich prügeln, und mir Kopf und Füsse entzwei
schlagen?

Ich dächte, sie solten beides bleiben lassen, wenn sie
Nuzen von mir haben wollen. — Ich gebe zwar keine Milch,
wie die Ziege, werffe aber dagegen alle Jahr sechs bis zehn
Junge; ja ich zikle wohl, wenn man mich auch nur ein we=
nig gut und billig hält, des Jahrs zweimal, so daß ich eine
Familie von zwanzig Stük zusammen bringen kan. Und — —
Halts Maul, fatale Grunzerin, wer solte dich wohl melken,
und deine Milch trinken wollen?

Nicht wahr, es gibt zahme und wilde Schweine? Ja.
Nun so sag uns denn, worin der Unterschied unter euch be=
stehe? Die wilden Schweine haben grössere und stärkere
Köpffe und Rüssel, als die zahmen, und auch längere Fang=
zäh=

zähne, und alle durchaus schwarze Haare; leben immer in
dikken Wäldern, fressen Eicheln und Bücheln und allerhand
Wurzeln und wildes Obst, werffen alle Jahr sechs bis zehn
Ferkeln, und werden fünfzehn bis zwanzig Jahre alt.

Sie sind entsezlich böse; und weit wilder, als wir zahmen Schweine. Sie fallen oft Hunde, Pferde und Menschen
an, und hauen und verwunden sie mit ihren langen, aus-
wärts stehenden Fangzähnen. Am fürchterlichsten sind sie,
wenn sie verfolgt werden, oder ihre Jungen zu vertheidigen
haben. Riechen oder wittern sie einen Hund — denn das
wilde Schwein sol unter allen Thieren, den stärksten Geruch
haben *) — oder sehen sie ihn schon auf sie los kommen,
so risten sie sich zum Streit, und erwarten ihn mit wilden
Augen, und in die Höhe gerichteten Vorsten, und sezen ihn
durch wütende Anfälle in Schrekken; oder sie verstekken sich
in ein Gebüsch, und machen sich darin ihre Vertheidigung
leichter, und die Rache gewisser; und verwunden so manchen
Hund, und manchen Jäger.

Den Tag über liegen sie in ihren Brüchen oder Löchern; des Abends aber, wenn es anfängt, dunkel zu werden, gehen sie hervor, und suchen sich ihren Fras auf. —
Man nent die wilden Schweine Schwarzwildprät, und
schäzt von ihnen vorzüglich ihre Köpfe hoch — Auf der
siebten Tafel, Figur vierzehn ist ein wildes Schwein, das so
eben von einem Jäger erschossen wird, und bereits niederfallen wil, abgebildet.

Es

---

*) Fünf Thiere übertreffen uns Menschen in unsern Sinnen:
Nos aper auditu praecellit, aranea tactu,
Vultur odoratu, lynx visu, simia gustu.

Es gibt faſt in allen Gegenden der Welt wilde Schweine; aber doch gewis nicht ſo viele, als es zahme gibt. — Die zahmen Schweine, haben ſchwarze, weiſſe und röthlichte Borſten, und halten ſich immer bei den Menſchen auf, und freſſen alles, was ſie ihnen geben, Feld= Baum= und Gartenfrüchte, Kohl, Brod und Gemüſe, wühlen gern nach Mäuſſen und Würmern, und freſſen ſie, nebſt vielem andern Unrath, gierig auf. — Und daher komts auch, daß die Juden ſchon ſeit den älteſten Zeiten, und ſo auch die Türken, kein Schweineſleiſch eſſen dürffen.

An Freſſen darfs uns nicht mangeln, wenn wir bald dik und fet werden ſollen. Es iſt bei uns eine dringende Bedürfnis, daß unſer Magen immer vol ſeyn mus. Kurz und gut — das viele Freſſen iſt unſre gröſte Volkommenheit. Wir freſſen uns daher oft ſo dik an, daß wir nicht mehr gehen und ſtehen können, und faſt erſtikken müſſen. Und da wir die Ruhe und Gemächlichkeit gar ſehr lieben, und oft auf einem Flek etliche Wochen lang liegen bleiben, ſo geſchiehts zuweilen, daß Mäuſſe und Ratten auf unſerm Rükken niſten, und unſere Haut und Spek anfreſſen, ohne daß wirs merken. — Wir freſſen ſehr geſchwind, und ſchmazen gern dabei.

Regen und Wind und Bliz und Donner und Schnee können wir nicht leiden. Wenn wir daher auf der Weide ſind, und es kömt ein Gewitter, oder ein ſtarker Regen, ſo lauffen wir gemeiniglich, eine nach der andern von der Heerde weg, und rinnen mit groſſem Geſchrei unſerm Stalle zu. Die jüngſten unter uns ſchreien oder krunzen am meiſten

und

und stärksten. — Das Männchen bei uns Schweinen heist
Eber. *)

Fleisch, Spek, Schmer und Eingeweide und Blut und
Borsten kan man von uns gebrauchen. Unser Fleisch wird
gesotten und gebraten, und nebst unserm Spek zu allerhand
Würsten verhakt — Unser Blut gibt auch gute Würste.
Unsere Haut wird gegerbt, und zu Sieben, Bücherüberzü=
gen und allerhand Riemen verarbeitet. Unser hartes Fet oder
Schmer dient zur Schuh= und Wagenschmiere, und den är=
mern Leuten auch zum Essen. Und aus meinen Borsten
macht man Kehrbessen, Bürsten und Pinsel.

Der Tajassu

oder Pakari ist ein Südamerikanisches Schwein, das schmäch=
tiger von Leib ist, als unser zahmes, kurze Beine, keinen
Schwanz, schwarz und weisse Borsten, die fast so hart sind,
als des Igels seine Stacheln, und hinten auf dem Rükken
eine Drüse hat, darin sich eine milchichte Feuchtigkeit sam=
melt, die in der Ferne beinahe wie Bisam riecht, in der
Nähe aber entsezlich stinkt. — Es frist Erd= und Baum=
früchte und Wurzeln, Schlangen, Kröten und Eidexen, und
dient den Brasilianern zur besten Nahrung. Sie fangen es
deswegen jung in den Wäldern, und machen es zu einem
zahmen Hausthier.

Babi=

*) Das wilde Schwein heist im lateinischen aper; das zahme scrofa; und das
Ferkel porcellus. — Das Schwein überhaupt aber, ohne zu fragen
ob es zahm oder wild sey, heist sus — daher man auch Schweine=
fleisch durch caro suilla übersezt.

F.L.H. aagen ac.   J.C. Sturm c.

Babiruſſe

heiſt auf den Molukkiſchen Inſeln in Oſtindien dasjenige
Schwein, das ſtat der Vorſten dünne Haare, und im Ober=
kiefer vier groſſe krumme Zähne hat, die ihm ein fürchterli=
ches Anſehen geben, und Gras und Baumblätter frist. —
Man glaubt, er hänge ſich an dieſe vier groſſe Zähne an die
Bäume auf, um daran ruhen und ſchlaffen zu können. —
Oder zieht er etwa damit die Aeſte und Zweige der Bäume
herunter, um das Laub deſto bequemer abpflikken zu kön=
nen? — Dieſe Babiruſſen=Zähne ſind ſchneweis und ſo hart,
daß man ſie wie Elfenbein verarbeiten kan. — Man nent
den Babiruſſe auch Hirſcheber.

Izt folgt die ſechste Ordnung der Säugthiere, und
in derſelben diejenigen Thiere, die ſtat der Haare Stacheln,
oder Schilder, oder Schuppen haben, und ſich, wenn ſie
wollen, in eine Kugel zuſammen rollen, und ſich ſo gegen
ihre Feinde ſichern oder vertheidigen können — und dis ſind
das Stachelſchwein, der Igel, der Armadil und das Formo=
aniſche Teuffelchen.

Das Stachelſchwein

iſt in Afrika, und in den wärmſten Gegenden von Aſia zu
hauſſe — Doch gibts auch in Spanien und Italien wel=
che — iſt zwei bis dreimal gröſſer, als eine Kaze, und mit
langen knöchernen, weis und ſchwarzen oder röthlichten Sta=
cheln bedekt, die es, wenn es wil, erheben und niederlegen
kan — auf der fünften Tafel, Figur neunzehn iſt eins mit
aufgerichteten Stacheln abgebildet — Es hat eine geſpaltne

Kk   Schnau=

Schnauze, runde Ohren, und mit Krallen besezte Zehen, un[d]
krunzt wie ein Schwein, und frist Schlangen, Ratten un[d]
Mäusse und allerhand Wurzen und Feld= und Baumfrüchte.

Seine mehrsten Stacheln sind etwas über eine vierte[l]
Elle, die grösten aber oft fast eine Elle lang. — Und mi[t]
diesen Stacheln wehrt es sich gegen seine Feinde; denn e[s]
kan sich so sehr zusammen rollen, und Kopf und Füsse s[o]
dicht an sich ziehen, daß man nichts mehr, als Stachel[n]
sieht, und es herumwälzen, und von einer Stelle zur an[=]
dern werffen darf, ohne daß es ihm Schaden thut. Wen[n]
ihm also ein Mensch, oder ein Löwe, oder ein Tiger, ode[r]
ein Leopard, oder sonst ein Feind nahe kömt, so fährt e[s]
schnel auf; schüttelt die Haut, wie ein Hund, der so eb[en]
aus dem Wasser gekommen ist, erhebt seine Stacheln, un[d]
macht ein grosses Geräusch damit, um sie dadurch zu e[r=]
schrekken, und ihm die Flucht und Rettung leichter zu ma[=]
chen. Weichen sie aber nicht zurük, und kommen sie ih[m]
gar immer näher; je nun, so rolt es sich zusammen, un[d]
bleibt ohnbeweglich liegen. Und so entgehts der grösten Ge[=]
fahr; weil ihn selbst der gröste Löwe nun nichts zu Leid[e]
thun kan — denn wo sol ers anpakken? Mit was sol e[r]
angreiffen? Mit seinen Tazen oder mit seinem Maul? J[ch]
rathe ihm — mit keinem von beiden, wo er sie sich nich[t]
entsezlich zerstechen, und tödlich verwunden wil.

Wenn man ein Stachelschwein lebendig gefangen ha[t]
so mus man es an eine Kette binden, weil es auch die di[k=]
sten Strikke abbeist, und sich selbst durch die dikzten Br[et]
ter durcharbeitet, und entflieht. Denn so zahm kan man
nicht machen, daß es frei herum geht, und Mäusse u[nd]

Ratten und Schlangen fängt, und sich sodenn wieder zu seinem Herrn begibt, und daselbst zur Ruhe nieder legt, wie die Kaze thut.

Ehedem glaubte man — und wie manche Person glaubts vielleicht noch izt? — das Stachelschwein lauffe seinem Feinde mit grossem Gerassel entgegen, und schiesse einen Stachel auf ihn los, und entgehe so der Gefahr — Grund falsch; das kan es nicht thun. Sein Zusammenrollen ist alles, was es gegen seine Feinde thun kan. Schlangen und Eidexen ermordet es zwar mit seinen Stacheln, aber auf folgende Weise: Es rolt sich zusammen, und wälzt sich so lang mit seinen Stacheln über sie her, bis sie tod sind, und frist sie sodenn auf. — Man ist das Fleisch der Stachelschweine, und ihre Stacheln geben Pinselstiele, Haarnadeln und Zahnstocher.

Der Igel

ist auch mit Stacheln bedekt, wie das Stachelschwein, aber mit viel kleinern und dünnern — Denn der ganze Igel ist kaum so gros, als eine Kaze. — siehe Tafel fünf, Figur neun und zwanzig. — Er kan sich auch zusammen rollen, wenn er wil. Je mehr ihn ein Mensch, oder ein Hund, oder ein Fuchs stöst und ängstet, desto stärker strekt er seine Stacheln hervor, desto dichter windet er sich zusammen.

Aus Angst läst er sein Wasser lauffen, und weil es ziemlich stinkt, belt ihn der Hund eine Zeitlang an, und geht weiter. Der schlaue Fuchs aber achtet diesen Gestank nicht, geht näher hin, und bepist ihn über und über. Und weil der arme Igel nichts Nasses, viel weniger warmen Pis

Kk 2   extraertragen kan, so thut er sich auf, und wil fliehen. Weil er aber gar nicht schnel springen kan, und sein Feind gleich hinter ihm her ist, so wird er von demselben erhascht und aufgefressen.

Es gibt fast allenthalben in der Welt Igel — Auch in unserm Teutschland gibts welche. — Sie halten sich in Wäldern und Gärten in hohlen Bäumen, Gebüschen und Steinhauffen, und in Löchern unter der Erden auf, fressen wildes und zahmes Obst, Kartoffeln und Rüben und andere Gartengewächse, Ratten und Mäusse, Spinnen und Heuschrekken und Kröten und Frösche, bringen alle Jahr drei bis fünf Junge zur Welt, und leben zehn bis fünfzehn Jahre.

Es ist nicht wahr, daß der Igel auf die Obstbäume steigt, und die reiffen Birn und Aepfel abschittelt, um solche sodenn unten fressen zu können. Aber das ist wahr, daß er sich zusammenrolt, und sich über die, unter den Bäumen liegende Aepfel und Birn so lang herwälzt, bis etliche an seinen Stacheln stekken bleiben, um sie in sein Loch, zur Nahrung auf den folgenden Tag, tragen zu können — denn er geht nur des Abends umher, und liegt den Tag über gewöhnlich ruhig in seinem Loch. — Auch das ist falsch, daß er den Kühen und Ziegen die Milch aus ihren Eitern sauge, wie manche Leute glauben.

Man kan den Igel zahm machen, und zum Mäusse- und Rattenfang abrichten. Er fängt viel mehr Mäusse, als eine Kaze. — Man kan sein Fleisch essen, und sein stachelichtes Fel zu Bürsten und Hecheln gebrauchen. — Des Winters legt er sich zusammengerolt in sein Loch, oder auch nur in einen hohlen Baum, oder blos nahe zu einem Zaun

uns

unter ein paar Hände vol Heu, Moos oder Laub, und schläft so in einem fort bis in den wärmern Frühling. Ist dieser aber erst einmal da, so erwacht er nach und nach, steht auf, und geht wieder seinem Fraß nach.

Es gibt zweierlei Igel, Schweinigel und Hundsigel. — Die Schweinigel haben einen Rüssel, der viel Aehnlichkeit mit einem Schweinsrüssel hat — und solche Igel gibts bei uns am meisten. — Der Rüssel der Hundsigel hingegen gleicht einer Hundsschnauze. *)

Der Armadillo

oder Kachikamo ist in Südamerika zu Hausse, und so groß, als ein Kaninchen, und mit Schildern bedekt. Er hat einen langen schmalen Kopf, und eine sehr lange dünne, und in eine Art von Rüssel ausgehende Schnauze, lange Ohren, einen langen Schwanz und kurze Füsse, und frißt Mäusse und Aepffel und Birn, und sonst noch allerhand Dinge. — Man ißt sein Fleisch.

Kk 3   Das

*) In Ostindien und vorzüglich in Malakka gibts Igel, die eine Art von Gallenstein, einer Haselnus, und oft auch einer Walnus groß, in ihrem Leibe haben. Man kent diese Steine unter dem Namen Pedro del Porco, und hat sie vor Zeiten als eine sehr kräftige und seltne Arzenei betrachtet, sie in Gold eingefaßt, und mit güldnen Ketten versehen, um sie einige Minuten lang in ein Glas Wasser oder Wein hängen zu können, weil sie dann jeder Feuchtigkeit ihre medizinische Kraft mittheilen solten. — Dis und noch mehrers hievon, hat der selige Herr Doktor Martini, in der Uibersetzung der Büffonischen Säugthiere, Band 5, Seite 25 angeführt.

Das Formosanische Teufelchen

ist so gros, als eine junge Kaze, und ein recht sehr niedliches Thierchen. Es hält sich in Afrika und Asia, und vorzüglich auf der Insel Formosa bei Sina auf, frist nichts als Ameisen, und andere kleine Insekten, weil es keine Zähne hat, und ist über und über mit dunkelbraunen harten Schuppen bedekt, so daß es einer langen Artischoke, oder noch besser einer Tanzapffe ähnlich sieht. — Sein Schwanz ist länger, als sein ganzer Leib. Es kan sich auch zusammen rollen. — In seinem Vaterland nent man es Phatagin; die Teutschen nanten es Teufelchen, wegen seiner sonderbaren Bildung.

In der siebenten Ordnung der Säugthiere erscheinen die fast haarlosen Ungeheuer, und gröste Landthiere, als der Elefant, der Tapir, das Nilpferd, und das Nashorn.

Der Elefant

ist das gröste Geschöpf Gottes auf dem Erdboden, und auch das merkwürdigste. Er ist sechs bis sieben Ellen hoch, un mit ausgestrektem Rüssel zehn bis zwölf Ellen lang, un ganz gewis dikker und grösser, als zween Ochsen auf einan der, und neben einander. Er ist in dem heissesten Theil vor Asia und Afrika zu Hausse, frist Gras und Reis und Baum blätter, bringt, wie man glaubt, alle zwei oder drei Jah Ein Junges zur Welt, und lebt hundert und fünfzig bi zwei hundert Jahr, und auch wohl noch länger. *)

Nu

---

*) Elephantem alli annos ducentos vivere aiunt, alii trecentos, *Aristot.* i histor. anim. Lib. 8. Cap. 9. — Daß er aber gar vier bis fünf hunder
Jah

Nun das las ich gelten — ja wohl zwei hundert Jahr
lang leben! — Ei wie gros ist denn ein Elefant, wenn er
zur Welt kömt? So gros ohngefähr, als ein kleines Pferd.
Bringt er gleich seine zween lange Zähne mit? Nein, die
wachsen ihm erst in seinem vierten Jahr. Aber seinen langen
Rüssel bringt er doch gleich mit auf die Welt? O freilich!
Wie solte ein Thier ohne Nase auf die Welt kommen? Das
wäre ja eine Misgeburt — Denn der Rüssel ist dem Elefanten das, was der Ziege die Nase; und dem Affen die
Nase und die Hände zugleich sind. Er riecht damit, und
bringt auch sein Essen und Trinken damit ins Maul.

Daß aber dis Rüsselchen sowohl, als auch die zween
Zähne Anfangs nur klein, und kaum einer halben Elle lang
seyn mögen, ist leicht zu vermuthen. Allein alle Jahr werden sie länger und dikker. Der Rüssel wird endlich drei
Ellen lang, und dikker, als ein Manns=Arm; die Zähne
aber werden fast zwo Ellen lang, und so dik, als ein Manns=
Arm. Dieser Rüssel hängt zwischen den zween Zähnen herunter; und die Zähne wachsen aus der untern Kinlade heraus, sind unten hohl, schneweis und erstaunlich hart, und
fallen dem Elefanten alle zwei Jahr aus.

Habt ihr den Elefanten auf euern Kupferblatten schon
angesehen? O ja, auf der zehnten Tafel, bei Figur vier und
zwanzig steht er. — Wie gefält er euch? Ists nicht ein
Kk 4
ent=

Jahr alt werden solle, ist wohl nur eine Sage der leichtgläubigen Rei-
febeschreiber. — Wenn man einen Indianer frägt: Wie alt ist dein
Elefant? So sagt er: Mein Grosvater hat ihn 30, und mein Vater
50 Jahre gehabt; und ich hab ihn nun auch schon zehn Jahre. Mehr
aber erfährt man selten von ihnen. Und in den Thiergärten der Könige und Fürsten werden sie selten über dreissig Jahre alt.

entsezlich ungeheures Thier? Das ist er auch. Er sieht ge=
rade so aus, wie der lebendige, den wir lezthin gesehen ha=
ben. So, ihr habt also schon einen lebendigen Elefanten ge=
sehen? Allerliebst. Ihr werdet ihn doch auch genau betrach=
tet haben, und nahe zu ihm hingegangen seyn? O Ja, lei=
der ich nur al zu nahe! Hören Sie einmal, wie mirs ging:
Ich lief links und rechts, und hinten und vornen um ihn
herum, und staunte ihn lange an, ehe ich einen Theil seines
Leibes um den andern betrachtete. Kaum aber hatte ich
seine dikke plumpe vier Säulen ähnliche Füsse, nebst den Ze=
hen und ganzen Unterfläche derselben — denn sein Herr ließ
ihn, uns zu Gefallen, einen Fus in die Höhe heben — die mit
einem hornartigen Leder überzogen ist, und rings umher einen
überstehenden Rand hat — sein kleines unten mit einem Haar=
büschel beseztes Schwänzchen, und seine aschgraue dikke runz=
lichte haarlose Haut — die Haut ist Finger dik, voller Run=
zeln und Schwülen, und nur hie und da mit einer Haar=
borste besezt — genau begukt, und so eben auch seinen un=
geheuern Kopf, seine kleine blizende Augen, seine grosse flach
herabhängende Ohren, seine zween hervorstehende Zähne, sei=
nen Mund, den man nicht ehe sieht, als bis man ihn un=
ter den Rüssel gukt, und seinen Rüssel zu bewundern ange=
fangen; als er sich plözlich gegen mich wande, seinen Rüssel
fast drei Ellen lang ausdehnte — sein Herr und Führer sag=
te mir nachher, daß ein ausgewachsener Elefant seinen Rüs=
sel drei Ellen lang ausstrekken, und bis auf Eine Elle wie=
der einziehen könne — und mit demselben einen Apfel un=
ter meinen Füssen wegnahm — ach wie erschrak ich da nicht!
Ich zitterte und bebte, sah und hörte nichts mehr, und
glaubte schon, er wolle mich nehmen, mich in die Höhe he=
ben, und derbe ritteln; oder mich wenigstens auf seinen Hals

sezen,

ſezen, und eine Zeitlang drauf reiten laſſen. Aber er that
mir nichts Leids.

Dieſer ſein Rüſſel hängt zwiſchen ſeinen zwei Hörnern
herunter, iſt lauter Fleiſch und Knorpeln, und innen höhl,
wie eine Röhre, und ganz gewis ſein ſchäzbarſtes Glied.
Er kan ihn nicht nur bewegen und biegen, ſondern auch, wie
geſagt, verkürzen und verlängern, krümmen und drehen, wie
und wohin er wil. Er holt Othem durch ihn, ſchöpft Waſſer damit, und bringt es, nebſt ſeinem Fras damit ins
Maul. Er reist damit dikke Bäume aus, wirft Menſchen
und Thiere ſo empfindlich nieder, daß ſie das Aufſtehen vergeſſen; ſchlägt einem Menſchen damit den Kopf ab, und ſtelt
alſo, wenn mans haben wil, und ers gelehrt worden iſt,
einen Scharfrichter vor.

Unten hat er an demſelben einen beweglichen Haken oder
Finger, mit dem er Blumen und Baumblüten — und vorzüglich Pomeranzenblüte, die er äuſſerſt gern riecht und frist —
er frist oft die Zweige eines Pomeranzenbaumes mit Laub,
Blüten und Früchten auf — abſlikken; Büſchel von Stroh
machen, um ſich damit die Fliegen zu verjagen; kleine Stükke
Geld auf der Erde aufheben, und hin legen, wo mans hin haben wil; einen Apffel oder eine Birn oder ein Stük Brob aus
einer Taſche langen; von der Erde eine zugepfropfte Bouteille
mit Wein oder Brandwein oder Bier aufnehmen, den Pfropf
raus ziehen, und den Wein austrinken; und die leere Bouteille wieder dahin ſezen, wo er ſie weggenommen hat; Knoten, ſehr oft zuſammengeknipfte Knoten auflöſen; verſchloſne
und verrigelte Thüren, durch Umdrehung der Schlüſſel, und
Vor- oder Wegſtoſſung der Riegel öfnen und verſchlüſſen;
ſchreiben; ſeinem Herrn oder ſonſt Jemanden den Hut abneh-

Kk 5 men,

men, und wieder aufsezen; grosse Lasten aufheben, und sich
selbst auf seinen Rükken legen; und noch hundert andere
Künste lernen kan.

Ist das nicht alles mögliche von einem solch gros=
sen plumpen Thier, das noch zudem so dum und tölpisch
aussieht, daß man glaubt, es könne nichts, als fressen und
sauffen und schlaffen? — Dum ist also der Elefant gewis
nicht, sondern sehr gelehrig und geschikt, und auf alles auf=
merksam, was um ihn vorgeht. Er ist gut und verträglich,
sanftmüthig und pünktlich gehorsam, und thut Niemand was
zu Leibe — Denn das mus man ihm nicht übel nehmen,
daß er zuweilen einen trägen oder kühnen Indianer, der ihm
nicht aus dem Weg gehen wil, oder ihm gar unter die Füsse
gelauffen ist, mit seinem Rüssel anpakt und in die Höhe
hebt, und so lang derbe schittelt, bis alles von ihm gefal=
len, was nicht fest geknipt war — nachher sezt er ihn wie=
der säuberlich nieder, und läst ihn gehen, wohin er wil. —
Nekt, trit oder schlägt man ihn aber, ja denn rächt er sich
gewis bei der ersten besten Gelegenheit, und schlägt oder trit
oder bohrt den gewis zu tode, der ihn vorhin mishandelt
hatte.

Er hat ein gutes Gedächtnis, und vergist Beleidigungen
nicht leicht; denkt aber auch lange an genosne Wohlthaten,
und schüzt und verschont die Unschuldigen. Ein paar Beispiele
hievon sind folgende: Ein Kornak — denn so nent man die
Elefantenführer — begegnete einst seinem Elefanten sehr grob,
gab ihm wenig, und fast immer nur schlechtes Zeug zu fres=
sen, und nekte und schlug ihn immer, ohne zu wissen,
warum? Der grosmütige Elefant erduldete diesen Unfug lange
Zeit, da er es ihm aber einmal gar zu arg machte, schlug

er

er ihn in Gegenwart seiner Frau und Kinder tod, durchstach
ihn mit seinen Zähnen, und trampte ihn mit den Füssen kurz
und klein. Und dis alles war in etlichen Augenblikken ge=
schehen.

Die arme Frau zitterte und bebte, schrie und fluchte
auf den Elefanten, nahm ihre zwei Kinder, und warf sie
ihm, da er noch ganz bös und wütend war, vor die Füsse,
und sagte: da Mörder, hast du meinen Mann getödet, so
nim nun auch mir und meinen Kindern das Leben. — Der
Elefant stand plözlich stil und stuzte, besänftigte sich, und
nahm — gleich als wenn ihm das Geschehene nahe ginge —
das älteste von den Kindern mit dem Rüssel, und sezte es
auf seinen Hals, gab ihm die Stelle seines Vaters und vo=
rigen Führers, und wolte von nun an schlechterdings keinen
andern Führer, als dis Kind, dulden.

Ein Beispiel von des Elefanten Erkentlichkeit ist dis:
Ein gewisser Soldat gab einst einem Elefanten fast alle Tage
ein Stük Brod, und einen Schluk Brandwein dazu, und
lebte mit ihm so vertraut, daß er seinen Rüssel in die Hand
nehmen, auf ihm reiten, und sonst noch allerhand Spässe
mit ihm treiben durfte. Da er sich nun einmal vol sof, und
davon lief, suchten ihn seine Nebensoldaten, und wolten ihn
arretiren. Allein wie erschraken diese nicht, da sie ihn zwar
fanden, aber unter seinem lieben Elefanten besoffen schlaffend
und schnarchend liegen fanden; Einer von der Wache wolte
ihn anpakken und hervor ziehen; allein der gute Elefant litte
es nicht, und schleiderte ihn so weit weg, daß er zwo Rib=
ben zerbrach, und bald nachher starb. Und wären die übri=
gen nicht sogleich davon gelauffen, so hätte er sie gewis alle
ermordet. — Wie nun sein Liebling von seinem Rausch er=
wach=

wachte, stuzte er über sein gefährliches Lager, und wie er wohl unter die Füsse seines fürchterlichen Freundes gekommen seyn möchte, sprang auf, umarmte das Thier, holte Brod und Brandwein, und gab ihm aus Erkentlichkeit, daß es ihn nicht zertreten, und gegen die Wache geschüzt hatte, eine doppelte Portion.

So zahm und gehorsam also der Elefant ist, wenn man ihn nicht nekt und schlägt; so wild und unbändig ist er, wenn er mishandelt wird, und man ihm nicht gibt, was man ihm verspricht. Denn wer ihm was zeigt oder verspricht — zumal wenns Wein oder Brandwein ist, die er beide ausserordentlich gern trinkt — und hält nicht Wort, und gibts ihm nicht, der mus sich für ihm fürchten, und darf ihm nicht mehr ohne Lebensgefahr nahe kommen. Gibt man ihm aber, was man ihm versprochen, ja zeigt man ihm auch nur die Brandweinflasche, so läuft und trägt und zieht er geduldig fort, und thut alles, was man von ihm verlangt.

Denkt einmal, ein Elefant kan eine Last von drei tausend Pfund tragen, und mit derselben, wenns sein Führer, der sich sodenn auf seinen Hals sezt, haben wil, einen Weg von vier Tagen, in einem Tag zurük legen, und dabei geht er sehr sicher, und stolpert nicht. — Auch durchs Wasser schwimt er samt seiner Last, und strekt dabei seinen Rüssel gewaltig in die Höhe, damit ihm kein Wasser drein läuft. Und weil er so ausserordentlich gut schwimmen, und zugleich auch grosse Lasten auf seinem Rükken, und noch etliche Indianer, die sich an seinen Zähnen, an seinen Ohren und an seinem Schwanz fest halten, durchs Wasser schleppen kan, so mus er oft ziemlich grosse Schiffe ans Land ziehen, und die Waaren und Güter vom Schif aufs Land, und vom Land

ins

ins Schif tragen. Oft sizt und reitet eine ganze Familie, Vater Muter und Kinder auf einem einzigen Elefanten von
einem Ort zum andern — Denn ein Elefant kan gar gut
dreissig bis vierzig Menschen, samt einem kleinen Häuschen,
wo sie drin herum sizen, tragen. Und ehedem band man
ihnen gar so grosse Thürmer auf den Rükken, daß vierzig
Soldaten drin stehen, und gegen ihre Feinde fechten konten.

Ei warum sagten Sie vorhin; der Elefant bringe, wie
man glaube, alle zwei oder drei Jahre nur Ein Junges zur
Welt — weis man es denn nicht gewis? Nein, man weis
es nicht; denn es hat noch Niemand in der Welt einen Elefanten gehabt, der bei ihm ein Junges geworffen hätte. —
So bald ein Elefant gefangen und eingespert, und zum Reiten, Tragen und Ziehen gebraucht wird, und er nicht mehr
frei in Wäldern und Reisfeldern herum spaziren, und rauben und fressen kan, wo und was er wil, so bringt er kein
Junges mehr zur Welt. — Sobald also ein Elefant stirbt,
mus man wieder einen andern fangen oder kauffen, wenn
man wieder einen haben wil.

Lassen sie sich gern fangen? O gar nicht gern! Man
mus immer mit Lebensgefahr auf sie losgehen. Ein Mann
kan keinen fangen; es müssen ihrer wenigstens zehn bis zwanzig
mit zahmen Elefanten beisammen seyn, um ihn nach und nach
einschlüssen, und durch Vorwerffung eines guten Bissen, so nahe
herlokken zu können, das man ihm einen Strik um den Fus
werffen, und ihn sodenn völlig gefangen nehmen kan. —
Viele werden auch in grossen Gruben, darüber kleine Aeste
und Reiser gelegt sind, und sonst noch auf allerhand Art gefangen. Kan man sie aber lebendig nicht kriegen, so schiest
und schlägt man sie tod, damit ihrer nicht zu viel werden,

und

und die Indianer ihren Reis nicht für sie bauen, oder gar des Nachts, wie Nusschalen von ihnen in ihren Hütten zertreten werden. — Denn Reis frist der Elefant erstaunlich gern. Der Indianer mag daher oft sein Feld bewachen, wie er wil, Feuer anzünden oder trommeln — welches er doch beides nicht leiden kan, er kömt doch, und frist in einer einzigen Nacht einen ganzen Akker leer — und was er nicht frist, das zertrit er.

Man fängt aber doch alle Jahr so viele Elefanten, daß fast jeder Indianer wenigstens Einen; die reichern aber sechs bis acht; und die Fürsten und Könige gar zwölf bis sechszehn hundert Stük beisammen stehen haben, und zum Staat unterhalten können. — Findet sich aber ein weisser Elefant — welches höchst selten geschieht — auch die röthlichten sind was rares — so ist die Freude erstaunlich gros, weil man ihn zu Siam, und überhaupt in Indien für heilig hält, und wie einen Gott verehrt, ihm vom Menschen aufwarten, und sein Fressen und Trinken in goldnen Gefässen vorsezen läst. Sein Stal, oder vielmehr sein Zimmer ist prächtig ausgepuzt, und jeder, der zu ihm kömt, mus die Knie vor ihm beugen.

Wil denn keins von euch wissen, was ein Elefant koste? Ei ja, was kostet einer? In Indien und vorzüglich auf den zwo Inseln Zeilon und Java kostet ein schöner gewöhnlich nur dreißig bis vierzig Thaler; bis er aber zu uns nach Teutschland gebracht wird, kostet er fast allemal über tausend Thaler. Und das mus er auch kosten, weil er beinahe Ein Jahr zu reisen hat, bis er zu uns kömt, und fast alle Tage zween Thaler verzehrt. Ach was? Ja ja, so viel verzehrt er, und oft wohl noch mehr. Denn er mus alle Tage
füns

fünfzig bis sechzig Pfund Brod haben, wenn er sat seyn sol.

Zuweilen wird ein Elefant in der Absicht nach Europa gebracht, um ihn entweder einem Fürsten zu verehren, oder ihn eine Zeitlang für Geld sehen zu lassen, und dann an den nächsten besten Liebhaber zu verkauffen. — In der Menagerie zu Kassel steht wirklich ein schöner, zwölf bis dreizehn jähriger Elefant, der seinen eignen Stal, und seinen eignen Wärter hat, und alle Tage achtzig Pfund Brod fressen würde, wenn mans ihm gäbe. Izt hat er keine langen Zähne, weil sie ihm vor etlich Wochen ausgefallen sind. Denn alle zwei Jahr fallen sie ihm aus, und er bekömt nach und nach wieder andere, viel dikkere und längere. Man hat Elefantenzähne, die beinahe zwo Ellen lang, und unten fast zween Manns-Arme dik, und oft hundert und fünfzig Pfund schwer sind. Aus seiner untern Kinlade wachsen sie ihm heraus, sind unten hohl, und in der Mitte und oben ganz dicht, schneweis und so hart, daß man Würffel und Nadelbüchschen, Kämme, Kegel und Kegelkugeln, Billardkugeln, Schreibtafeln, Stokknöpffe und Marquen, und viele andere niedliche Dinge draus schnitzen und drechseln kan.

Wärs wohl nicht eine Schande für den grossen Elefanten, wenn er sich für einer kleinen Maus fürchten wolte? Ja, das wär es auch. Aber er thuts doch nicht? Doch ja, er kan die Mäusse schlechterdings nicht ausstehen, und gukt weg, oder geht ihnen gar aus dem Wege, so oft er eine sieht oder antrift. Und dis kömt vermutlich daher, weil ihm die Mäusse, wenn er auf der Erde liegt und schläft, gern in seinen Rüssel hinein kriechen, und sehr viel zu schaffen machen, bis er sie wieder heraus bringt. Deswegen legt er

auch

auch die Oefnung seines Rüssels, wenn er sich zum Schlaffen niederlegt, so dicht auf die Erde, daß ihm keine Maus hineinkriechen kan.

Auch der Tiger und der Leopard, der Löwe und das Nashorn sollen ihn zuweilen im Schlaf feindlich anfallen, ihm auf den Rükken springen, und so lang von seinem Blut saugen, bis er tod ist; oder ihm die Mündung seines Rüssels zu halten, daß er keinen Othem holen kan; oder ihm denselben gar abbeissen. — Also hat der grosse Elefant auch seine Feinde, die ihn mit List ums Leben bringen können. — Ein ausgewachsener Elefant wiegt gewöhnlich vier tausend Pfund. Man ist sein Fleisch.

Der Tapir

oder Anta oder das Wasserschwein *) ist nur so gros, als ein Mülleresel, und doch in der Neuen Welt, nach dem Bison oder Bukkelochsen, das gröste Landthier. Er hält sich Herdenweis in den Südamerikanischen Wäldern, nahe bei Sümpffen, Flüssen und Seen auf, gleicht viel dem Elefanten und dem Schwein, grunzt auch fast, wie das Schwein, hat einen bikken langen Kopf, und eine Art von Rüssel — denn seine Oberlippe hängt ohngefähr eine halbe Elle über die untere heraus, ist Arm dik und beweglich, und fast eben so gebildet, wie des Elefanten sein Rüssel, aber vorne ohne Haken, so daß er damit keine Knoten auflösen, aber doch seine Kinder damit aufheben, und auf seinen Rükken sezen, und seinen

Fras

---

*) Wasserschwein heist er, weil er viel ähnliches mit dem Schwein hat, und fast immer im Wasser lebt. — Tapir ist sein Brasilischer Name. — Und Anta nent ihn der Portugiese.

Fras damit abslikken kan — hat einen kurzen breiten Hals, einen gebognen Rükken, einen kleinen nakten Schwanz, ziemlich dikke, vorne mit vier, hinten aber mit drei gespaltnen Klauen versehene Füsse, sieht röthlicht aus, wie eine Kuh, frist Gras, Zukkerrohr und allerhand Feld= und Baumfrüchte, bringt alle Jahr Ein Junges zur Welt, und lebt ohngefähr dreissig bis vierzig Jahr.

Man ißt sein Fleisch, und gebraucht sein Fel zu Kleidern und Zelten. — Er ist ein träges, ein trauriges Thier, das die Finsterniß sucht, und nur des Nachts auf seinen Fras ausgeht, und sich nirgends lieber, als in dikken dunkeln Wäldern, nahe bei Seen, Flüssen und Morästen aufhält, um sich sogleich, wenn er einen Feind merkt, in das Wasser stürzen, und durch Schwimmen retten zu können. Sezt man ihm aber auch da noch nach, so taucht er unter, und läuft unter dem Wasser sehr weit fort.

Das Nilpferd

oder Seepferd oder der Wasserochs ist zwar merklich kleiner, als der Elefant, aber doch nach diesem Ungeheuer, das gröste das plumpeste Thier auf Erden. Er sieht fast aus, wie ein Schwein, und zum Theil auch, wie ein Ochs. Brüllt auch wie ein Ochs — siehe Tafel elf, Figur sieben und zwanzig — hat einen sehr dikken Kopf, und einen entsezlich grossen Rachen, kleine Augen, kleine Ohren, grosse weite Nasenlöcher, einen ungemein dikken Hals, kurze dikke Füsse mit vier Klauen, einen kurzen dikken Schwanz, und wenig oder gar keine Haare auf seiner dikken schwarzen Haut, wohnt in den afrikanischen Seen und Flüssen, frist Fische, Gras, Reis

Ll   und

und Hirſen und Baumwurzen, wirft alle Jahr Ein Junges
und wird vierzig bis fünfzig Jahr alt.

Den Tag über liegt und ſchläft das Nilpferd im Schilf
oder im Sand, und bekümmert ſich nichts um das, was um
ſich vorgeht. Des Nachts aber geht es theils im Waſſer
theils auf dem Lande ſeinem Fras nach, und thut ſo lang Nie
mand was zu Leide, als man ihn ohngeſchoren ſeines Wegs
gehen, und ruhig ſeine Fiſche verzehren, und ſeinen Reis
Hirſen oder Baumwurzen auffreſſen läſt. Stöhrt man ihn
aber darin, oder verwundet man ihn gar, ſo geht er wüten
auf ſeine Feinde los, und hört nicht eher auf zu raſen, al
bis er ſie zerriſſen, oder ſie ſich entfernt, oder er von ihne
tod geſchoſſen worden iſt — Nach ſeinem Kopf mus ma
zielen, wenn man ihn tödten wil, denn auf ſeinem Baud
und Rükken geht keine Flintenkugel durch.

Im Waſſer weicht er Niemand aus, weil er erſtau
lich ſchnel ſchwimmen und untertauchen, und etliche hunde
Schrit unter dem Waſſer fortlauffen kan. Und eben deswe
gen iſt er den Schiffen, die auf dem Nil auf und abfahre
ſo ſehr gefährlich, weil er da plözlich aus dem Waſſer he
aus kömt, wo man ihn gar nicht vermutet hätte, und d
Schiffe in die Höhe hebt, und oft auch ganz umwirf
Schiest oder ſchlägt man ihn nun wund, oder iſt er ſcho
verwundet, ſo haut er mit ſeinen vier langen Zähnen ſol
groſſe Löcher in das Schif, daß es ſchlechterdings ſink
und zu Grunde gehen mus. Und daß dabei auch die Me
ſchen drin umkommen, oder wenigſtens in groſſer Lebensg
fahr ſeyn werden, könt ihr euch vorſtellen.

Es sind zwar alle Zähne des Nilpferds dik und stark; allein in seiner untern Kinlade hat er vorzüglich viere, davon jeder ohngefähr eine halbe Elle lang, und so dik, als ein Ochsenhorn, und zwölf bis dreizehn Pfund schwer ist. — Diese Nilpferdszähne sind weisser und härter, als die Elefantenzähne, und werden auch wie diese, zu allerhand Dingen verarbeitet. — Feuer sol man mit einem solchen Zahn anschlagen können.

So schnel und beherzt nun dis Ungeheuer im Wasser mit Schwimmen und Untertauchen ist, so langsam und ängstlich ist es dagegen im Lauffen auf dem Lande. Es lauft und springt gleich davon, wenn es einen Menschen hört oder sieht. — Es läst sich nicht leicht zahm machen. Man ist sein Fleisch. Wenn es ausgewachsen ist, wiegt es beinahe drei tausend Pfund. — Ehedem gabs mehr Nilpferde als izt. Die alten Egipter bildeten sie in Steinen an ihren Spizsäulen ab. Und die Römer prägten ihr Bildnis auf ihre Münzen. — Das Krokodil kan es nicht ausstehen, es verfolgt es, wo es kan.

Das Nashorn

oder Rhinozeros *) ist des Elefanten Landsmann, und ihm an Fraß, und auch fast an Grösse gleich, denn wenn es

Ll 2 aus=

*) Rhinoceros ist griechisch, und kömt her von ῥίς naris, und κέρας cornu, hinc naricornis — Unicornis ist sein gewöhnlicher lateinischer Name, weil man ihn ehedem aus Irthum und Betrügerei Einhorn genant, und ihm mitten auf der Stirn ein gerades, weisses und drei Ellen langes Horn angedichtet hat. Die Hörner, die man für seine Hörner ausgab, und sehr theuer verkaufte, kamen und kommen noch von einer gewissen Art Walfische her, die man gewöhnlich Einhornfische nent — siehe hievon unten bei Beschreibung dieses Einhornfisches mehreres.

ausgewachsen ist, so ist es sechs Ellen lang, und beinahe vier
Ellen hoch. Es sieht fürchterlich aus wegen seines fast zwei
Ellen langen Horns auf der Nase, und seines sonderbaren
in ein kleines Rüsselchen sich endigenden Kopffes — denn
seine Oberlefze ragt ein wenig über die Untere hervor, und
endiget sich in eine bewegliche Spize, die er verlängern und
verkürzen, und doppelt um einen Stekken herumwenden, und
Gras, Reis und Zukkerrohr damit abreissen kan — wegen seiner langen steiffen Ohren, und sehr kleinen Augen; wegen seines schwarzgrauen, haarlosen und so faltichten Haut, daß man
meint, er wäre angeschirt, oder mit Panzern bedekt; wegen
seiner, kaum anderthalb Ellen hohen dikken Beine, drei kralligen Füsse, und fast bis auf die Erde hängenden Bauches
und wegen seines kurzen näkten, und nur am Zipfel behaarten Schwanzes — siehe Tafel zehn, Figur elf. — Es bringt
alle Jahr Ein Junges zur Welt, und lebt vierzig bis fün-
zig Jahr.

Es hält sich fast immer bei Flüssen und Sümpffen
auf, wühlt gern im Schlam, und fürchtet sich weder vor
Menschen, noch vor Thieren. Den Menschen thut es nicht
zu Leide, wenn sie es nicht zuerst beleidiget haben; und mit
den Thieren lebt es auch im Frieden. Wird es aber von
einem oder dem andern beleidigt, so tobt es entsezlich, und
reist und stöst Freunde und Feinde, und überhaupt alles nieder, was ihm begegnet. — Auch den Elefanten? Ja, auch
hinter diesen wagt es sich, und stöst ihm sein Horn in den
Leib, wenn es gleich von demselben nachher auch niedergeschlagen wird.

Der Elefant schlägt doch nur seine Feinde nieder, ist
ruhig, wenn sie weg sind, und schont und beschüzt die U-
schu

schuldigen; das Nashorn aber ermordet beide, und wütet oft einen halben Tag in einem fort. Und eben deswegen, weil es gleich so entsezlich wild wird, wird es fast gar nicht gezähmt, vielweniger zum Ziehen und Tragen gebraucht. Man schlägts gewöhnlich tod, und ißt sein Fleisch, und macht aus seiner Haut — die doch die härteste unter allen Thierhäuten in der Welt ist — Peitschen, Riemen, Kannen, Schüsseln, Zelte und Kleider.

Sein Horn ist auch sehr hart, innen nicht höhl, nach hinten gebogen, und von graubrauner Farbe. — Hie und da findet sich zuweilen auch ein Rhinoceros mit zwei Hörnern gerade hinter einander; Eins auf der Nase; und das Andere auf der Stirn. — Das Geschrei dieses Ungeheuers thönt fast, wie das Grunzen eines Schweins.

In der achten Ordnung hören wir diejenigen Thiere ab, die kurze Schwimfüsse haben, und sich in den nördlichern Gegenden von Europa, Asia und Amerika theils in Flüssen und Seen, wie die Biber, Fischottern und Meerottern: theils in den Meeren aufhalten, wie die Seehunde, Seebären, Seelöwen, Seekühe und Walrosse — Denn es sol jedes seine Geschichte selbst hersagen.

Du Biber

Kastor oder Fiber solst die Ehre haben, den Anfang zu machen. — Ich bin fast so gros, als ein Schaf, habe einen spizigen Rattenkopf, einen flachen schuppichten Schwanz, kurze mit fünf Klauen besezte Füsse — meine Vorder-Füsse sind merklich kleiner, als meine Hinterfüsse, und die Zehen

Ll 3 daran

daran frei, und mit keiner Schwimhaut besezt; an den Ze=
hen meiner Hinterfüsse aber hab ich eine Schwimhaut, um
damit im Schwimmen gut rudern zu können — und über
den ganzen Leib schwarzbraune zarte Haare — doch gibt es
auch ganz weisse, und braun und weis geflekte Biber —
lebe und wohne an Flüssen, Seen und Teichen, fresse Baum=
rinden und Laub, werffe alle Jahr zwei bis drei Junge, und
werde fünfzehn bis zwanzig Jahre alt.

Man ist mein Fleisch, und hält vorzüglich meinen
Schwanz und meine Zunge für was delikates. Ich habe
einen ganz sonderbaren Schwanz — er ist ohngefähr eine
halbe Elle lang, und fast eine viertel Elle breit, und kaum
einen Mannsdaumen dik, und über und über mit Schuppen
bedekt, und sieht am Ende aus, als wenn er mir abgebissen
worden wäre — siehe Tafel elf, Figur sechs und zwanzig.

Und in welch hohem Werth stehen nicht auch meine
Haare? Macht man nicht davon feine Hüte, Strümpffe und
Handschuhe; und verkauft man sie nicht fast allenthalben in
der Welt, unter dem Namen Kastorhüte und Kastorhand=
schuhe? Aber nimmermehr sind alle die Hüte und Strümpffe
und Handschuhe, die man Kastorhüte rc. nent, von meinen
Haaren gemacht, weil sie alzu theuer seyn würden; sondern
man mischt Schafwolle, oder Hasen= und Kaninchenhaare dar=
unter, oder macht sie gar von lauter solchen Haaren oder
von Wolle. — Die Indianer kleiden sich auch in unsere Felle,
und machen aus unsern Zähnen Messer und Gabeln.

Die Engländer treiben mit unsern Haaren den stärk=
sten Handel, weil wir uns in ihrem Amerika erstaunlich häuf=
fig aufhalten. In Europa gefälts unsern Kameraden nicht,

weil

weil es alzu ſtark angebaut und bewohnt iſt, und ſie alſo
ſehr zerſtreut, einſam und flüchtig leben, und ſich in Höhlen
verſtekken müſſen, und keine eigne Häuſſer, wie wir bauen
können, und man ſie auch deswegen gewaltig verfolgt, weil
ſie die Ufer durchwühlen, und den Pfählen und Schlagwer-
ken gefährlich ſind.

Iſts dein Ernſt — gibts wirklich in Europa Biber?
Ja freilich gibts welche drin. Und wo denn? In der Schweiz,
in Italien, Spanien, Frankreich, und ehedem gabs auch ſelbſt
in Teutſchland welche. — In Aſia gibts zwar freilich unſrer
mehr, als in Europa; aber in Amerika, und vorzüglich in
der Provinz Kanada, iſt unſer wahres Vaterland, da gibts
unſrer viele tauſend, ſo daß es da, wo wir unſere Wohnungen aufgeſchlagen haben, ausſieht, als wenn etliche hundert Indianer beiſammen in einem Dorfe wohnten.

Ei iſts wohl andem, daß ihr groſſe dikke Bäume, Aeſte
und Zweige abbeiſſen, und davon Dämme und Häuſſer bauen
könnet? Ja, das können wir. Wir fällen Mannsdikke, und
oft noch dikkere Bäume, die dicht am Ufer ſtehen, und ganz
oder faſt ganz ins Waſſer fallen, wenn wir ſie abgebiſſen
haben; fallen ſie aber ohnvermutet ganz aufs Land, ſo ziehen und ſchleppen wir ſie ins Waſſer, ſezen uns drauf, und
fahren und ſchwimmen drauf an den Ort hin, wo wir unſer
Haus aufbauen wollen. — Einige von uns ſezen ſich auch
wohl nur auf einen Aſt, und ſchwimmen drauf fort — Und
dabei dienen uns unſere Schwänze und unſere Hinterfüſſe
ſtat der Ruder. —

Sind wir alle an Ort und Stelle, ſo gehts plözlich
aufs Arbeiten los — Einer mus dis thun, der andere jenes,

denn

denn es arbeiten gewöhnlich unsrer zehn, zwanzig bis dreissig
bei Einem Haus gemeinschaftlich mit einander. — Einige
beissen die Aeste von dem herbeigeführten Baum ab, und be-
hauen sie zu Pfählen; andere tauchen unter, graben mit
ihren Vorderpfoten Löcher in den Boden, stekken die Pfähle
drein, rammeln sie fest, und durchflechten sie mit Zweigen.
Einige schleppen Erde, und Wasser, Moos und Steine zu;
andere machen einen Leim, und verkleistern und verstopfen
damit, und mit dem Moos und mit den Steinen die Löcher
unsers Dammes.

Und auf diesen Dam nauf bauen wir nun unser Haus,
das gewöhnlich nur Eine, zuweilen aber auch zwo Etagen
hoch wird, eine Eiförmige Figur hat, und bald gros, bald
klein wird, je nachdem unsrer viel oder wenig drin wohnen
wollen. Ist endlich auch das Haus fertig, woran wir alle
gemeinschaftlich gearbeitet haben, so baut sich zulezt je ein
Paar seine eigne Zelle, und füttert sie mit Heu und Moos
aus, damit es für sich und seine künftigen Kinder ein weiches warmes Lager habe, und lebt so, Herbst und Winter
über, ruhig und zufrieden drauf los.

Ists aber erst Frühling geworden, so eilen wir, Jung
und Alt mit einander, in die Gehölze und Wälder, und belustigen und fressen uns bei den frischen saftigen Baumrinden, Knospen und Blättern sat — Denn den Winter über
haben wir uns mit alten Baumrinden, und abgepfliktem Laub,
das wir unter dem Wasser verborgen und feucht und grün
erhalten haben, behelffen müssen — Ganze Aeste und Zweige stekken wir zu dem Ende im Herbst, nahe bei unserm
Dam, unters Wasser — und bleiben bis in den Herbst da.
Izt aber ziehen wir wieder zu unsern Hütten zurük. Sind

sie

sie beschädigt, so bessern wir sie aus; sind sie aber gar nicht mehr da; so bauen wir uns wieder neue.

Schwanz, Füsse und Zähne haben wir zu unserm Bauen nöthig. Unsere Zähne dienen uns stat der Sägen und Aerte; unsere Vorderfüsse gebrauchen wir als Hände, und mit unsern Hinterfüssen machen wir unsern Leim an; und unser Schwanz ist uns Schauffel und Kelle, denn wir schmiren mit ihm den Leim an den Wänden herum, und klopffen ihn auch damit fest. Und denn dient er uns auch zu unsrer Rettung; denn so bald einer von uns einen Jäger, oder sonst einen Feind sieht oder hört, so schlägt er mit seinem Schwanz ins Wasser, und gibt uns dadurch ein Zeichen, daß wir in Gefahr seyen, und fliehen solten — hast du nicht gesehn? — Husch husch, plözlich sind wir alle weg, alle unter dem Wasser.

Unser Haus hat gewöhnlich zwo Oeffnungen, eine ins Wasser, und eine aufs Land. Diese gebrauchen wir selten zur Flucht, weil wir wegen unsrer sonderbaren Füsse schlecht lauffen, ja nur wie eine Gans jämmerlich daher schaukeln können; jenes aber dient uns zum Abtrit und zur Flucht. — Schwimmen und Untertauchen, und auch unter dem Eis weglauffen, können wir sehr gut.

Du fängst und frist doch vermuthlich auch Fische, da sie dir immer vor der Nase herum schwimmen? O nein, das thu ich nicht. Ich fresse weder Fische noch Krebse, noch sonst ein Thierchen. Auch den Feld- und Baumfrüchten frag ich nichts nach. Macht man mich aber zahm, so esse ich zwar nach und nach alles, was man mir gibt, aber doch kein Fleisch nicht. — Ich thu Niemand was zu Leide, weh=

re

re mich aber doch für meine Haut, und beisse dem, der
mich grob anfast, oder gar prügeln wil, Hände und Füsse
entzwei.

Aber sag mir doch, geschikter Biber, wie du die Erde
und das Wasser zu deinem Leim zusammen bringst? O das sol=
ten Sie ja leicht errathen — ich scharre irgendwo die Erde auf,
und trage in meinem Maul so viel Wasser zu, als ich brau=
che. Ist aber da, wo ich gern meinen Leim anmachen wolte,
keine Erde oder kein Ton vorhanden, so hol ich ihn Maul=
polweis herbei. — Nicht wahr, sie haben geglaubt, ich trage
Steine, Erde und Moos auf meinem Schwanze zu; oder ich
fahre sie gar auf dem Bauch eines meiner Kameraden herbei?
Ich weis wohl, daß man von uns Bibern glaubt, wir wä=
ren so unbarmherzig, und fiengen fremde herumirrende Biber
auf, machten sie zu unsern Sklaffen, und gebrauchten sie als
Bediente, um uns Holz, Moos, Erde und Steine herbei zu
schleppen; und würffen sie auch wohl auf den Rükken nieder,
wie das dumme Murmelthier thun sol — und belasteten ihren
Bauch mit Erde und Steinen, pakten sie beim Schwanz an,
und schlepten sie so zu unserm Dam hin. Falsch aber ist
diese närrische Sage. — Auch ist es falsch, daß wir Schild=
wachen ausstellen.

Noch eins, unter meinem Schwanz hab ich einen Beu=
tel, worin diejenige schmierige Feuchtigkeit ist, mit der ich
meine Haare einschmiere, damit das Wasser drüber wegrolle,
und nicht auf meine Haut dringe, und mich alzusehr friere.
Auch in den Apotheken gebraucht man diese meine Beutel=
feuchtigkeit zu allerhand Dingen, und nent sie Bibergeil. —
Ein dikker grosser Biber wiegt fünfzig bis sechzig Pfund.

Ich

Ich Fischotter

bin etwas grösser, als ein Budel, habe einen runden barti-
gen Kazenkopf, kleine Ohren, grosse Augen, einen langen
zottichten Schwanz, kurze Füsse, und daran fünf, mit einer
Schwimhaut verbundene Zehen, und über den ganzen Leib
zarte graubraune Haare, lebe und wohne eben da, wo der
Biber lebt und wohnt, fresse Fische, Krebse und Frösche, und
im Nothfal auch Wasserratten, Baumrinden, Laub und Gras,
werffe alle Jahr drei bis fünf Junge, und werde zwölf bis
fünfzehn Jahre alt. — Siehe Tafel elf, Figur zwei.

Aber ich baue kein Haus, wie der Biber, sondern
wohne nur im nächsten besten Loch am Ufer, oder unter den
Wurzen eines Baumes. Und damit man mich nicht sieht,
wo ich wohne, gehe ich unter dem Wasser hinein, und lasse
nur ein kleines Luftloch oben auf der Erde offen.

Mein Fleisch schmekt nicht sonderlich, weil es stark nach
Fischen riecht; aber meine Haare sind sehr fein, und fast eben
so gut zu Hüten und Strümpffen zu gebrauchen, als des Bi-
bers seine. — Wenn ich gern einen guten Fras thun möchte,
so schlage ich mit meinem Schwanz ins Wasser, und jage die
Fische zusammen, und tauche nun plözlich unter, fange ein
oder zween davon, gehe mit ihnen heraus aufs trokne, und
verzehre sie da. Ists nicht so? Ja, verhafter Fischdieb; freilich ists leider so. Immer, und vorzüglich des Nachts,
schleichst du bei den Teichen umher, und laurst und gukst nach
den Fischen, und wenn du einen siehst, so fährst du auf ihn
los, und fängst und frist ihn. Du hast schon oft in kurzer
Zeit

Zeit einen ganzen Teich ausgefischt, und sodenn, da es keine Fische mehr drin gab, auch die Krebse alle aufgefressen.

Ich kan besser schwimmen, länger unter dem Wasser bleiben, und auch flenker auf dem Land lauffen, als der Biber. Auch zahm las ich mich machen, und so zum Fischfang abrichten, daß ich Fische aus den Teichen und Flüssen heraushole, und sie meinem Herrn zutrage.

Ich Meerotter

bin zwar merklich grösser, als die Fischotter, sonst aber ihr an Fras, Wohnung und Bildung fast ganz ähnlich. — Ich fresse auch Fische und Krebse; und wohne auch an den Ufern der Flüsse in unterirdischen Löchern. — Darin aber bin ich von der Fischotter unterschieden, daß ich nur in den kältesten Gegenden von Asia und Amerika wohne, und von den Flüssen, auch in die Meere hinaus schwimme — und eben deswegen nent man mich auch Meerotter — Zweitens habe ich schwarzgraue, äusserst zarte Haare. — Drittens bringe ich alle Jahr nur Ein Junges zur Welt. — Und viertens werde ich zwanzig bis fünf und zwanzig Jahre alt.

Ich bin erstaunlich blöde, und gar nicht stark. Man kan mich leicht fangen und tod machen. — Mein Kind liebe ich so sehr, daß ich mich lieber tod schlagen lasse, ehe ich es mir aus meinen Füssen nehmen lasse. Denn ich habe die Gewohnheit, auf dem Rükken zu schwimmen, und mein Kind auf meinen Bauch zu sezen, und mit meinen Füssen feste zu halten, und so mit ihm so lang von einer Stelle zur andern zu fliehen, bis es selbst schwimmen gelernt hat.

Ich

Ich Seehund

Robbe oder Seekalb halte mich in den nördlichen Meeren von Europa, Asia und Amerika bei Island, Grönland Spizbergen und Kamtschatka, im Baltischen Meer, und an den Küsten von Norwegen, Holland, England und Frankreich ꝛc. auf, und zuweilen verirre ich mich auch in grossen Flüssen, bin zwo bis vier Ellen lang, und Eine bis zwo Ellen hoch, habe einen dikken grossen Hundskopf, lange borstenartige Barthaare, wie eine Kaze — auch auf der Nase, und über den Augen hab ich solche Haare; und denn sieht auch nicht ein Seehundskopf aus, wie der andere — grosse Augen, keine Ohrlappen, einen kurzen Schwanz, ganz ausserordentlich sonderbare Füsse, und über den ganzen Leib kurze steiffe weislichtgraue, schwarzgraue, und schwarz und weißgeflekte Haare, fresse meist lauter Fische, und vorzüglich gern Heringe, bringe alle Jahr Ein oder zwei Junge zur Welt, und werde ohngefähr zwanzig bis fünf und zwanzig Jahre alt.

Nun, und wie sehen denn deine Füsse aus? Ja, ganz sonderbar. Ich armer Schelm bin lahm, und kan nicht gehen. Wil ich weiter, so mus ich mich wie ein Wurm fortschieben. — Ja ich habe eigentlich gar keine Füsse, sondern nur so was, das Füssen ähnlich sieht. Denn meine Vorderfüsse sind etwas höher, als meine Hinterfüsse, und krum und nach hinten gebogen, haben fünf Zehen mit grossen spizigen Klauen, und sehen fast den Maulwurfspfoten ähnlich. — Meine Hinterfüsse sind auch krum, und ebenfals mit starken Klauen bewafnet, und so nach hinten gebogen, daß sie zwischen meinem Schwanz hängen, und mir, weil sie mit einer Schwimhaut verbunden sind, zum Rudern dienen. — Und weil meine

meine Füsse so närrisch aussehen, so meinen fast alle die
Leute, die mich nie lebendig, sondern nur abgebildet gesehen
haben, ich hätte gar keine Füsse.

Du hast recht, fetter Seehund, deine Füsse sehen jämmerlich aus. Man glaubt wirklich, wenn man dich in einer
Abbildung sieht, du habest keine Füsse; denn deine Vorderfüsse sieht man entweder gar nicht, oder man hält sie für
eine abgestuzte Menschenhand, oder gar für einen abgestuzten Flederwisch — siehe Tafel elf, Figur zwanzig.

Das Meer wird also dein beständiger Aufenthalt seyn?
Denn wie soltest du wohl mit solchen krummen Füssen auf
dem Sand oder auf der Erde fortkommen können? Und warum nicht? Ich wohne und lebe fast den ganzen Sommer
über auf dem Lande, oder auf dem Eise, und gehe nur dann
ins Wasser, wenns mich hungert. Ich werffe und erziehe
auch meine Junge auf dem troknen. Und durch Hülffe meiner Krallen kan ich an den steilsten Felsen und Eisbergen hinauf klettern, und oben eine Zeitlang ruhen und schlaffen. Und
dann stürz ich mich wieder ins Meer hinunter; ja ich kan
so gar, wenn ich gleich lahm zu seyn scheine, so schnel und
flenk auf dem flachen Eis fort hüpffen, daß mich auch der
geschwindeste Grönländer nicht leicht einholen kan.

Was macht denn der Grönländer mit dir? O sehr vieles! Er ist mein Fleisch, und meinen Spek; und kleidet sich
in mein Fel. — Mein Fleisch, das roth aussieht, zart,
saftig und fet ist, ist er und der Eskimo, und noch viele
andere arme Leute, in meiner Nachbarschaft, frisch und geräuchert; meinen zween bis drei Finger dikken Spek ist er
zum Theil, und zum Theil verbrent er ihn in seiner Lampe

stat

stat Oels. Und wie vielerlei Dinge macht er sich nicht aus meinem Felle? Er macht sich Rökke, Kamisöhler, Müzen, Hosen und Stieffel und Schuh, Riemen und Strikke und Schläuche, und sogar seine kleinen Schiffe oder Kähne, die er Kajake nent, daraus, oder überzieht und füttert sie wenigstens damit aus. Auch seine Sommerhütte bedekt er damit. Und wie viele tausend Stük vertauscht und verkauft er nicht an die Europäer, die ihre Kuffer und Reisekasten damit überziehen, auch Tabaksbeutel und Müzenverbremungen daraus machen. Ach wie würde es den armen Grönländern und Eskimo 2c. ergehen, wenns keine Seehunde mehr gäbe! Verhungern und erfrieren müsten sie.

Gibts denn eurer so gar viel? O erstaunlich viel. Blos die Isländer, Grönländer, Eskimo und Kamtschadalen schlagen unsrer jährlich viele tausend tod. Und wie viel unsrer noch dazu von den Norwegen, Russen, Schweden, Dänen, Holländern, Hamburgern und Engländern vor die Köpffe geschlagen werden, weis ich nicht — ich glaube alle Jahr mehr als fünfzig tausend Stük; denn wenn sie keine Walfische kriegen können, so gehts hinter uns schläfrige Robben her.

Zwei bis drei hundert Stük schlagen sie oft in ein paar Stunden tod. Wo schlaft ihr denn? Auf den Eisfeldern liegen wir Heerdenweis herum. Stelt ihr denn keine Wache aus? Ach was Wache! Es schläft alles, Alt und Jung so fest bei einander, daß wir unsere Mörder nicht kommen hören, und oft kaum erwachen, wenn sie schon viele von uns getödet haben. Schreiet und wehret ihr euch denn gar nicht? Doch ja; wir Alte bellen jämmerlich drauf los, wie die heisern Hunde, und unsere Junge mauen, wie die Kazen;

wir

wir heissen Armdikke Prügel ab, und fahren wütend auf unsere Mörder zu, allein sie laſſen uns nicht ſo nahe zu ihnen hinkommen, daß wir sie beiſſen könten, ſonſt würden wir ihnen ihre Füſſe kurz und klein beiſſen; ſondern sie schlagen uns mit ihren Prügeln ſo ſehr auf die Naſe, daß wir halb oder ganz tod niederburzeln. Und nun ſchneiden sie uns ein Loch in die Kehle, ziehen uns das Fel ab, ſchneiden unſern Spek weg, und trampen ihn in ihren Tonnen feſt, und fahren damit nach Hauſſe, und ſchmelzen und brennen Tran draus. Weil wir aber ein erſtaunlich zähes Leben haben, ſo geſchiehts zuweilen, daß wir uns noch herumwälzen, und in die Höhe fahren und beiſſen wollen, wenn wir auch gleich schon halb geſchunden, oder uns gar das ganze Fel schon abgezogen, und uns der Schedel faſt ganz entzwei geschlagen iſt.

Diejenigen Europäer, die alle Jahr im April und Mai nach uns Seehunden oder Robben ausfahren, heiſſen Robbenfahrer; und weil sie uns nicht mit Nezen und Angeln fangen, oder mit Spieſſen tod ſtechen; ſondern mit Prügeln tod ſchlagen, ſo nent man sie auch Robbenschläger. — Es fahren jährlich viele Europäiſche Schiffe blos auf den Robbenschlag aus. — Der Tran vom Robbenspek ist ſo gut, als ſchlechtes altes Baumöl. *) Die kleinen Brökkelchen, die beim Brennen oder Schmelzen vom Robbenspek, oder auch von jedem andern Fet und Spek überbleiben, nent man Krieben oder Krieven. Man kan sie eſſen. Die Krieben von Gänse= oder Schweinefet ſchmekken nicht übel.

Ich

---

*) Eine ſehr ausführliche Beschreibung des Seehundes, und wie man ihn fängt und nüzt, ſteht in Martens Spizbergiſchen und Grönländiſchen Reiſe — Und in Granzens Hiſtorie von Grönland.

Ich Seebär

bin merklich grösser, als der Seehund — dem ich sonst an
Gestalt ziemlich gleiche — habe einen Bärenkopf, kurze Oh=
ren, einen kurzen Schwanz, kleine mit fünf, bis in die Mitte
mit einer Schwimhaut verbundene krallige Zehen, und über
den ganzen Leib kurze borstige schwarzgraue Haare, fresse Fi=
sche und Gras, werffe selten mehr als Ein Junges alle Jahr,
und werde gegen fünfzig Jahr alt, und mein Aufenthalt ist
in dem Meer bei Kamtschatka zwischen Asia und Amerika ꝛc.

Ich kan sehr schnel schwimmen, und fürchte mir für
nichts, selbst für den Menschen nicht, die auf dem Meer mit
Schiffen herum fahren, oder am Ufer mit Flinten und Stei=
nen auf mich lauren. Kömt mir ein Mensch nahe, so fal
ich ihn wütend an, und reis ihn nieder. Die Kamtschadalen
werffen mit Steinen nach mir, und schiessen und werffen und
schlagen mich tod, und essen mein Fleisch, und trinken mein
Blut. — Gewöhnlich hab ich zwanzig bis fünfzig Weibchen,
und ich und meine Weiber und Kinder und Kindskinder hal=
ten immer zusammen, und lassen Leib und Leben für einan=
der — Wenn eins von uns feindlich angefallen wird, so
kommen wir ihm gleich alle zu Hülffe. *)

Ich

*) Noch mehr vom Seebären phoca ursina, siehe in Krascheninnikows Be=
schreibung des Landes Kamtschatka Seite 154 ꝛc. — Vom Seelöwen
Leonina, siehe eben daselbst Seite 159 ꝛc. — Vom Seehunde Vitulina,
siehe eben daselbst Seite 140 ꝛc. — Vom Walros Rosmarus, siehe eben
daselbst Seite 147 ꝛc. — Von der Seekuh Manatus, siehe eben daselbst
Seite 162 ꝛc.

Ich Seelöwe

habe auch viel ähnliches mit dem Seehund, bin aber viel grösser, und ohngefähr sechs bis zehn Ellen lang, und fast so hoch und dik, als ein Löwe. Ich wohne in dem sogenanten stillen Meer, aber auch noch weiter gegen dem Südmeer zu, bald im Wasser bald auf dem Lande, habe kurze hel-braune Haare, fresse Fische und Gras, bringe alle Jahr zwei Junge zur Welt, und lebe, wenn mir kein Unfal begeg-net, über fünfzig Jahr.

Mit Haut und Haaren wäge ich, wenn ich völlig aus-gewachsen bin, sieben bis achthundert Pfund. Man ißt mein Fleisch, und brent aus meinem zwo Händebreiten Spek gu-ten Tran — vierzig bis fünfzig Maas oder Quartier Tran kan man aus meinem Spek brennen — und meine Hau gibt Riemen, Schuhe und Stieffel ꝛc.

Ich schlaffe gern auf den Inseln und Sandbänken in Meer; stelle aber immer eine Wache aus, die Lerm macht, und wie ein Schwein grunzt, oder wie ein Pferd wiehert wenn sie einen Feind merkt, damit ich entfliehe, und es mi nicht gehe, wie den einfältigen Seehunden, die hundertwei im Schlaf tod geschlagen werden; und mich mein Feind nich auch so ohnversehens überfalle, und tod prügle. Sie müsse also mit Pfeilen oder andern Mordinstrumenten nach mi schiessen.

Ich schwimme und lauffe langsam, und falle Niemand feindlich an; verwundet man mich aber, oder raubt man mi gar, meine Junge, so schone ich Niemand, und beisse alles entzwei, was mir nahe kömt. Ehe meine Jungen schwimmen

men können, sezen sie sich ihrer Muter auf den Rükken; und
laffen sich so im Meer herumtragen, aber ich stosse sie zuwei=
len herunter, damit sie das Schwimmen, und zugleich auch
ihren Fras suchen und fangen lernen.

Ich Walros

bin grösser, als der gröste Ochse, gleiche aber übrigens un=
ter allen meinen Vettern dem Seehunde am meisten — siehe
Tafel elf, Figur neunzehn — habe einen grossen runden
Kopf, ein breites stumpffes Ochsenmaul, und in der Obern=
kinlade zween krumme Armsdikke Fangzähne, die fast wie die
Elefantenzähne aussehen, innen schneweis und sehr hart sind,
und diesen weit vorgezogen, und zu allerhand niedlichen Din=
gen verarbeitet werden; einen kleinen Schwanz und Seehunds=
füsse; und in meiner Nase zwei halbrunde Luftlöcher, wodurch
ich Othem hole, und dabei mit grossem Geräusch ziemlich viel
Wasser in die Höhe sprize; eine Fingerdikke eingeschrumpfte,
und mit wenigen rothbraunen Haaren besezte Haut, und um
mein Maul rum hab ich etliche Strohhalmsdikke Borsthaare,
die mir nebst meinen grossen Hauern ein fürchterliches Ansehen
geben; ich wohne im Eismeer bei Spizbergen, Grönland
und der Hudsonsbai, brülle wie ein Ochs, fresse Meergras,
Schnekken und Muscheln, werffe alle Jahr Eins oder zwei
Junge, und werde höchstens fünfzig Jahre alt.

Ich bin sehr kühn und verwegen, und wehre mich,
ohngeachtet ich lahm zu seyn scheine, gegen Menschen und
Thiere. Kömt mir ein Mensch auf dem Eis nahe, so mus
er erwarten, wenn er mich auch gleich schon fast tödlich ver=
wundet hat, daß ich ihm seine Füsse zermalme; naht er sich
mir aber im Wasser mit einem Kahn, so mus er fürchten,

ich

ich haue Löcher in den Kahn, oder werffe ihn gar um — denn was ich allein nicht kan, dazu helffen mir meine Kameraden, wir Walroſſe helffen einander immer.

Kriegt man dich denn gar nicht? O freilich, muſ ich endlich unterliegen. Mit Lanzen ſticht man mich tod, wenn man mich auf dem Eis überfält. Ja ſtelten wir keine Wache aus, ſo würde es uns eben ſo ergehen, wie den einfältigen Seehunden, von denen man wohl zwanzig tod ſchlagen kan, ehe es die übrigen vierzig merken — denn wir liegen und ſchlaffen auch in groſſer Geſellſchaft auf dem Eis.

Und wozu meinen Sie wohl, daß mir meine zween Fangzähne nüzen? Zu deiner Vertheidigung, und vermutlich auch zu deiner Bewegung, denn du wirſt ganz gewis damit in die Klippen und Eisſchollen hauen, und mit Hülffe deiner kralligen Füſſe, deinen plumpen Hinterleib nachſchleppen, und ſo auf die höchſten Eisberge kommen? Richtig, richtig dazu gebrauche ich ſie. Aber auch zu Suchung und Erhaſchung meines Fraſſes dienen ſie mir. Ich freſſe am liebſten Schneken und Muſcheln — und womit ſolte ich dieſe wohl leichter und eher aus dem Schlam, und zwiſchen den Klippen hervor kriegen, als mit meinen zween Hauern? — Jeder ſolcher Zahn wiegt gewöhnlich fünf bis acht Pfund, und zuweilen find ſich auch einer, der wohl zehn bis zwölf Pfund wiegt.

Weil wir uns aber faſt immer unter einander ſelbſt herum ſchlagen, ſo hat faſt unter zehn keins zween ganze Fangzähne — eins hat den einen, das andere alle beide abgebrochen; dieſes hat Einen, jenes aber gar alle beide völlig verlohren — und ſo wohl die abgebrochne, als die völlig

aus-

ausgefalne wachsen uns nicht wieder. Daher kan man uns
srer auch wohl zwanzig fangen, bis drei oder vier darunter
zween ganze Fangzähne haben. — Ehedem hat man uns
Walrosse blos wegen dieser Zähne tod gemacht; izt aber
zieht man uns auch unsere Haut ab, ißt unser Fleisch, und
nuzt unsern Spek.

Ich Seekuh

oder Manati gleiche mehr einem Walfisch, als einem Seehund — meine Vorderfüsse, die kaum Eine Elle lang sind,
und mir zum fortschleppen meines Körpers dienen, sehen auch
fast aus, wie eine Flosfeder, und meine Hinterfüsse, wie
ein Walfischschwanz —; bin grösser, als alle meine Vetern;
habe einen kleinen länglichten, fast blerekkichten Kopf, und
ein Kuhmaul; stat der Ohren zwei Luftlöcher; keine Zähne,
sondern nur zween Hauer, einen in der obern, den andern
in der untern Kinlade; eine schwarze dikke Haut, die wie die
Rinde einer alten Eiche aussieht, und so hart ist, daß man
sie kaum mit einer Axt entzwei hauen kan; ich lebe und wohne
immer in dem Meer bey Kamtschatka, und weiter nach Südamerika hinunter; fresse Meergras; bringe alle Jahr Ein
Junges zur Welt; und lebe über funfzig Jahr.

Ich schwimme gern auf dem Rükken, und nehme mein
Junges zwischen meine Füsse. Wenn ich auf dem Bauch
schwimme, so gukt mein halber Rükken aus dem Wasser heraus, und denn fliegen die Krähen, und andere Vögel drauf,
und hakken mir die Läusse aus meiner runzlichten Haut raus.

Wie fängt man dich? Mit grossen eissernen Haken. Ist
mir einer in den Leib gestossen, und ich dadurch tödlich ver-

wun-

wundet worden, so ziehen mich zehn Männer — weniger dürffens nicht seyn, sonst bringen sie mich nicht vom Flek, weil ich etliche tauffend Pfund schwer bin — an dem Strik, woran der eisserne Haken festgeknipft ist, ans Ufer, und stechen und schlagen mich nach und nach völlig tod. — Mein Fleisch ist zwar hart, schmekt aber doch, wenns weich gesotten ist, fast wie Rindfleisch; und mein Spek gibt Tram.

In der neunten Ordnung sol uns nun die Geschichte

Der Walfische

belustigen. Und dis sind Thiere, liebe Kinder, die zwar keine Füsse haben, und immer im Wasser bleiben, und den Fischen sehr viel ähnlich sehen; aber doch wirklich keine Fische sind, weil sie rothes warmes Blut haben; nicht lange unter dem Wasser bleiben können, weil sie Lungen haben, und Othem schöpffen müssen; lebendige Junge zur Welt bringen, und sie an sich saugen lassen, wie die Ziege ihre Zikkelchen an sich saugen läst; keine knorpelichte Gräte, wie die Fische, sondern ordentliche harte Knochen, wie die Ochsen haben; und auch ihre Flosfedern ganz anders aussehen, als bei den Fischen, und auch anders genant werden. Man nent sie nämlich Finnen*) und bestehen aus Gliederknochen, die mit Haut, Spek und Fleisch überzogen sind — und von eben dieser Materie ist auch ihr Schwanz, der flach oben auf dem Wasser aufliegt.

Einige Walfische haben Zähne im Maul, andere nicht — diese aber haben stat derselben lange harte Stangen, die man

Bar=

---

*) Von dem alten teutschen Wort Finne oder Finna, lateinisch pinna eine Flosfeder siehe Andersens Nachrichten von Island, Seite 186 Note **.

Tab XI.

E.L.H.Waagen del.

J.G.Sturm sc. Nürnb:

Barten nent. — Und denn gibts auch Walfische, die vorn am Maul ein knöchernes Horn haben. Sie fressen Gewürme und allerhand kleine und grosse Fische; und halten sich meist alle im Eismer, oder doch wenigstens nahe dabei auf — und einer heist so, der andere anders. *).

Der Grönländische Walfisch

ist nicht nur der gröste Walfisch, sondern zugleich auch das gröste bekante Thier in der Welt — denn daß es noch ein viel grösseres Meerungeheuer gebe, das Kraken heissen, und im Nordmeer zwischen Island und Norwegen wohnen sol, glaub ich nicht — nachher wil ich euch die ganze Fabel von diesem Kraken erzählen — Er ist izt gewöhnlich höch=stens dreissig bis vierzig Ellen lang, und zwanzig Ellen ohn=gefähr breit; und ganz gewis höher und dikker, als der grö=ste Heuwagen, oder gar als hundert Ochsen auf und neben einander. Ehedem aber, da man sie noch nicht so häuffig wegfieng, und sie also immer grösser werden, und völlig aus=wachsen konten, gabs noch viel grössere, und wohl funfzig und sechzig Ellen lange, und Haus hohe Walfische. Daß es aber in den ältern Zeiten zwei hundert, oder gar vier hun=dert und achtzig Ellen lange Walfische gegeben habe, wie der alte Naturhistoriker Plinius sagt **) ist ohnwahrscheinlich.

Mm 4 Der

*) *Cete* oder cetus ist der lateinische Name der ganzen Walfisch=Ordnung. — 1) Balaena mysticetus ist der Grönländische Walfisch; und Balaena phy-salus der Finfisch — 2) Physeter cotodon der Witfisch oder Weißfisch; und Physeter macrocephalus der Potfisch oder Kaschelot — 3) Diodon narwal der Einhornfisch — 4) Delphinus phocaena das Meerschwein, oder der Braunfisch; und Delphinus delphis der Delphin oder Tumler; und Delphinus orca der Nordkaper oder Buzkopf.

**) Pristes ducenum cubitorum; Balaenae quaternum iugerum, Plinii histor. natur. Lib. 9. Cap. 3. — Et Libro I. Cap. 32. allegat, dare Cetos sexcentorum pedum longitudinis, et trecentorum sexaginta latitudinis.

Der Kopf dieses dikken plumpen Grönländischen und Spizbergischen Walfisches — denn in der Gegend dieser zwei Länder hält er sich am häuffigsten auf — ist erstaunlich gros, und macht ohnstreitig den dritten Theil seiner ganzen Länge aus. Mitten auf dem Kopf hat er einen Bukkel, und darin zwei Blaselöcher, aus denen er das Wasser, das er bei Auffangung seines Frasses mit ins Maul gekriegt, mit einem solchen Getös hinausbläst, daß man es fast zwo Stunden weit hören, und sehr weit sehen kan — denn jeder Stral ist Arms dik, und fährt so hoch in die Luft, daß man in der Ferne eine grosse Stat mit rauchenden Schornsteinen zu sehen glaubt. *)

Sein Maul, das fast wie ein schieffes lateinisches S aussieht, ist so gros und geräumig, daß man mit einem kleinen Kahn drein hineinfahren, drin herum lauffen, und ihm seine Zunge, und seine Barten abschneiden kan. O was sagen Sie! Aber doch erst, wenn er tod ist? Das versteht sich — Wie könt ihr aber so sonderbar fragen? Wer solte sich wohl einem solchen Ungeheuer bis vor sein Maul hinnähern; oder ihm gar drein hinein fahren wollen? Würde er nicht das Schif wenigstens umwerfen, oder gar zertrümmern; und dem Menschen, der ihm in sein Maul käme, mit seinen Barten Arm und Bein zerbrechen, und ihn Mausse tod machen?

Tod beissen würd er ihn zwar nicht, weil er keine Zähne hat, aber doch, wie gesagt, mit seinen schwarzen hornartigen Barten, deren er kleine und grosse zusammen, ohngefähr sieben hundert Stük wie Orgelpfeiffen und einem Sieb

oder

*) Siehe Pontoppidans Naturgeschichte von Norwegen, Theil 2 Seite 226.

oder Nez ähnlich, in seiner obern Kinlade herum liegen hat,
so brükken, daß kein Glied an seinem Leibe ganz bliebe, und
er also jämmerlich ums Leben kommen müste. Fräse er ihn
denn nicht auf? Nein, er frist kein Menschenfleisch, und kan
auch nichts, als gewisse Gewürme, die man Walfischaas
nent, und kleine Heringe verschlingen, weil seine Kehle kaum
vier bis fünf Finger dik ist. Ach ja wohl, nur so klein ist
die Kehle dieses Ungeheuers? Mir war schon für die Fischer
bange, die in sein Maul hinein fahren, und ihm seine weisse
spekkichte Zunge, nebst seinen Barten abhakken müssen, daß
sie in seinen dikken Bauch hinunter burzeln möchten. —
Und also kan auch der Prophet Jonas von keinem Grönländischen Walfisch verschlungen worden seyn? — Es mus ein
ander grosses Meerungeheuer gewesen seyn — Und was für
eins? Etwa der Haifisch, von dem wir oben Seite zwei
hundert und sechszehn was erfahren? Oder der — der —
Geduld so lang, kleiner Mann, bis wir zum Potfisch kommen — Ja ja, den wolt ich auch nennen.

In dem obern Kinbakken — der wohl zehn Ellen lang,
und so dik und stark ist, daß man ihn stat der Balken gebrauchen, und Thürpfosten, Schlitten und Schleiffen davon
machen kan — stekken also die Barten wie Orgelpfeiffen herum, drei hundert und fünfzig rechts, und eben so viel links,
die kleinen vorn und hinten, und die grösten, die gewöhnlich
neun bis zehn Ellen lang sind, in der Mitte, und sen-
ken oder passen sich in den, ein wenig ausgehöhlten untern
Kinbakken, der ohne Finnen ist, wie in eine Scheibe. Sie
sind alle wie eine Sense gestaltet, und oben, wo sie im
Gaumen stekken, Eine, zwo bis vier Mannshände breit,
und Einen, drei bis sechs Finger dik; unten aber immer
schmäler und dünner, und an beiden Enden mit langen Haa-

Mm 5   ren

ren besezt, damit sie ihre Zunge dran nicht wund stossen, und ihnen auch ihr Fras, den sie mit viel Wasser einschlurfsen, nicht wieder durchfliesse und entwische.

Und diese Walfischbarten sind diejenige hornartige Dinge, die man im gemeinen Leben Fischbeine nent, und zu Reifrökken, Schnürbrüsten, Stökken und vielen andern Dingen gebraucht. Die Grönländer und die Eskimo rc. gebrauchen sie stat der Stekken und Pfähle zu ihren Sommerhütten, ja sie machen sich so gar ihre Kähne davon, und überziehen und füttern sie so denn mit Seehundsfellen aus. Die Ribben und Knochen der Walfische geben Stühle und Bänke und Tische, denn sie sind ja so gros, als die Balken bei unsern Häussern.

Seine mit Augenliedern versehne Augen sind sehr klein, und nur so gros, als Ochsenaugen, stehen fünf bis sechs Ellen weit von einander, und liegen gerade da, wo das Maul ein Ende hat. — Gleich hinter den Augen sind seine Ohren, die aber keine Ohrlappen haben, sondern nur aus zwo Oefnungen bestehen. — Unter den Augen hat er seine zwo Finnen, die fünf bis acht Ellen lang, und fast eben so breit sind, und ihm mehr zum Umwenden, als zum Rudern dienen. Das Hauptwerkzeug aber, womit er sich sehr schnel fort bewegen kan, ist sein fünfzehn bis zwanzig Ellen breiter, und an beiden Enden in die Höhe gekrümter, auf dem Wasser flach aufliegender Schwanz. *) Und in diesem Schwanz hat er eine solche Stärke, daß er ein ziemlich starkes Boot damit in Stükke schlagen kan.

Gibts

---

*) Flach Wagerecht oder horizontal — Der Fischschwanz hingegen hat eine senkrechte oder perpendikuläre Lage.

Gibts viele Walfische im Eismeer? Nein, nicht sonderlich viel. Und es wird ihrer in Zukunft immer weniger geben, weil man sie seit einiger Zeit, alt und jung miteinander, alzu häuffig wegfängt, und sie doch alle Jahr nur Eins höchstens zwei Junge zur Welt bringen. — Rathet einmal, liebe Kinder, wie gros wohl ein so eben jung gewordener Walfisch seyn möge — So gros, als ein Mülleresel? Oder gar so gros, als ein Ochse? Richtig, so gros als ein Ochs mag er ohngefähr seyn, denn man sagt, er sey vier bis fünf Ellen lang, und so dik, als ein Ochse. *)

Sol ich rathen, Kinder, was ihr izt denket? Ja, rathen Sie einmal: daß ich euch nun sagen möchte, wie man diese grossen Thiere fange? Hab ichs errathen? Ja, das haben Sie — Nun so thun Sie es auch. — Gut, das wil ich; aber ihr müst mit mir nach dem Eismeer — Holla Philipp, Ludwig, Wilhelm — Denn ihr verfrohrne Mamselchen werdet doch nicht mit wollen? — eingepakt, warme Kleider angezogen, Butter und Brod und Schnaps in eure Schnapsäkke gestekt — Flenk, das Schif, der Bärenbeisser genant — ihr wisset doch, daß fast jedes Schif seinen gewissen Namen hat? — geht in zwo Stunden nach Grönland auf den Walfischfang ab — Ich bin fertig — ich auch — und ich auch — Gut, so wünsch ich euch eine glükliche Reise. Fort also, flenk es ist heute schon der erste Mai, und im Juni müssen wir schon an Ort und Stelle seyn, wenn

wir

---

*) Man zeigt zu Leiden das Gerippe eines Walfisches, der aus Mutterleibe heraus genommen worden, welches 25 Fus lang ist, siehe Delices de Leyde pag. 83 und 84. — Auch Anderson sagt in seinen Nachrichten von Grönland Seite 194, daß ein junger Walfisch 20 Schuh lang aus Mutterleibe komme.

wir mit Spek und Fischbeine bereichert, im Juli wieder
nach Hausse kommen wollen.

Alle diese Leute wollen mit nach Grönland? Ja, alle
müssen mit. Man hat beim Walfischfang ein solches grosses
Schif, wie unser Bärenbeisser eins ist — siehe Tafel elf,
Figur dreizehn — und sechs oder sieben solche Kähne oder
Boote, wie dis hier eins ist — siehe Figur vierzehn — und
wenigstens vierzig bis fünfzig solche geübte Fischer und See-
reiser nöthig, um bald und glüklich Walfische zu fangen und
abzuspekken. Denn so bald wir an Ort und Stelle sind, und
diese guten Leute sehen einen Walfisch kommen, so steigen sie,
je sechs und sechs, in ein Boot, und fahren auf das Ungeheuer los, und tödten und fangen es.

Nun wie gefälts euch auf der offenbahren See? So
so. Es ist uns allen sehr übel; es friert uns erbärmlich;
und ist uns auch für den Seehunden, Walrossen und Walfischen entsezlich Angst. O ihr blöde Seelen! Habt doch Geduld, fast doch Muth! Die Uiblichkeit wird nicht lang mehr
dauren; die Seehunde und Walrosse können uns weder beissen noch krazen; und die Walfische können und dürffen uns
auch nichts zu Leide thun. Denn sie sind nicht nur nicht
grimmig, sondern sehr ängstlich, und fliehen und fürchten sich
so gar vor den Menschen. Ihr werdets izt bald sehen, daß
die Fischer fast dicht zu ihrem Kopf hinfahren, und ihnen
eins mit dem Harpun versezen.

Ach da siehts fürchterlich aus! Nichts als Eis und
Seehunde; und vermuthlich werden hinter diesen Eisfeldern
und Eisbergen dort — siehe Tafel elf, Figur ein und zwanzig — auch Walfische seyn, und nun bald auf uns loskommen.

men. Sie sollen nur kommen — Husch, sollen sie eins haben! — Sind wir also schon im Eismeer? Ja, das sind wir. Wikkelt euch recht in eure Mäntel und Pelzrökke ein, damit ihr nun nicht im Ernst Nasen und Ohren, oder Hände und Füsse verfriert. Denn von nun an wirds immer noch kälter, je weiter wir zwischen die Eisfelder kommen.

Ach, um aller Ziegen Bärte willen, was wollen alle diese Schiffe hier? Doch nicht alle Walfische fangen? O ja, es lauren alle darauf. Aber alle kriegen freilich nicht welche. Viele erwischen gar keine, und müssen froh seyn, wenn sie eine Parthie Robben für die Köpfe schlagen können. Und viele davon verunglükken leider schon, ehe sie einen Walfisch gesehen, und einen Robben gefangen haben. — Und doch werden von den drei bis vier hundert Schiffen, die alle Jahr um diese Zeit, von allerhand Nationen, im Eismeer hier herum, in einem Umkreis von dreissig bis vierzig Meilen, zusammen kommen, wenigstens achtzehn hundert bis zwei tausend Stük Walfische gefangen.

Husch, da hast du eins. Ei, wo ist der fürchterliche Fisch dort hingekommen? Unters Wasser ist er gefahren, weil er verwundet worden ist. Sahet ihr denn nicht, daß ihm dieser Mann dort einen eissernen Wiederhaken in den Naken geworffen hat? Er wird aber doch izt nicht zu uns herkommen, und sich an uns rächen wollen? Nein, das thut er nicht; er ist ja schon halb tod, und wird sogleich ganz tod gemacht werden, so bald er wieder aus dem Wasser hervorkömt — Hier ist er — sehet ihr nicht, wie sie ihn am Strik halten, und auf ihn losstechen? — siehe Tafel elf, Figur vierzehn und achtzehn. ♣

Weil

Weil wir nun das Eismeer, die fünf bis acht Ellen dikke Eisschollen, die Eisfelder und Eisberge, einen Walfisch, eine Menge Seehunde, Walrosse und weisse Bären, und selbst etwas vom Walfischfang gesehen haben, so wollen wir nun wieder nach Hausse, und einander auf unsrer Stube den ganzen Walfischfang haarklein erzählen. — Höret mir also aufmerksam zu, ich fange nun an.

Sobald man einen Walfisch sieht oder hört — denn er treibt Haus hohe Wellen vor sich her, schnaubt und stöst aus seinen Blaselöchern eine Menge Wasser mit grossem Geräusch in die Höhe, und brült zuweilen auch so entsezlich, daß man fast denken solte, es wäre ein Donnerwetter — eilen plözlich sechs Mann in einem Boot auf ihn zu, und werffen ihm einen eissernen Wiederhaken in den Leib. Ein solcher Wiederhaken heist Harpun; und der Mann, der ihn auf den Walfisch wirft, Harpunier, und die andern Schifleute halten sich auch parat, um ihren Kameraden mit den übrigen fünf oder sechs Booten sogleich, wenns nöthig ist, zu Hülffe kommen zu können.

Wie sehn denn die Harpunen aus? Es müssen gewis erstaunlich grosse Wiederhaken seyn, wenn man damit ein Haushohes Thier töden sol? Nein, das sind sie nicht. Es sind eine halbe Elle lange dreiekkichte zakkichte Eissen, die an einem Stiel stekken, und an einen fünf hundert Ellen lang, und Finger dikken Strik geknipft sind. Und warum an einen solch langen Strik? Weil der Walfisch nach empfangener Wunde, ganz wütend sehr tief unter das Wasser fährt, und oft erst in einer ziemlichen Entfernung wieder hervor kömt. Die Fischer wissen zwar wohl, wo er ohngefähr hingefahren, und wieder heraus kömt — denn er kan höchstens zwo Mi=

nuten

nuten unter dem Waſſer bleiben — und hätten alſo nicht
nöthig, ihre Harpune anzuknipffen, ſondern dürften ja nur
haſtig hinter ihm her fahren; allein es iſt doch allemal beſ=
ſer, man habe den Dieb ſchon, als daß man erſt auf ihn
laure.

Iſt er aber nicht tödlich verwundet, ſo raſt er oft
eine Stunde lang, ohne daß man ihm einen zweiten Har=
pun hatte beibringen können, herum, reißt den Harpun los,
und geht, nachdem er die armen Fiſcher lange genug vexirt,
und in Lebensgefahr geſezt hat, auf und davon. Zuweilen
ſchwimt er auch wohl unter ein Eisfeld hinunter, wohin ihm
die unglüklichen Fiſcher nicht folgen können, und müſſen alſo
nun den Strik abhakken, oder ihn loszureiſſen ſuchen. Brin=
gen ſie ihn los, ſo iſt der Verluſt gering — denn es iſt
blos der Fiſch verlohren — bringen ſie ihn aber nicht los,
und müſſen ſie ihn abhakken, ſo iſt Fiſch und Strik dahin,
und alſo der Verluſt doppelt — und ſo ein Strik koſtet
über hundert Thaler.

Iſt dagegen ſeine Wunde tödlich, ſo wirft man ihm
noch einen zweiten, und zuweilen auch noch, nach Beſchaffen=
heit der Umſtände, einen dritten Harpun in den Nakken
oder zwiſchen die Finnen, und ſticht ihn nun mit Lanzen völ=
lig tod. — Wie viel mag wohl ein Walfiſch Blut haben?
Denkt einmal, das ganze Meer, ſo weit die Fiſcher ſehen
können, wird roth von ſeinem Blut. — So bald er tod iſt,
kömt er ganz in die Höhe, und kehrt ſich um, ſo daß der
Bauch oben, und der Rükken unten iſt. Indeſſen kömt das
Schif ſo nahe herbei, als möglich iſt, und man ſchneidet
zwei Löcher durch den Spek, zieht einen Strik durch, und
knipft ihn am Schif an.

Und